Gedichte und Interpretationen 5

Gedichte und Interpretationen

Band 1 Renaissance und Barock
Band 2 Aufklärung und Sturm und Drang
Band 3 Klassik und Romantik
Band 4 Vom Biedermeier zum Bürgerlichen Realismus
Band 5 Vom Naturalismus bis zur Jahrhundertmitte
Band 6 Gegenwart

Philipp Reclam jun. Stuttgart

Gedichte und Interpretationen

Band 5

Vom Naturalismus bis zur Jahrhundertmitte

Herausgegeben von
Harald Hartung

Philipp Reclam jun. Stuttgart

Universal-Bibliothek Nr. 7894 [5]

Gesamtherstellung: Reclam, Ditzingen. Printed in Germany 1987
ISBN 3-15-007894-6

Inhalt

Harald Hartung

Einleitung

»Ein Kreuz, ein Gott: ich weiß nicht was« – diese Zeile findet sich in Walter Höllerers *Der lag besonders mühelos am Rand*, in einem Gedicht, das nicht ganz zufällig ans Ende dieser Interpretationen deutscher Lyrik *Vom Naturalismus bis zur Jahrhundertmitte* gesetzt wurde. Es ist zunächst – und stofflich gesehen – ein Gedicht, das die Materialschlachten, die Feld- und Rückzüge des Zweiten Weltkriegs zum Thema hat, der unserer Gegenwart immer noch als die entscheidende Zäsur eingeschrieben ist; ein Gedicht der Ernüchterung und Desillusionierung. Ein Gedicht freilich auch, das im Bild des hartgefrorenen Pferdeapfels, um den sich die Hand des toten Soldaten schließt, ein starkes emotionales Moment ausdrückt, das nicht mehr in positiver Begrifflichkeit oder zuverlässiger Symbolik zu fassen ist. Auch der Interpret hat – so zynisch das klingen mag – nichts Verbindliches in der Hand. Zum andern aber evoziert das »ich weiß nicht was« doch noch eine Reihe von Vorstellungen: »Als wär es Erde oder auch ein Arm / Oder ein Kreuz, ein Gott«. Und so wie diese Reihe Bilder und Gehalte zitiert, die einmal nachvollziehbar oder glaubhaft waren, so umspielt das ganze Gedicht Möglichkeiten, um nicht zu sagen Traditionen der Lyrikgeschichte und des modernen Denkens: im toten Soldaten des Zweiten Weltkriegs erinnert es Rimbauds berühmten *Le Dormeur du val* von 1870 und darüber hinaus die symbolistischen und nachsymbolistischen Bilder einer Ästhetik des Häßlichen von Baudelaire zu Benn und Heym. In dieser thematischen und poetologischen Inventur mag man auch anderes aufgehoben wissen; etwa den Widerruf des schrecklichen Satzes, der über dem Eingang zu den Schrecken unseres Jahrhunderts steht: Nietzsches »Gott ist tot«.
Daß Nietzsche am Anfang der modernen deutschen Lyrik steht (mit mehr Recht womöglich als die Wirkungen Baude-

laires oder Rimbauds), hat die Literaturwissenschaft schon früher betont (so Clemens Heselhaus). Nietzsches Begriff der Artistik verweist auf ästhetische Vorstellungen, die durch die Vermittlung Benns bis in die poetologischen Diskussionen der Nachkriegszeit fortwirkten. Kaum weniger wichtig ist Nietzsches Rückbeziehung auf Heine, mit dem er sich zu den »ersten Artisten der deutschen Sprache« rechnet – jenen Heine, dem doch gerade um die Jahrhundertwende von der George-Schule wie auch von Karl Kraus der Prozeß gemacht wurde. Nietzsche hat nun, wie Wolfram Groddeck zeigt, die moralische Problematik der Heineschen Desillusionierung und Selbstparodie aufgehoben: der Gegensatz von Lüge und Authentizität geht in einer Art zweiter Vollkommenheit auf. Das Problem von Wahrheit und Dichtung ist damit freilich nicht ein und für allemal gelöst, sondern zur Aporie zugespitzt. Nur das jeweils neue Gedicht vermag die Frage des »Nur Narr, nur Dichter« zu beantworten. Michael Hamburger, dessen wichtiges Buch über die moderne Weltlyrik im Original *The Truth of Poetry* heißt, hat aus Nietzsches Entdeckung, daß der Tod Gottes die Kunst zur »letzten metaphysischen Tätigkeit« des Menschen macht, die Konsequenz abgeleitet, »daß diese moderne Kunst wahrscheinlich letzten Endes materialistisch wird sein müssen, so vergeistigt und quasi-religiös die Impulse, die hinter ihr stehen, auch sein mögen« – eine wahrhaft erhellende Vermutung, die die bekannte Brechtsche Trennung der Lyrikentwicklung in eine »profane« und eine »pontifikale« Linie vor einem größeren und tieferen Grund erscheinen läßt. Naturalismus, Impressionismus, Symbolismus, Jugendstil – wie immer die Begrifflichkeiten auch heißen mögen – und auch die späteren Entgegensetzungen artistischer und engagierter Lyrik: all das erscheint unter diesem Aspekt als Ausfaltung einer Problematik, die von Nietzsches Denkimpulsen ausgeht.

»Sie hätte *singen* sollen, diese ›neue Seele‹ – und nicht reden!« Was Nietzsche nicht, besser, nicht *ausschließlich* tat: die Lyriker der Jahrhundertwende und des Expressionismus taten es in einer Weise, die uns immer noch fasziniert und von einer der größten Lyrikepochen unserer Geschichte sprechen läßt. Die Entwicklung vollzog sich in Schüben, für die die Stilgeschichte Begriffe parat hat. Erstaunlicher ist – um die Jahrhundertwende, aber auch später – die Gleichzeitigkeit des Heterogenen und doch, im Grunde, Verwandten. Revolution war auch das, was sich nicht revolutionär gebärdete. Aber es gab auch die Revolution nach Anspruch und Wortsinn. Arno Holz schrieb seine *Revolution der Lyrik* (1899), die »eine Jahrhunderte lange Epigonenzeit« beenden sollte. Das Neue war ihm eine Lyrik, »die auf jede Musik durch Worte als Selbstzweck verzichtet und die, rein formal, lediglich durch einen Rhythmus getragen wird, der nur noch durch das lebt, was durch ihn zum Ausdruck ringt«. Seine Vorstellung des »natürlichen« oder »notwendigen« Rhythmus hat – stärker als die Poesie seines *Phantasus* selbst – in Theorie und Praxis so verschiedener Lyriker wie Stramm oder Brecht ihre Spuren hinterlassen. Brechts Aufsatz *Über reimlose Lyrik mit unregelmäßigen Rhythmen* (1938) wurde zur Magna Charta der jungen politischen Lyriker in der Bundesrepublik, ähnlich wie Benns Marburger Rede *Probleme der Lyrik* (1951) zuvor die der Artisten und Formalisten der fünfziger Jahre gewesen war. Und noch in der Lyrik der Neuen Subjektivität meint man Relikte von Holz' Vorstellungen von Komposition und lyrischer Alltagsrede wiederzufinden.

Wenn Holz freilich in einem Brief bekannte: »Das letzte Geheimnis der [...] Phantasuskomposition besteht im wesentlichen darin, daß ich mich unaufhörlich in die heterogensten Dinge und Gestalten zerlege« – dann verweist er nicht bloß auf Persönliches, sondern auch auf die De-Kompositionstendenzen seines späteren *Phantasus*-Unternehmens und die formsprengenden Kräfte, die in Expressionismus und Dadaismus wirksam wurden. Bei Holz bereits befindet sich, stilgeschichtlich, die »Nahtstelle«, »wo der Naturalismus fast unmerklich in die bloße Eindrucksfolge übergeht« (Jost Hermand).

Von hier aus lassen sich die Strukturen der Lyrik um die Jahrhundertwende deutlicher bestimmen. Eindruckskunst, Nervenkunst, L'art pour l'art und jene »Musik durch Worte als Selbstzweck«, die Arno Holz perhorresziert hatte, das ist als Neben- und Gegenbewegung zum Naturalismus virulent. Die Ästhetisierung des Daseins mochte Abschließung und Esoterik bedeuten wie bei George, aber auch eine grenzenlose Öffnung gegen die Totalität der Daseinserfahrung wie in der Lyrik des jungen Hofmannsthal. Das Spiel der Entsprechungen – der »correspondances« im Sinne Baudelaires – konnte sich zum »Teppich des Lebens« Georges verfestigen oder aber in der Vertauschung von Gegenstand und Bild im »Tibetteppich« und »Teppichtibet« Else Lasker-Schülers die Realität in Poesie und die Liebe in Kunst überführen. Dem Machtanspruch Georges, der den Kreis der ästhetisch Mitstrebenden zum Bund verfestigen und zum Neuen Staat erweitern wollte, korrespondierte der poetische Kosmos des Einzelgängers Mombert, dessen Privatmythos nur individuell und in einem komplizierten Aneignungsprozeß erlebt werden kann. Andererseits wird aber auch der soziale Impetus des Naturalismus niemals ganz preisgegeben. So knüpft Dehmels *Arbeitsmann* an die persuasive Gemeinschaftslyrik der Arbeiterbewegung an, vermag aber die zwiespältige Position des Autors zwischen sozialistischer Idee und einem an Nietzsche geschulten Individualismus nicht zu verbergen. Problematischer noch mag man, mit Reinhold Grimm, Rilkes »beinahe schwelgerische Ästhetisierung des gesellschaftlichen Phänomens der Armut« empfinden. Aber der Rilke des *Stundenbuchs* ist nicht der ganze Rilke; und nicht das geringste Verdienst der sozialen Gedichte Rilkes und Dehmels besteht darin, daß sie die Lyrik für das soziale Motiv offenhielten.
Was ist – bei allen Differenzen – das Gemeinsame dieser Revolutionierung und Erneuerung der deutschen Lyrik um 1900? Man darf, mit Jürgen Viering, an Oskar A. H. Schmitz' hellsichtige Bemerkung im *Pan* (1897) erinnern, die Hofmannsthal und George als Verdienst zuerkennt: »Vor

allem haben sie uns von der Bekenntnislyrik befreit«. Rilkes Selbstbefreiung aus seiner geschwätzig-narzißtischen Frühphase, sein Weg zum »Sachlichen Sagen« (Hartmut Engelhardt) der *Neuen Gedichte* und schließlich seine Transzendierung des Wirklichen in Weltinnenraum und Orphik der *Elegien* und *Orpheus*-Sonette ist das Paradigma dieser Entwicklung. »Dieser Lyriker«, so heißt es in Musils *Rede zur Rilke-Feier* (1927), »hat nichts getan, als daß er das deutsche Gedicht zum erstenmal vollkommen gemacht hat« – ein Satz, den man durchaus wörtlich nehmen darf. Ein Satz auch, dessen prospektiven Aspekt Rilke-Epigonie, Rilke-Auslegungssucht und »Rilke-Finsternis« (Hans Egon Holthusen) eher bestätigen als negieren. Das Vollkommene provoziert nicht bloß intellektuellen Widerspruch, sondern auch die produktive Antwort: das Gedicht.
Der Expressionismus ist die zweite Phase der Lyrik-Revolution. Oberflächlich gesehen eine Revolte gegen einen vollkommen gewordenen Ästhetizismus, gegen den Georg Heym in seinen Tagebüchern wütete, wenn er vom »schwachen Kadaver eines Stefan George« redete und das »überschminkte Frauenzimmer Maria Rilke« verspottete. Entscheidend ist, was in der Tiefe geschieht und als Erschütterung der Grundfesten auch an der Oberfläche der Welt um 1910 spürbar wird. Eine Spät- und Endzeitstimmung ergreift eine ganze Generation; nicht mehr zartes und müdes Fin de siècle, sondern der tragische Schmerz, der in Verdüsterung, Zynismus oder Clownerie führt. Indizien sind die Bilder der Fäulnis und Verwesung bei Heym und Trakl, die zynisch-sensibilisierten Sektionseinblicke in Benns *Morgue*-Gedichten, die Wirklichkeitsirritationen in den ironisch-buffonesken Grotesken Lichtensteins und van Hoddis'. Am tiefsten erlitten wird dieses Geschehen, diese Erschütterung in den dunklen und farbentrunkenen Versen Georg Trakls. Ergreifender als die Konstatierung des Todes Gottes ist Trakls Zuwendung zum Göttlichen als dem Abgrund, »aus dem heraus das Transzendente unerreichbar bleibt und endlich in Frage steht« (Hans Esselborn).

Expressionismus ist vielerlei, ist, um die Kapitel von Pinthus' kanonischer Anthologie *Menschheitsdämmerung* (1920) zu zitieren, »Sturz und Schrei«, »Erweckung des Herzens«, »Aufruf und Empörung«, »Liebe den Menschen« – ist, im Rückblick, auch mancherlei ausufernde Rhetorik, wohlfeile Menschenfreundlichkeit, die nur noch historisch zu werten und zu lesen ist. Wo die Hoffnung auf die weltverändernde Kraft brüderlicher Liebe Sprache geworden ist, wie in manchen Gedichten Werfels oder Wolfensteins, ist das »Glück der Äußerung« auch ein Glücksfall der Lyrik. Faszinierender, frischer zumal ist expressionistische Lyrik, wo sie über Wesensausdruck und Unendlichkeitsverlangen die Sinnlichkeit nicht vergißt: die Sinnlichkeit der Sprache und das Sinnenhafte von Welt und Welterfahrung: Erfahrung, wenn man will, im wörtlichsten und zeitgemäßesten Sinne – in Benns *D-Zug* oder Stadlers *Fahrt über die Kölner Rheinbrücke bei Nacht*. Hier findet sich jene »neuere und heftigere Intensität des Welterlebens«, die erst die Durchstoßung der Wirklichkeit nachvollziehbar und glaubhaft macht. Ob Progression, ob Regression, ob das Optische oder das Musikalisch-Rauschhafte dominiert – das gelungene, das vollkommene Gedicht hält die auseinandergetretenen Sphären von Rationalität und Sinnlichkeit in einem schönen Widerspiel zusammen. Das mag bis ins Prekäre und Dubiose gehen, wie Horst Enders an Benns *Valse triste* zeigt, wo das Lyrische »zu süffig und darin leicht schwindelhaft« wirkt – aber sagt nicht der Preis, der für das Vollkommene gezahlt werden muß, ebensoviel über die Epoche aus wie das Schöne selbst?
»Aber: Expressiv – was ist nun das und was ist der Expressionismus?« Die Frage Gottfried Benns im Vorwort zu der Anthologie *Lyrik des expressionistischen Jahrzehnts* (1955) war nicht bloß rhetorisch gemeint. Die Lyrik dieses Jahrzehnts verliert auch im Rückblick nichts von ihrer faszinierenden wie irritierenden Vielgestaltigkeit. Die »Wortkunst« des Sturmkreises, vor allem diejenige August Stramms, die ja ausdrücklich an den entsprechenden Begriff bei Holz

anknüpft, erscheint uns durchaus als Brücke vom Naturalismus zur Konkreten Poesie. Der Dadaismus, oft bloß als Satyrspiel zur Menschheitstragödie des Expressionismus aufgefaßt, zeigt in der Lyrik von Arp und Schwitters nicht bloß destruktive Tendenzen. Er ist, bei ihnen wenigstens, auch Ausdruck einer schaffenden Lust, die in der Freisetzung assoziativer Sprachphantasie auf neue unerprobte Möglichkeiten von Sprache und Leben hinauswill. Wie Sprachzerstörung und -rekonstruktion zusammengehören, ist freilich erst unserer Gegenwart ganz deutlich gewesen. Historisch war die Chance des Dadaismus zu kurz und zu gering.
Doch der Begriff der Rekonstruktion mag uns weiterführen. Revolution, das war nach 1920 nicht mehr möglich; außer in dubiosen Formen und Vorstellungen. Daran ändert auch das Phantasma einer »konservativen Revolution« nichts; und selbst für die vorsichtigere Formel einer »schöpferischen Restauration«, wie sie Borchardt 1927 forderte, gab es in der Realität wenig Raum. Die Lyrik freilich durfte derlei träumen oder, besser, in Sprache und Form Gestalt annehmen lassen. Für eine Rückwendung zu Form und Tradition steht ja nicht bloß die Trias Hofmannsthal, Borchardt und Schröder, wobei ja nur die letzteren dies im Gedicht realisierten. Es gehören dazu auch jüngere Autoren wie Konrad Weiß mit seiner geistlichen Lyrik, Friedrich Georg Jünger mit antikischer Attitüde und Josef Weinheber mit seinem an Hölderlin und Michelangelo geschulten Formkult. Das Sonett war – nach seiner Blüte in Neuromantik und Jugendstil und seiner formalen Auflösung zu orphischem Gesang bei Rilke – eine Form, die durchaus konträre Geister reizte; Borchardt einerseits, aber auch Brecht, dessen Experimente mit der Tradition begreiflicherweise weniger gewürdigt wurden als seine Versuche mit unregelmäßigen Rhythmen. Man kann die Rückwendung zu Metrum und Reim durchaus auch als Charakteristikum der Versachlichung interpretieren: kein die Aufmerksamkeit bindendes sprachliches Experiment lenkt von der Botschaft des Gedichts ab. So

verstand es jedenfalls die Neue Sachlichkeit. Die auf Publikumswirksamkeit abzielende Gebrauchslyrik Tucholskys und Kästners bedient sich relativ gängiger und einfacher Formen, sie scheut weder Alltagssprache noch Journalismus, weder das Ephemere noch das Vergängliche, um ihre Botschaft an den Mann zu bringen, den Mann auf der Straße. Sehr gegenläufige Tendenzen sind es also, die sich auf eine Rekonstruktion von Sprache und Form beziehen.
Zu diesen Tendenzen gehört auch die Naturlyrik, die um 1930 in der Dresdener Zeitschrift *Die Kolonne* ihr Sammelbecken hat. Ihre großen Protagonisten Oskar Loerke und Wilhelm Lehmann freilich waren und blieben befreundete Einzelgänger. Dennoch entstand so etwas wie eine naturmagische Schule der Lyrik. Das große Thema Natur, wie es in Titeln wie Loerkes *Silberdistelwald* (1934), Lehmanns *Der grüne Gott* (1942) oder Elisabeth Langgässers *Der Laubmann und die Rose* (1947) angeschlagen ist, wird nicht mehr symbolistisch gleichnishaft oder expressiv metaphorisch behandelt, sondern in einer Art konkreter Magie, die das Verborgene der Welt zur Erscheinung bringen will. Das »alte Wagnis des Gedichts« (Loerke) wendet sich dem ältesten und ewig jungen Gegenstand der Natur zu. Wenn diese Lyrik die Phänomene der Geschichte und Gesellschaft als Naturbilder zu fassen sucht, hat das gelegentlich zu dem Mißverständnis geführt, die Naturlyrik betreibe eine Flucht »in Luch und Lanken«. Vielmehr macht das transrationale Moment die Naturlyrik (jedenfalls in ihren besten und wichtigsten Beispielen) resistent gegen die ratioide »Perfektion der Technik« (Friedrich Georg Jünger), resistent auch gegen die Verführung der Geschichte. Gegen die falsche Ordnung des Nationalsozialismus setzte Loerke das Gedicht als Exempel einer »wahren Welt«. Lehmanns Wiederherstellung des Ichs an der Natur, Brittings kraftvoller an der Antike geschulter Regionalismus, die theologische Interpretation der Natur – all das bedeutet, mit Unterschieden in Grad und Akzentuierung, eine Selbstbehauptung des Geistes und der Sprache in einer Epoche des Zwangs, der

Gewalt, der Täuschung und Selbsttäuschung. Eine Behauptung selbst in extremis, in einer »Zwischenwelt, die keinen Teil an mir hat, an der ich keinen Teil habe«, wie es in einem Brief der von den Nazis deportierten Gertrud Chodziesner heißt, die als Gertrud Kolmar die Metamorphosen ihrer Passion gestaltete.

Das Gedicht, das sich der »Besoffenheit durch Sprache« (Adorno) verweigert, mag selbst noch nicht Widerstand sein, aber es ist widerständig. Was zu einem bestimmten Zeitpunkt als Akt des poetischen Widerstands möglich war, zeigt Friedrich Georg Jüngers Elegie *Der Mohn* (1934), deren »fabelhafte Aggressivität gegen die Machthaber« Thomas Mann rühmte. Jüngers elegischer Protest liest sich heute als Neben- und Gegenstück zu Brechts großem Mahngedicht *An die Nachgeborenen* (1939), in dem sich elegische und utopische Momente vermischen. Die Fragen der Moral und der Geschichte sind durch solche Verweise allenfalls angedeutet und keineswegs beantwortet. Auch die Gedichte stehen zunächst einmal für sich selbst und ihre Verfasser und lassen sich nur in einem erweiterten Kontext den Zusammenhängen von Exilliteratur und Literatur im Dritten Reich zuordnen.

Brechts Bitte am Schluß seines großen Gedichts hat die historische Stunde ihrer Aktualisierung noch vor sich: der Moment, seiner Generation »mit Nachsicht« zu gedenken, ist noch nicht gekommen und liegt wohl in unerreichbarer Ferne. Unsere Situation läßt immerhin eines zu: Bewunderung für das, was an Kunst und Moral – auch das Machen von Kunst hat ja seine Moral – in jenen »finsteren Zeiten« möglich war. Unter diesem Aspekt scheinen sie so finster nicht mehr.

Literaturhinweise: Heinz Otto Burger / Reinhold Grimm: Evokation und Montage. Drei Beiträge zum Verständnis moderner deutscher Lyrik. Göttingen 1961. ^{2}1967. – Hugo Friedrich: Die Struktur der modernen Lyrik. Von Baudelaire bis zur Gegenwart. Hamburg 1956. Erw. Neuausg. 1968. – Reinhold Grimm (Hrsg.): Zur Lyrik-Diskussion. Darmstadt 1966. – Michael

Hamburger: Die Dialektik der modernen Lyrik. Von Baudelaire bis zur Konkreten Poesie. München 1972. – Clemens Heselhaus: Deutsche Lyrik der Moderne. Von Nietzsche bis Yvan Goll. Die Rückkehr zur Bildlichkeit der Sprache. Düsseldorf 1961. – Walter Höllerer (Hrsg.): Theorie der modernen Lyrik. Dokumente zur Poetik I. Reinbek bei Hamburg 1965. – Wolfgang Iser (Hrsg.): Immanente Ästhetik – ästhetische Reflexion. Lyrik als Paradigma der Moderne. München 1966. – William H. Rey: Poesie der Antipoesie. Moderne deutsche Lyrik. Genesis, Theorie, Struktur. Heidelberg 1978.

Friedrich Nietzsche

– Ich sage noch ein Wort für die ausgesuchtesten Ohren: was *ich* eigentlich von der Musik will. Dass sie heiter und tief ist, wie ein Nachmittag im Oktober. Dass sie eigen, ausgelassen, zärtlich, ein kleines süsses Weib von Niedertracht und Anmuth ist ... Ich werde nie zulassen, dass ein Deutscher wissen *könne*, was Musik ist. Was man deutsche Musiker nennt, die grössten voran, sind *Ausländer*, Slaven, Croaten, Italiäner, Niederländer – oder Juden; im andren Falle Deutsche der starken Rasse, *ausgestorbene* Deutsche, wie Heinrich Schütz, Bach und Händel. Ich selbst bin immer noch Pole genug, um gegen Chopin den Rest der Musik hinzugeben: ich nehme, aus drei Gründen, Wagner's Siegfried-Idyll aus, vielleicht auch Liszt, der die vornehmen Orchester-Accente vor allen Musikern voraus hat; zuletzt noch Alles, was jenseits der Alpen gewachsen ist – *diesseits* ... Ich würde Rossini nicht zu missen wissen, noch weniger *meinen* Süden in der Musik, die Musik meines Venediger maëstro Pietro Gasti. Und wenn ich jenseits der Alpen sage, sage ich eigentlich nur Venedig. Wenn ich ein andres Wort für Musik suche, so finde ich immer nur das Wort Venedig. Ich weiss keinen Unterschied zwischen Thränen und Musik zu machen, ich weiss das Glück, den *Süden* nicht ohne Schauder von Furchtsamkeit zu denken.

An der Brücke stand
jüngst ich in brauner Nacht.
Fernher kam Gesang:
goldener Tropfen quoll's
5 über die zitternde Fläche weg.
Gondeln, Lichter, Musik –
trunken schwamm's in die Dämmrung hinaus ...

Meine Seele, ein Saitenspiel,
sang sich, unsichtbar berührt,

10 heimlich ein Gondellied dazu,
zitternd vor bunter Seligkeit.
– Hörte Jemand ihr zu? ...

Abdruck nach: Friedrich Nietzsche: Sämtliche Werke. Krit. Studienausg. 15 Bde. Hrsg. von Giorgio Colli und Mazzino Montinari. München: Deutscher Taschenbuch Verlag / Berlin: de Gruyter, 1980. Bd. 6. S. 290f.
Erstdruck: Das Magazin für Litteratur. Hrsg. von R. Steiner und O. E. Hartleben. Berlin 1894.
Weiterer wichtiger Druck: Nietzsche contra Wagner. Aktenstücke eines Psychologen. Von Friedrich Nietzsche. Leipzig: C. G. Naumann, 1889. [Privatdruck. Mit Randnotizen von Franz Overbeck; heute im Besitz von Albi Rosenthal, Oxford.]

Wolfram Groddeck

»Ein andres Wort für Musik«. Zu Friedrich Nietzsches Venedig-Gedicht

Nietzsches Venedig-Gedicht, gelegentlich auch als »Gondellied« zitiert, hat keinen vom Autor stammenden Titel. Die Verse sind auch nicht, wie früher angenommen wurde, während Nietzsches letztem Venediger Aufenthalt im Herbst 1887, sondern erst im Winter 1888 in Turin entstanden (freundliche Mitteilung von Mazzino Montinari). Der Titel *Venedig* geht auf den von Nietzsche nicht autorisierten Erstdruck von 1894 zurück, in dem die Verse erstmals, als isolierter lyrischer Text, publiziert wurden. Statt dieses Titels geht dem Gedicht in der Handschrift und im einzigen autorisierten, von Nietzsche jedoch zurückgehaltenen Druck von 1889 der kurze Prosatext voran. Der Gedichttext steht hier, wie übrigens viele Gedichte Nietzsches, in funktionellem Zusammenhang mit einem diskursiven Text. Gedicht und Prosakontext sind so aufeinander bezogen, daß sie eine Sinneinheit bilden. Dafür spricht auch der Umstand, daß Nietzsche zunächst den ganzen Text für die schließlich verworfene Publikation *Nietzsche contra Wagner* bestimmte, dann aber als Abschnitt 7 im Kapitel *Warum ich so klug bin* in *Ecce homo* übernommen hat (vgl. XIV,475 f.). In beiden Schriften zeigt der Text eine aphoristische Selbständigkeit, die ihn für sich interpretierbar macht; er weist eine Struktur auf, die sich etwa mit *Unter Töchtern der Wüste* aus den *Dionysos-Dithyramben* vergleichen läßt, wo den eigentlichen Versen ebenfalls eine Prosaeinleitung vorangeht (VI,381). Daß Nietzsche diesen Text, der zuerst noch mit *Intermezzo* betitelt war, als integrale Einheit verstanden hat, belegt schließlich auch eine Briefstelle an Carl Fuchs vom 27. Dezember 1888, die sich nur auf *Intermezzo* beziehen kann: »Eine Seite [sic!] ›Musik‹ über Musik in der genannten Schrift [d. i. *Nietzsche contra Wagner*] ist vielleicht das Merkwürdigste, was ich geschrieben habe [...].« Die Isolierung des lyrischen Teils greift daher in die Sinnstruktur des Textes ein und verkürzt das Gedicht selbst um eine wesentliche inhaltliche Dimension: das Thema.

Das Thema ›Musik‹ ist eines der zentralen Probleme des Philosophen Nietzsche; es entwickelt sich von der *Geburt der Tragödie aus dem Geiste der Musik* (1872) bis zu den späten Schriften über Wagner. Der vorliegende Text von 1888 ist einer der spätesten Nietzsches und kann daher wie ein Schlußwort verstanden werden. Nietzsches Hinweis darauf im Brief an Carl Fuchs: »Eine Seite ›Musik‹ über Musik [...] ist vielleicht das Merkwürdigste, was ich geschrieben habe [...]«, ist in zweifacher Hinsicht bedeutsam. Einmal räumt er diesem Text eine Sonderstellung in Nietzsches Werk ein, zum anderen betont er den ästhetischen Charakter einer sprachlichen Mimesis, die in der Annäherung des Textes an das Thema zu »Musik« wird. Gerade diese Vertretung des Themas durch den Text selber »ist vielleicht das Merkwürdigste« daran. Die ästhetisch bewußte Schreibweise Nietzsches, die in den Schriften der letzten Jahre zunehmend von hyperbolischer Diktion geprägt ist, boykottiert eine auf inhaltliche Vermittlung fixierte Lektüre. Vom Sprachgestus kann weder abstrahiert werden, noch läßt er sich einfach wörtlich nehmen. Der Leser, will er etwas verstehen, muß sich ästhetisch rezipierend zum Text verhalten, ein »Ohr haben«, wie es Nietzsche verschiedentlich fordert, für eine »Kunst, die errathen sein will, sofern der Satz verstanden sein will« (V,189). Nietzsches als Kunst verstandene Schreibweise entwirft ein gesteigertes Assoziationsspektrum im Detail der Texte und macht im größeren Zusammenhang das Textgenre zum konstitutiven Bestandteil der Bedeutung. Ein solches Genre ist die Menippeische Satire, für die sich Nietzsche in der letzten Schaffenszeit besonders interessierte (vgl. Podach, S. 206 f.). Im Nachlaß findet sich auch ein Titelentwurf zu einem Buch: »Dionysos philosophos. / Eine / Satura Menippea. / Von / Friedrich Nietzsche« (XII,224). Ein formales Merkmal dieser satirischen Gattung ist die Mischform von Prosa und Lyrik. Die Beobachtung, daß Nietzsches ursprünglich als »Intermezzo« bezeichnete »Seite ›Musik‹ über Musik« in diesem Genre geschrieben ist, enthält eine wesentliche Voraussetzung für das Verständnis des Textes.

Der Text setzt mit der Exposition des Themas ein: »was *ich* eigentlich von der Musik will«. Der Prosateil bereitet die Antwort vor, aber erst der lyrische Teil soll sie einlösen, er ist selber das »Wort für die ausgesuchtesten Ohren«. Daß dieses Wort Lyrik, anders gesagt, Sprache als Musik ist, macht den Text als ganzen zum Wortkunstwerk, wo Prosa und Lyrik in bestimmteste Beziehung gesetzt sind, indem das Gedicht aus der Rede entspringt, sie erfüllt und zugleich durch sie erst seine Bedeutung erhält.

Der Prosateil ist in sich schon so durchkomponiert, daß er an die Grenze diskursiver Kommunikation stößt. Im Vordergrund steht das Pronomen »Ich«, das zwölfmal im Prosatext vorkommt, allein siebenmal am Anfang eines Satzes. Die beiden Wörter »Ich« – »will«, die den ersten Satz umspannen, sind für den Gestus des ganzen Abschnitts bestimmend; die dergestalt egozentrische Rede setzt Intimität mit dem redenden Ich voraus, ist voller Anspielungen und schafft den esoterischen Rahmen für das Gedicht.

Die Rede ist durch Zäsuren in drei Ansätze gegliedert. Der erste entwirft, nach dem thematisierenden Anfangssatz, in zwei durch Anaphern parallelisierten Sätzen ein grundlegendes Spannungsverhältnis: Der Vergleich »wie ein Nachmittag im Oktober« konnotiert die Heiterkeit und Ruhe des Halkyoniers, den Zustand des Philosophen, die Metapher »ein kleines süsses Weib«, die als Anspielung auf Bizets *Carmen* gelesen werden kann,[1] ist eine Imagination des Sinnlich-Erotischen in der Musik. Vielleicht mag auch noch die Dialektik des Apollinischen und Dionysischen aus der *Geburt der Tragödie* in der Polarität dieser Metaphorik nachwirken. Die Pünktchen deuten an, daß die Gleichnisse sich fortsetzen ließen, aber auch, daß sie nicht schon das angekündigte »Wort« selber sein können.

Der zweite Ansatz (»Ich werde nie zulassen . . .«) verdichtet früher einmal ausgeführte Überlegungen zur deutschen Musik in eine Reihung von Resultaten unter dem Leitgedanken: deutsche Musiker sind »ausgestorbene« oder »Ausländer«. Die Explikation aller Andeutungen und Anspielungen hätte Nietzsches Denken über Musik extensiv zu rekapitulieren, würde aber den apodiktischen Gestus der Rede ignorieren, der eigentlich gar keine Gründe mehr zuläßt, sondern auf die Pointe, daß das »jenseits der Alpen« das *»diesseits«* sei, angelegt ist. Die zweite durch Pünktchen markierte Zäsur hat wiederum die Funktion, zu verdeutlichen, daß noch nicht alles gesagt ist.

Der dritte Ansatz (»Ich würde Rossini . . .«) steigert das Redetempo durch emphatisch gereihte Sätze: »Ich würde . . .«, »Und wenn ich . . .«, »Wenn ich . . .«, »Ich weiss . . .«, »ich

1 Mit dem Lob auf Bizets *Carmen* – »die in die *Natur* zurückübersetzte Liebe« – eröffnet Nietzsche die frühere Schrift *Der Fall Wagner*. Dort findet sich auch folgende Charakterisierung der *Carmen*-Musik: »Diese Musik ist heiter [. . .] wie die gelben Nachmittage ihres Glücks uns wohlthun!« (6,15). In *Nietzsche contra Wagner* und der letztgültigen *Ecce homo*-Fassung wird Bizets Musik nicht mehr erwähnt.

weiss ...«, welche die zentrale, durch Sperrung betonte Chiffre »*meinen* Süden« umschreiben, die im letzten, ebenfalls hervorgehobenen Wort des zweiten Ansatzes »diesseits« schon vorbereitet war. Hier ist zur Formel verdichtet, was Nietzsche in den Aphorismen 254 und 255 in *Jenseits von Gut und Böse* entwickelt hat (vgl. dazu den Nachlaßtext vom September 1888, XIII,541). Der frühere Text wird zum Kommentar des späteren.[2] Um das Reizwort »Süden in der Musik« evoziert die Rede Synonyme, die ein artifizielles Wortfeld ergeben: »Venedig« – »Thränen« – »Glück« – »Schauder von Furchtsamkeit«. Im Zentrum dieses letzten Prosaabschnittes steht eine demonstrative Metonymie: »Wenn ich ein andres Wort für Musik suche, so finde ich immer nur das Wort Venedig.« Der Hinweis auf Venedig läßt sich als Verweis auf einen Ort der inneren Biographie Nietzsches lesen (vgl. Bertram und Hollinrake), »das Wort Venedig« aber wird zur Chiffre einer Utopie. Venedig bildet für den lyrischen Schlußteil die Szenerie, das Wort selbst verschwindet darin, ebenso wie das dominierende rhetorische Ich sich im Gedicht auflösen wird.
Im Übergang vom Prosateil zum lyrischen Schluß findet sich keine Zäsur: das Gedicht setzt die Rede fort.[3] Die Verse nehmen in Einzelheiten Bezug auf das Vorhergehende, »An der Brücke«, »zitternde Fläche«, besonders aber »Gondeln« und »Gondellied« verweisen auf Venedig; der vorletzten Zeile des Gedichts entspricht der letzte Satz der Rede. Der Übergang zu lyrischem Sprechen impliziert keine neue Thematik, inhaltlich fügt sich der Gedichttext in die Rede ein,

2 In dieser Relation von »Text« und »Kommentar« ließe sich vielleicht ein allgemeineres Verstehensmodell für das Verhältnis der späteren zu den früheren Schriften Nietzsches ausfindig machen. Nietzsche schreibt im Brief vom 7. April 1884 an Overbeck: »Beim Durchlesen von ›Morgenröthe‹ und ›fröhlicher Wissenschaft‹ fand ich übrigens, daß darin fast keine Zeile steht, die nicht als Einleitung, Vorbereitung u. Commentar zu genanntem Zarathustra dienen kann. Es ist eine *Thatsache*, daß ich den Commentar *vor* dem *Text* gemacht habe.«

3 Nietzsches handschriftliche Druckvorlage ist darin deutlicher als der Erstdruck und alle folgenden Drucke: sie läßt keine Leerzeile zwischen Prosa und Gedicht (vgl. das Faksimile bei Podach).

der Qualitätswechsel liegt im Ästhetischen, im Sprachlichen und weist eine Konsequenz auf, die keiner Zufälligkeit mehr Raum gibt. Die lyrische Diktion zeigt sich zunächst an der emphatischen Wortstellung »stand / jüngst ich«, die den Tonwechsel signalisiert. Im Kontrast zum rhetorischen Accellerando der Prosa wirkt das Gedicht gehalten und einfach, es ist der Fluchtpunkt, auf den die Rede zielt. Der erste Satz des Gedichts ist der kürzeste des bisherigen, der letzte der kürzeste des ganzen Textes. Auf der syntaktischen Ebene zeigt sich der Kontrast darin, daß gegenüber den komplizierten Hypotaxen im Prosateil das Gedicht einen betont parataktischen Satzbau aufweist. Der subtilste Kontrast beider Teile liegt in der Ökonomie des Wortmaterials. Abgesehen von den Artikeln »der«, »die«, »ein« kehren von den Wörtern der Prosarede nur »ich«, »mein« und »Musik« im Gedicht wieder. Das Wort »Musik«, das in der Rede siebenmal verwendet wird, findet sich nur einmal, vor dem Gedankenstrich am Schluß des sechsten Verses, in der geometrischen Mitte des Gedichts wieder. Das Wort »ich«, das zwölfmal in der Rede gebraucht wird, kommt im lyrischen Teil nur einmal, an unbetonter Stelle vor. Die subliminale Zahlenrelation 7:12, die im Prosatext wirksam ist, spiegelt sich in der Proportion der Zeilen von erster Strophe und ganzem Gedicht.
Die Notation des Gedichts in abgesetzten Zeilen läßt in den freirhythmisch wirkenden Versen eine Regelmäßigkeit sofort erkennen: jeder Vers beginnt und endet betont. Die Verteilung der Akzente ist festgelegt, nur ihre Intensität variiert. Der ebenso schwebende wie statische Eindruck des Gedichts entsteht durch die Spannung der unregelmäßigen Senkungen in den Versen zu der ungefugten Versverbindung, die eine unwillkürliche Pause zwischen den betonten Silben bedingt. Der Eindruck vertieft sich durch die rhythmische Vielfalt: Die Betonungsstruktur der ersten beiden Zeilen wird im nächsten Zeilenpaar wiederholt, die folgenden Zeilen variieren den Rhythmus, die drittletzte und die vorletzte sind metrisch gleich, die letzte entspricht der sech-

sten Zeile. Je sechs Verse sind drei- bzw. vierhebig, aufs Ganze gerechnet zeigt das Gedicht ein Gleichgewicht von Hebungen und Senkungen. Durch die versteckte Regelhaftigkeit erhält die rhythmische Struktur, ohne sich an ein vorgegebenes metrisches Schema anzulehnen, die Stringenz einer musikalischen Form. Diese Form reflektiert das, wovon das Gedicht spricht: »ein Gondellied«.

Die ersten beiden Verse evozieren Ort und Situation eines Erlebnisses. Die Formulierung »An der [!] Brücke« setzt einen bestimmten Ort[4] für das Ereignis des Gedichtes fest und deutet Einmaligkeit an; Präteritum und das Adverb »jüngst« verweisen auf den eigentlichen Ort des Geschehens: die Erinnerung. Der Verinnerlichung des Erlebens entspricht auch die expressionistisch anmutende Beschreibung »in brauner Nacht«.

Die folgende Zeile, »Fernher kam Gesang«, bringt das Gedicht in Bewegung, doch ist »Gesang« nicht das Subjekt der nächsten Verse, vielmehr wird ein unbestimmtes Es, apostrophiert in »quoll's« und »schwamm's«, zum Subjekt, das in einem gewissen Widerspruch zum »Gesang«, der »kam«, steht, denn es bewegt sich »weg«, »hinaus«. Dadurch wird das anfängliche »Fernher« zum Ausgangspunkt einer paradoxalen Bewegung, der Gleichzeitigkeit von Kommen und Entfernen, die nur scheinbar außen stattfindet, deren anonymes Subjekt aber nur eine Verwandlung eben jenes »ich« aus der zweiten Zeile sein kann, welches sich nun von sich wegbewegt, dem »Gesang« entgegen, und sich in den Sinneswahrnehmungen verliert.

Die Verben »schwimmen« und »quellen«, der adverbiale Genitiv »goldener Tropfen« und das Adverb »trunken« versinnlichen alle die elementare Wirkung des Wassers, das die Unterschiede in der Synästhesie visueller und akustischer Eindrücke auflöst: »die zitternde Fläche«. Syntaktisch

4 Vgl. den Brief an Peter Gast vom 2. Juli 1885: »Die letzte Nacht an der Rialtobrücke brachte mir noch eine Musik, die mich zu Thränen bewegte, ein unglaubliches altmodisches Adagio, wie als ob es noch gar kein Adagio vorher gegeben hätte.«

drückt sich das Geschehen als Anakoluth aus: die Wahrnehmungen »Gondeln, Lichter, Musik«, in deren Reihung man eine zunehmende Spiritualisierung der Sinneseindrücke ablesen mag (Lösel), verschmelzen in eins – »schwamm's« – und verschwinden. Die musikalische Wirkung der Verse selbst entsteht durch den an Wellenbewegung erinnernden Rhythmus, der das Gedicht gleichmäßig bewegt, und durch die klangorientierte Anordnung der Vokale und Umlaute. Die zweite Strophe – die quasi-dialogische Struktur erinnert an die realen venezianischen Gondellieder (vgl. Hollinrake) – spiegelt den Vorgang als faßbares inneres Erlebnis; die syntaktische Ordnung ist wiederhergestellt und das Subjekt klar konturiert: »Meine Seele [...] sang sich [...] ein Gondellied dazu«. Doch wird durch die Metaphorik »ein Saitenspiel [...] unsichtbar berührt« der Anlaß des »Gondellieds« nach außen verschoben, »Meine Seele« ist Instrument, Objekt und nur scheinbar, grammatisch Subjekt, das eigentliche Subjekt ist »unsichtbar«. Damit ist »Meine Seele« und ihr »Gondellied« die Wirkung einer unsichtbaren Ursache, wie in der ersten Strophe die Synästhesien Erscheinungen eines buchstäblich unsichtbaren Subjekts sind: »'s«, welches doch nichts anderes ist als das nach außen projizierte erlebende Ich. Die Intimität des seelischen Erlebnisses ist nicht von der Umgebung zu lösen; die Doppelbedeutung von »heimlich«, ›unbeobachtet‹ und ›beheimatet‹, spricht dieses besondere Verhältnis aus. Der vorletzte Vers, »zitternd vor bunter Seligkeit«, der sich auf »Gondellied«, aber auch auf »Meine Seele« beziehen läßt, revoziert die Atmosphäre der ersten Strophe, indem er, als einzige Wortwiederholung im ganzen Gedicht, den Ausdruck »zitternd« aus der fünften Zeile wiederaufnimmt. In diesem Wort behauptet sich die Identität von Innen und Außen, Physischem und Psychischem, ohne die, der Prosarede zufolge, das »Glück [...] nicht [...] zu denken« ist. In diesem Zusammenhang läßt sich auch die Metapher im vierten Vers: »goldener Tropfen quoll's«, deuten – es ist ein Bild für »Thränen«. Aber auch »zwischen Thränen und Musik« besteht, gemäß der Einleitung, »kein Unterschied«. Die Metonymien des redenden Ichs konkretisiert das lyrische Ich als Metaphern und entfaltet sie um das zentrale Wort in der Mitte des Gedichts: »Musik«.

Die letzte Zeile, mit der irritierenden Frage nach einem Zuhörer, stellt das Gedicht selbst in Frage. Der Gedankenstrich trennt sie vom übrigen Text und verdeutlicht graphisch den Sprung auf eine Reflexionsebene, welche die Einheit der lyrischen Stimmung zerbricht. Fast könnte man von einer Rückführung des Gedichts in Prosa sprechen, doch bleibt durch den Bezug von »ihr« auf »Seele« der inhaltliche Zusammenhang mit dem Gedicht gegeben, und die emphatische Satzstellung mit der dadurch bewirkten Rhythmisierung ist lyrische Diktion. Die In-Frage-Stellung des Lyrischen geschieht mit lyrischen Mitteln. Das ist formal gesehen Parodie, wie auch die Frage nach dem Zuhörer in diesem Kontext ironisierende Tendenz hat. Das parodistische Moment ist in Nietzsches Werk zu wesentlich, als daß dies subtile Signal hier zu überlesen oder als poetischer Fauxpas anzukreiden wäre.

In *Nietzsche contra Wagner* findet sich, kurz vor dem *Intermezzo*, eine Attacke gegen Bayreuth als Ort von Musiktheater und die Bemerkung: »[...] es fehlt die Einsamkeit, alles Vollkommne verträgt keine Zeugen« (VI,420). Gerade die Frage, ob »Jemand« zuhörte, bringt nun das eigene Gedicht, das die Einsamkeit als Vollkommenes darstellt, in die zweideutige Nähe zur theatralischen Veranstaltung von Musik. Das Verfahren der desillusionierenden Pointe, der lyrischen Selbstparodie erinnert an Heine, von dem Nietzsche in *Ecce homo* sagt: »Den höchsten Begriff vom Lyriker hat mir *Heinrich Heine* gegeben. Ich suche umsonst in allen Reichen der Jahrtausende nach einer gleich süssen und leidenschaftlichen Musik. Er besass jene göttliche Bosheit, ohne die ich mir das Vollkommne nicht zu denken vermag [...]. Man wird einmal sagen, dass Heine und ich bei weitem die ersten Artisten der deutschen Sprache gewesen sind« (VI,286). Die ausdrückliche Berufung auf Heines Lyrik wirft ein neues Licht auf Nietzsches eigenes Gedicht. Das Erlebnis, von dem es spricht, wird jetzt als artistische Selbstinszenierung erkennbar, die um ihre Künstlichkeit weiß. Im Bewußtsein des Sprachartisten von den ästhetisch noch möglichen Mitteln des eigenen Dichtens liegt die Verwandtschaft mit Heine, weit mehr als in Ähnlichkeiten der lyrischen Tongebung, die etwa in der Formulierung »zitternd vor bunter Seligkeit« herauszuhören wäre. Die Liebe zu Schein und Oberfläche sind Ausdruck poetischen Taktgefühls gegenüber der Authentizität eines Erlebens, das keine sprachliche Naivität mehr zuläßt.

Die Metapher »Meine Seele, ein Saitenspiel« erweist sich als bewußt verwendeter Topos romantischer Erlebnislyrik. Wie kühn für Nietzsches Denken das Wort »Seele« in diesem Gedicht ist, belegt eine präzise Parallelstelle aus *Nietzsche contra Wagner*, eine Seite vor dem *Intermezzo*: »Und so frage ich mich: was *will* eigentlich mein ganzer Leib von der Musik überhaupt? *Denn* es giebt keine Seele ...« (VI,419). Die uneigentliche, fast ironische Verwendung des Begriffs »Seele« im Gedicht bringt ihn auf die gleiche Ebene wie die Sinneswahrnehmungen: an die Oberfläche; nur hier, als poetischer Schein, ist sie möglich. Auch die suggestiv wirkende Beschreibung »in brauner Nacht«, die die spezifische Stimmung des Gedichts initiiert, ist nicht aus dem unmittelbaren Erleben geschöpft, sondern ein literarischer Topos mit langer Tradition (vgl. Viëtor), die Nietzsche vielleicht auch gekannt hat. Jedenfalls benützt er diese Formel schon zwei Jahrzehnte vor der Niederschrift dieses Gedichts in einem Brief an Erwin Rhode, Basel, 11. November 1869: »Ich will in Deiner Sprache reden. Ich las Deinen Brief: und mir war, als wachte ich plötzlich auf, und es wäre tiefe braune Nacht um mich, und ferneher klänge so ein sehnsüchtiger Laut, wie ich ihn lange nicht gehört.« Im Gedicht *Mein Glück* (1887), dem anderen Venedig-Gedicht Nietzsches, findet sich die gleiche Formel wieder, diesmal in buffoneskem Zusammenhang:

»Fort, fort, Musik! Lass erst die Schatten dunkeln / Und wachsen bis zur braunen lauen Nacht!« (III,648). In Nietzsches sprachlicher Ökonomie ist »braune Nacht« eine Formel mit eruierbarer philosophischer Bedeutung (vgl. Gilman); sie wird im Gedicht, wie die beiden Parallelbelege zeigen, mit vorgegebener poetischer Funktion eingesetzt.
Die Wirkung von Erlebnislyrik wird konstruiert im künstlerischen Wissen darum, daß, wenn es bruchlos gelänge, das Gedicht der romantisierenden Banalität verfiele. Darin liegt die ästhetische Legitimation der Schlußzeile des Gedichts und der Grund für seine poetologische Zugehörigkeit zum Prosatext, aus dem es entsteht. Das poetische Verfahren Nietzsches ist somit komplexer geworden als dasjenige Heines, das in dem Wissen um den Gegensatz von Schönheit und Wahrheit begründet ist (vgl. Stadler), einem Gegensatz, den Nietzsche weitergedacht hat (vgl. z. B. den Schluß von *Nietzsche contra Wagner*, VI,438 f.). Das Gedicht bleibt auf den philosophischen Kontext angewiesen, der allein den dichterischen Ballanceakt vor Entstellung bewahren kann. Die Qualität des lyrischen Textes verdankt sich der in Schwebe gehaltenen Spannung von innerem Erlebnis, artistischer Konstruktion und Selbstparodie. Der Indifferenzpunkt von poetischer Lüge und Authentizität bedingt den Ton des Gedichts, das diesen Gegensatz aufhebt, indem es ihn darstellt und eine Art zweiter Vollkommenheit erreicht.
Schon in der *Geburt der Tragödie aus dem Geiste der Musik*, mit der sich Nietzsche 1888 erneut beschäftigt, wird an bedeutsamer Stelle das komplexe Problem des Lyrikers und des lyrischen Zustandes erörtert. Am Schluß des fünften Kapitels finden sich die Worte: »[...] in jenem Zustande ist er, wunderbarer Weise, dem unheimlichen Bild des Mährchens gleich, das die Augen drehn und sich selber anschaun kann; jetzt ist er zugleich Subject und Object, zugleich Dichter, Schauspieler und Zuschauer« (I,48). Diese frühe Äußerung Nietzsches liest sich wie ein Kommentar zur eigentümlichen Struktur des Gedichtes, in dessen zwei Stro-

phen nicht nur die Einheit von Objekt und Subjekt demonstriert wird, sondern auch dies Zugleichsein von Dichter, Schauspieler und Zuschauer: »An der Brücke stand [...] ich« – »Meine Seele [...] sang« – »Hörte Jemand ihr zu?« Drei Seiten weiter in der gleichen Schrift wird dann vom Lyriker, dessen »Lyrik eben so abhängig ist vom Geiste der Musik als die Musik selbst«, gesagt: »[...] sein eignes Wollen, Sehnen, Stöhnen, Jauchzen ist ihm ein Gleichniss, mit dem er die Musik sich deutet. Dies ist das Phänomen des Lyrikers: als apollinischer Genius interpretirt er die Musik durch das Bild des Willens.« Diese Stelle und ihr weiterer Kontext interessieren hier nicht so sehr als Ansatz, die Schopenhauerische Kunstmetaphysik selbständig weiterzudenken, sondern vielmehr wegen der Festschreibung des Lyrikers als Musikers. Das »Wort für die ausgesuchtesten Ohren«, das der Text aus *Ecce homo* mit dem ersten Satz ankündigt, kann nur durch das Gedicht ausgesprochen werden, welches das, »was *ich* eigentlich von der Musik will [!]«, im lyrischen Gleichnis verwirklicht; es wird dadurch selbst zur »Musik« als Interpretation einer Musik, die noch nie »Jemand« gehört hat.
Eine Bemerkung, die Nietzsches Freund Overbeck neben die Verse im Erstdruck notiert hat (Overbeck, S. 7), läßt noch etwas vom Glück des Autors über das gelungene Gedicht ahnen, das noch im geistigen Zusammenbruch nachklang: »Diese Verse sang N. beständig – bald trällernd bald summend – meist eine vermeintliche Weise Peter Gast's anrufend, in der Nacht da ich ihn nach Basel transportirte (10/11 Jan. 1889). Ich wusste nicht, dass er sich selbst citirte, und staunte namenlos darüber, ihn in seinem damal. Zustande *solche* Worte vorbringen zu hören.«

Zitierte Literatur: Ernst BERTRAM: Nietzsche. Versuch einer Mythologie. Berlin [5]1921. S. 261–270. – Sander L. GILMAN: »Braune Nacht«. Friedrich Nietzsches Venetian Poems. In: Nietzsche-Studien 1 (1972) S. 247–260. – Roger HOLLINRAKE: A Note on Nietzsche's »Gondellied«. In: Nietzsche-Studien 4 (1975) S. 139–145. – F. A. G. LÖSEL: Friedrich Nietzsches ›Venice‹:

an interpretation. In: Hermathena 105 (Autumn 1967) S. 60–73. – Friedrich NIETZSCHE: Sämtliche Werke. [Siehe Textquelle. Zit. mit Band- und Seitenzahl.] – Nietzsche contra Wagner. [Siehe Textquelle. Zit. als: Overbeck.] – Erich F. PODACH: Friedrich Nietzsches Werke des Zusammenbruchs. Heidelberg 1961. – Ulrich STADLER: Literarischer Donquichottismus. Der Gegensatz von Schönheit und Wahrheit bei Heinrich Heine. In: Heine-Jahrbuch 1981. S. 9–21. – Karl VIËTOR: Die Barockformel »braune Nacht«. In: Zeitschrift für deutsche Philologie 63 (1938) S. 284–298.

Weitere Literatur: Beda ALLEMANN: Nietzsche und die Dichtung. In: Nietzsche. Werk und Wirkungen. Hrsg. von Hans Steffen. Göttingen 1974. S. 45–64. – Joachim KÖHLER: »Die fröhliche Wissenschaft«. Versuch über die sprachliche Selbstkonstitution Nietzsches. Diss. Würzburg 1977. S. 79–87.

Hugo von Hofmannsthal

Manche freilich ...

Manche freilich müssen drunten sterben,
Wo die schweren Ruder der Schiffe streifen,
Andre wohnen bei dem Steuer droben,
Kennen Vogelflug und die Länder der Sterne.

5 Manche liegen immer mit schweren Gliedern
Bei den Wurzeln des verworrenen Lebens,
Andern sind die Stühle gerichtet
Bei den Sibyllen, den Königinnen,
Und da sitzen sie wie zu Hause,
10 Leichten Hauptes und leichter Hände.

Doch ein Schatten fällt von jenen Leben
In die anderen Leben hinüber,
Und die leichten sind an die schweren
Wie an Luft und Erde gebunden:

15 Ganz vergessener Völker Müdigkeiten
Kann ich nicht abtun von meinen Lidern,
Noch weghalten von der erschrockenen Seele
Stummes Niederfallen ferner Sterne.

Viele Geschicke weben neben dem meinen,
20 Durcheinander spielt sie alle das Dasein,
Und mein Teil ist mehr als dieses Lebens
Schlanke Flamme oder schmale Leier.

Abdruck nach: Hugo von Hofmannsthal: Gedichte. Frankfurt a. M.: Insel, 1970. (Insel-Bücherei. 461.) S. 27. © Insel Verlag, Frankfurt a. M., 1970.
Erstdruck: Blätter für die Kunst. F. 3. Bd. 2 (März 1896).
Weitere wichtige Drucke: Ewiger Vorrat deutscher Poesie. Bes. von Rudolf Borchardt. München: Bremer Presse, 1926. – Hugo von Hofmannsthal: Gedichte und lyrische Dramen. Stockholm: Bermann-Fischer, 1946.

Reinhold Grimm

Bange Botschaft. Zum Verständnis von Hofmannsthals *Manche freilich ...*

Das Gedicht *Manche freilich ...*, entstanden wohl noch 1895, ist erstmals 1896 in Stefan Georges *Blättern für die Kunst* erschienen; später wurde es – unter dem beziehungsreichen, nicht etwa vom Dichter, sondern vom Herausgeber gewählten Titel *Schicksalslied* – in Rudolf Borchardts berühmte Sammlung *Ewiger Vorrat deutscher Poesie* aufgenommen. Seither begegnet es immer wieder in Sammlungen und Anthologien.

Über die ersten Jahrzehnte seiner Wirkung kann man sich bei Wolfgang Kayser, von dem auch die erste und jahrzehntelang maßgebliche Deutung stammt, unterrichten. Ich brauche weder diese noch das, was er über jene sagt, im einzelnen zu wiederholen. Die Kunstgestalt des Gedichts wird von Kayser ebenso klug wie bewundernd und meist durchaus richtig erläutert, auch wenn er den »Goetheanklang des Bildes« in der zweiten Strophe (gemeint sind natürlich die Worte »die Stühle gerichtet« [7] und das *Parzenlied* aus der *Iphigenie*) »fast« schon als etwas »störend« empfindet (Kayser, S. 316). Weniger überzeugend sind dagegen seine Bemerkungen zum Gehalt und zur Aussage. Die von Hofmannsthal vor allem zu Anfang beschworenen Gegensätze werden von Kayser verwischt, ja rundweg verdrängt; zum Schluß aber heißt es mit wahrhaft ungeheuerlichem Anspruch: »›Mein Teil ist ...‹ – das ist der Urteilssatz der Urverkündigung ›Ich bin die Auferstehung ...‹« (S. 349).

Seit Mitte der siebziger Jahre hat sich indes, wirkungsgeschichtlich gesehen, eine radikale Umwertung der Kayserschen Deutung und damit zugleich des Hofmannsthalschen Gedichts vollzogen. Was einst als »Schönheit« (Kayser, S. 316) galt, gilt nunmehr als bloße »Schöngeistigkeit« (Mennemeier, S. 187); die dichterische »Wesensverkündigung«

(Kayser, S. 349) ist zur beinahe frechen Anmaßung »des über die Wirklichkeit [...] sich erhebenden [...] Dichter-Souveräns« (Mennemeier, S. 188) geworden; und jene Gegensätze vollends seien, hören wir, ganz fraglos solche der »Entfremdung« zwischen den Menschen, ja der nackte »Klassengegensatz als geschichtlich objektiver Gegenstandsbereich« (Mennemeier, S. 187, 189). War dem Dichter vorher, in maßloser Übersteigerung, ein geradezu messianisches Tun zugeschrieben worden, so wird er jetzt verdächtigt, eine schnöde »parteiliche Tätigkeit« auszuüben, obschon »hauptsächlich wohl [eine] unbewußte« (Mennemeier, S. 187). Und auch dieser – bis auf verschwindende Ausnahmen (vgl. Spiel) allgemeine – Umschwung ließe sich anhand zahlreicher Einzelheiten (vgl. Sautermeister, Paul, Oppens) belegen.
Wenn sich die gleichsam kanonische Auffassung Kaysers als einseitig und extrem erweist, so trifft dies aber nicht minder auf die vom Chor seiner Gegner vorgetragene und ihrerseits am liebsten kanonisierte zu. Wieder einmal zeigt sich, so scheint mir, daß vor der Wahrheit des Dichterwortes jedweder Rigorismus, jede methodische oder ideologische Monomanie letztlich zum Scheitern verurteilt ist.
Einiges versteht sich ja ohnehin von selbst. Um z. B. einzusehen, welcher Art Hofmannsthals Bildlichkeit in der ersten Strophe ist, bedarf man wohl schwerlich der Briefäußerungen seines Freundes, des k. u. k. Marineleutnants Edgar Karg von Bebenburg (vgl. Paul, S. 147 ff.). Das, worauf sich des Dichters Schilderung stützt und was sie uns ins Gedächtnis rufen will, sind offensichtlich die großen Ruderschiffe der Vergangenheit, die wir als römische Triremen, als mittelalterliche und frühneuzeitliche Galeeren kennen. Und deren Welt, wenn irgendeine, trennte allerdings zwischen denen »drunten« und denen »droben« (1, 3). Diese waren die Offiziere und Büttel und wohnten »bei dem Steuer« (3): nämlich auf dem Hinterdeck, wo sich die Kapitänskajüte auf einer erhöhten Galerie befand, von der nur ein schmaler Gang ins Innere hinabführte. Jene hingegen, meistens Sträf-

linge und Kriegsgefangene, Vagabunden und Sklaven, waren die Ruderer: sie saßen angeschmiedet auf ihren Bänken, mußten, nahezu unbekleidet, schwerste körperliche Arbeit verrichten, wurden erbarmungslos geschlagen und bei völliger Erschöpfung einfach über Bord geworfen. Nicht hoch auf Deck war ihr Ort, sondern »tief im Schiffsbauch« (Benn, Bd. 3, S. 283).

Das Gedicht meint also in der Tat, frommer Verklärung (vgl. Kayser, S. 315) zum Trotz, die ›einen‹ im Gegensatz zu den ›anderen‹: jene, die drunten leiden und sich mühen, ja für die über ihnen buchstäblich »sterben« (1), und diese, die droben weilen, die frei und unbeschwert leben, ja glücklich sind oder jedenfalls die Möglichkeit dazu besitzen. Die einen sind die Unterdrückten, die anderen die Herrschenden. In diesem Sinne waltet Entfremdung, wirkt ein allgemeingesellschaftlicher oder Klassengegensatz ganz gewiß.

Umgekehrt ist aber gerade dieses »Trennende« (Mennemeier, S. 189) keineswegs alles. Besonders die Schlußzeile der Strophe weitet deren Bildlichkeit noch zusätzlich aus. Weist dabei das Gesellschaftliche in Verbindung mit der Navigation auf die Metapher vom Staatsschiff, das gelenkt werden muß, so die Seereise selbst auf die alte Schiffahrtsmetapher, den Topos von der Reise übers Meer als Gleichnis für das menschliche Leben. Und mit beidem hängt außerdem die bewußt evozierte Vorstellung vom Orakel zusammen: will sagen die Anspielung auf die römischen Auguren, die den Flug der Vögel und dadurch den Willen der Götter »kennen« (4). In doppelter Hinsicht ergibt sich ein dichterischer Überschuß, den man weder verdrängen noch übersehen darf. Hofmannsthals »Vogelflug« (4) ist sowenig ein ausschließlich konkreter, auf kreischende Möwenschwärme oder den einsamen Albatros beschränkter, wie seine »Länder der Sterne« (4), die ja sogar an nautische Karten gemahnen, rein figurative sind. Eigentliches und Uneigentliches gehen von Anfang an, nicht anders als die dargestellten Bereiche, ineinander über.

Dieser mehrfache Befund wird von der zweiten Strophe

vollauf bestätigt. Man versichert zwar heute fast einhellig, sie sei eine bloße Parallele zur ersten und wiederhole oder variiere lediglich den besagten Klassengegensatz. Aber was berechtigt denn zu einem solch einsinnigen Schluß? Ist nicht die zweite Strophe mindestens ebenso anspielungsreich wie die erste? Ja, ist sie nicht noch vielschichtiger? Daß manchen Menschen die Glieder schwer sind (5), bezieht sich freilich zunächst auf die Mühsal und Qual im Körperlichen und setzt somit das Motiv der Ausbeutung und Unterdrückung fort. Doch schon die zu »liegen« gehörige Kennzeichnung »immer« (5), erst recht aber das Bild von den »Wurzeln des verworrenen Lebens« (6) widerspricht dem entschieden. Oder besser: Hofmannsthal hat hier ebenfalls wieder die Bildlichkeit ausgeweitet und Zusätzliches in sein Gedicht eingebracht. Andere Menschen sind eben nicht oder nicht so sehr physisch unterjocht und ausgelaugt als vielmehr psychisch, durch die Last des Gedankens und das Leid des Gemüts; sie sind, wie man etwas sentimental bemerkt hat, »gezeichnet« von einer »unerklärlichen Wehmut« (Spiel, S. 110). Und in dieselbe zweifache Richtung – aufs Leibliche, Gesellschaftliche, auf Macht- und Herrschaftsverhältnisse einerseits und andererseits aufs Geistig-Seelische und dessen Widerstreit »zwischen dem Schwerblütigen und dem Leichtlebigen« (Spiel, S. 108) – deutet auch das Nebeneinander der »Sibyllen« und »Königinnen« (8), die nämlich durchaus nicht einfach Synonyme sind. Wie zur Bekräftigung solcher Komplexität sind die Gegensätze zudem übers Kreuz, also nach Art eines Chiasmus, miteinander verbunden, wobei folgerichtig dem mehr bildhaften Bereich die Leichtigkeit des »Hauptes«, dem mehr leib- oder dinghaften die der »Hände« (10) zugeordnet ist.
Bereits hier tritt so die Intention des Gedichts allmählich zutage. Vollends sichtbar wird sie, wenn man die bald mit Jubel und bald mit Mißbehagen registrierten, oft jedoch leider gänzlich ignorierten biblischen und insbesondere literarischen Bezüge untersucht, die *Manche freilich*... aufweist. Auf die vielfältigen, höchst aufschlußreichen Über-

einstimmungen und gleichwohl Unterschiede, die sich in Gottfried Benns Gedicht *Wirklichkeit* (Benn, Bd. 3, S. 283), in Bertolt Brechts *Dreigroschenfilm* (Brecht, Bd. 2, S. 497), in Goethes *West-östlichem Divan* (vgl. dessen »Und wer franzet oder britet« aus dem *Buch des Unmuts*) oder schließlich bei Zeitgenossen Hofmannsthals wie Paul Bourget finden, kann ich in diesem Rahmen freilich nicht eingehen; ich kann sie nicht einmal zur Genüge andeuten. Auch andere Zusammenhänge – etwa mit des Dichters jüdischem »Erbe« (Spiel, S. 110) – können allenfalls erwähnt, nicht aber behandelt werden. Indes sei immerhin daran erinnert, daß Hofmannsthal mit doppeltem Plural von den »Müdigkeiten« nicht eines einzigen Volkes, sondern ganzer »Völker« redet, die überdies völlig »vergessene« heißen (15); und ferner, daß dem universalen Zeitgefühl in der ersten Hälfte der vierten Strophe ein ebenso universales Raumgefühl in deren zweiter Hälfte entspricht. Die Unabsehbarkeit der irdischen Zeit und die Unendlichkeit des kosmischen Raumes sind der dichterischen »Seele« (17) gleicherweise nah und gegenwärtig. Und darin ist sowohl das eigene Volk, ja selbst das biologisch Konkrete der Vererbung (nämlich in den »Lidern« von V. 16) eingeschlossen als auch die Schicksale nicht bloß »verschwundener«, sondern sogar »ganz vergessener« Völker, die der Dichter erfühlt und erahnt (vgl. hierzu Hofmannsthal Rede *Der Dichter und diese Zeit* von 1907).

Worauf es in *Manche freilich* ... ankommt, ist diese Totalität der Daseinserfahrung und dichterischen Weltschau. Alle »Geschicke« (19), die einzelnen der Menschen wie die kollektiven der Stände und Klassen, Stämme und Völker, doch auch die Geschehnisse im weiten All, nimmt der Dichter wahr und in sich auf; allen und allem versucht er seinem »Gesetz« gemäß – wie es wiederum in jener Rede heißt – gestaltend gerecht zu werden. Gerade das Mehrdeutige, Beziehungsreiche, vielfältig Verflochtene ist daher nicht, wie man geglaubt hat, Ausdruck der Ungenauigkeit oder Schwäche, sondern der höchsten poetischen Präzision; gerade das,

worauf die zwar keineswegs unproblematische Formel vom »verworrenen« Leben (6) zielt, meint dessen eigentlich Unbeschreibliches, ja Unbegreifliches. Ebendies Verworrene aber, diese sämtlichen Fäden des unauflöslichen Gewebes, das der Dichter vor uns entfaltet, faßt die fünfte Strophe endgültig und folgerichtig zusammen. »Durcheinander spielt sie alle das Dasein« (20), heißt es nun von den »vielen Geschicken« (19) – freilich mit einer Formulierung, die erst recht nicht ohne Problematik ist. Denn daß in dieser Strophe das Zarte und Blütenhafte, das sogar ein Brecht der Lyrik zubilligte (Brecht, Bd. 19, S. 392), vollends ins Jugendstilhaft-Preziöse auszuranken beginnt, wird niemand zu leugnen wagen. Mehr als sonstwo bedient sich Hofmannsthal gegen Ende seines ›Schicksalsliedes‹ der spezifischen Kunstmittel seiner Zeit.
Verargen wird ihm das allerdings nur, wer weder historisch noch poetisch adäquat denken kann oder will. Spricht schließlich nicht jeder große Dichter die Sprache der eigenen Zeit? Doch derselbe Vorwurf des Inadäquaten trifft auch denjenigen, welcher wie Kayser in das entgegengesetzte Extrem verfällt und, vom biblischen Ton des vorletzten Verses verleitet, Hofmannsthal eine prophetische, ja messianische Verkündigungspose unterstellen möchte. Nichts nämlich liegt dem Ich ferner, das hier mit halber und gleichwohl fester Stimme bekennt:

Und mein Teil ist mehr als dieses Lebens
Schlanke Flamme oder schmale Leier. (21 f.)

Kein verkündender Gestus, sondern einer, der von Verantwortung und Verpflichtung zeugt, prägt Hofmannsthals berühmte Schlußzeilen. Sie haben, nimmt man das Biblische daran wirklich ernst, mit prophetischer, gar messianischer Absicht oder Pose herzlich wenig zu tun, hingegen sehr viel mit dem Wortlaut – obschon kaum der Haltung – des Predigers Salomo und der Psalmen. Was deren formelhaftes »mein Teil« aussagt, und zwar in der Tat in Kayserschen »Urteilssätzen«, ist ja einerseits religiöse Geborgenheit und andererseits Glück und Bescheiden in dieser Welt; im Grunde jedoch ist es beides. Zuflucht bei Gott und Zufriedenheit in der Beschränkung des irdischen Lebens verbinden sich hier miteinander. »Der HErr [...] ist mein Gut und mein Teil«; er ist »meines Herzens Trost und mein Teil«, ist »meine Zuversicht und mein Teil im Lande der Lebendigen« (Ps. 16,5; 73,26; 142,6): so lauten die entsprechenden Sätze. Oder wir lesen, es gebe für den Menschen »nichts Besseres«, als daß er »fröhlich sei in seiner Arbeit; denn das ist sein Teil. Denn wer will ihn dahin bringen, daß er sehe, was nach ihm geschehen wird?« (Pred. 3,22). Bei Hofmannsthal ruht das lyrische Ich weder geborgen in Gott noch selbstzufrieden im Umkreis seines Lebens und Schaffens; es bleibt, eher traurig als fröhlich, weder in seinen engen Bezirk gebannt noch der unmittelbaren Gegenwart verhaftet, weist indes ebensowenig mit herrischem Anspruch und priesterlicher Gebärde darüber hinaus. Vielmehr hält sich der Dichter allem, nicht zuletzt auch der Zukunft, grenzenlos und beinahe demütig offen. Dies allein ist sein »Gesetz«.

Was aber für die biblische Anspielung Hofmannsthals gilt, gilt ganz ähnlich und noch mehr für seine literarische. Beide stützen und vertiefen einander wechselseitig. Kayser zwar empfand jenen Anklang ans *Parzenlied* als Fehler; nach seinem Bedünken hätte derlei lieber »vermieden werden sollen« (Kayser, S. 316). Und dabei wäre bereits die von ihm selbst zitierte Goethesche Strophe zur Genüge geeignet gewesen, ihm die Funktion von Hofmannsthals Kryptozitat zu erläutern. Es werden eben in *Manche freilich...* nicht lediglich »Stühle gerichtet« (7), prächtig und an erhöhtem Ort; es werden auch nicht bloß, durch die Nennung der Königinnen und Sibyllen, Thronsessel und weihrauchumwölkte Dreifüße oder Herrschergewalt und geheimes Wissen evoziert. Beschworen werden zugleich – untergründig, doch mit vollem Bedacht – die bei Hofmannsthal scheinbar ausgesparten, aber darum nicht minder tätigen Mächte, die diese Erhebung bewirken. Bei Goethe heißen sie bekanntlich »die Götter«; und Iphigenie warnt vor ihnen mit aller nur wünschbaren Deutlichkeit, wenn sie düster klagt:

Der fürchte sie doppelt,
Den je sie erheben!

Der drohende Unterton, der dadurch in Hofmannsthals Anspielung mitschwingt, ist unüberhörbar. Wie konnte er Kayser entgehen? Man braucht sich dazu den Gesamtzusammenhang des Sagenstoffes, mit Schuld und Sturz und Bestrafung der ehedem so Bevorzugten, gar nicht erst ins Gedächtnis zu rufen, sowenig wie den des Goetheschen Textes. Auch Hofmannsthal ist nämlich eindeutig genug. Die auf den Stühlen droben sitzen ja »*wie* zu Hause« (9; Hervorhebung von mir): will sagen, so *als ob* sie »bei den Sibyllen, den Königinnen« (8) von Rechts wegen daheim wären. Sie sind demnach dort, mit anderen Worten, gerade nicht zu Hause oder ein für allemal sicher, sondern ständig gefährdet und bedroht oder doch der Willkür jener Mächte schutzlos ausgeliefert. Zu meinen, daß hier überhaupt jemand gänzlich »der Zeit und dem Werden [und Vergehen] enthoben« sei (Tarot, S. 219), wirkt nach alledem einfach abwegig. Nein, überall gähnen »nächtliche Tiefen«, mit Goethe zu sprechen, und jederzeit können sie auch und gerade die vormals Begünstigten verschlingen. *Manche freilich* ... enthält zwar gewiß keine »Warnung« im unmittelbar politischen oder sozialen Sinne, wie man ebenfalls erklärt hat (Cohen, S. 27); doch ein Gefühl der Wachheit und Offenheit drückt sich in Hofmannsthals Versen sehr wohl aus. Von der Bibel wie insbesondere von der *Iphigenie* her fällt der gleiche »Schatten« (11) über das *Schicksalslied*, von dem es, wie dunkel auch immer, ausdrücklich redet. Borchardt mag etwas von der bangen Botschaft, die es enthält, wenn nicht erkannt, so doch gespürt haben, als er ihm seinerzeit diesen Titel verlieh, den der Dichter selber in seiner Scheu vermieden hatte. Und Hofmannsthal hat ihn meines Wissens nie widerrufen.

Zitierte Literatur: Gottfried BENN: Gesammelte Werke. 4 Bde. Hrsg. von Dieter Wellershoff. Wiesbaden 1958–61. – Bertolt BRECHT: Gesammelte Werke. 20 Bde. Frankfurt a. M. 1967. – John M. COHEN: Poetry of this Age, 1908–1958. London 1960. – Wolfgang KAYSER: Das sprachliche Kunstwerk. Eine Einführung in die Literaturwissenschaft. 2., erg. Aufl. Bern 1951. – Franz Norbert MENNEMEIER: Gesellschaftliches beim jungen Hofmannsthal. In: Literatursoziologie. Hrsg. von Joachim Bark. Bd. 2: Beiträge zur Praxis. Stuttgart 1974. S. 181–191. – Kurt OPPENS: Hofmannsthals ›Manche freilich...‹. In: Merkur 28 (1974) S. 296–300. – Lothar PAUL: Subjektivität. Geschichtliche Logik in lyrischer Gestalt. In: Naturalismus/Ästhetizismus. Hrsg. von Christa Bürger [u. a.]. Frankfurt a. M. 1979. S. 139–161. – Gert SAUTERMEISTER: Irrationalismus um die Jahrhundertwende. Hofmannsthals ›Manche freilich müssen drunten sterben‹ und der ›Brief des Lord Chandos‹. In: Text und Kontext 7 (1979) H. 2. S. 69–87. – Hilde SPIEL: Uralte Müdigkeiten. In: Frankfurter Anthologie. Bd. 4: Gedichte und Interpretationen. Hrsg. und mit einer Nachbem. von Marcel Reich-Ranicki. Frankfurt a. M. 1979. S. 107–110. – Rolf TAROT: Hugo von Hofmannsthal. Daseinsformen und dichterische Struktur. Tübingen 1970.
Weitere Literatur: Reinhold GRIMM: Das einzige Gesetz und das bittere: Hofmannsthals ›Schicksalslied‹. In: Probleme der Moderne. Studien zur deutschen Literatur von Nietzsche bis Brecht. Festschrift zum 65. Geburtstag von Walter Sokel. Hrsg. von Benjamin Bennett, Anton Kaes, William J. Lillyman. Tübingen 1983. – Manfred HOPPE: Literatentum. Magie und Mystik im Frühwerk Hugo von Hofmannsthals. Berlin [West] 1968. – S[iegbert] S[alomon] PRAWER: German Lyric Poetry. A Critical Analysis of Selected Poems from Klopstock to Rilke. London 1952.

Gustav Falke

Zwei

Drüben du, mir deine weiße
Rose übers Wasser zeigend,
Hüben ich, dir meine dunkle
Sehnsüchtig entgegen neigend.

5 In dem breiten Strome, der uns
Scheidet, zittern unsre blassen
Schatten, die vergebens suchen,
Sich zu finden, sich zu fassen.

Und so stehn wir, unser Stammeln
10 Stirbt im Wind, im Wellenrauschen,
Und wir können nichts als unsre
Stummen Sehnsuchtswinke tauschen.

Leis, gespenstisch, zwischen unsern
Dunklen Ufern schwimmt ein wilder
15 Schwarzer Schwan, und seltsam schwanken
Unsre blassen Spiegelbilder.

Abdruck nach: Gustav Falke: Zwei. In: Pan 2 (1896) H. 4. S. 271. [Erstdruck.]
Weiterer wichtiger Druck: Gustav Falke: Neue Fahrt. Gedichte. Berlin: Schuster & Loeffler, 1897.

Jürgen Viering

Eine Pantomime der Sehnsucht. Über Gustav Falkes *Zwei*

Im Gedicht *Zwei* wendet sich ein »Ich« an ein »Du«, aber es wäre falsch, dieses Gedicht im Sinn der sogenannten Erlebnislyrik als unmittelbare Gefühlsaussprache, adressiert an ein bestimmtes, biographisch faßbares Du, zu verstehen. Dergleichen gibt es in dem vielfach noch an den Mustern der Vergangenheit orientierten lyrischen Werk Falkes durchaus; hier aber beweist Falke, daß er doch nicht ganz zu Unrecht sich selbst zu jenen ›Modernen‹ des ausgehenden 19. Jahrhunderts zählt (vgl. seine Autobiographie *Die Stadt mit den goldenen Türmen*, S. 386), die u. a. der Tradition der Erlebnislyrik eine entschiedene Absage erteilen. »[. . .] die Lyrik ist mehr als ein in Verse gebrachtes ›Bekenntnis einer schönen Seele‹«, »das persönliche – sei es inneres oder äußeres – Erlebnis muß vollständig aufgehen in der Form«, so erklärt programmatisch Oskar A. H. Schmitz 1897 in einem Beitrag eben jener Zeitschrift *Pan* (S. 32 f.), in der 1896 Falkes Gedicht (in dem den gegenwärtigen »Bestrebungen« von »Kunst und Litteratur« von Hamburg, Falkes Wohnort, gewidmeten Heft) erstmals veröffentlicht worden war. Als das Verdienst Georges und Hofmannsthals wird herausgestellt: »Vor allem haben sie uns von der Bekenntnislyrik befreit« (S. 33). Ebenfalls in dieser Zeitschrift findet sich 1898 eine Besprechung der Gedichte Georges von Karl Wolfskehl, in der »Bekenntnisse«, »Seelenbeichten« in Gedichten als »ärmlicher Subjektivismus«, als etwas »nur Augenblickliches« abgelehnt werden. Gerühmt wird an den Gedichten Georges, daß in ihnen »wenige Umrisse« »ein Stück Leben« »wesentlich« »herausheben«. Durch mehrfache »Läuterung« wird aus einem Erlebnis alles »Störende« ausgeschieden, bis es ein »Bild« geworden ist, »das für sich selber bestehend der Seele entgleitet«: »formgewordener

Seelenausdruck«. »Nur im Bilde, nur in einer Spiegelung wird das Erlebnis Seelenbesitz« (S. 232 f.).
Eben ein solches »Bild« bietet Falkes Gedicht *Zwei*. Das Ich bezieht sich, obgleich es im Präsens spricht, keineswegs auf eine gegenwärtige Situation, sondern auf ein von ihm imaginiertes Bild, und dieses Bild entfernt sich so weit von jeder Wirklichkeit, daß es nur den Effekt der Lächerlichkeit hätte, wollte man anfangen, sich die im Gedicht beschriebene Situation als eine tatsächlich erlebte vorzustellen. Von dem konkreten Moment des Erlebens wird hier vollständig abgesehen, geboten wird statt dessen ein Bild, das seine Künstlichkeit nicht verbirgt, sondern gerade zeigt. Diese Verfremdung ins ganz und gar Künstliche kommt zustande durch eine auf keine Wirklichkeit Rücksicht nehmende Stilisierung. In symmetrischer Anordnung werden das »Ich« und das »Du« einander gegenübergestellt, beide mit einer Rose in der Hand, wobei jedoch eine ganz starre Symmetrie durch leichte Abwandlungen auch wieder vermieden ist: die eine Rose ist eine »weiße« (1), die andere eine »dunkle« (3); die eine wird »gezeigt« (2), die andere (der werbenden Haltung des Mannes entsprechend) »entgegen geneigt« (4). Das »Ich« und das »Du« werden so in einer von einem bestimmten künstlerischen Formwillen diktierten Pose vorgeführt.
Die durch solche Stilisierung erzielte Entfernung von der Wirklichkeit wird gleichsam potenziert, wenn nun in der zweiten Strophe das in der ersten vergegenwärtigte Bild noch einmal als ›Spiegelbild‹ geboten wird. War in der ersten Strophe durch das »Drüben«/»Hüben« (2/4) noch eine räumliche Vorstellung möglich, obgleich auch hier schon das »Ich« und das »Du« dem Leser kaum als plastische Gestalten vor Augen traten, so ist mit dieser ›Spiegelung‹ nun vollends die Dimension der Räumlichkeit verlorengegangen. Die Figuren des »Ich« und des »Du« sind zu »blassen / Schatten« (6 f.) geworden, so daß nur mehr ihre Umrisse wahrgenommen werden. Hineingebannt in die Fläche des spiegelnden Wassers, sind sie gleichsam Bestandteile eines Ornaments. Die schon in der extremen Stilisierung der

ersten Strophe angelegte Tendenz zur Entgegenständlichung kommt so an ihr Ziel. Insgesamt ist ein höchst kunstvoll komponiertes, eher flächig angelegtes Bild mit raffinierten Entsprechungsverhältnissen (zwischen den Figuren des »Ich« und des »Du«, zwischen Bild und Spiegelbild) entstanden, das an ein Werk der bildenden Kunst, etwa einen Wandteppich, denken läßt.

Mit der dritten Strophe wird der Blick zurückgelenkt auf das Gegenüber der beiden Gestalten, wie schon die erste Strophe es bot. Wenn hier nun dem »Ich« und dem »Du« ›Tätigkeiten‹ zugeschrieben werden, so sind diese doch so schwach (das gleiche gilt von den Tätigkeiten der »blassen / Schatten« in der zweiten Strophe), daß durch sie die bildliche Vorstellung keineswegs aufgehoben wird. Die Strophe variiert lediglich die schon in der ersten Strophe gegebene Situation und bestätigt damit den statischen Charakter des Gedichts.

An diesem statischen Charakter ändert auch nichts, daß mit der letzten Strophe (die den Blick in genauer Entsprechung zur zweiten wieder auf das Wasser lenkt) ein neues Element eingeführt wird. Der »wilde / schwarze Schwan«, der zwischen den Ufern »schwimmt« (14 f.), bringt in Wahrheit nicht Bewegung in das Gedicht, sondern fügt sich wirkungsvoll als zusätzliches dekoratives Element in das vorhandene Bild ein.

Eine die Wirklichkeit negierende Stilisierung, Flächigkeit, Reduzierung der Gegenstände und Figuren auf ihren Umriß und daraus sich ergebende Linearität, parallele Formwiederholungen bei Vermeidung einer starren Symmetrie, die Tendenz zum Ornamentalen, die Verwendung des schon stereotyp gewordenen Schwan-Motivs: dies alles ist kennzeichnend für Jugendstilmalerei (vgl. Schmalenbach, Hofstätter), und in der Tat läßt sich Falkes Gedicht begreifen als Beschreibung eines Jugendstilbildes. Auch in seiner äußeren Form sind Analogien zum Jugendstil in der bildenden Kunst zu erkennen: Das überaus häufige Enjambement läßt an die verschlungene Linienführung in Zeichnungen und Orna-

menten des Jugendstils denken; hier wie dort wird eine tektonische Gliederung nicht wirklich aufgehoben, aber verunklärt, woraus sich eine eigentümliche Spannung ergibt.
Das so durch das Gedicht vermittelte Bild hat nun allerdings nicht nur eine dekorative Funktion. Es ist offensichtlich, daß die einzelnen Bildelemente etwas bedeuten. Diese Bedeutung begrifflich zu bestimmen widerspricht gewiß der Intention des Gedichts, das gerade der Suggestionskraft seiner Bilder vertraut; gleichwohl läßt sich (allerdings um den Preis der Trivialisierung) sagen, daß die beiden Rosen für die Seelen der Liebenden stehen, daß der »breite Strom« (5) eine Schicksalsmacht symbolisiert, die die Liebenden trennt, daß der »schwarze Schwan«, der »gespenstisch« zwischen den Ufern schwimmt (13–15), offenbar ein Hinweis auf den Bereich des Todes ist. Wenn er die »blassen Spiegelbilder« »seltsam schwanken« (15 f.) läßt, so ist dieses Schwanken offenbar ein Erschauern der Liebenden unter dem Anhauch des Todes. Ungleich wichtiger aber, als der Bedeutung solcher einzelnen Bilder nachzuspüren, ist, zu erfassen, daß das Gedicht als ganzes, eben indem es ein im Sinne des Jugendstils ›schönes‹ Bild bietet, zugleich doch, in den Begriffen der Zeit gesprochen, der ›Seele‹ etwas sagt. Die von dem konkreten Erleben wegführende Stilisierung, die Verfremdung ins Künstliche stehen offenbar im Dienst gerade dieser Aufgabe. Gerade dadurch, daß (in der Formulierung Karl Wolfskehls) ein »Stück Leben« isoliert und dann auch noch auf »wenige Umrisse« reduziert wird, daß aus dem tatsächlichen »Erlebnis« in einem Vorgang der »Läuterung« alles »Störende« ausgeschieden wird, bis es ganz »Bild« geworden ist, wird das Gedicht reiner »Seelenausdruck« (und damit Auslöser eines entsprechenden Seelenerlebnisses beim Leser). Wenn Falkes Gedicht das »Ich« und das »Du« in einer Pose vorführt, dann ist diese Pose ein (im Sinne Karl Wolfskehls) auf »wenige Umrisse« reduziertes »Stück Leben« und eben damit weit eher als die Beschreibung wirklichen Erlebens geeignet, etwas Seelischem Ausdruck zu verschaffen. Demselben Zweck dient, daß das

»Ich« und das »Du« hier nicht als komplexe Personen mit verschiedenen inneren und äußeren Eigenschaften, dementsprechend auch nicht als Individuen dargestellt sind: Gerade die Entpersönlichung (bis hin zur Verwandlung in Bestandteile eines Ornaments) und der Verlust der Individualität sind die Bedingungen dafür, daß das »Ich« und das »Du« als reine Verkörperungen eines einzigen großen und allgemeinen Gefühls fungieren können. Das »Ich« und das »Du« sind nichts anderes als die Träger dieses einzigen, sie vollständig ausfüllenden und ihre Individualität aufzehrenden Gefühls: der Sehnsucht. Dieses Gefühl aber wird dem Leser vermittelt nicht durch das, was die Figuren sagen (9 f.: ihr »Stammeln / stirbt im Wind«), sondern durch ihre Gebärden (12: »stumme Sehnsuchtswinke«). Das »Ich« und das »Du« fungieren als Darsteller einer Pantomime, und es ist eben dies, was sie entpersönlicht und ihre Individualität auslöscht. Das ganze Gedicht ist in diesem Sinne nichts anderes als die Beschreibung einer Pantomime der Sehnsucht. Von dieser Pantomime gilt, was Hofmannsthal in seinem Aufsatz *Über die Pantomime* (1911) sagt: daß »die Seele« in ihr sich »in besonderer Weise« »der inneren Fülle« »entlädt«. »Gedrängter, und bedeutender als die Sprache es vermöchte«, verschafft sie Gefühlen Ausdruck, die »zu groß und zu allgemein« sind, »um in Worte gefaßt zu werden« (S. 50, 46).

Im Begriff der Pantomime schließt sich so beides zusammen: daß das Gedicht die Vorstellung eines extrem stilisierten Bildes vermittelt und daß diese bildliche Vorstellung Bedeutung hat für die Seele. Das Bilderlebnis ist zugleich ein Seelenerlebnis. Eben dies gilt vom Jugendstil allgemein. Der Jugendstil mit seiner Tendenz zum Ornamentalen ist eine »dekorative« Kunst, zugleich aber auch eine »Seelenkunst« (Lothar, S. 922). Dies läßt sich, wie über den Jugendstil in der darstellenden Kunst, so erst recht über den literarischen Jugendstil sagen. Daß Leben, wie es im Gedicht *Zwei* geschieht, überführt wird in ein stilisiertes Bild, entspricht einer Grundtendenz des literarischen Jugendstils, die sich nicht nur in der Lyrik (wo die Gattung dieser Tendenz entgegenkommt), sondern auch in der Prosa (bei Hofmannsthal, Heinrich und Thomas Mann, am reinsten wohl in Beer-Hofmanns *Der Tod Georgs*) beobachten läßt. Immer aber haben diese literarisch vergegenwärtigten Bilder den Charakter der Pantomime und damit seelische Bedeutung. Ein besonderer Augenblick wird isoliert und damit gleichsam aus dem Zeitfluß herausgehoben, und dieser Augenblick ist erfüllt mit bebender Empfindung.

Dem entspricht es, daß der für die Beschreibung von Falkes *Zwei* verwendete Begriff der »Gebärde« ein »Grundwort des Jugendstils« (Klotz, S. 362) ist. Wenn das Tun reduziert wird auf Gebärden, dann heißt das, daß Verzicht geleistet wird darauf, die Wirklichkeit handelnd zu verändern. Solche Inaktivität ist kennzeichnend für dieses Gedicht. Sie ist, wie generell in lyrischen Texten des Jugendstils, so auch hier ablesbar an dem »Aktivitätsschwund der Verben« (Klotz, S. 363). Die Bewegungen, die ausgeführt werden, bewirken nichts, sie haben nur Ausdrucksfunktion. Wenn das »Ich« und das »Du« »sich zu finden, sich zu fassen« »suchen« (7 f.), dann wird dieser Versuch von vornherein und für immer als »vergebens« (7) eingeschätzt. Aus dem Schmerz des Getrenntseins erwächst so auch gar nicht der Wille zur Überwindung des Getrenntseins; das »Ich« und das »Du« verharren in ihrem Schmerz. Die Sehnsuchtsgebärde wird festgehalten, ohne sich jemals in der Umarmung lösen zu dürfen, die Sehnsucht damit als eine Grundbefindlichkeit gleichsam »verewigt« (Mattenklott, S. 299).

Die Sehnsucht erhält so den eigentümlichen Charakter des »Schmachtens«, dieses »Schmachten« aber ist geradezu ein »zeitgenössisches Ritual« (Mattenklott, S. 298). Das gilt nicht nur von der Sehnsucht der Liebenden. Leo Berg hat einmal allgemein über die Zeit der Jahrhundertwende gesagt: »Unsere Zeit ist eine große Zeit der Sehnsucht« (S. 359). Diese Sehnsucht bleibt, wie die im Gedicht, ohne Erfüllung. Das Aushalten dieser Sehnsuchtsspannung bedeutet gewiß Schmerz, aber man gewinnt den Eindruck, daß das Ich

gerade in dieser Spannung sich auch selber genießt. Ihre Auflösung ist gar nicht das wirklich Erstrebte. Dies ist es, was den ›sentimentalen‹ Charakter des Jugendstils wie des Falke-Gedichts ausmacht.
›Sehnsucht‹ ist ein Begriff, der auch im frühen Expressionismus, bei Stadler, noch eine wichtige Rolle spielt. Anders jedoch als in Falkes Gedicht und überhaupt im Jugendstil wird hier Sehnsucht umgesetzt in dynamische Bewegung (vgl. die Interpretation von Stadlers *Fahrt über die Kölner Rheinbrücke bei Nacht*). Die autistische Grundeinstellung, die Voraussetzung ist für das sentimentale »Schmachten«, ist damit aufgesprengt. Bei Falke selbst gibt es nur ganz schwache Zeichen, die in diese Richtung weisen. Wenn er den Gedichtband, in den er das Gedicht *Zwei* nach der Erstveröffentlichung in der dem Jugendstil verpflichteten Zeitschrift *Pan* aufgenommen hat, *Neue Fahrt* nennt, dann verweist dieser Titel auf das vorletzte Gedicht der Sammlung, das sich zunächst liest wie eine Absage an die in dem unmittelbar vorangehenden Gedicht dargestellte »Insel«-Welt des Jugendstils. Aber die Absage leitet nur über zu dem Vorsatz: »So will ich neue Inseln suchen [. . .].« Der für den expressionistischen ›Aufbruch‹ kennzeichnende Wille, sich der Wirklichkeit zu stellen, ist Falke noch ganz fremd.
Er hat sich zur Wirklichkeitsferne seiner Lyrik auch offen bekannt. Veranlassung dazu bietet ihm in seiner Autobiographie *Die Stadt mit den goldenen Türmen* (1912) die Auseinandersetzung mit Person und Werk des mit ihm befreundeten Liliencron. In gewisser Weise bewundert er es, wie von Liliencron auf gemeinsamen Spaziergängen »alles [. . .] sprunghaft, mit ein paar kurzen Worten wie mit dem Blitzlicht aufgefangen« wird und wie sich daraus dann auch Gedichte ergeben. Aber so ist sein eigenes Verfahren bei der Gedichtproduktion gerade nicht. »So etwas mußte bei mir aus einem gewissen Traumzustand geboren werden, der mich selten vor den Dingen selbst überfiel« (S. 372, 377). Sein anderes Verfahren entspringt, wie einem anderen Wirk-

lichkeitsverhältnis, so auch einem anderen Stilwillen. Über den »Impressionisten« Liliencron kann Falke daher auch kritisch bemerken: »[...] vieles bei ihm [...] rundet sich nicht zu einem fertigen Kunstwerk, zu einem vollen Gedicht; dieses aber war mir ein Bedürfnis« (S. 429).
Der Wirklichkeit das »fertige Kunstwerk« entgegenzustellen, dies entspricht dem Programm der gegennaturalistischen ›Moderne‹ (den ›Impressionismus‹ sollte man mit Hermann Bahr als eine Spätphase des Naturalismus verstehen). Wenn Falke in dem Gedicht *Totenwacht* (*Neue Fahrt*, S. 128) über einen Freund (mit nicht ganz überzeugendem Pathos) sagt: »Du, dessen Seele fest am Schönen hing, / Mit Künstlerträumen stolz und abseits ging«, so greift er damit die Leitbegriffe dieser ›Moderne‹, zu denen sie sich in Ablehnung des naturalistischen Leitbegriffs der ›Wahrheit‹ bekannte, auf: ›Schönheit‹ und ›Traum‹ (vgl. Hermann Bahr). Tatsächlich freilich bleibt Falkes eigenes lyrisches Werk, wie er selbst auch durchaus eingesteht, dem Impressionismus Liliencrons in vielem verpflichtet, wie sich denn auch Anleihen bei einer ganzen Reihe älterer Autoren: Mörike, Eichendorff, Keller, Geibel, nachweisen lassen. Es macht die Qualität des Gedichts *Zwei* aus, daß es hier Falke gelungen ist, das Stilgesetz des Jugendstils einmal ganz rein zu erfüllen.

Zitierte Literatur: Leo Berg: Die Romantik der Moderne. In: L. B.: Zwischen zwei Jahrhunderten. Gesammelte Essays. Frankfurt a. M. 1896. S. 359–368. – Gustav Falke: Neue Fahrt. [Siehe Textquelle.] – Gustav Falke: Die Stadt mit den goldenen Türmen. Die Geschichte meines Lebens. Berlin 1912. – Hugo von Hofmannsthal: Über die Pantomime (1911). In: H. v. H.: Gesammelte Werke in Einzelausgaben. Prosa III. Hrsg. von Herbert Steiner. Frankfurt a. M. 1964. S. 46–50. – Hans H. Hofstätter: Geschichte der europäischen Jugendstilmalerei. Ein Entwurf. Köln [3]1969. – Volker Klotz: Jugendstil in der Lyrik. In: Jugendstil. Hrsg. von Jost Hermand. Darmstadt 1971. S. 358–375. – Rudolph Lothar: Von der Secession (1898). In: Das Junge Wien. Österreichische Literatur- und Kunstkritik 1887–1902. Hrsg. von Gotthart Wunberg. Tübingen 1976. Bd. 2. S. 921–924. – Gert Mattenklott: Bilderdienst. Ästhetische Opposition bei Beardsley und George. München 1970. S. 243–305. – Fritz Schmalenbach: Die Frage einer Jugendstilmalerei. In: Jugendstil. Hrsg. von Jost Hermand. Darmstadt 1971. S. 315–332. – Oskar A. H. Schmitz:

Ueber Dichtung. In: Pan 3 (1897) H. 1. S. 31–33. – Karl Wolfskehl: Stefan George. Zum Erscheinen der oeffentlichen Ausgabe seiner Werke. In: Pan 4 (1898) H. 4. S. 231–235.

Weitere Literatur: Rüdiger Campe: Ästhetische Utopie – Jugendstil in lyrischen Verfahrensweisen der Jahrhundertwende. In: Sprachkunst 9 (1978) S. 59–87. – Karl Oppen: Gustav Falke zum Gedächtnis. In: Euphorion 47 (1953) S. 68–78.

Richard Dehmel

Der Arbeitsmann

Wir haben ein Bett, wir haben ein Kind,
mein Weib!
Wir haben auch Arbeit, und gar zu zweit,
und haben die Sonne und Regen und Wind.
5 Und uns fehlt nur eine Kleinigkeit,
um so frei zu sein, wie die Vögel sind:
Nur Zeit.

Wenn wir Sonntags durch die Felder gehn,
mein Kind,
10 und über den Ähren weit und breit
das blaue Schwalbenvolk blitzen sehn,
oh, dann fehlt uns nicht das bißchen Kleid,
um so schön zu sein, wie die Vögel sind:
Nur Zeit.

15 Nur Zeit! wir wittern Gewitterwind,
wir Volk.
Nur eine kleine Ewigkeit;
uns fehlt ja nichts, mein Weib, mein Kind,
als all das, was durch uns gedeiht,
20 um so kühn zu sein, wie die Vögel sind.
Nur Zeit!

Abdruck nach: Richard Dehmel: Gesammelte Werke. 3 Bde. Berlin: S. Fischer, 1920. Bd. 1. S. 159.
Erstdrucke: Simplicissimus 1. Nr. 38 (19. 12. 1896). – Weib und Welt. Gedichte von Richard Dehmel. Berlin: Schuster & Loeffler, 1896.
Weitere wichtige Drucke: Richard Dehmel: Gesammelte Werke. 10 Bde. Berlin: S. Fischer 1906–09. Bd. 2: Aber die Liebe. 1907. – Richard Dehmel: Dichtungen. Briefe. Dokumente. Hrsg. von Paul Joh. Schindler. Hamburg: Hoffmann und Campe, 1963.

Jürgen Viering

Ein Arbeiterlied? Über Richard Dehmels *Der Arbeitsmann*

»Der ›Arbeitsmann‹ ist mir nicht einfach genug aufgefaßt; zu convulsivisch«, so bemerkt Dehmel in einem Brief 1902 über »Straußens Composition« seines Gedichts (*Briefe* I, S. 405). Die Äußerung gibt zu erkennen, was Dehmels eigene Intention bei diesem Gedicht war: angestrebt ist die Einfachheit, Schlichtheit, Konzentration, die er selbst am Volkslied schätzte (*Briefe* II, S. 392) und mit der er auch das »ungebildete Publicum«, das ihm jedenfalls »lieber« war als das »*ver*bildete« (*Briefe* I, S. 233), zu erreichen hoffte. Es war überhaupt sein Ehrgeiz, mit seiner Kunst, auch wo sie sich nicht ›volkstümlich‹ gab, »ins Volk zu dringen« (*Briefe* I, S. 210); jedenfalls mit der kleinen Gruppe seiner »sozialen Gedichte« (*Briefe* I, S. 59) – neben *Der Arbeitsmann* sind die bekanntesten das *Maifeierlied* und das *Erntelied* (I, 161 f., 163) – ist ihm dies bei seinen Zeitgenossen auch wirklich gelungen.

Das Gedicht *Der Arbeitsmann* wird 1896 in der Zeitschrift *Simplicissimus* im Rahmen eines Preisausschreibens als »das beste sangbare Lied aus dem deutschen Volksleben« preisgekrönt und veröffentlicht. Populär wird das Gedicht u. a. dadurch, daß es in der Vertonung von Hannes Ruch in das Programm des 1901 von Mitarbeitern des *Simplicissimus* mitbegründeten Münchner Kabaretts »Die Elf Scharfrichter« aufgenommen wird, jenes Kabaretts, das als das bedeutendste seiner Zeit gelten kann, bedeutend auch deshalb, weil es sehr viel entschiedener als etwa Wolzogens »Überbrettl« in Berlin (das ebenfalls Gedichte von Dehmel in seinem Programm hatte) eine sozialkritische Tendenz verfolgte (s. Budzinski und Hösch). War das Publikum des *Simplicissimus* wie des Kabaretts »Die Elf Scharfrichter« eher das liberale Bürgertum, so hat Dehmel mit seinen

sozialen Gedichten doch auch wirklich den Arbeiter erreicht. Es gibt Berichte darüber, daß Dehmel selbst diese Gedichte (zusammen mit anderen) vor Arbeiterversammlungen »in Berlin, Leipzig und vielen anderen großen Städten« vorgetragen hat (Petersson, S. 779; vgl. Fröhlich, S. 306 f.); es ist von Versammlungen mit »mehr als tausend Arbeitern« die Rede (E. Ludwig, S. 22) und davon, daß Dehmel gerade seine sozialen Gedichte immer wieder abverlangt worden sind. Ein Teilnehmer einer solchen Versammlung berichtet über die Aufnahme des von Dehmel vorgetragenen Gedichts *Der Arbeitsmann* durch die Arbeiter so: »[. . .] the poem is no longer his; they tear it from him, they seize it, it is theirs and they carry it in their hearts like a flag which he has unfurled for them« (Hans Trausil in: *The Freeman*, 1920, zit. nach Land, S. 32). Ähnlich emphatisch äußert sich Ludwig Lessen in seinem Artikel *Richard Dehmel und die deutschen Arbeiter*, der 1920 anläßlich des Todes von Richard Dehmel in der sozialdemokratischen Wochenschrift *Die Neue Zeit* erscheint. »Selten« habe »ein Dichter so tief und so fest in den breiten Schichten des Volkes gewurzelt« wie Dehmel. Das »in weiten Kreisen bekanntgewordene Gedicht vom ›Arbeitsmann‹« sei »in Rhythmus und Wortwahl [. . .] dem Verständnis des Ungeübtesten angepaßt«. »Es ist kein Volkslied und wirkt doch wie ein solches [. . .]. So hatte bisher noch kein Dichter zum Volke gesprochen. Und die Massen horchten auf, als sie aus Dehmels Munde ihre eigene Sprache hörten, als das in Worte und Rhythmen gekleidet an ihr Ohr drang, was sie bisher nur schwer und dumpf im eigenen Blute brausen gehört hatten« (S. 510, 514 f.).
Es besteht gewiß Anlaß, solchen Äußerungen heute mit Skepsis zu begegnen, aber als Zeugnisse für die Rezeption, die Dehmels soziale Gedichte und unter ihnen gerade auch das Gedicht *Der Arbeitsmann* faktisch bei den Arbeitern gefunden haben, behalten sie dessenungeachtet ihre Geltung. Dehmels soziale Gedichte sind in der Tat, wie Lessen formuliert, »nicht nur bescheiden blühende Buchlyrik«

geblieben, sie »wanderten« »durch die gesamte sozialdemokratische Presse« (S. 514). Sein *Maifeierlied* ist eigens für den Maifeiertag verfaßt und erstmals im Berliner *Vorwärts* veröffentlicht worden. Nach Lessen haben »die Arbeiter« auch Dehmels »Lieder, soweit sie vertont waren« – *Der Arbeitsmann* ist bis heute, auch dies ein Zeugnis für die Popularität des Gedichts, »von rund einem Dutzend Komponisten vertont worden« (Auskunft von Rolf Burmeister, Dehmel-Archiv, Hamburg) –, »viel und gerne auf ihren Festlichkeiten« gesungen (S. 510). Dehmels soziale Gedichte haben damit eine Verbreitungsform gefunden, wie sie für die frühe Arbeiterlyrik charakteristisch ist, deren »Träger« ja (anders als bei der »bürgerlichen« Lyrik) »nicht das Buch, sondern die sozialdemokratische Zeitung, nicht die meditative Lektüre im stillen Kämmerlein, sondern die öffentliche Rezitation und der gemeinsame Gesang« waren (Stieg/Witte, S. 24; vgl. M. H. Ludwig, S. 16). Dem entspricht, daß einzelne Gedichte Dehmels dann auch in Anthologien der Arbeiterlyrik aufgenommen worden sind wie die von Franz Diederich herausgegebene *Von unten auf*, die 1911 im Verlag Vorwärts erschien (M. H. Ludwig, S. 17).
Die zeitgenössische Rezeption der Gedichte Dehmels in den Kreisen der Arbeiterbewegung war allerdings nicht nur eine zustimmende, schon früh melden sich auch kritische Stimmen. In einem Beitrag *Richard Dehmel*, der am 20. November 1908 im Feuilleton der *Neuen Zeit* erscheint, wendet sich Paul Fröhlich mit großer Entschiedenheit dagegen, bei Dehmel »sozialistische Denkweise oder doch ein Sympathisieren mit der Arbeiterbewegung finden« zu wollen. Er räumt ein, daß Dehmel »einzelne Arbeiterlieder gedichtet« habe, und anerkennt auch, daß sie (er bezieht sich u. a. ausdrücklich auf das Gedicht *Der Arbeitsmann*) »in einem einfachen hehren Stile geschrieben« seien. Aber: »Außer dieser Einfachheit haben die Arbeiterlieder Dehmels nur wenige Vorzüge. Die Anschauungen in ihnen sind durchaus unklar und unbestimmt.« Das Gedicht *Der Arbeitsmann* weise zwar »Anklänge an sozialistisches Denken« auf, »aber

auch nur Anklänge« (S. 305 f.). Entscheidend sei, »wie sich Dehmel zum Klassenkampf des Proletariats stellt«. Im Blick auf das Gesamtwerk Dehmels, wie es damals vorlag, kommt er schließlich zu dem Urteil: »Dehmel ist ein Dichter der modernen Bourgeoisie, einer genießenden, keiner kämpfenden Klasse« (S. 307).
Interessant ist die Reaktion, die dieser Artikel auslöst. In der Nummer vom 19. Februar 1909 bringt die Redaktion der *Neuen Zeit* eine kritische Erwiderung von Karl Petersson *Richard Dehmel noch einmal* zum Abdruck und bemerkt dazu: »Der Artikel des Genossen Fröhlich hat uns eine ganze Anzahl Entgegnungen aus Parteikreisen eingetragen, die alle abzudrucken mindestens ein oder zwei Hefte beanspruchen würde. Wir müssen uns deshalb daran genügen lassen, die eingehendste wiederzugeben, die im wesentlichen zusammenfaßt, was die anderen auch enthalten« (S. 784). Peterssons Artikel gibt zu erkennen, daß die Kennzeichnung Dehmels als eines »Dichters der modernen Bourgeoisie« beim Verfasser eine starke emotionale Bewegung ausgelöst hat: »Darum fällt es mir hier besonders schwer, dem Genossen Fröhlich gegenüber die Ruhe zu wahren, die ich mir bei Abfassung der Antwort auf seine Angriffe gegen Dehmel zu wahren vorgenommen« (S. 783). Der Artikel gibt der Überzeugung Ausdruck, die sich auf eine Analyse einzelner Gedichte (auch hier wird neben anderen Gedichten *Der Arbeitsmann* eigens angeführt, S. 779) sowie die »eigene Kenntnis« der Person Dehmels stützt, daß Dehmel »das arbeitende Volk« »liebt«, »es versteht in seinem Ringen, mit ihm fühlt« (S. 784). Als »schaffender Künstler« könne sich Dehmel »nicht von irgendeiner Parteischablone einengen lassen«, aber die »Bourgeoisie« sei ihm, der den »Wert des Menschen« nach seiner »Kraft« »zur Entwicklung der Menschheit« einschätze, geradezu »zuwider«. Das *Maifeierlied* wird als Zeugnis dafür angeführt, »ein wie unendlich großes Vertrauen« Dehmel »zu der Macht der Arbeiter« habe, und die Umarbeitung dieses Liedes dient als Beleg, daß Dehmel bestrebt ist, gerade anders als Fröhlich meint,

dem »Kampfescharakter der Sozialdemokratie« (an anderer Stelle: dem »Kampfcharakter des Proletariats«) Rechnung zu tragen (S. 782). Dies aber ist nun, wie die Anmerkung der Redaktion zeigt, keineswegs nur die Meinung eines einzelnen. Es ist für die Redaktion selbst eine »Überraschung«, daß eine Einschätzung Dehmels, der sie ausdrücklich zustimmt, »in Parteikreisen« einen so massiven Widerspruch erfährt. Offenbar gab es bei nicht wenigen Mitgliedern der Person Dehmels gegenüber geradezu so etwas wie ein Dankbarkeitsgefühl. Man war sich klar darüber, daß man ihn nicht auf das eigene Parteiprogramm verpflichten konnte, aber sah in ihm doch einen Parteigänger der eigenen Sache und reagierte sehr empfindlich, wenn dies nun angezweifelt wurde.

Dehmels Gedicht *Der Arbeitsmann* ist vor dem Hintergrund dieser Auseinandersetzungen (für die die angeführten Texte nur Beispiele sind) zu sehen, es ist zu prüfen, ob das Gedicht selbst Anhaltspunkte bietet, welche die Auffassung der einen oder der anderen Seite bestätigen.

Das Gedicht ist ein Rollengedicht. Der Verfasser spricht nicht im eigenen Namen, sondern aus der Perspektive des »Arbeitsmanns«. Es darf vorausgesetzt werden, daß er mit dem »Arbeitsmann« solidarisch empfindet, zugleich aber ist doch auch die Distanz deutlich, die ihn selbst von ihm trennt. So gewiß Dehmel seinen Ehrgeiz darein gesetzt hat, mit seiner Kunst »ins Volk zu dringen«, er hat sich doch selbst nicht als Teil des Volkes begriffen, sondern durchaus als »complicirtes Individuum«, dessen Bedürfnisse sich von denen des »Volkes« erheblich unterscheiden (*Briefe* I, S. 409). Das bedeutet auch, daß die Einfachheit der Diktion, die schon von den Zeitgenossen als kennzeichnend für das Gedicht hervorgehoben wird, eine angenommene ist. Durchaus zu Recht weist bereits Fröhlich darauf hin, daß diese Einfachheit der Sprache außer in den sozialen Gedichten »sonst kaum« bei Dehmel zu finden sei. Die kleine Gruppe der sozialen Gedichte nimmt in der Tat wie in thematischer Hinsicht, so auch in Hinsicht auf den Sprachstil eine Sonderstellung in dem umfangreichen lyrischen Werk Richard Dehmels ein, das insgesamt eher einer spezifischen Fin-de-siècle-Problematik in den Formen des Jugendstils Ausdruck verschafft.

Es ist nicht abwegig, bei solcher »Einfachheit« an das Muster des Volkslieds zu denken. Darauf verweist auch der Refrain wie überhaupt die Technik der Wiederholung, von der in den drei Strophen so ausgiebig Gebrauch gemacht wird. Aber schon der Satzbau (die parallelen Um-zu-Konstruktionen in allen drei Strophen) ist anders, als im Volklied gewohnt. Auch Versmaß und Strophenform sind durchaus nicht die des Volksliedes: die jeweils zwei Zeilen mit nur zwei Silben und zwei Hebungen, die, weil sie gleichsam den vierhebigen Zeilen das Gleichgewicht halten müssen, besonders stark betont sind, nehmen dem Gedicht die Gleichförmigkeit und Glätte geläufiger Volksliedstrophen, der Rhythmus des ganzen Gedichts ist ein durchaus individueller (es ließe sich hier eine Verknüpfung herstellen zu der Propagierung der »natürlichen Rhythmen« in Arno Holz' *Revolution der Lyrik*, 1899). Auf das Besondere dieses Rhythmus weisen schon die Zeitgenossen hin: »im Rhythmus kocht es« (Kühl, S. 55), als »schweres, dunkles Brausen schwingt er durch die Zeilen: drohend, aufpeitschend, Unruhe gebärend« (Lessen, S. 515).

Solche Kennzeichnungen des Rhythmus sind nun freilich bereits bestimmt durch die inhaltliche Aussage der letzten Strophe des Gedichts, die sich in auffallender Weise von der Aussage der beiden ersten Strophen unterscheidet. Was in diesen beiden ersten Strophen der »Arbeitsmann« zuerst seinem »Weib«, dann seinem »Kind« zu sagen hat, ist offenbar Ausdruck einer Haltung der Selbstbescheidung. Daß »Mann« und »Weib« nicht arbeitslos sind, ist schon Grund zur Zufriedenheit. Für mangelnden Besitz, außer dem Allernötigsten (»ein Bett«), bietet offenbar die Natur, die für alle da ist, Ersatz: »Sonne«, »Regen und Wind« (4), das »blaue Schwalbenvolk« »über den Ähren« (10 f.); auf ein Mehr kann man verzichten: »das bißchen Kleid« (12). Dieser »Arbeitsmann« gibt offenbar die Bereitschaft zu erkennen, sich mit den gegebenen Verhältnissen abzufinden und sich in ihnen einzurichten, es fehlt ihm nur eins: »Nur Zeit«. »Von dem Verlangen des Proletariers nach gleicher Möglichkeit im Genießen und Handeln durch die Abschaffung des Systems der Besitzer und Besitzlosen ist nicht [...] die Rede«, so bemerkt kritisch schon 1928 Harry Slochower (S. 121) im Blick auf die erste Strophe. Und in der gleichen kritischen Absicht wird die zweite Strophe in einer neueren Arbeit so kommentiert: »In dieser Familienidylle sind die politischen und sozialen Probleme reduziert auf die Sehnsucht nach individueller Freizeit. Das Arbeiter-Wir, das hier zu sprechen vorgibt, ist nicht das der Klasse, sondern der Kleinfamilie, die in der Natur nicht mehr eine allgemeine Erlösungsperspektive sieht, sondern eine reale Erfüllung. Man hört den Wandervogel im Proleten zwitschern« (Stieg/Witte, S. 32). Es wird damit gerade der Unterschied zwischen der in Dehmels Gedicht begegnenden Haltung und der Haltung, die sich in der frühen Arbeiterlyrik artikuliert, herausgearbeitet. Gestützt auf die beiden ersten Strophen von Dehmels Gedicht, wird man einer solchen Deutung kaum etwas entgegensetzen können. Allenfalls ist darauf hinzuweisen, daß die Forderung nach dem Acht-Stunden-Tag immerhin eine wesentliche Forderung der Arbeiterbewegung im 19. Jahrhundert war und ihre schließliche Durchsetzung ein wirklicher Erfolg (vgl. Lessen, S. 514). Hinter dem Wunsch des »Arbeitsmanns« nach »Zeit« steht eine Anklage, die in Dehmels *Maifeierlied* so formuliert ist: »heut hat man ohne Kampf / keine Stunde zur Freude frei« (I,162). »Zeit« zu haben, das ist für den »Arbeitsmann« in Wahrheit nicht »nur eine Kleinigkeit« (5), es ist gleichbedeutend mit der Aufhebung der Selbstentfremdung durch den Zwang zur Lohnarbeit, der Ermöglichung des eigentlichen Lebens, für das in diesen beiden Strophen »die Vögel« das dichterische Bild sind: »frei« (6) und »schön« (13).

Gleichwohl: in der Beschränkung des eigentlichen Lebens auf die der Arbeit abgewonnene freie Zeit sind diese beiden durchaus parallel angelegten Strophen alles andere als ›revolutionär‹. Mit der dritten Strophe jedoch erfolgt nun eine entscheidende Wende, und es ist auch eben diese Strophe, auf die man sich bezogen hat, wenn man Dehmels *Der Arbeitsmann* nun doch als ein Gedicht der Arbeiterbewegung oder gar als ein Revolutionsgedicht verstanden hat. Wenn hier der Refrain vom Schluß der beiden ersten Strophen gleich zu Beginn aufgegriffen wird, dann ist dieses »Nur Zeit!« nun nicht mehr die auf den Doppelpunkt folgende Angabe dessen, was »fehlt«, sondern ein für sich stehender Ausruf (s. das Satzzeichen), der auch als solcher am Ende der Strophe noch einmal begegnet und der nun einen ganz anderen Sinn hat als die wörtlich gleiche Formulierung in den beiden ersten Strophen. »Nur Zeit!«, das ist jetzt der drohende Hinweis darauf, daß sich mit gesetzlicher Notwendigkeit die bestehenden Verhältnisse, wenn auch nicht in naher Zukunft (17: »Nur eine kleine Ewigkeit«), verändern werden. Der »Gewitterwind«, den das Volk »wittert« (15), ist der Sturm der Revolution, der auch gemeint ist in Dehmels *Erntelied*, wenn es dort heißt: »Es hält die Nacht den Sturm im Schooß« und »Es fegt der Sturm die Felder rein, / es wird kein Mensch mehr Hunger schrein« (I,163).

Eine zweite wichtige Veränderung gegenüber den beiden ersten Strophen besteht darin, daß an die Stelle der Anrede »mein Weib«, »mein Kind« jetzt eine nähere Bestimmung des in der ersten Zeile genannten »wir« getreten ist: »wir Volk« (die Anrede ist jetzt zusammengefaßt in die vierte Zeile gerückt). Das aber heißt: das Wir, das hier spricht, ist nicht mehr das Wir der ›Kleinfamilie‹, sondern nun eben doch jenes solidarische und seiner Zukunft gewisse Arbeiter-Wir, wie es in der Arbeiterlyrik begegnet. Man hat dies angezweifelt mit dem Hinweis darauf, daß hier ja eben nicht von der Arbeiterklasse, sondern allgemein von dem »Volk« die Rede sei (s. schon Slochower, S. 122), aber »Volk« kann »im engeren Sinne« bei Dehmel durchaus gleichbedeutend sein mit »vierter Stand«, »ökonomischer Proletarier« (*Briefe*

I, S. 59), und es ist im weiteren Sinn bei ihm jedenfalls Gegenbegriff zu »Bourgeois«, »zu deutsch Fettbürger«, »d. i. die wirklich entartende Menschenklasse unserer Zeit« (Vorrede zu *Lebensblätter*, S. 21). Gewiß ist mit diesem »wir Volk« nicht ein Klassenbewußtsein im Sinne von Marx artikuliert, aber es ist daran zu erinnern, daß für Lassalle die Arbeiterbewegung mehr als eine »bloße Klassenbewegung«, nämlich »eine allgemeine demokratische *Volks*bewegung« war (Conze, S. 233; Hervorhebung von mir) und daß für die sozialdemokratische Arbeiterbewegung das »Wort Arbeiter« »durchaus keinen exklusiven Charakter« hatte (Conze, S. 234), worin gerade das Selbstbewußtsein und der über die Klassengrenzen hinausreichende Anspruch der »Arbeiter« zum Ausdruck kam.

Die Veränderung der dritten Strophe gegenüber den beiden ersten wird schließlich deutlich daran, daß auch die Formulierung »uns fehlt ja nichts« (18), mit der die nahezu gleichlautenden Formulierungen der ersten und zweiten Strophe wiederaufgenommen werden, nun einen anderen Sinn erhält. Konnten die entsprechenden Formulierungen in der ersten und zweiten Strophe als Ausdruck einer Haltung der Selbstbescheidung verstanden werden, so ist diese Haltung nun geradezu in ihr Gegenteil verkehrt. Indem nämlich nun das, was fehlt, nicht als »eine Kleinigkeit« (5) oder ein »bißchen« (12) bezeichnet wird, sondern umfassend als »all das, was durch uns gedeiht« (19), wird die Floskel der Selbstbescheidung »uns fehlt ja nichts« zu einer schreienden Anklage: was dem »Volk« »fehlt«, worum es betrogen ist, ist all das, was es selbst überhaupt erst hervorgebracht hat. Diese Ausbeutung aber wird ihr Ende finden, und es wird dann ein Leben möglich sein, für das auch in dieser Strophe wieder »die Vögel« das dichterische Bild abgeben.

Wenn zur Kennzeichnung der neuen Qualität dieses Lebens nun das Adjektiv »kühn« (20) verwendet wird, so kommt dadurch in das Gedicht allerdings eine leichte logische Unstimmigkeit. Daß das »Volk« »kühn« ist, ist ja eher die Voraussetzung für den Erfolg seines Kampfes um die Beseitigung der Ausbeutung als eine Eigenschaft, die es erst nach dem Erfolg dieses Kampfes erlangt. In dem erhaltenen Manuskript des Gedichts (Dehmel-Archiv) wie auch in den beiden Drucken von 1896, der Veröffentlichung im *Simplicissimus* und der Buchveröffentlichung von *Weib und Welt*, steht denn auch an dieser Stelle nicht »kühn«, sondern »froh«. Wenn Dehmel bei einer Überarbeitung des Gedichts, die dem Abdruck in Band 2 der *Gesammelten Werke* (1906–09) vorausgegangen sein muß und die für alle folgenden Drucke maßgeblich geblieben ist, das »froh« in »kühn« abändert, dann ist die Tendenz dieser Umarbeitung (einmal abgesehen davon, daß Dehmel die Abfolge von »frei«, »schön«, »froh« in den drei Strophen – bei aller »Einfachheit« des Gedichts – doch schon als trivial empfunden haben mag) offenbar dieselbe, die bereits Petersson bei seinem Vergleich der beiden Fassungen des *Maifeierlieds* herausgestellt hat: Auch hier beabsichtigt Dehmel, dem »Kampfcharakter des Proletariats« deutlicher Rechnung zu tragen, wobei er die auftretende leichte Unstimmigkeit entweder nicht bemerkt oder als unwesentlich angesehen hat.

Auch diese spätere Umarbeitung bestätigt damit die Absicht Dehmels, mit der letzten Strophe seines Gedichts nun doch eine revolutionäre Perspektive zu eröffnen. Auf die letzte Strophe hin aber ist das ganze Gedicht angelegt. Es weist im Verhältnis der beiden ersten Strophen zur dritten eine Steigerung auf, die zustande kommt gerade dadurch, daß Dehmel in diesem sehr streng durchkonstruierten Gedicht in allen drei Strophen mit sich wiederholenden Elementen arbeitet, in der dritten Strophe aber die schon bekannten Elemente in einer Weise variiert, die die Aussage der beiden ersten Strophen verändert. Die Haltung der Selbstbescheidung ist in der dritten Strophe überführt in eine grundlegend andere, und rückwirkend von dieser dritten Strophe her erscheint nun auch die Haltung der Selbstbescheidung als eine, in der unterschwellig bereits der Protest und die Anklage der letzten Strophe enthalten sind.

Eine solche Interpretation steht durchaus im Einklang mit dem Selbstverständnis Dehmels, wie es sich brieflichen Äußerungen entnehmen läßt. Angesprochen auf seine sozialen Gedichte, erklärt er in dem wichtigen Brief vom 29. September 1891 an Georg Ebers, daß er »in dem Kampf des vierten Standes für die eigene bessere Zukunft« eine »treibende Kraft« seiner »Zeit« sehe, die »jeder Gewissenhafte« »unterstützen sollte« (*Briefe* I, S. 61), und er bringt seine eigene Parteinahme auf die Formel: »[. . .] in die Seele dieser Leute hinein begreife ich ihr sozialistisches Ideal und billige es« (*Briefe* I, S. 60). Aber eben die Formel, die Ausdruck entschiedener Parteinahme ist, gibt zugleich doch auch wieder die Distanz zu erkennen, die Dehmel von »diesen Leuten« trennt. Er vermag sich in den »Proletarier« einzufühlen – und das Rollengedicht *Der Arbeitsmann* ist nichts anderes als das Ergebnis einer solchen Einfühlung –, zugleich aber ist deutlich, daß er selbst zu »diesen Leuten« nicht gehört, daß ihr Denken nicht das seine ist. Eben das zeigt auch der Kontext der zitierten Formulierungen. Die Arbeiterbewegung ist eine »treibende Kraft« der »Zeit«, aber: »nicht die höchste« (S. 61), und das »sozialistische Ideal« wird zugleich doch auch ein »materialistisches Dogma« genannt (S. 60). Von denen, die auf dieses Dogma fixiert sind, kann Dehmel als von den »geistig Armen« (S. 61) sprechen, die gar nicht wissen, wonach es sie in Wahrheit verlangt. Er zitiert eine Stelle aus seinem Gedicht *Bergpsalm*, wo die Rede ist von der »Millionenstimme«, »die gell nach Brot vor *Seelen*hunger schreit« (S. 60, Hervorhebung von Dehmel). Der »sociale Zukunftsglaube« ist für Dehmel, wie es in einem anderen Brief aus derselben Zeit heißt, »doch nur ein Mittel, das uns« »einem idealen Zustand nähern soll«, dem Zustand nämlich des »absolut vollendeten Individuums« (*Briefe* I, S. 75). Damit gehört Dehmel zu dem Kreis jener Literaten des ausgehenden 19. Jahrhunderts, die gemeint haben, sozialistische Ideen mit einem ausgeprägten, oft an Nietzsche orientierten Individualismus verbinden zu können (s. den Friedrichshagener Kreis, zu dem auch Dehmel Verbindung hatte). Im Vorwort zu *Lebensblätter* (1895) vertritt Dehmel die Auffassung, »Nietzsche und Lassalle, Herrenmoral und Emanzipation der Masse« seien »garnicht so feindliche Geschwister, wie es auf den ersten Hinblick aussieht«, bildeten vielmehr eine »antipolare Einheit« (S. 21 f.).

Dehmels Gedicht *Der Arbeitsmann* setzt solche Gedankengänge voraus, wenngleich es nicht leicht ist, dies am Text selbst nachzuweisen. Man mag Spuren individualistischen Denkens in den beiden ersten Strophen entdecken und auch anzweifeln, daß die Sprache dieser beiden Strophen wirklich die »eigene Sprache« der »Massen« ist, wie dies Lessen 1920 (immerhin aus der Perspektive des sozialdemokratischen Redakteurs) meinte feststellen zu können. Im übrigen aber ist es Dehmel doch offenbar gelungen, dem Denken und Empfinden des »Proletariers« mit seinem Gedicht so nahe zu kommen, daß die Aufnahme des Gedichts als eines Arbeiterlieds bei zeitgenössischen Arbeitern begreiflich wird. Die Distanz, die ihn gleichwohl von dem »Proletarier« trennt, kommt eindeutig eigentlich nur an einer einzigen Stelle des Gedichts zum Ausdruck: im Titel. Gewiß kann der Begriff ›Arbeitsmann‹ zur Zeit der Abfassung des Gedichts noch nicht in gleicher Weise wie heute als veraltet gelten, aber daß Dehmel diesen Begriff, nicht den Begriff ›Arbeiter‹ wählt, ist doch überaus bezeichnend. Seit der Gründung des »Allgemeinen Deutschen Arbeitervereins« durch Lassalle 1863 kann der Begriff »Arbeiterbewegung« »als bekannt und gegeben überall vorausgesetzt« werden und ist der Begriff »Arbeiter« »als sozialer Begriff im politischen Kampf klar fixiert« (Conze, S. 231). In ihm artikuliert sich das Selbstbewußtsein des »Arbeiterstandes«. Wenn Dehmel für den Titel seines Gedichts den Begriff »Arbeitsmann« wählt, dann kommt darin eindeutig die ›bürgerliche‹ Perspektive zum Ausdruck: der Kampfbegriff »Arbeiter« wird vermieden zugunsten eines ›neutralen‹ Begriffs, der in Wahrheit doch eine Haltung der Herablassung zu erkennen gibt (vgl. Dehmels Sprachgebrauch in *Briefe* II, S. 448: »dieser brave Arbeitsmann«). Es ergibt sich so eine Diskrepanz zwischen der Rollensprache des Gedichts und der Rollenbezeichnung des Titels, eben diese Diskrepanz aber ist es, die die Problematik des ganzen Gedichts ausmacht, auch wo sie sich nicht so offen, wie im Verhältnis von Gedichttext und Titel, zu erkennen gibt. Die Auseinandersetzungen innerhalb der Arbeiterbewegung um Dehmels soziale Gedichte haben ihre Entsprechung in der Zwiespältigkeit dieser Gedichte selbst wie ihres Verfassers.

Zitierte Literatur: Klaus BUDZINSKI: Die Muse mit der scharfen Zunge. Vom Cabaret zum Kabarett. München 1961. – Werner CONZE: Artikel »Arbeiter«. In: Geschichtliche Grundbegriffe. Historisches Lexikon zur politisch-sozialen Sprache in Deutschland. Hrsg. von Otto Brunner, Werner Conze, Reinhart Koselleck. Stuttgart 1972. – Richard DEHMEL: Gesammelte Werke. 3 Bde. [Siehe Textquelle. Zit. mit Band- und Seitenzahl.] – Richard DEHMEL: Ausgewählte Briefe aus den Jahren 1883 bis 1902. Berlin 1922. [Zit. als: Briefe I.) – Richard DEHMEL: Ausgewählte Briefe aus den Jahren 1902 bis 1920. Berlin 1923. (Zit. als: Briefe II.) – Richard DEHMEL: Lebensblätter. Gedichte und Anderes. Berlin 1895. – Paul FRÖHLICH: Richard Dehmel. In: Die Neue Zeit 27 (20. 11. 1908) S. 302–307. – Rudolf HÖSCH: Kabarett von gestern nach zeitgenössischen Berichten, Kritiken, Erinnerungen. Bd. 1: 1900–1933. Berlin [West] 1969. – Gustav KÜHL: Richard Dehmel. Berlin/Leipzig [1906]. – Wayland D. LAND: The Social Note in Dehmel's Poetry. In: The Germanic Review 11 (1936) S. 30–39. – Ludwig LESSEN: Richard Dehmel und die deutschen Arbeiter. In: Die Neue Zeit 38 (17. 2. 1920) S. 510–516. – Emil LUDWIG: Richard Dehmel. Berlin 1913. – Martin H. LUDWIG: Arbeiterliteratur in Deutschland. Stuttgart 1976. – Karl PETERSSON: Richard Dehmel noch einmal. In: Die Neue Zeit 27 (19. 2. 1909) S. 778–784. – Harry SLOCHOWER: Richard Dehmel. Der Mensch und der Denker. Dresden 1928. – Gerald STIEG / Bernd WITTE: Abriß einer Geschichte der deutschen Arbeiterliteratur. Stuttgart 1973.
Weitere Literatur: Julius BAB: Arbeiterdichtung. Berlin [1924]. S. 36 f. – Julius BAB: Richard Dehmel. Die Geschichte eines Lebens-Werkes. Leipzig 1926. – Kurt KUNZE: Der Zusammenhang der Dehmelschen Kunst mit den geschichtlichen Strebungen der jüngsten Vergangenheit. Leipzig 1913. – Samuel LUBLINSKI: Die Bilanz der Moderne. Berlin 1904. S. 358–363.

Stefan George

Gemahnt dich noch das schöne bildnis dessen
Der nach den schluchten-rosen kühn gehascht·
Der über seiner jagd den tag vergessen·
Der von der dolden vollem seim genascht?

Der nach dem parke sich zur ruhe wandte·
Trieb ihn ein flügelschillern allzuweit·
Der sinnend sass an jenes weihers kante
Und lauschte in die tiefe heimlichkeit . .

Und von der Insel moosgekrönter steine
Verliess der schwan das spiel des wasserfalls
Und legte in die kinderhand die feine
Die schmeichelnde den schlanken hals.

Es lacht in dem steigenden jahr dir
Der duft aus dem garten noch leis.
Flicht in dem flatternden haar dir
Eppich und ehrenpreis.

Die wehende saat ist wie gold noch·
Vielleicht nicht so hoch mehr und reich·
Rosen begrüssen dich hold noch·
Ward auch ihr glanz etwas bleich.

Verschweigen wir was uns verwehrt ist·
Geloben wir glücklich zu sein·
Wenn auch nicht mehr uns beschert ist
Als noch ein rundgang zu zwein.

Abdruck nach: Stefan George: Werke. Ausg. in 2 Bdn. Düsseldorf/München: Küpper, 1958. ^{3}1976. Bd. 1. S. 133, 153. © Klett-Cotta, Stuttgart.

Erstdruck: Blätter für die Kunst. F. 3. Bd. 4 (August 1896). F. 3. Bd. 1 (Januar 1896).
Weiterer wichtiger Druck: Stefan George: Gesamt-Ausgabe der Werke. Endgültige Fassung. 18 Bde. Berlin: Bondi, 1927–34. Bd. 4.

Ralph-Rainer Wuthenow

Zur Lyrik Stefan Georges: Zwei Gedichte aus dem *Jahr der Seele*

I

Stefan George, der moderne Artist, der Dichter und Verkünder eines kühlen, durchdachten und raffinierten Kunstevangeliums, der Gestalter der reinen, klaren und starren Kunstlandschaften des *Algabal* im Medium einer vollkommen durchgearbeiteten und von allem Überflüssigen befreiten, gereinigten Sprache, der sehr genau erkannt hatte, was die ›Moderne‹ ist, was sie, seit Charles Baudelaire, bedeutet, hält zugleich doch am altertümlich-feierlichen Bilde des Sehers, des Lehrers und des Meisters, ja des Führers, fest. Er, der als Ästhet, als Dichter der europäischen Dekadenz nach Nietzsche und als Dandy begonnen hatte, erhob sich zum Richter und Künder und verwahrte sich nicht gegen die Legendenbildung seines ›Kreises‹, der wissen ließ, Stefan George habe Nietzsche nicht allein aufgenommen, sondern fortgeführt und sogar überboten.
Die ersten Gedichte Georges, deren eigentliche, schon historisch gewordene Wirkung wir heute schon gar nicht mehr nachvollziehen können – die *Hymnen*, die *Pilgerfahrten* und der *Algabal* –, entstehen zugleich mit der Reihe sorgsam ausgewählter Übertragungen aus den *Fleurs du mal* von Charles Baudelaire. Doch läßt sich auch schon die Einwirkung Mallarmés feststellen, in dessen Zirkel der junge George in Paris durch Freunde eingeführt worden war. Die

Festigkeit, die Genauigkeit, die Herbheit, ja die Sprödigkeit und der gewählte Wohlklang der Verse waren nicht ohne Gewaltsamkeit gegenüber der Sprache erreicht worden, durch die er allerdings reinigend und neu wirken konnte verglichen mit den Lyrikern seiner Zeit: Geibel wie Bodenstedt oder Flaischlen, ja sogar noch neben oder gegen Theodor Storm oder Richard Dehmel. George hatte seine französische Lektion, die doch auch eine der deutschen Frühromantik war, nur zu gut gelernt.
Aber die Selbststilisierung, die Stefan George sich gestattete, war doch anders als die Baudelaires, und allein in der Gestalt des Dandy vermochten beide vorübergehend zu konvergieren. Stefan George gibt sich herrscherhaft und heroisch bis zur Hybris, er verwahrt sich stolz gegen etwas, dem Baudelaire sich gewissermaßen anbietet, der als Flaneur die Menge, als Künstler die Prostitution genießt. Der Choc bei Baudelaire, diese ungewollte Reaktion auf Reizüberflutung, das Sistieren der Kontinuität von Erfahrung, findet sich dementsprechend bei George nicht. Er ist des Chocs gewissermaßen nicht fähig, oder zumindest setzt er sich ihm nicht aus. Schon an einzelnen Wendungen in seinen Übertragungen aus den *Fleurs du mal* läßt sich dies zeigen; George gibt sich nicht preis. ›Verwahrung‹ heißt das Zauberwort. Dementsprechend verweigert er sich bestimmten Erfahrungen, vollzieht die Entsakralisierung des dichterischen Sujets, der dichterischen Topoi und auch des Dichters als Subjekt nicht nach; dementsprechend scheidet er aus dem zu übersetzenden Korpus alles das aus, was ihm widrig und häßlich dünkt. Auch diese Ausgrenzung ist ein Akt der Willkür.
Man hat im Zusammenhang mit Stefan George von einem »ästhetischen Fanatismus« gesprochen (Just, S. 225), ›fanatischer Ästhetizismus‹ wäre vielleicht doch die genauere Bezeichnung. Aus ihm nämlich zieht er seinen Hochmut und seinen Trotz. »Seid ihr noch nicht von dem gedanken überfallen worden«, so heißt es in den *Blättern für die Kunst*, »dass in diesen glatten und zarten seiten vielleicht

mehr aufruhr enthalten ist, als in all euren donnernden und zerstörenden kampfreden?« (zit. nach Just, S. 225). Die gegen die wilhelminische Anmaßung gerichtete Frage ist allerdings rhetorisch; natürlich hat noch niemand dies bemerkt – außer den Schülern und Jüngern natürlich, denen solche Sätze zu Artikeln eines ästhetischen Katechismus werden sollten.

Dennoch ist die Frage keineswegs falsch, der in ihr erhobene Anspruch keineswegs ungerechtfertigt. Georges Verse sind, historisch gesehen, wenn schon kein ›Aufruhr‹, so doch eine Provokation.

Er stellt sich auf die sogenannte Erwartungshaltung der möglichen Leser nur ein, um sie zu übersteigen und den Leser herauszufordern. Was als Gedicht nach Satz, Zeichensetzung und konsequenter Kleinschreibung zunächst ungewohnt und exklusiv erscheint, ist dies nicht nur in der Druckanordnung, dem Layout, also in der äußeren Form der Publikation, wie die präraffaelitischen Dichter in England dies vorgemacht hatten. Da nun der Vertrieb der *Blätter für die Kunst*, in denen die meisten Gedichte zunächst erscheinen, fürs erste nicht über den Buchhandel erfolgt, sondern wie der eines Privatdrucks, also gewissermaßen allein für Freunde und Geladene, so wird die Exklusivität zur Strategie, die kalkulierte Rarität zugleich zum Werbemittel. Dennoch: es wird nicht allein der Käufer, es wird auch in den Gedichten selbst der Adressat gewissermaßen beiseitegeschoben. 1908 bestimmte Georg Lukács die ästhetizistische Haltung Georges bewundernd wie folgt: »Er ist Ästhet, und das bedeutet, daß heute niemand Lieder braucht (oder besser gesagt: daß nur wenige Leute sie brauchen, und das Bedürfnis auch bei diesen gänzlich unklar und zag ist); und so muß er in sich selbst alle auf den fremden, idealen Leser (der vielleicht nirgends existiert) sicher wirkenden Liedmöglichkeiten finden: die Form des Gedichtes von heute. Und wenn all das – so wahr es auch sein mag – nichts wirklich Entscheidendes von seinem wahren Sein aussagt, so sind vielleicht doch aus dem Wege, der noch zu gehen ist,

einige von jenen leeren Phrasen weggeräumt, die man über den Dichter zu lesen bekommt« (S. 120).
Die Formen des »Gedichtes von heute« probiert Stefan George zunächst also in den *Hymnen*, den *Pilgerfahrten* und vor allem in seinem *Algabal* aus. Die Ungerührtheit und scheinbare, durch objektivierte Gestalten wie in einem Rollengedicht vermittelte Grausamkeit kann nur befremden, aber gerade das ist wohl beabsichtigt. Der Funktionsverlust von Lyrik ist die Voraussetzung eines solchen Vorgehens. Damit potenziert sich nun gewissermaßen, jedenfalls im Vergleich zur frühgoethischen ›Erlebnislyrik‹, die Einsamkeit der lyrischen Existenz. Sie spiegelt sich in der gewählten Einsamkeit des Herrschers – Algabal –, der sich selbst in seinen höchst künstlichen Hervorbringungen zu genießen versteht und dem noch der Tod eines ergebenen Dieners oder gar der des Bruders zum stilvollen Ornament gerät. Impassibilité im Sinne Flauberts ist auch die Haltung dieses Dichters.
Aber diese willkürlich-raffinierte Romantik des Grauenhaften verfolgt George nicht weiter; über den *Teppich des Lebens* und das diesem Lyrikband vorausgehende *Jahr der Seele* zum *Siebenten Ring* und weiter zum *Stern des Bundes* wie zum *Neuen Reich* hat er sich die gefällige Variation versagt und eine immer strengere Attitüde eingenommen. So konnte Friedrich Gundolf das dichterische Wort – eben das Stefan Georges – als den Kern einer sozialen Ordnung zu deuten wagen; er schuf durch sein Dasein, so heißt es schließlich, »Raum mit Mitte und Umkreis«, wie durch seine bloße Haltung »Werte und Sitten«, schließlich gar »durch seine Winke Ordnung« (S. 92). Das hat mit Interpretation und Kritik nur noch wenig zu tun, es ist die Verklärung des dichterischen Wortes zu politisch-sittlicher Herrschaft: die Ordnung ist die des Kreises.
Interessanter ist, was Stefan George als Dichter wirklich tut: daß es ihm nämlich gelingt, die sentimental gewordene und zur privaten Gefühlsäußerung verkommene Erlebnislyrik zu verabschieden. Nicht mehr wird im Gedicht das ›Erlebnis‹,

also eine Art von Sensation, thematisiert und typisiert, sondern der Dichter erfährt, sieht und empfindet hier bereits typisierend, dies sozusagen vor dem eigentlich dichterischen Prozeß, er erfährt schon als Künstler, denn er steht ästhetisch im Leben und zwischen den Menschen. Das Konkrete und einzelne wird belanglos, das Private obsolet. Deshalb kann George auch die Verfügbarkeit des Materials, derer sich Heinrich Heine schon bewußt geworden war und der dennoch aus seinen »großen Schmerzen« seine »kleinen Lieder« machte, bewußt thematisieren, d. h. auch reflektieren, dies bereits in seinem ersten Gedichtband.
Die Kunstwelt Algabals ist in den einzelnen Materialien gegenwärtig, seine Hervorbringung erscheint als zeitlos; in der Landschaft seiner unterirdischen Gartenbezirke fehlen Frühling, Sommer und Herbst. Jahreszeiten sind darum keine Naturphänomene, sondern Stationen und Phasen im »Jahr der Seele«. Die Beständigkeit des Künstlichen triumphiert über den banalen Hinfall des Organischen und Vegetabilischen. Das Künstliche ist hier das Schöne als ein Totes und Erstarrtes, das kein Wandel, keine Vergänglichkeit mehr erreicht. Keine Regung verschiebt mehr die reine Ordnung der wohlerwogenen Linien. Dabei verkehrt Stefan George alle Paradiesvorstellungen im großangelegten Unterreich des jungen Algabal. Monumental geworden ist die dergestalt erstorbene Natur:

[. . .] von kohle die äste
Und düstere felder am düsteren rain·
Der früchte nimmer gebrochene läste
Glänzen wie lava im pinien-hain. (I,47)

Monumental aber werden auch Wort und Gestus des erhabenen Herrschers:

Sieh ich bin zart wie eine apfelblüte
Und friedenfroher denn ein neues lamm·
Doch liegen eisen stein und feuerschwamm
Gefährlich in erschüttertem gemüte. (I,50)

Im Widerstand gegen das Banale, das Sentimentale und Klischeehafte, gegen das Erniedrigte und Verbrauchte in Haltung, Gestus, Sprache wagt Stefan George sogar eine raffinierte Ornamentalisierung. In seiner zuweilen fast wieder pedantisch wirkenden Anti-Banalität bewahrt er seine Kunst nicht immer vor dem Geschmacklosen, und er zielt, offenbar bewußt, auf den gebannten, beschworenen Schrecken:

Die tauben flattern ängstig nach dem dache
›Ich sterbe gern weil mein gebieter schrak‹
Ein breiter dolch ihm schon im busen stak·
Mit grünem flure spielt die rote lache. (I,48)

So also geschieht es, wenn man den jungen Herrscher beim Füttern seiner kaiserlichen Tauben zu stören wagte – die Ruhe des Gemütes, von der hier die Rede ist, hat selbst etwas Ornamentales. Darin liegt natürlich die Grenze und die Gefahr Stefan Georges. Andererseits wird nun das Lebendige durch solche Ornamentalisierung gleichsam ›gerettet‹. Das Natürliche wird dem Tode überantwortet und im Gedächtnis – als Sprache – aufbewahrt:

Der kaiser wich mit höhnender Gebärde . .
Worauf er doch am selben tag befahl
Dass in den abendlichen weinpokal
Des knechtes name eingegraben werde. (I,48)

So werden auch die noch lebenden Freunde für den weiten Saal des Angedenkens im Gemüte des Dichters mit gewählten Sprüchen bedacht, als wären sie seit Jahren schon verstorben. In dem Spruchgedicht für Karl Wolfskehl heißt es:

Dein leben ehrend muss ich es vermeiden ·
Dein lächeln und das glück (für dich das wahre)
Ich muss zurück auf meere dumpfer leiden ·
In meine wunderbaren wehmutjahre. (I,149)

Absonderung wird hier zum Gesetz; dabei bleibt allerdings ungewiß, ob der Zwang zum Vermeiden, zum Verzichten als das Geschick empfunden wird, dem einer sich zu unterwerfen hat, oder ob es sich um die bewußte Wahl – also gewissermaßen das Selbstgesetz – dessen handelt, der sich für ein solches, ein anderes Leben, für solches Glück, das für den anderen doch das wahre sein soll, sozusagen doch zu schade ist. Aber eben diese Ambivalenz wird bedeutungsvoll: das Schicksal ist zugleich die hohe Auszeichnung. Der Preis der frühen »Weihe« ist Einsamkeit. So steht der Dichter nicht eigentlich im Leben, sondern neben dem Dasein. Das Gedicht entstammt also nicht dem Leben, sondern sollte eher dessen Gegenteil oder Gegenbild sein »Und raum und dasein bleiben nur im bilde« (I,9). Bild aber darf hier auch Ton und Sprache heißen.

Auch gilt es, sich dabei der Oppositionshaltung, die der großen Gebärde vorangeht, bewußt zu bleiben. Dementsprechend heißt es in den *Blättern für die Kunst* unter der Überschrift *Verdrehtheit (perversität) des Bürgerthums*: »Oft tadelt man die künstler wegen ihrer perversen neigungen. Wir aber stehen mit staunen vor den vielen großen und kleinen dingen, die der bürger liebt. Welche fülle von verdorbenheit und perversität gehört zu den sinn- und geschmacklosen vorspiegelnd unechten zusammenhäufungen mit denen er sich als mit einer ›einrichtung‹ umgibt« (*Blätter für die Kunst*, 1904, S. 15).

So gesehen, setzt Stefan George mit seinen Gedichten gegen die Perversität des bürgerlichen Alltags und seines Dekors die einer eigenen Kunstwelt, die höhnische und elitäre Grausamkeit seiner Verse, mehr also als die einfache Negation. George tut dies in dem Wissen, daß der Künstler dieser, seiner Zeit sozusagen die allgemeine Zustimmung, den Konsensus, den es einst doch wohl einmal gegeben hatte, nicht mehr finden kann. Statt also sich anzubiedern oder einzuschmeicheln, zwingt er sich durch rebellische Herausforderung sozusagen auf: »Heute ist wirklich ›die kunst ein bruch mit der gesellschaft‹« (*Blätter für die Kunst*, 1909, S. 8).

Die Rollen nun, die Stefan George an- und einnimmt,

bestimmen sich von dieser Situation her: Prinz und Herrscher, Verbannter und Rebell, Richter und Vogelfreier, ja sogar potentieller Mörder und Gehenkter. Auch hier liegen noch Übereinstimmungen mit Charles Baudelaire, die freilich dort aufhören, wo George am Bilde des Dichters als Seher, Erwählter, Verkünder, Führer und Meister festhält, als sei die Aureole niemals in den Staub jener Straße gefallen, wo Baudelaire sie lächelnd wollte liegen lassen, damit sie einer dort aufnähme, der von seinem eigenen Anachronismus noch nicht weiß.
Wie wird Ästhetizismus in den späteren Gedichtbänden sichtbar? Im *Jahr der Seele* kann man darauf eine Antwort finden.

II

Das Gedicht *Nun säume nicht die gaben zu erhaschen* beginnt als Aufforderung und Anrede, beinahe das Carpediem-Motiv zitierend, und erhält von daher seine innere Dynamik. Ein Herbstgedicht, Abschied und Verfall thematisierend, ist es zweifellos, aber es ist dies eben in besonderer und ganz unkonventioneller Weise. Denn Verfall und Hingang sind hier nur in der Antizipation, alles ist gekennzeichnet durch das ›noch‹, und so verhält das Gedicht gewissermaßen vor der Schwelle dessen, was rasch und bald geschehen wird:

Die grauen wolken sammeln sich behende
Die nebel können bald uns überraschen. (I,124)

Der auffordernde Gestus öffnet das Gedicht in einer weit ausholenden Bewegung, um auf ein Schönes hinzuweisen, das seine Schönheit nur wie ein Nachbild erscheinen lassen will. Aber dieses Nachbild ist als solches schon vorweggenommen. So genießt das verfeinerte Gemüt in der Antizipation des Vergehens bereits den Nachklang des Gewesenen.
Im *Jahr der Seele* findet sich im Abschnitt *Sieg des Sommers*

das Gedicht: *Gemahnt dich noch das schöne bildnis dessen...*

Mit einer emphatischen Anrede, die zugleich Erinnerung ist, setzt das Gedicht ein, und zwar in der Form der Frage an einen Gefährten und Zeugen eines Vorganges, der nicht minder auch eine biographische Erinnerung sein könnte, denn was erinnernd beschworen wird, ist eine Folge: die von unschuldigem Spielen, Vergessenheiten und leichtem Genuß, Ausruhen, Nachdenklichkeit und erwartungsvollem Einatmen, die sich in eine Stunde, einen einzigen sommerlichen Nachmittag kaum pressen ließen – außer eben im Gedicht, das hier als Vergegenwärtigung, als Gestalt gewordenes Erinnern erscheint und weiter zurückreichen könnte als bis auf einen gerade vergehenden Sommer – in die eigene Kindheit vielleicht. Aber das Private, Empfindung, Sehnsucht etwa nach Gewesenem, ist in diese einfachen, über Kreuz gereimten jambischen Strophen mit der leichten rhythmischen Variation im Einsatz der dritten Strophe und sparsam verwendeten Alliterationen nicht eingegangen. Keine Geständnisse und Gefühle bestimmen dieses Gedicht, sondern Bewegungen, die als eine Folge erscheinen und im Verweilen zur Ruhe kommen, die in einem Bilde gipfeln und dann erstarren.

Blumenpflücken, Eifer des Spiels und Nektargenuß, Ermatten nach der sinnlosen Verfolgung der Schmetterlinge und schließlich Besinnung am Rande des Wassers, das ist alles, was knapp erwähnt wird. Der anaphorische Einsatz unterstreicht nur die Reihung des bloßen Nacheinander, in dessen Ablauf doch eines nur wie das andere ist und vergessen wäre ohne die Schönheit des Knaben. Die Gestalt des Kindes in seinem Spiel, in der Verzückung dieses Tages, dieser Tage, erscheint als reine Natur, so daß, was hier erinnert wird, eine fast mythologische Qualität gewinnt; übrig bleibt die reine Idylle.

Doch ist es nicht allein die Schönheit des Knaben, die den Vorgang so unvergeßlich macht, es ist die Huldigung, die Natur ihr widerfahren läßt. Man muß sich zwischen der zweiten und der dritten Strophe eine nicht zu kurze Pause denken, die das erwähnte Lauschen vergegenwärtigt. Die Pause muß etwas länger währen als die zwischen der ersten und der zweiten Strophe mit ihrem unmerklich erfolgenden Wechsel vom Perfekt zum Imperfekt, denn nun geht zugleich mit dem Wechsel des Subjekts etwas vor, das alles Bisherige unterbricht – auch die Stille –, überbietet und steigert: schien bislang die Verfolgung der Falter ohne Erfolg, doch offenbar auch ohne Enttäuschung, so beginnt der Knabe auszuruhen und in Gedanken zu versinken, die dem Genossenen gelten mögen, bis ein anderes Geschöpf sich ihm zuwendet. Das Unglaubliche geschieht: von den Steinen, die eine Insel bilden in jenem Weiher, an dessen Rand das ermattete Kind in das Dunkel des Wassers hinablauscht, dem Laut des Wasserfalls hingegeben oder ihn gar nicht vernehmend, gleitet der Schwan, als sei er bislang nur ein erstarrtes Bild gewesen, und er wendet sich, wie angelockt, dem Knaben zu, dessen kosende Hand seinen langen, schmalen Hals empfängt. Der Vorgang wird zum Ornament und gerinnt in der schönen, der märchenhaften Gebärde. Leda erscheint als Knabe; die festgehaltene Gebärde ist die der Versöhnung mit der – schon arrangierten – Natur. Das Unmögliche ist geschehen, ist Bild geworden, das die Erinnerung festgehalten hat, in der es unwandelbar ruht.

In der zärtlichen Gebärde scheint alle Gewalt, die dem Lebendigen stets angetan wird, ein für allemal vergessen. Was als Gestus bleibt, trägt das Signum der Schicksallosigkeit – herausgehoben aus den Gesetzen oder doch aus der Wirklichkeit des Lebens, ein Ausschnitt. Die Idylle, die hier beschworen wird, ist selbst nur ein Ausschnitt – umgeben von Gewalt. Dafür allerdings erscheint sie um so schöner.

»Das ist«, sagte Hugo von Hofmannsthal in seinem *Gespräch über Gedichte*, »der Zauberkreis der Kindheit, in dem reinen tiefen Spiegel unstillbarer Sehnsucht eingefangen. Wie rein es ist! Es schwebt wie eine freie leichte kleine Wolke hoch über einem Berg« (S. 100).

Man könnte dieses Gedicht auch als Gleichnis lesen, nicht nur für eines der Kindheit, sondern für mehr – das Unmögliche. Nur im Gedicht kann es gelingen.

III

Es lacht in dem steigenden Jahr dir – das dritte Lied der *Traurigen Tänze* – ist nicht nur von anderer Art, weil der daktylische Rhythmus drängend und unruhig pochend sich allem Stillstand widersetzt, hier ist nicht von Erinnerung die Rede, sondern von Künftigem, über das aber verfügt wird, als wäre es bereits zur Erinnerung geworden.

Die Strophen sind bestimmt von der Stefan George so charakteristischen Festigkeit, Präzision und Straffheit; er kommt hier ohne archaisierende Worte und Formen aus, beinahe sogar ohne Metapher, arbeitet aber sehr bewußt mit Anthropomorphisierungen der Natur, mit Alliterationen und Klangwerten. Das »steigende jahr« freilich ist offenkundig ein sich neigendes, ein absteigendes Jahr. Spätsommer oder ganz früher Herbst sind hier als ›état d'âme‹ festgehalten worden – und als Abschiedsstimmung, ohne daß das Wort überhaupt fallen müßte. Doch wirkt das dreifach verwendete »noch« (2, 7, 12) nachdrücklich genug; ein Hauch von Verfall, kaum schon wahrnehmbar, scheint sich anzukündigen, noch überlagert vom scheinbar unangefochtenen Gegenwärtigen, das sogar als Fülle erscheint, beinahe prunkend oder doch »lachend« (1) und »grüßend« (7) auf den Menschen bezogen. Aber das so Wahrgenommene täuscht den, der hier spricht, weniger als den Angeredeten oder die Angeredete, nicht über seinen wahren Zustand hinweg: Duft, Schmuck der Pflanzen, Saat und Rosenblüte sind bereits über den Zustand der vollendeten Reife hinaus. Das Ende kündigt sich an, kaum merklich erst, aber unwiderruflich.

So wäre dies ein Herbstgedicht, wenn es nicht statt um Garten, Feld und Landschaft um die Zustände der Seele ginge und von der letzten Strophe her die Jahreszeit des sich ankündigenden Überganges als ein Spiegel des Inneren erschiene. Denn auch in der Beziehung zwischen zwei Menschen scheint ein Höhepunkt überschritten oder eine Grenze erreicht zu sein. Nur scheinbar unvermittelt wird aus der knappen Evozierung der natürlichen, dem Dichter verfügbar gewesenen Elemente eine Anrede in der ersten Person des Plural.

Eben noch war, was an Geringfügigem geschah oder einfach da war, auf die angesprochene Person bezogen (zweimal steht das »dir« (1/3) im Endreim, obschon erstaunlicherweise nicht in der einsilbigen Reimform): der Gruß der Rosen schien ihr zu gelten, nun aber spricht jemand in der ersten Person des Plural gleichsam verfügend über sich *und* den anderen.

Die Aufforderung hat, obwohl im Ton der Resignation gehalten, zugleich auch etwas unverkennbar Herrisches: Verhalten und Empfinden werden gewissermaßen einem Diktat unterstellt: ein Einschnitt wird bemerkbar, Verzicht ist gefordert, Trennung kündigt sich an oder doch der Wandel eines bestehenden Verhältnisses. Auch der Liebe, die hier mit Namen nicht genannt wird, fehlt schon die Kraft des Elementaren, die ebenso in der umgebenden Natur bereits als gebrochen erscheint – wenn auch vielleicht nur, weil sie so gesehen wird. Der nunmehr allein noch mögliche ›Umgang‹ zweier Menschen wird als Spaziergang zum Ritual.

Was nicht – mehr? – sein darf, bestimmt hier der Dichter und weist der geliebten Person, unnachsichtig, scheinbar willig ins Geschick ergeben, ihre Rolle und damit auch den dazugehörigen Abstand zu. Der Dichter selbst bleibt wie ungerührt, der Abschied gilt weniger beiden als der Geliebten, der Freundin oder dem Freund, dem Du wird etwas zugewiesen. Der Dichter steht wie außerhalb des Vorgangs, und was fortan gemeinsam noch sein kann, wird lediglich negativ bestimmt, selbst wenn die Aufforderung zum Versprechen wird, das Unmögliche zu leisten: nämlich glücklich zu sein. So wird auch über das noch verfügt, worüber sich gar nicht verfügen läßt; der Dichter verfügt...

Täuschung und Aufklärung über den Zustand der umgebenden Natur und über die Wahrheit der Beziehung zwischen zwei Menschen geschieht durch den Dichter und sein Wort, aber auch, mit gewaltsamen Anspruch, die Verheißung des Unmöglichen. Noch die Zustände seiner Seele will er in der Gewalt haben; die vollkommen feste Haltung erscheint so nicht allein als Ungerührtheit – die Disziplin des modernen Künstlers –, sondern fast schon als unmenschlich. Nur als ein Totes wird das Lebendige gerettet.

Zitierte Literatur: Blätter für die Kunst. Eine Auslese aus den Jahren 1898–1904. Berlin 1904. – Blätter für die Kunst. Eine Auslese aus den Jahren 1904–1909. Berlin 1909. – Stefan GEORGE: Werke. [Siehe Textquelle. Zit. mit Band- und Seitenzahl.] – Friedrich GUNDOLF: Stefan George. In: Der Lesezirkel 15. H. 9 (Zürich 1927/28): Stefan George-Heft. – Hugo von HOFMANNSTHAL: Gesammelte Werke in Einzelausgaben. Prosa II. Hrsg. von Herbert Steiner. Frankfurt a. M. 1951. – Klaus Günther JUST: Von der Gründerzeit bis zur Gegenwart. Geschichte der deutschen Literatur seit 1871. Bern/München 1971. – Georg LUKÁCS: Die Seele und die Formen. Essays. Berlin/Neuwied 1971.
Weitere Literatur: Manfred DURZAK: Der junge Stefan George. Kunsttheorie und Dichtung. München 1968. – Gert MATTENKLOTT: Bilderdienst. Ästhetische Opposition bei Beardsley und George. München 1970. – Ralph-Rainer WUTHENOW: Muse, Maske, Meduse. Europäischer Ästhetizismus. Frankfurt a. M. 1978. – Ralph-Rainer WUTHENOW (Hrsg.): Stefan George in seiner Zeit. Stefan George und die Nachwelt. Dokumente zur Wirkungsgeschichte. 2 Bde. Stuttgart 1980/81.

Arno Holz

Im Thiergarten, auf einer Bank, sitz ich und rauche;
und freue mich über die schöne Vormittagssonne.

Vor mir, glitzernd, der Kanal:
den Himmel spiegelnd, beide Ufer leise schaukelnd.

5 Ueber die Brücke, langsam Schritt, reitet ein Leutnant.

Unter ihm,
zwischen den dunklen, schwimmenden Kastanienkronen,
pfropfenzieherartig ins Wasser gedreht,
— den Kragen siegellackrot —
10 sein Spiegelbild.

Ein Kukuk
ruft.

Abdruck nach: Arno Holz: Phantasus. Verkleinerter Faksimiledr. der Erstfassung [Berlin: Sassenbach, 1898/99]. Hrsg. von Gerhard Schulz. Stuttgart: Reclam, 1978. (Reclams Universal-Bibliothek. 8549 [2].) S. 24.
Erstdruck: Jugend 3 (1898).
Erweiterte Fassungen: Arno Holz: Das Werk. 10 Bde. Berlin: J. H. W. Dietz, 1924/25. Bd. 7. – Arno Holz: Werke. 7 Bde. Hrsg. von Wilhelm Emrich und Anita Holz. Neuwied/Berlin: Luchterhand, 1961–64. Bd. 1. [Unter dem Titel: »Brücke zum Zoo«.]

Hans Esselborn

Die gespiegelte Welt. Zu Holz' *Im Thiergarten*

Das kurze, aber vollendete Gedicht stammt aus der Sammlung *Phantasus*, die mit ihrem Titel an den antiken Gott des Traums und der Verwandlung anspielt. Ihr Ursprung liegt in einer Folge von 13 Texten in Holz' *Buch der Zeit* von 1885, in denen abwechselnd Realität und Wunschträume eines

verhungernden Dachstubenpoeten beschrieben werden. Die erste Fassung des *Phantasus* von 1898/99 vereint dagegen Erlebnis-, Erinnerungs- und Phantasiegedichte, die von einem Ich getragen werden, das sich in den verschiedensten Gestalten und Naturdingen wiederfindet. »Das letzte ›Geheimnis‹ der [...] Phantasuskomposition besteht im wesentlichen darin, daß ich mich unaufhörlich in die heterogensten Dinge und Gestalten zerlege. Wie ich *vor* meiner Geburt die ganze *physische* Entwicklung meiner Spezies durchgemacht habe, wenigstens in ihren Hauptstadien, so *seit* meiner Geburt ihre *psychische*« (*Briefe*, S. 127).
In den späteren Fassungen wird diese Grundidee mit neuen Texten, aber vor allem durch die Erweiterung der alten einerseits durch Einschübe und andererseits durch Differenzierung der Beschreibung mit Ketten von oft klanglich ausgesuchten Synonymen immer weiter ausgeführt. Schließlich sind aus den kaum beschriebenen 100 Seiten die 1566 dicht gefüllten des »Riesen-›Phantasus‹-Nonplusultra-Poems« (*Werke*, Bd. 1, S. 454) der Nachlaßfassung geworden. In ihnen soll das Weltbild des wissenschaftlichen Zeitalters dargestellt werden, denn die Verwandlungen des Ich werden auch naturwissenschaftlich, durch die einheitliche Entwicklung der Materie vom Anorganischen bis zum Menschen, begründet.
Auch die Form der Gedichte, die Holz in seiner *Revolution der Lyrik* von 1899 verteidigt, ist neu. Ihr äußeres Kennzeichen ist negativ die Reimlosigkeit und das Fehlen eines Metrums, positiv die Identität der verschieden langen Zeilen mit syntaktischen und semantischen Untereinheiten eines Satzes und ihre Anordnung auf der berühmten imaginären Mittelachse. Das innere Prinzip der Gedichte ist der »natürliche« oder »notwendige Rhythmus« (X,537 f.). »Drücke aus, was du empfindest, unmittelbar wie du es empfindest, und du hast ihn. Du greifst ihn, wenn du die Dinge greifst. Er ist allen immanent« (X,510).
Das Fehlen der traditionellen lyrischen Mittel läßt es ratsam erscheinen, die Interpretation des Textes auf einer Analyse

der Sprachstruktur und des Rhythmus aufzubauen. Im Gegensatz zu symbolistischen Gedichten der gleichen Zeit, die meist die poetischen Ausdrucksmittel hervorkehren und eine unendliche Fülle von Bedeutungen suggerieren, ist bei Holz die eigentlich ästhetische und bedeutungsvolle Schicht ganz in die gewöhnliche Sprache und in den zufälligen Eindruck zurückgenommen. Deshalb ist nicht nur den Abweichungen von der Alltagssprache genau nachzugehen, sondern auch die vom Gedicht erzeugte Vorstellung assoziativ weiter zu verfolgen.
Der eigenständige Rhythmus des Gedichts kommt durch zwei Erscheinungen zustande: 1. durch Umstellungen in der normalen Wortfolge, z. B. werden in Zeile 1 und 5 Subjekt und Verb an den Schluß der Zeile gerückt, und 2. durch Pausenbildung innerhalb der Zeilen, z. B. durch die erwähnten Änderungen, und vor allem zwischen den einzelnen Zeilen. Da diese meist mit Sätzen zusammenfallen, so ist die rhythmische Pause vor allem dort wirksam, wo wie im vierten Abschnitt ein verbloser Satz in fünf unverbundene Attribute aufgesplittert wird. Die Folge ist ein gestauter Rhythmus, dessen Spannung sich erst mit den kurzen und leichten letzten beiden Zeilen, gleichsam im Schweigen, löst. Gegenüber diesem final gebauten Sprachfluß in der zweiten Hälfte des Gedichts, der durch die zu- und abnehmende Zeilenlänge auch optisch sinnfällig gemacht wird, zeigt die erste Hälfte einen gleichmäßigen, statischen Rhythmus. Hier dominieren leicht bewegte Langzeilen mit syntaktischer und semantischer Beschwerung am Ende (vgl. die schon erwähnten Umstellungen in Zeile 1 und 5), die meist auch ein rhythmisches Muster aufweist, das dem beliebten Cursus planus in der Rhetorik gleicht (1, 2, 5, 8). Die Alltagssprache mit ihrer Zufallsverteilung von betonten und unbetonten Silben, Tonstärken und Pausen ist bei diesem Gedicht also nicht einer regelmäßigen, z. B. alternierenden Betonungsordnung unterworfen (am ehesten noch Zeile 4), aber rhythmische Härten wie gehäufte Senkungen oder Hebungen sind vermieden. Dadurch wird ein harmonisch

wirkender Sprachfluß erreicht, der zugleich differenziert und signifikativ ist.
Auch auf der Ebene der Bildlichkeit fehlen die traditionellen Mittel wie z. B. Symbole, und es zeigen sich nur Ansätze zu einer poetischen Bildstruktur, die aus der Alltagssprache herauswächst. Die eine Möglichkeit dazu besteht darin, daß mit Hilfe von Partizipialkonstruktionen, bei denen ein »scheinbar« zu ergänzen wäre, eine unauffällige uneigentliche Aussage erreicht wird, die letztlich auf der Vertauschung von Bild und Spiegelbild beruht (4: »beide Ufer leise schaukelnd«, ähnlich 6 und 8). Das Ergebnis ist eine Entwirklichung der dargestellten Gegenstände und damit ein Schritt zur Poetisierung der Welt. Bei der zweiten Möglichkeit der Bildschöpfung handelt es sich um ungewohnte, aber nicht traditionell poetische adjektivische Wortzusammensetzungen. Im Gegensatz zu den einfachen Adjektiven und Adverbien am Anfang des Gedichts enthalten sie explizit (8: »pfropfenzieherartig«) oder implizit (9: »siegellackrot«) einen Vergleich mit konkreten Alltagsdingen und erläutern damit das Spiegelbild in Form und Farbe und erweitern es zugleich um auffällige und fernliegende Bezüge. Die fünf rudimentären Bilder des Gedichts stehen also alle im Zusammenhang mit der Spiegelung. Sie präzisieren den Eindruck z. B. um Farbnuancen, spielen aber auch mit der Vorstellung des Lesers, verrätseln und entgrenzen sie. Ihre Häufung im vorletzten Abschnitt erweist diesen auch als bildlichen Höhepunkt des Gedichts.
Die inhaltliche Gliederung des Textes wird schon äußerlich durch die fünf Abschnitte markiert, deren Grenzen auch sprachlich deutlich bezeichnet sind. Alle Abschnitte bis auf den letzten beginnen mit einer Präposition, die jeweils den Blick auf einen neuen Bereich eröffnet. Die so geschaffene Raumordnung ist zentral für den lyrischen Vorgang.
Im ersten Abschnitt werden Raum und Zeit des Gedichts, das wahrnehmende Subjekt, seine Tätigkeit und Stimmung genannt: Das lyrische Ich beschreibt sich als entspannt und

froh in einem Park sitzend, der fortan mit Kanal, Brücke, Kastanien und Kuckuck der Schauplatz bleibt.
Im zweiten Abschnitt wird erstmals die Natur als das Gegenüber des Ich genannt, und zwar speziell »der Kanal« vor ihm (identifizierbar als der Landwehrkanal im Berliner Tiergarten), der in leiser Bewegung begriffen, Himmel und Umwelt spiegelnd zusammenführt.
In diesem statischen Rahmen, der durch den gleichmäßigen Rhythmus und die Konstruktionen mit dem Partizip Präsens charakterisiert ist, erscheint im dritten Abschnitt eine neue Person, »ein Leutnant«, der aber wegen seiner langsamen Bewegung die Ruhe nicht stört und räumlich nicht in Bezug zum beobachtenden Ich, sondern zum vorher genannten Kanal gesetzt wird.
Im vierten Abschnitt werden nun die Raumangaben gehäuft, um die komplizierten Beziehungen zwischen dem Reiter und seinem »Spiegelbild« »unter ihm«, dessen Verhältnis zur ebenfalls gespiegelten Natur (»zwischen den [...] Kastanienkronen«) und zum Spiegel selbst (»ins Wasser gedreht«) wiederzugeben. Der Blick des Gedichts geht von der neu auftauchenden Person aus, verläuft nach unten und zeigt auf ungewöhnliche, aber einleuchtende Weise, wie das Spiegelbild des Leutnants – strukturiert durch Wellenkreise auf dem Wasser – als bunter Tupfer zwischen den »dunklen« Schatten der Bäume erscheint. Im grellen »siegellackrot« wird ein starker Kontrast zu dem vorherrschenden Grün gesetzt. Dem wahrnehmenden Ich mit seiner Innenperspektive (2: »freue mich«), das ein bescheidenes Vergnügen genießt, ist eine Figur entgegengesetzt, die nur von außen und auf indirekte Weise beschrieben wird.
Der Leutnant erinnert an die vom Militär bestimmte feudale Ordnung in Preußen. Wie er zur Spitze der damaligen Gesellschaft gehört, so befindet er sich auch in der dargestellten Szene ganz oben: auf dem Pferd und zusätzlich auf der Brücke. Aber im Spiegelbild zeigt ihn das Gedicht unten im Wasser als Teil der Natur und außerdem karikaturistisch

verzerrt. Denn nicht die nicht näher gekennzeichnete Person, sondern nur ein Teil ihrer Uniform tritt in Erscheinung, so daß einerseits die gesellschaftliche Funktion und andererseits der leicht geckenhafte Anblick betont wird. Mit den vergleichenden Adjektiven »pfropfenzieherartig« und »siegellackrot« wird auch die ausschweifende Atmosphäre des Kasinos und illegaler erotischer Abenteuer beschworen, die dieser bei Belletristen und Karikaturisten der Zeit gleichermaßen beliebten Figur anhaften.

Der fünfte Abschnitt eröffnet eine neue Dimension: »Ein Kukuk / ruft«, wobei der unbestimmte Artikel wie in Abschnitt 1 und 3 wohl die Zufälligkeit und Unbestimmtheit des Vorgangs bezeichnet. Nach den vorher ausschließlich optischen Eindrücken, die sich in betonter Stille abspielten, wird nun ein charakteristischer Tierlaut hörbar. Außerdem tritt nach dem komplizierten Satzbau und Rhythmus des vierten Abschnitts mit seinen verwickelten Raumverhältnissen die Einfachheit der folgenden Aussage um so mehr hervor, die eine Entrücktheit von Raum und Zeit suggeriert. Indem der Kuckuck wie vorher nur die beiden Menschen mit einem finiten Verb verbunden wird, ist er als aktive Person und nicht als Ding behandelt und ihm schon daher eine besondere Bedeutung gegeben.

Dieser Vogel hat wegen seines auffälligen Verhaltens im Volksglauben viele symbolische Funktionen erhalten, von denen hier sicherlich die des Frühlings- und Liebesboten am nächsten liegen. Darauf verweisen auch die in der Sammlung folgenden Texte, z. B. der unmittelbar nächste, der die »Siegesallee« des Tiergartens zum Schauplatz eines erotischen Tagtraums macht. Daneben kann man auch an eine parodistische Funktion des Kuckucks denken, die dadurch gestützt wird, daß sein Ruf in der letzten Fassung mit dem »Affengekreisch« des nahen Zoo verbunden wird. Dann bedeutet der Kuckuck als Zerrbild des preußischen Adlers auch eine Anspielung auf das nichtsnutzige Leben der Offiziere. Bei der ersten Fassung, die mir geglückter scheint als die letzte mit ihrem geschwätzig wirkenden Schluß, steht aber doch der Aspekt des Zaubervogels im Vordergrund. Denn der Ruf erfolgt hier in einem fast mystisch zu nennenden Augenblick, wenn die optische Wahrnehmung durch das Ineinanderfließen von Wirklichkeit und Spiegelbild einen auffälligen Höhepunkt aufweist und die zufälligen Ereignisse in ihrer Simultaneität durch die Intensität des Eindrucks des meditativ-empfänglichen Ich einen übergreifenden Sinn bekommen. Der Kuckuck ist hier die Stimme der im Frühling wiedererwachenden Natur, die sich nicht nur mitten in der Großstadt im Park durchsetzt, sondern die auch die Menschen verwandelt. So zeigt das Gedicht durch die Wiedergabe des genauen und umfassenden Eindrucks eines besonderen Moments im Einklang mit der Gesamtidee des *Phantasus* zugleich die Einheit von Ich und Welt, Mensch und Natur.

Die erste Fassung des *Phantasus*, für die das interpretierte Gedicht typisch ist, das die spätere Aufschwellung kaum mitmacht, befindet sich stilgeschichtlich an der »Nahtstelle«, »wo der Naturalismus fast unmerklich in eine bloße Eindrucksfolge übergeht« (Hermand, S. 207). Gerade im vorliegenden Gedicht zeigt sich »ein Höchstmaß an impressionistischen Reizmöglichkeiten«, wobei »die beschreibende Addition durch den subjektiven Sehreflex« ersetzt ist (Hermand, S. 213). Zwar sind in der präzisen Beschreibung einer als wirklich vorausgesetzten Welt (weder das Ich noch der Leutnant oder der Schauplatz verleugnen ihre realen Vorbilder!) noch naturalistische Züge vorhanden. Aber der augenblicksgebundene subjektive Eindruck dominiert den objektiven Vorgang, so daß nur ein kleines Momentbild entsteht, das auch von der rhythmisch offenen und skizzenhaften Form unterstützt wird.

Der hier vorliegende »impressionistische Sekundenstil« (Hermand, S. 207) kann durch einen Vergleich mit einem gleichzeitigen Gedicht von Paul Ernst präzisiert werden. Dessen letzte Strophe lautet so:

Und im stillen Wasser unten,
Zwischen den schwimmenden Blättern einer Seerose,
Spiegelt sich der ruhige Himmel
Und eine kleine Brücke, die gebogen ist,
Und ein Leutnant auf seinem Pferd,
Mit einem breiten, roten Kragen.

(Zit. nach: *Phantasus*, S. 109.)

Die Identität des Motivs und die Ähnlichkeit der rhythmischen Gestalt lassen die Verschiedenheit des Stils deutlich hervortreten. Zwar zeigt sich bei Holz, vor allem durch den Ort der Erstveröffentlichung und die dort beigefügte Rankenornamentik, eine gewisse Nähe zum Jugendstil, aber nur das Gedicht von Paul Ernst kann man diesem voll zurechnen. Die beliebten Requisiten: »Wasser«, »Seerose«, »ruhiger Himmel« und »kleine Brücke« sind bei ihm auch auf betont dekorative Art präsentiert. Zugleich entsteht durch die Wiederholung der kleinen Szene, die zuerst als Vorgang und dann als Spiegelbild beschrieben wird (die letzten drei Zeilen sind eine fast identische Wiederholung der ersten Strophe!) ein zeitloses, selbstgenügsames und verspieltes Bildchen. Am Gegensatz zu Paul Ernst erkennt man deutlich, wie differenziert doch Holz die Spiegelung gestaltet und wie er durch vergleichende Adjektive Bezüge herstellt, die über das faktisch Vorliegende hinausweisen. Deshalb sei zum Abschluß nochmals das Motiv der Spiegelung untersucht, das in der ersten Fassung des *Phantasus* sehr häufig ist.

Im zweiten Abschnitt sind es nur die Gegenstände der Natur, die gespiegelt werden, im vierten wird zusätzlich der Leutnant einbezogen. Dabei werden detailliert die Verhältnisse der gespiegelten Gegenstände im dreidimensionalen Raum der Wirklichkeit und auf der zweidimensionalen Ebene der Wasserfläche beschrieben. Diese Projektion der Welt auf die Spiegelfläche in der Perspektive des beobachtenden Ich ist so typisch für Holz und aufgrund der detaillierten und spannungsvollen Darstellung in diesem Gedicht so sprechend, daß sie als illustrierendes Beispiel für seine

Kunsttheorie dienen kann. Diese zielt nämlich auf die Widerspiegelung der Wirklichkeit in der Dichtung ab, obwohl die künstlerischen Reproduktionsbedingungen immer nur ein reduziertes Abbild erlauben. Die Kernsätze von Holz aus *Die Kunst. Ihr Wesen und ihre Gesetze* von 1891/92 lauten: »Die Kunst hat die Tendenz, wieder die Natur zu sein; sie wird sie nach Maßgabe ihrer jedweiligen Reproduktionsbedingungen und deren Handhabung«, und: »Kunst = Natur – ×« (X,83,80).

Zitierte Literatur: Jost HERMAND: Das perfektionierte Dichterroß. Arno Holz als Autor des Phantasus. In: J. H.: Der Schein des schönen Lebens. Studien zur Jahrhundertwende. Frankfurt a. M. 1972. S. 198–224. – Arno HOLZ: Das Werk. [Siehe Textquelle. Zit. mit Band- und Seitenzahl.] – Arno HOLZ: Werke. [Siehe Textquelle.] – Arno HOLZ: Briefe. Eine Auswahl. Hrsg. von Anita Holz und Max Wagner. München 1948. – Arno HOLZ: Phantasus. [Siehe Textquelle.]
Weitere Literatur: Onno FRELS: Zum Verhältnis von Wirklichkeit und künstlerischer Form bei Arno Holz. In: Naturalismus/Ästhetizismus. Hrsg. von Christa Bürger [u. a.]. Frankfurt a. M. 1979. S. 103–138. – Karl GEISENDÖRFER: Motive und Motivgeflecht im »Phantasus« von Arno Holz. Diss. Würzburg 1962. – Clemens HESELHAUS: Der Phantasus-Rhythmus. In: C. H.: Deutsche Lyrik der Moderne von Nietzsche bis Yvan Goll. Die Rückkehr zur Bildlichkeit der Sprache. Düsseldorf [2]1962. S. 166–177. – Hans-Georg RAPPL: Die Wortkunsttheorie von Arno Holz. Diss. Köln 1957. – Gerhard SCHMIDT-HENKEL: Arno Holz und der proteische Mythos des Phantasus. In: G. Sch.-H.: Mythos und Dichtung. Zur Begriffs- und Stilgeschichte der deutschen Literatur im 19. und 20. Jahrhundert. Bad Homburg v. d. H. 1967. S. 133–155. – Gerhard SCHULZ: Arno Holz. Dilemma eines bürgerlichen Dichterlebens. München 1974. – Ingrid STROHSCHNEIDER-KOHRS: Sprache und Wirklichkeit bei Arno Holz. In: Poetica 1 (1967) S. 44–66.

Alfred Mombert

Du frühster Vogel draußen in der Dunkelheit,
Ton über Urgebirgen
im Nebelmeer,
zeitloser Schlaf-Sänger,
5 *Einem* singst du: Mir,
dem Ewig-Schlummerlosen.

Klang einer heiligen Flöte, die ich am Ende der Tage
aus der alten Weide schneiden werde
am Wasserfall der Felswand,
10 da die Sonne rot heruntersinkt,
und es donnert,
und mein Gesang anhebt –

Eben drangst du durch die Vorhänge ins Zimmer –
dein Flügelrauschen um mein Haupt –
15 du Schatten – du Schatten –
eben – hielt ich dich ...

Abdruck nach: Alfred Mombert: Dichtungen. Gesamtausg. 3 Bde. Hrsg. von Elisabeth Herberg. München: Kösel, 1963. Bd. 1. S. 304.
Erstdruck: Alfred Mombert: Der Denker. Minden: J. C. C. Bruns, 1901.

Elisabeth Höpker-Herberg

»Ich lausche meiner obern Melodie«. Die dichterische Grunderfahrung Alfred Momberts in einem Gedicht aus dem *Denker*.

Das Gedicht ist, wie viele Gedichte Momberts, als Prozeß einer komplexen Aneignung empirischer und seelischer

Wirklichkeiten aufzufassen. Er wird hier von einer akustischen Impression, dem Ruf eines Vogels, ausgelöst. In seinem Verlauf kommt es zur sprachlichen Fixierung andringender Ich-Empfindungen und Welt-Vorstellungen, wobei die Sprachgebung gleichbedeutend mit der Verwirklichung der angerührten Bewußtseinsinhalte ist. Das Gedicht endet in einer visionären Ergriffenheit des Dichters. Zu diesem Höhepunkt wird der Prozeß in drei unterschiedlich ansetzenden Akten der Bewußtwerdung gesteigert. Die Dreigliedrigkeit findet sich im Aufbau des Gedichtes nachgezeichnet.

Nichts außer diesem Prozeß hat das Gedicht zum ›Gegenstand‹. Fragen nach einer ›Aussage‹ oder einer ›Stimmung‹, nach ›dem Erlebnis‹ oder gar einem ›Bekenntnis‹ des Dichters, wie sie für Gedichte von Momberts Zeitgenossen oft zutreffend gestellt werden können, sind hier irrelevant; hier gibt es keinen allgemeinen Sinn, der dem Text abzufragen wäre.

Das Gedicht fordert vielmehr, wie Momberts Dichtung überhaupt, den Nachvollzug. Seine Rezeption soll jeweils in einem Akt der Wiederholung des vom Dichter festgehaltenen Prozesses bestehen, in einer Aktualisierung dessen, was in Gestalt des Textes manifest geworden ist und ursprünglich eine Erfahrung des Dichters war. Das kann, wie sich versteht, nur annäherungsweise geschehen.

Unter diesen Voraussetzungen werden bei der Rezeption von Momberts Gedichten die Kategorien eines ›richtigen‹ oder eines ›falschen‹ Verständnisses hinfällig; denn es gibt für die Wiederholung der dichterischen Erfahrung ebenso viele Modalitäten wie Dispositionen dazu. Darum bewirkt das Gedicht nicht einen Consensus omnium unter den Rezipienten, es erzeugt vielmehr bei jedem einzelnen ein subjektives Erleben von Dichtung als einer anderen, empirisch sonst nicht erfahrbaren Realität. Nicht zuletzt aus diesen Gründen ist Momberts Werk mit Recht ein esoterischer Grundzug nachgesagt und seinen Gedichten eine gemeinschaftsbildende Qualität abgesprochen worden.

Interpreten Momberts greifen folgerichtig meistens zum Mittel der Paraphrase, um ein Gedicht zu erläutern, und suchen den Zugang auf dem Wege von Identifikationen mit dem Autor. Es ist indessen auch möglich, das Gedicht über die Sprache allein aufzuschlüsseln, dies allerdings unter Einbeziehung von Kenntnissen, die nur aus der Gesamtheit der Dichtungen Momberts zu gewinnen sind.

I

In den ersten sechs strophisch wie rhythmisch zusammengefaßten Versen wird der Vogelruf sinnenhaft perzipiert, ein Laut, der aus der Höhe erschallt und die Vorstellung einer Landschaft wachruft, die noch in Dunkelheit gehüllt liegt und deren gebirgige Konturen in wallenden Frühnebeln überdimensioniert hervortreten: »Ton über Urgebirgen / im Nebelmeer« (2f.). Spontan aber und früher denn als Laut ist die Wahrnehmung in der Gestalt ihres Urhebers bewußt geworden. Auf diesen bezieht sich das lyrische Subjekt zu Anfang des Gedichts mit einer ausgreifenden Gebärde: »Du frühster Vogel draußen in der Dunkelheit«.
Mit der Anrede im ersten Vers korrespondiert der fünfte Vers: »*Einem* singst du: Mir«. Dem unsichtbaren und entfernten, bloß vernehmlichen Du gegenüber versteht sich das Ich als einziges Widerspiel. Der Ruf und das Bewußtsein, von dem er perzipiert wird, bedingen einander wie die komplementären Kennzeichnungen des Ego und des Außer-Ego: »zeitloser Schlaf-Sänger« (4), »Ewig-Schlummerloser« (6).
Die zweite Strophe setzt rhythmisch neu ein, mit einer rascher und stärker schwingenden Bewegung. Die Impression wird umgesetzt und nun als ein Ton bewußt, der von einem Instrument herrührt: »Klang einer heiligen Flöte«. Das Instrument wird sich das Ego einst, »am Ende der Tage«, herstellen, wird es »aus der alten Weide schneiden« (8), um dann die Handlung des »Gesangs« dem Vogel

nachzutun: »da [...] mein Gesang anhebt« (10–12). In dieser zweiten Reaktion auf den akustischen Eindruck vollzieht sich also eine Identifikation von Ego und Außer-Ego; doch bleibt eine Distanz, die zunächst räumlich bestand, in der zeitlichen Dimension aufrechterhalten.
Die Transformation der Wahrnehmung zieht veränderte landschaftliche Vorstellungen nach sich. Diese sind anders als diejenigen der ersten Strophe klar und ausgeleuchtet: »am Wasserfall der Felswand, / da die Sonne rot heruntersinkt, / und es donnert« (9–11).
In der dritten Strophe überwiegt wieder Impressivität. Eine Folge verschiedener Wahrnehmungen wird aufgezeichnet, manche in Abbreviaturen, jede rhythmisch eigenständig geprägt. Die kennzeichnenden Distanzen der voranstehenden Strophen, »draußen« (1) und »am Ende der Tage« (7) sind aufgehoben: »Eben drangst du durch die Vorhänge ins Zimmer« (13). Im Eindruck des »Flügelrauschens« (14) ist das Du der ersten Strophe, der Vogel, wennschon vergrößert, so doch wiederzuerkennen; sichtbar geworden, trägt das Außer-Ego die unvermutete Gestalt des »Schattens« (15).
Der Augenblick der Einung, den die Aufhebung der räumlichen und zeitlichen Distanz gewährt, hat keine Gegenwart, und mit seiner sprachlichen Vergegenwärtigung ist die Grenze des Sagbaren erreicht: das Strophenschema wird nicht ausgefüllt, das Gedicht endet mit dem vierten Vers der dritten Strophe: »eben – hielt ich dich ...«.

II

Die zunächst beiseite gelassene komplexe Bild- und Begrifflichkeit des Gedichtes läßt sich in den ersten beiden Strophen anhand der Schemata von Kontrast, Polarität und Gegensatz so weit klären, daß die Relationen von Ego und Außer-Ego deutlicher erkennbar werden.
Mit dem ersten vorkommenden Begriff, »frühster« (1), zunächst ein Adjektiv, das den »Vogel« kennzeichnet, ist ein

bedeutungsvolles Zeichen gesetzt. Man faßt »Dunkelheit« als Zeit vor Tagesanbruch auf, und auch die umrißhafte Beschreibung einer Landschaft wird davon akzentuiert. Das Landschaftsbild zieht seine Einprägsamkeit ja nicht aus eigenständigen Impressionen, ist vielmehr in jeder Beziehung dem akustischen Eindruck subsumiert; seine Verse, zunehmend gegenüber dem ersten Vers verkürzt, nehmen dessen Bewegung auf und retardieren sie ohne einen Neueinsatz, indessen mit einem deutlichen Gefälle zu der Kennzeichnung des »Vogels« im vierten Vers, und syntaktisch steht das Bild als eine Beifügung. Es wirkt stark, weil die Metaphern »*Ur*gebirge« (2) und »Nebel*meer*« (3) unter dem Zeichen frühester Frühe Reminiszenzen an die biblische Genesis wecken: Der Ruf erschallt, bevor der Tag von der Nacht geschieden, vom Fließenden das Feste endgültig gesondert ist; im biblischen Bericht tönt so die Stimme des Schöpfers, nach späteren Deutungen ist es das Wort, das fundamental die Schöpfung mit bedingt. Der Ausdruck »frühster« erhält also im Gefüge des Textes vielschichtige Bedeutung, indiziert Frühe des Tages, Schöpfungsfrühe, einen ›frühesten‹ Weltzustand, zu dem das Außer-Ego, das unmittelbar als »frühster« bezeichnete, in einer unverkennbaren Relation steht.
Die Antithese, das »Ende der Tage« (7), wird in der zweiten Strophe bestimmend. Die Landschaft erscheint zwar nicht, wie assoziativ zu erwarten wäre, in apokalyptischen Untergängen; dennoch kontrastiert sie mit der gestaltlosen Weltfrühe, und zwar durch eine deutlich kosmische und heroische Prägung, und wirkt in diesem Kontrast sinnbildlich für den auch verbal bezeichneten späten Weltzustand. Die angedeuteten einfachen Handlungen, die Fertigung des »heiligen« (7) Instruments und der »Gesang« (12), bilden als Formen ritualisierten menschlichen Tuns den Gegensatz zu dem einsamen Rufen des »frühsten« »Schlaf-Sängers« (4). Die »Sonne«, die »rot heruntersinkt« (10) und damit das die Schöpfung durchwaltende Gesetz vom ewigen Wechsel der Auf- und Untergänge erfüllt, scheint die Relation von Spät-

und Endzeitlich exemplarisch zu deuten: Die Antithese zur Weltschöpfung ist nicht der Untergang eines Kosmos; dieser bleibt in der Schöpfung, auch wenn sein Kreislauf sich zum »Ende« seiner »Tage« neigt. Sein Finale ist leuchtend und triumphal, und aus ihm geht eine neue, der Weltschöpfung analoge Handlung hervor, deren Träger das Ego ist. Der Finis mundi ist in diese Weltvorstellungen nicht einbezogen.

In Ego und Außer-Ego sind demnach die Begriffspaare Geschöpf und Schöpfer, Kosmos und Schöpfung, Ich und Welt aufgestellt. Daß sie letzten Endes nur scheinbare Gegensätze bilden, ist auch an den motivlichen Verknüpfungen der beiden Strophen abzulesen: Aus der ersten wird in die zweite allein die Impression herübergenommen; im letzten Vers, mit dem »Gesang«, der »anhebt« (12), schwingt die zweite Strophe zu der ersten zurück. Die Wiederholung der anfänglichen, bewegenden Tat in einer anderen Dimension hebt die ursprüngliche Antithetik von Rufer und Lauscher auf.

Vielschichtig in seiner Bedeutung und ebenfalls zeichenhaft seiner Funktion nach ist auch der zunächst als Adverb gesetzte Begriff »draußen« (1). Er verdeutlicht die Ferne des Du, und, indirekt, die Entfernung des Ich, spannt aber darüber hinaus eine und wohl die wichtigste Verbindung zur dritten Strophe, wo die Antithese, ›drinnen‹, bewußt gemacht und zugleich aufgehoben wird. Zusammen mit der bildlichen Vorstellung »Vorhänge« (13) wird in diesem Akt eine weitere Relation von Außer-Ego und Ego verdeutlicht; dazu ist es allerdings notwendig, den Begriff »Vorhang« in seinen sinnbildlichen Funktionen zu kennen.

III

Wie Sinnbilder gebrauchte Mombert in seinen Dichtungen unter vielen anderen auch die Begriffe »Schlaf«, »Sänger« und »Gesang«, »Vogel«, »Flöte« sowie »Schatten«. Er legte ihnen einen Sinn bei, der nicht auf den gewöhnlich mit den

Begriffen verbundenen Assoziationen beruht, oft sogar diesen zuwiderläuft; oft sind statt dessen darin die Inhalte der Dichtungen, Mythen und Religionen aller Völker, wie Mombert sie synkretistisch seinen Weltvorstellungen einverleibte, gesammelt, häufig sind sie an ganz persönliche Gefühle gebunden. Ihre Bedeutung ist in jedem Fall subjektiv bedingt und feststehend, man kann sie lernen.
Während der Abfassung seiner ersten fünf Gedicht-Bücher, 1894 bis 1905, entwickelte Mombert das ihn kennzeichnende Sprachsystem. Die semantische Erweiterung ergab sich bei den Ausdrücken, wie übrigens auch bei Formulierungen, weil deren wiederholte zeichenhafte Anwendung in verschiedenen Kontexten eine sprachverkürzende Funktion von bestimmten subjektiv aufgeladenen Inhalten herbeiführte. So kamen Bilder und Wortfolgen zustande, auf die Mombert als auf ein Repertoire von nicht mehr nach ihrem Wortsinn, sondern rhythmisch, klanglich oder inhaltlich definierten Ausdrucksträgern zurückgreifen konnte; wie mit Chiffren ließen sich damit die Gegenstände und Gehalte seiner visionär gesteigerten dichterischen Erfahrungen ohne Umschreibung und unmittelbar benennen.
Dechiffriert man die semantisch erweiterten Textbestandteile, so wird die Bild- und Begrifflichkeit des Gedichts homogenisiert, und die vorher herausgelesenen Vorgänge und Zusammenhänge erscheinen neu als Bedingungen und Zustände des Bewußtseins in seiner Auseinandersetzung mit der Welt.
»Schlaf« kennzeichnet unterbewußtes, mit ursprünglicher Emotionalität angefülltes und zu einem unreflektierten, synthetischen Begreifen befähigtes Leben. Der Zustand des Wachens dagegen bedingt bewußtes Leben mit gesteuerten Emotionen und einem Bedürfnis nach analytischer Erkenntnis. Schlafen und Wachen gelten bei Mombert als schöpferisches Tun; von der Gleichzeitigkeit beider Handlungen hängt der Bestand der Welt ab, die des Zustroms der Kräfte vom Ursprung ebenso bedarf wie die Wahrung einer die Kräfte ordnenden Gesetzlichkeit. Nicht anders sind die

Antinomien Seele und Geist, Fühlen und Denken, subjektives und objektives Erkennen aufzufassen. Indessen ist das wache Welterleben bei Mombert dem allfühlenden im Schlaf nachgeordnet wie vergleichsweise das Metrum dem Rhythmus (Benndorf, S. 114).
»Sänger« und »Gesang« bezeugen Urformen eines begeisterten, kreativen Verhaltens in der Welt, Äußerungen aus tiefstem Wissen und orphischem Erkennen.
»Vogel« ist der Inbegriff von Höhenflug und Überschau, der höchsten Freiheit im Äther.
»Flöte« verbildlicht den Aufschwung ins »Menschlich-Herrliche«.
»Vorhang« kennzeichnet Grenze und Übergang zwischen Bewußtsein und Unterbewußtsein.
»Schatten« ist ein Bild für das Numinose, welches Mombert einmal »grausig-göttlich« nennt, bedeutet die unweigerlich vorhandene Gegenwelt alles Geschaffenen, die gestaltlose Form anfänglichen Werdens oder die in Auflösung begriffene Gestalt oder – Chaos.
Zu Anfang des Gedichts besteht ein Zustand der Ruhe und des Gleichgewichts. Das Außer-Ego ist ohne Bewußtsein von Zeit und Raum, »zeitlos« (4), das Ego zeitbewußt, solange Zeit währt, »ewig« (6); das Außer-Ego ist unbegrenzt in der Welt, »draußen« (1), begreift in sich höchste Freiheit und tiefstes Wissen, ist schöpferisch. Sich aus seiner Begrenzung aufzuschwingen in die Existenz des Außer-Ego, wird das Ego von dem andringenden Ruf motiviert. Es erkennt seine eigenen schöpferischen Aufgaben in der Welt, denn es findet das Außer-Ego in sich, in seinem Unterbewußtsein bewahrt. Die Ausdehnung des Bewußtseins ins Unterbewußte bringt Erschütterung nicht allein durch Beseligung, auch durch Grauen.

IV

Mombert hat das Gedicht in einem seiner Handexemplare datiert: »Karlsruhe 19 V 99«. Er hat den Text, soweit die

vorhandenen Zeugen sehen lassen, bis zur letzten Revision seiner Dichtungen, 1942, unverändert gelassen. Das ist ein häufiger Befund bei Gedichten, die textlich unmittelbar einem Bewußtseinsprozeß, einer dichterischen Erfahrung, einer »Vision«, wie Mombert es nannte, folgen. Die Vielfalt und Vielgestaltigkeit, die der umfassende Prozeß des Dichtens bei Mombert als ein Ausströmen in die Welt, als Teilhaben an den allerhaltenden schöpferischen Prozessen, als Suche und Findung des schöpferischen Alter ego in der Welt herbeiführte, erhält ein solches Gedicht erst in der Zusammenstellung mit anderen. Mombert setzte dieses an den Anfang des letzten Zyklus im *Denker*, der *Die Flöte* überschrieben ist; den Titel paraphrasierte Mombert 1917 brieflich: »Finale, ein Ziel (›Menschlich-Herrliches‹)« (an F. K. Benndorf; vgl. III,152). Man erkennt den Zusammenhang, indessen wird Momberts Intention erst mit dem Zusammenklang und den Durchkreuzungen aller im Zyklus vereinten Gedichte überschaubar. Vereinzelt betrachtet, steht das Gedicht eher in anderen Verbindungen, beispielsweise in dem Bezugssystem, welches durch Wiederholung und Variation gleicher Vorstellungen und Klänge gebildet wird, mit einem späteren Gedicht und den Versen darin: »Ein Vogel erwacht im Garten, / frühster Klang aus einer seligen Flöte« (*Die Blüte des Chaos* III 9; I,364). Das Schema des Prozesses, den das Gedicht darstellt, ist formelhaft in dem leitmotivisch wiederholten Vers enthalten: »Ich lausche meiner obern Melodie« (*Der Denker* VI 3, *Die Blüte* IV 7; I,261,372). Beim ersten Vorkommen hat dieser den Nachsatz: »Doch hin! – hinauf zu mir! – gelang' ich nie.« Das hier vorgestellte Gedicht erfüllt das Schema und ist gleichzeitig eine Umkehrung des früheren Nachsatzes.
Das Schema entspricht der mythischen Konzeption des Dichters; denn die Findung des Ich in der Welt, die Identifikation des Dichters mit dem Ur- und Allschöpferischen schafft erst die Voraussetzung, eine der Welt analoge und adäquate subjektive Wirklichkeit gestalten zu können. Die sich dabei ergebende Minimierung der Mitteilungsfunktion

der Sprache zugunsten des subjektiven Ausdrucks ließ das Wort zum Stoff der dichterischen Schöpfungen werden. Sein Gestaltungsprinzip nannte Mombert selbst »sinfonisch«.

Zitierte Literatur: Friedrich Kurt BENNDORF: Mombert. Geist und Werk. Dresden 1932. – Alfred MOMBERT: Dichtungen. [Siehe Textquelle. Zit. mit Band- und Seitenzahl.]

Weitere Literatur: Martin BUBER: Alfred Mombert. In: M. B.: Kampf um Israel. Reden und Schriften (1921–1932). Berlin 1932. – Elisabeth HERBERG: Die Sprache Alfred Momberts. Die Prinzipien ihrer Gestaltung und ihre Zusammenhänge. Diss. Hamburg 1959. [Masch.] – Jost HERMAND: Die Ur-Frühe. Zum Prozeß des mythischen »Bilderns« bei Mombert. In: Monatshefte für deutschen Unterricht, deutsche Sprache und Literatur 53 (März 1961) Nr. 3. S. 105–114. – Elisabeth HÖPKER-HERBERG: Nachwort. In: Alfred Mombert: Gedichte. Ausw. und Nachw. von E. H.-H. Stuttgart 1967. – Hans WOLFFHEIM: Das Gedicht Alfred Momberts. In: Bodenseebuch 39 (1964) S. 47–58.

Rainer Maria Rilke

Denn sieh: sie werden leben und sich mehren
und nicht bezwungen werden von der Zeit,
und werden wachsen wie des Waldes Beeren
den Boden bergend unter Süßigkeit.

5 Denn selig sind, die niemals sich entfernten
und still im Regen standen ohne Dach;
zu ihnen werden kommen alle Ernten,
und ihre Frucht wird voll sein tausendfach.

Sie werden dauern über jedes Ende
10 und über Reiche, deren Sinn verrinnt,
und werden sich wie ausgeruhte Hände
erheben, wenn die Hände aller Stände
und aller Völker müde sind.

Abdruck nach: Rainer Maria Rilke: Sämtliche Werke. 6 Bde. Hrsg. vom Rilke-Archiv in Verb. mit Ruth Sieber-Rilke. Bes. von Ernst Zinn. Frankfurt a. M.: Insel, 1955–66. Bd. 1. 1955. S. 361.
Erstdruck: Rainer Maria Rilke: Das Stunden-Buch enthaltend die drei Bücher Vom mönchischen Leben Von der Pilgerschaft Von der Armut und vom Tode. Leipzig: Insel, 1905.
Weiterer wichtiger Druck: Rainer Maria Rilke: Sämtliche Werke. Werkausg. in 12 Bdn. Hrsg. vom Rilke-Archiv in Verb. mit Ruth Sieber-Rilke. Bes. durch Ernst Zinn. Frankfurt a. M.: Insel, 1976. Bd. 1.

Reinhold Grimm

Von der Armut und vom Regen: Rilkes ›Antwort‹ auf die »soziale Frage«

Ich gestehe gern, daß ich für den Reiz dieser Verse nicht unempfindlich bin, für ihre handwerkliche Fertigkeit oder auch ihr verheißungsvolles Raunen. Es wäre ein leichtes, Rilkes poetische Leistung im einzelnen darzulegen: von den wohlig sich wiegenden Assonanzen und Alliterationen über den bannenden Binnenreim »Hände aller Stände« (12) bis hin zu dem krönenden, ungemein gestischen Enjambement »Hände / erheben« (11 f.) oder gar zum biblisch-pathetischen Tonfall des Gedichtganzen, der aus den Segensworten der alttestamentlichen Schöpfungsgeschichte und den Seligpreisungen der Bergpredigt so einschmeichelnd wie ausdrucksstark gemischt ist. Wie gesagt, man könnte das alles weitläufig und genüßlich ausbreiten; doch ich glaube, ich darf mir diese interpretatorische Fingerübung schenken.
Zu fragen ist vielmehr, was in Rilkes schönen Versen eigentlich mitgeteilt wird. Wem gilt zum Beispiel ihre Anrede, der beschwörende Imperativ »sieh«? Er bezieht sich wohl entweder auf den unablässig umkreisten Gott oder einfach zurück auf den Sprechenden, das lyrische Ich, das sich mit sich selber unterredet – und da beide im *Stunden-Buch* ohnehin schwer voneinander zu trennen sind, so mag es bei solch mystischer Mehrdeutigkeit bleiben. Desto eindeutiger ist dafür das homonyme Pronomen, das sich unmittelbar anschließt; denn »sie« sind ohne jede Frage die »Armen«. Arm freilich in zweierlei Sinne: einmal im geistlichen des Neuen Testaments, einem religiösen oder theologischen, und zum andern im weltlichen der modernen Gesellschaft, einem historischen oder soziologischen. Rilke spricht von den »Armen«, die in den Evangelien begegnen, und zugleich von den Mühseligen und Beladenen der Gegenwart, die nichts zu essen und kein Dach über dem Kopf haben. Diesen

wie jenen wird, falls sie nur geduldig ausharren und »endlich wieder [wirklich] arm« geworden sind, das Heil der Erhebung und Erlösung verkündet.
Wie tröstlich! Möchte man nicht selbst ein derartiger Pauper sein, ein begnadeter Hungerleider und auserwählter Obdachloser? Wenn man nämlich gewisse Exegeten und Exegetinnen hört, gäbe es nichts, was inniger zu wünschen wäre. »Der letzte Aufstieg des Menschen«, munkelt etwa ein bekanntes Rilke-Brevier, »das ist der aus Besitz und Zeit zur großen Armut.« Diese aber gleiche der »Allmacht Gottes« darin, daß sie »alle Fülle in sich« berge (Bäumer, S. 50 f.). Jedoch sei, so wird uns anderswo mit bezeichnendem Anklang ans *Bürgerliche Gesetzbuch* bedeutet, das »sachenrechtliche Haben oder Nichthaben des Materiellen« dabei »ganz gleichgültig«. Denn: »Wahre Armut ist nicht das Nichthaben der Güter, sondern das Unabhängigsein von ihnen in der Weise, daß man sie aller Werte, die sie im seelischen Sinne zu bieten vermögen, entriegelt und sie sich innerlich unverlierbar eingeeignet hat« (Wernick, S. 43). Das sind zwei typische Äußerungen der besitz- und bildungsfrohen Rilke-Gemeinde der zwanziger bis vierziger Jahre, als dem Dichter bereitwillig auch die von ihm selber so sorgsam genährte Legende von seiner Verbalinspiration, dem göttlichen Diktat, unter dem seine Verse angeblich entstanden seien, nachgesprochen wurde. Hingegen erbaut man sich heute daran, angeblich »emanzipatorische Aspekte« bei Rilke aufzuzeigen, von denen dann z. B. behauptet wird: »Auch wenn sie vor allem individualpsychologisch und existentiell motiviert erscheinen, besitzen oder bewirken sie [. . .] durchaus auch eine gesellschaftliche Relevanz« (*Rilke heute*, S. 280 f., 253). Da zu solcher Relevanz schon allein jene »zukunftsoffene Einstellung« genüge, wie sie in unserem Gedicht unstreitig vorhanden ist, hindert demnach nichts, dessen Verse unverzüglich als progressiv oder eben emanzipatorisch einzustufen. Hat nicht sogar die DDR-Germanistik den verlorenen Sohn des Bürgertums inzwischen liebend an die sozialistische Brust gezogen? Bereits seit fünfzehn

Jahren versichert uns einer ihrer Vertreter, das *Stunden-Buch* entfalte unter anderem eine »humanistische Gesellschaftsutopie« (Kaufmann, S. 127); und neuerdings schwärmt man in Berlin und Weimar vollends pauschal vom »humanistischen Grundanliegen des Dichters« (*Rilke-Studien*, S. 7). Prüfen wir also in Gottes und des Humanismus Namen nochmals unseren Text, so streng uns eine enragierte Rilke-Verehrerin auch anherrscht: »Gebete können nicht zur Diskussion gestellt werden« (Bäumer, S. 38). Was, fragen wir trotzdem, geschieht in diesen drei Strophen wirklich? Und worin bestünde (falls davon die Rede sein darf) ihre »gesellschaftliche Relevanz« – nach all jenem »Unabhängigsein« von der vermeintlichen »Leere der geschichtlichen Welt« (Bäumer, S. 51)?
In der Tat läßt sich eine sonderbare Abstraktheit und Vagheit in Rilkes Versen schwerlich verkennen. Das ist um so erstaunlicher, als ja ausgerechnet sie auf den ersten Blick höchst konkret wirken und zudem, mit Ausnahme des Motivs vom »eigenen Tod«, schlechthin alles in sich vereinigen, was im *Buch von der Armut und vom Tode* zur Sprache kommt. Doch man betrachte nur das Gegenmotiv zur Armut, wie es in der Wendung »Reiche, deren Sinn verrinnt« (10) hörbar wird! Da sich der Plural hier sowohl historisch (als »empires«, »kingdoms«, »realms«) wie auch soziologisch (als »the rich« oder »the wealthy classes«) auffassen läßt, ergibt sich nämlich aufs neue eine typisch Rilkesche Mehrdeutigkeit, die zwar vermutlich ungewollt war, aber darum keineswegs zufällig zu heißen braucht. Beiderlei »Reiche«, die »Völker« (13) und die »Stände« (12) gehören im *Stunden-Buch* zusammen und markieren in ihrer Gemeinsamkeit den Ort der gegenwärtigen Welt und Gesellschaft, der für sie wie für die »Armen« gilt: die moderne Großstadt. Daß diesem Gedicht in vielerlei Hinsicht, nicht nur aufgrund seines utopisch-eschatologischen Anspruchs, eine zentrale Stellung zukommt, dürfte demnach einleuchten.
Und dennoch erweist es sich als so sonderbar vage und

abstrakt. Werden denn diese Rilkeschen Armen irgendwo und irgendwie lebendig oder gar gegenwärtig? Gibt es sie überhaupt? Sicher ist, daß elf von den dreizehn Zeilen des Gedichts durchgehend von der Zukunft handeln, die restlichen zwei dagegen entweder von der Vergangenheit oder aber letztlich ebenfalls wieder von der Zukunft. Denn die Verheißung »selig *sind*« (5) ist bloß ein grammatisches Präsens, nicht jedoch geschichtliche Gegenwart; und die von Rilke beschworenen Armen scheinen mithin tatsächlich keine Zeit oder Gegenwärtigkeit zu besitzen ... Oder sollten wir uns am Ende täuschen? Besäßen diese Armen im Gegenteil eine besondere *Fülle* von Zeitbezug und Gegenwart – nämlich überzeitliche Zuständlichkeit und Dauer? Was ihnen entgegenwirkt, sie bedroht oder bedrückt, ohne daß sie, wie Rilke beteuert, je davon »bezwungen« (2) würden, ist ja einerseits das reine, in keiner Geschichts- oder gesellschaftlichen Macht konkretisierte Walten der »Zeit« (2), dem sie indes andererseits durch eine stetige und dauerhafte, eine ausgesprochen räumliche, zuständlich-dingliche, sich unbewußt von selbst vollziehende Bewegung erfolgreich zu widerstehen vermögen. Sie breiten sich, gemäß Rilkes zartem und lieblichem, überaus ›ästhetischem‹ Bild, mit pflanzenhafter Sanftmut und Beharrlichkeit aus: wie »Beeren,« die den »Boden« eines »Waldes« nach allen Seiten hin üppig überwuchern (3 f.). Und insofern sind diese Rilkeschen Armen anscheinend geradezu allgegenwärtig. Oder sollte dies erst recht eine Täuschung sein?
Ich will noch einige zusätzliche Befunde oder Zweifel und Fragen aufzählen. Immerhin wird an jenen Armen außerdem geheimnisvoll gerühmt, daß sie »niemals sich entfernten« (5). Wovon, wird uns allerdings nicht erklärt. Wir erfahren lediglich, daß sie »still« und vollkommen passiv »im Regen standen ohne Dach« (6). Sodann wird uns ähnlich geheimnisvoll eröffnet, daß sie einst, nach bestandener Regenzeit, ihren verdienten Lohn empfangen werden und daß dieser »alle Ernten« (7) umfassen wird, die sich nur irgend denken lassen. Die sollen aber beileibe nicht konkret

eingebracht oder ausgeteilt werden. Die Passivität von Rilkes Armen ist so bemerkenswert wie ihre Abstraktheit. Gleichsam aus eigenem Antrieb und eigener Kraft wird die endgültige Erfüllung »zu ihnen [...] kommen« (7): »und ihre Frucht wird voll sein tausendfach« (8). Freilich, woher all dieser Reichtum stammen soll, wird uns abermals vorenthalten. Zu guter Letzt entsteht zwar der Eindruck, als wolle sich wenigstens die abstrakte, so völlig verräumlichte »Zeit« noch einigermaßen konkretisieren. Denn nicht allein »Völker«, sondern sogar »Stände« werden nunmehr genannt; zu schweigen von den besagten »Reichen«, die so vieldeutig schillern. Doch es sind dies ja gar keine bestimmten geschichtlichen und gesellschaftlichen Gebilde, sondern deren Erscheinungen in ihrer Gesamtheit. Rilke nennt summarisch »die Hände *aller* Stände / und *aller* Völker« (12 f.). Weshalb man doch wohl die schlichte und meinetwegen pedantische Frage aufwerfen darf, wer denn zum Schluß noch übrigbleibe, wenn einmal dergestalt, historisch wie soziologisch, Tabula rasa gemacht worden ist. Wer in aller Welt sollen diese Armen sein, die sich dann endlich »erheben« (12)? Und wieso dürfen gerade ihre Hände »ausgeruhte« (11) heißen, und sei es auch nur im Vergleich, während die der anderen (»Reiche« allesamt, wie ich jetzt ebenfalls summarisch behaupten möchte) seltsamerweise »müde sind« (13), und keineswegs im übertragenen Sinne? Wird damit nicht eine gänzliche Verkehrung, ja Perversion vorgenommen, eine Art dichterischer Falschmünzerei verübt? Wären etwa die Armen bloße Schmarotzer, die Reichen und Herrschenden hingegen die in Wahrheit Tätigen, Schaffenden, rastlos Arbeitenden? Oder sind nicht doch vielleicht deren Hände eher vom Nichtstun ›müde‹ und die der Armen, die sich in der Tat kaum jemals von ihrer Drangsal und Mühe, ihrer lebenslangen, jahrhundertealten Not und Plackerei »entfernten« (5), ebendadurch – nun vollends zynisch und boshaft gesprochen – ›wie ausgeruht‹?
So viele Verse, so viele Fragen. Versucht man, sie als Befund auf Begriffe zu bringen, so ergibt sich jedenfalls eine krasse

und gleichwohl vage Widersprüchlichkeit, die letzten Endes auf nichts anderes hinausläuft als auf absolute Unvereinbarkeit. Sie vor allem scheint Rilkes Sicht und Darstellung der Armut zu kennzeichnen. In ihrer allgemeinsten Form äußert sie sich als Hang zur Abstraktheit bei eigentümlicher Lust am Detail; im besonderen prägt und bestimmt sie das dreifache, vielfältig verschlungene Widerspiel von Raum und Zeit, Natur und Geschichte und Kunst und Gesellschaft. Die Rilkeschen Armen sind einerseits bar jedweder Gegenwart und doch andererseits allgegenwärtig; sie sind so geschichtslos wie gesellschaftsfern und dennoch der Macht der Zeit (oder den in ihr wirkenden, in ihr herrschenden Mächten) ebensosehr ausgesetzt und ausgeliefert wie insgeheim überlegen. Gewiß, ihr historisch-soziologischer Ort ist die Großstadt, ihr poetischer aber unverkennbar die heile, zugleich in sich ruhende und aus sich selber wachsende Natur. Geschichte und gegenwärtige Gesellschaft werden von Rilke in Zeitlosigkeit und Überzeitlichkeit, in reines Naturgeschehen verwandelt, ja im Grunde aufgelöst; Zeitliches wird von ihm verräumlicht, Menschliches verdinglicht. Dabei findet zu allem Überfluß eine völlig willkürliche Verkehrung des sozialen Gefüges mit seinen Schichten und Verhältnissen statt, die schließlich geradezu wie auf den Kopf gestellt anmuten – was indes durch die verführerisch schöne Bildlichkeit und den einlullenden Wohllaut der Verssprache weitgehend wieder verwischt und verunklärt oder, richtiger, kunstvoll und künstlich verklärt wird. Es vollzieht sich, mit einem Wort, eine beinahe schwelgerische *Ästhetisierung* des gesellschaftlichen Phänomens der Armut, die als existentielle, halb noch religiöse, halb schon säkularisierte Gegebenheit nicht etwa bloß in Kauf genommen, sondern emphatisch bejaht und gefeiert wird und so den Anstrich von etwas Erlesenem, Hohem, ja Heiligem erhält. Denn Armut – Rilkesche Armut – ist gerade *kein* »großer Glanz aus innen«, sondern ein äußerlicher Firnis, der freilich mit großem, mit wahrhaft glänzendem Geschick aufgetragen ist. Darin besteht ihre scheinhafte Fülle oder Erfüllung, die alles

Häßliche verdecken, alles Bittere versüßen, die sämtliche Antagonismen versöhnen oder gar tilgen soll; das ist die »tönende Unstimmigkeit« (vgl. Valéry, S. 240) nicht nur in diesem Gedicht, sondern überhaupt im *Stunden-Buch*, ja in Rilkes Schaffen insgesamt, soweit es von der Armut und vom Regen handelt, will sagen von Rilkes ›Antwort‹ auf die »soziale Frage«, über die er sich in seinen *Geschichten vom lieben Gott* sogar ungeniert lustig macht.

Daß solchem Dichten »gesellschaftliche Relevanz« innewohnt, wird man, fürchte ich, zugeben müssen. Sie ist freilich alles andere als emanzipatorisch-progressiver Art. Die armen Rilkeschen Armen sind die Heiligen des immergleichen, ruhenden Seins, der unveränderlichen Dauer ohne Ende. Sie sind, weniger schön gesagt, die Hüter des Bestehenden, die Garanten des Status quo samt seiner Ordnung und Unterordnung ebendieser Armen unter die Herrschenden und Besitzenden, von deren Privilegien bekanntlich auch René Rilke zeitlebens profitierte. Die wahre ›Botschaft‹ seines Gedichts, in dem sich die Gesellschaftsgebundenheit gerade des scheinbar Gesellschaftsfernsten enthüllt, heißt weder christliche Erlösung noch sozialistische Erhebung; sie zielt sowenig aufs Eschaton wie auf die Utopie. Was Rilke so selig verkündet, ist die radikale, ja brutale und doch poetisch höchst wirkungsvolle Zementierung all dessen, was unseligerweise noch immer der Fall ist.

Zitierte Literatur: Gertrud BÄUMER: »Ich kreise um Gott«. Der Beter Rainer Maria Rilke. Berlin 1935. – Hans KAUFMANN: Krisen und Wandlungen der deutschen Literatur von Wedekind bis Feuchtwanger. Fünfzehn Vorlesungen. Berlin/Weimar 1966. – Rilke heute. Beziehungen und Wirkungen. Hrsg. von Ingeborg H. Solbrig und Joachim W. Storck. Frankfurt a. M. 1975. – Rilke-Studien. Zu Werk und Wirkungsgeschichte. Berlin/Weimar 1976. – Paul VALÉRY: Lettres à quelques-uns. Paris 1962. – Eva WERNICK: Die Religiosität des Stundenbuches von Rilke. Berlin/Leipzig 1926.

Weitere Literatur: Reinhold GRIMM: Von der Armut und vom Regen. Rilkes Antwort auf die soziale Frage. Königstein (Ts.) 1981. – Eudo C. MASON: Introduction. In: Rainer Maria Rilke: The Book of Hours Comprising the three books Of the Monastic Life, Of Pilgrimage, Of Poverty and Death. London 1961. – Vittorio MATHIEU: Dio nel »libro d'ore« di Rainer Maria Rilke. Firenze 1968.

Else Lasker-Schüler

Ein alter Tibetteppich

Deine Seele, die die meine liebet,
Ist verwirkt mit ihr im Teppichtibet.

Strahl in Strahl, verliebte Farben,
Sterne, die sich himmellang umwarben.

5 Unsere Füße ruhen auf der Kostbarkeit,
Maschentausendabertausendweit.

Süßer Lamasohn auf Moschuspflanzenthron,
Wie lange küßt dein Mund den meinen wohl
Und Wang die Wange buntgeknüpfte Zeiten schon?

Abdruck nach: Else Lasker-Schüler: Gedichte 1902–1943. Hrsg. von Friedhelm Kemp. München: Kösel, 1959. [2]1961. S. 164.
Erstdruck: Der Sturm 1. Nr. 41 (8. 12. 1910).
Weitere wichtige Drucke: Die Fackel. Nr. 313/314 (31. 12. 1910). – Else Lasker-Schüler: Meine Wunder. Gedichte. Karlsruhe/Leipzig: Dreililienverlag, 1911.

Swantje Ehlers

Ein Spiel von Form und Inhalt. Zu Else Lasker-Schülers *Ein alter Tibetteppich*

Bereits der erste Vers dieses Gedichtes läßt eine Sprechhaltung erkennen, die abweicht von einer das Gesamtwerk Else Lasker-Schülers durchziehenden Stillage. Bezeichnend für diese Stillage ist die Setzung eines Ich, das aus der Unmittelbarkeit seines Erlebens heraus spricht: »Ich bin so allein / Fänd ich den Schatten / Eines süßen Herzens« (*Giselheer dem König*) »O ich bin so traurig – – – / Das Gesicht im Mond weiß es« (*Ein Lied*). Die Emotionalität, die darin ausgedrückt wird, wird in dem Gedicht *Ein alter Tibetteppich* versachlicht und zum Gegenstand der lyrischen Aussage fortgerückt.

Mit der Wendung aus dem Hohenlied Salomons »Deine Seele, die die meine liebet« führt das Sprecher-Ich eine Perspektive ein, die im anderen ihren Ausgangspunkt hat. Thematisch wird die Du-zu-mir-Beziehung und nicht umgekehrt die Beziehung des Ich zu dem Du. Die Formulierung »Deine Seele, die die meine liebet« erweckt den Eindruck des Formelhaften und Feststehenden, der auch auf die Funktion des Relativsatzes zurückzuführen ist. Durch ihn wird »deine Seele« gekennzeichnet als diejenige, »die die meine liebet«. Die Liebe von ›dir‹ zu ›mir‹ wird als etwas Bestehendes vorausgesetzt und dient lediglich der Charakterisierung von »deiner Seele«. Entsprechend dieser Blickrichtung stellt das Ich eine Distanz her zu dem anderen wie zu sich selbst. Durch das Ich geht eine Teilung, kraft derer die Du-und-Ich-Beziehung vor den Blick des eigenen Ich tritt. Der Artikel in »die meine« akzentuiert das Gegenständliche und hebt spielerisch »deine Seele« und »die meine« voneinander ab.

Auch die rhythmische Untergliederung dieses Verses trägt die beiden Momente von Trennung und Verbindung. Zwar liegt nach »deine Seele« ein Einschnitt vor, doch faßt der Intonationsverlauf, der erst nach »liebet« abfällt, den ganzen Vers wieder zu einer Einheit zusammen. Behauptet wird in diesen zwei Zeilen nicht die Liebe, sondern das Verwirktsein von »deiner Seele« mit der »meinen« in dem »Teppichtibet«. Das Verwirktsein bildet jenen Sachverhalt, dem sich das Ich aus der Distanz heraus zuwendet.

Vorherrschend und als Gesamteindruck prägend ist jedoch die Metaphorik von »Teppichtibet«, die inhaltlich dem Verb »verwirkt sein« korrespondiert. In ihr wird das Beziehungsgeflecht von »deine und meine Seele« metaphorisiert. Das Verwirktsein erfaßt eine Zustandsqualität der Liebenden und enthält somit bereits eine deutende Ansicht der Liebe. Der Ausdruck »im Teppichtibet« gibt dem Verwirktsein eine räumliche Bestimmung und deutet darauf hin, daß auch die Liebenden wiederum Teil sind, die sich einem größeren Zusammenhang einfügen, der mit dem Bild »Teppichtibet« gegeben ist.

Das Kompositum »Teppichtibet«, in dem die Reihenfolge von Sinn- und Bestimmungswort gegenüber »Tibetteppich« im Titel vertauscht ist, läßt sich zweifach auflösen. »Teppich« kann genetivisch zugeordnet werden: das Tibet des Teppichs; dann wäre »Teppich« als Einzelgegenstand aufzufassen. Oder aber »Teppich« bezeichnet eine Substanz, dann hieße es: das Tibet aus Teppich. Das Gedicht hält beide Bedeutungen offen, so daß das Schwebende selbst zu einem Element dieser Metapher wird. Wortzusammenfügung und Vertauschung lassen eine Vielzahl von Bedeutungen und Assoziationen zu, um in dieser schillernden Offenheit poetisch wirksam zu werden.

Syntaktisch und rhythmisch bilden die ersten beiden Verse eine Einheit, die durch Reimbindung abgeschlossen wird. Das Verwirktsein von »deiner Seele« mit der »meinen« wird als ein Sachverhalt hingestellt und metaphorisch gebunden im »Teppichtibet«. Das Bild, in dem Du und Ich gefaßt sind, rückt fort zu etwas Angeschautem, auf das sich das lyrische Ich bezieht. Doch ist diese Aussage nur der Auftakt, der das Folgende einleitet und eine erste Orientierung bietet.

Thematisch wird der Anfangstopos dieses Gedichtes im zweiten Zweizeiler fortgeführt, indem »Farben«, »Sterne« und »Strahlen« als Einzelmomente herausgegriffen und aneinandergereiht werden. Allerdings verschränken sich hier verschiedene Bildbereiche, indem jedes Wort wechselnde Bezugspunkte in sich vereinigt. »Strahl in Strahl« nimmt das Teppich-Motiv wieder auf und bindet die Eigenschaft des Gewebeartigen an einen anderen Bildbereich, der vorerst nur angedeutet ist.

Wenn »Farben« auf das Wahrnehmbare eines Gewebes verweisen, so bleibt offen, inwieweit das Stoffgewebe des Teppichs und inwieweit das Strahlen-Gewebe gemeint ist. Die Möglichkeit, verschiedene Beziehbarkeiten herzustellen, wird dadurch erreicht, daß das Verb ausgelassen ist und somit keine syntaktische Verbindung zum Hauptsatz vorliegt.

In der Zuordnung des Adjektivs »verliebt« erfolgt eine weitere Überlagerung zweier Inhaltsebenen. Während das Adjektiv an die Liebe als Gegenstand der ersten Strophe anschließt, bezieht sich das Substantiv »Farben« auf das Teppich-Motiv, das diesen Gegenstand metaphorisiert. Eine Eigenschaft, die dem Gegenstand zugehört, wird auf das Bild projiziert: »verliebte Farben«. Sache und Bild werden miteinander verschachtelt, um in dieser Form ihre Trennung aufzuheben. Schrittweise wird das Moment des Verwirktseins aufgefächert und gesteigert, bis im vierten Vers in einem schwärmerischen Gestus ein neues Bild für die Liebenden gefunden ist: »Sterne, die sich himmellang umwarben«.

Rückwirkend treten »Sterne« und »Strahlen« in Wechselbeziehung, da sie demselben Begriffsfeld angehören und innerhalb des Gedichtes eine zweite Metaphernebene etablieren. Auch der Bildbereich von »Sterne« und »Strahlen« nimmt in sich mehrere Bezüge auf. Einmal setzt sich das Teppich-Motiv, vermittelt über »verliebte Farben«, auch in diesen Bildbereich fort; zum anderen stellen »Sterne« im Gegensatz zum Teppich-Bild Figuren dar und verbildlichen direkt die Liebenden, deren beiderseitige Verflechtung in der Drehbewegung von »sich umwerben« einen neuen Ausdruck findet.

Indem die Teppich-Metapher ihrerseits verbildlicht wird, wird sie wie auch die Liebenden zum Inhalt des Sternen-Bildes. So wie Sache und Bild gehen auch Bild und Bild ungeschieden ineins.

Die Gegenwart einer Liebesbeziehung wird an den Vorgang des Sich-Umwerbens gebunden, dessen Beginn durch das

Imperfekt in eine unbestimmte Vergangenheit verwiesen wird und dessen Dauer durch das Adjektiv »himmellang« als unbegrenzt charakterisiert wird. Diese Wortzusammensetzung ist der der Umgangssprache nachgebildet und läßt sich als Beschreibung eines Zeitverlaufes deuten, dessen Maß »Himmel« sind. Begrifflich schließt »Himmel« an den Bildbereich »Sterne« an, der im Zusammenspiel mit der wortschöpferischen Technik einen kindlich-märchenhaften Beiklang erhält.
Reihung und metaphorische Verschränkung von »Strahlen«, »Farben« und »Sterne« bewirken eine Steigerung, die zurückblendet auf das lyrische Ich. In der schwärmerischen Stillage dieser beiden Verse werden Emotionen mitteilbar. Schrittweise wird der Erfahrungsgrund eingeholt, dem das Ich durch die einleitende Zweiteilung von »Ich« und »meine Seele« von sich abgelöst und gleichsam vor sich gestellt hat, um aus der Entfernung heraus sich dem zuzuwenden, worin es als einheitliches Ich gebunden ist: der Verflechtung von Du und Ich. Die Gegenüberstellung von Du und Ich wird im wechselseitigen Prozeß des Sich-Umwerbens getilgt. Im Ineinandergreifen von Bild und Gegenstand bildet sich eine Symbolebene heraus, in der das Verwirktsein nicht länger das Gemeinte ist, sondern selbst Gestalt wird und darin auch als Inhalt erlebbar.
Im Hinblick auf die Gesamtgliederung des Gedichtes läßt sich festhalten, daß die ersten beiden Strophen eine Einheit bilden, so daß ein Einschnitt zur dritten entsteht. Der erste Vers und der vierte Vers des Gedichtes spiegeln sich ineinander durch die gleiche Relativsatzkonstruktion und schaffen damit eine Verklammerung der ersten beiden Strophen. Sie wird zudem gestützt durch den Wechsel vom klingenden Reim zum stumpfen Reim der beiden letzten Strophen.
In der dritten Strophe erfolgt die Wendung zum Wir und zugleich eine Veränderung des Begriffsfeldes, aus dem die Worte stammen. An die Stelle des Beseelten und Metaphorischen tritt nun eine greifbare Situation, die die Liebenden

körperhaft nahebringt. Der »Teppich«, der hier mit »Kostbarkeit« umschrieben ist, erhält eine andere Funktion als in der ersten Strophe. Dort wird der »Teppich« in seiner übertragenen Bedeutung gebraucht, d. h. er wird als Vergleichsbild für die Liebenden aufgerufen. Im fünften Vers jedoch wird »Teppich« in wörtlicher Bedeutung eingesetzt, nämlich als Ding mit einer räumlichen Ausdehnung. Der unterschiedliche Stellenwert dieses Motivs beruht auf dem Kontext, in den es gestellt wird. Das Verb »ruhen auf« aktualisiert Eigenschaften wie ›flächig‹ und ›auf-dem-Boden-liegend‹, die den »Teppich« als Gegenstand kennzeichnen. Während das Prädikatsnomen »verwirkt« in der ersten Strophe gerade auf die übertragene Bedeutung des Teppich-Motivs zielt. Die Vorstellung von Füßen, die auf dem Teppich ruhen, veranschaulicht die Situation der Liebenden körperhaft. Das Bild der Liebenden, das zuvor im Gedicht aufgebaut wurde, wird jetzt entsublimiert und gewinnt körperhafte Gegenwart.
Die Bezeichnung »Kostbarkeit« enthält eine Wertung, die doppelsinnig ist. Sie gilt zum einen der Liebesbeziehung, die im Teppich-Gewebe verbildlicht ist, und zum anderen betrifft sie den Teppich als Gegenstand, dessen Gewebe ihn zu einem Artefakt macht. Über die verbildlichende Funktion hinaus deutet sich ein Kunstzusammenhang an, in dem der »Teppich« in eine weitere Symbolebene gestellt wird.
Die sechste Zeile des Gedichtes ist ausgefüllt mit einem komplexen Wort »Maschentausendabertausendweit«, dessen grammatische Zugehörigkeit nicht eindeutig ist. Es läßt sich als Adverb deuten wie als nachgestelltes Attribut zu »Kostbarkeit«. Solche Wortneubildungen, wie sie sich bereits bei Arno Holz, Peter Hille und Theodor Däubler finden, gehören zu den bevorzugten Stilmitteln Else Lasker-Schülers.
Entscheidend ist, daß hier das Wort als Wort eingesetzt wird, dessen sinnlich wahrnehmbare und zeilenfüllende Gestalt eine Vermittlungsfunktion erhält. Auf die endlose

Ausdehnung des Gewebes verweist die Wortzusammensetzung nicht allein kraft ihres Aussageinhaltes, sondern als Material. Die einzelnen Wörter reihen sich derart aneinander, daß am Sprachmaterial das Moment der Verknüpfung visualisiert wird. Die Verkettung von Maschen wird übersetzt in die Verkettung von Wörtern, um damit formal jene Bewegung einzufangen, die in Dichte wie Ausdehnung den metaphorischen Gehalt des Gewebes zum Ausdruck bringt. Mit formal-sprachlichen Mitteln wird jetzt das »Verwirktsein«, das in der ersten Strophe als Sache behauptet wurde, gestaltet. Auch wenn jede Strophe einen neuen Bildbereich aufbaut, der in sich geschlossen ist, so sichert die thematische Fortentwicklung das Verbindende zwischen den Strophen.
Der Umschlag, der in der vierten Strophe erfolgt, wird bereits durch die äußere Ordnung des Gedichtes angezeigt. Auf drei zweizeilige Strophen folgt ein Dreizeiler, in dem auch das Versmaß wechselt vom Trochäus zum Jambus in den letzten beiden Versen. Die Assonanz von »-thron«, »wohl«, »schon« schafft eine weitere formale Bindung zwischen diesen drei Versen. Ebenso wird das letzte Verspaar, das die Frage enthält, zusammengeschlossen durch die Binnenreime »lange« / »Wange« und »Mund« / »bunt«.
In der vierten Strophe wird das Du namentlich angesprochen: »Süßer Lamasohn auf Moschuspflanzenthron«. Mit dieser Anrede verschiebt sich der Bildbereich, der bis zu diesem Vers im Gedicht aufgerichtet wurde. Wenn im ersten Vers des Gedichtes das Du noch unanschaulich und abstrakt aufgerufen wird als »deine Seele«, erhält es nun eine personenhafte Nähe.
Der »süße Lamasohn« stellt eine Bildeinheit dar, die sich im einzelnen nicht auflösen läßt. Vielmehr vermischen sich in ihr assoziierte Bildbereiche von »Tibet« und »Lamasohn« mit denen, die die Wortschöpfung »Moschuspflanzenthron« anspricht.
Entscheidend wird in diesem Vers das Begriffsfeld von Tibet

aktualisiert. Damit tritt die Raumvorstellung in den Vordergrund gegenüber dem Gewebeartigen, das mit dem Teppich-Motiv gegeben ist und zuvor im Verlauf des Gedichtes abgewandelt wurde. Der »Tibetteppich« weitet sich in seiner metaphorischen Qualität zu einem imaginativen Raum aus, der die Liebenden als Figuren umschließt.

Doch auch mit dieser Betrachtung ist die symbolische Verflechtung des Gedichtes noch nicht hinreichend erschöpft. Die Anredeform »süßer Lamasohn« nimmt in sich eine Eigenschaft auf, die sich aus dem Begriffsfeld von »Tibet« ableitet. Dadurch wird das angesprochene Du zu einer Figur poetisiert, die in sich all jene Eigenschaften bindet, die das Metapherngeflecht aus Tibet und Teppich erzeugt. Der Ausdruck »Moschuspflanzenthron« bringt eine weitere Poetisierung zustande, so daß das Du in genau der Qualität imaginiert wird, die es in der Verflechtung mit dem Ich besitzt.

Rückwirkend weist die vierte Strophe auf die Instanz des lyrischen Ich, die den Grund bildet, aus dem die Poetisierung hervorgeht. Die Erfahrung der eigenen Liebesbindung, die das Ich zu Anfang ausblendet, wird nun im Bild und seiner poetischen Ausformung eingeholt, bis in den Schlußversen die Du-und-Ich-Verflechtung konkret eingefangen ist.

Obwohl die Erfahrung der Liebesbindung hier nahegebracht wird, bleibt dennoch jene Distanzhaltung des Ich gegenüber dem Verwobenen erhalten bis zu der Frage: »Wie lange?«, in der Unsicherheit über die Dauer des Bestehenden nachklingt. Auch hier wird mit dem Zweideutigen gearbeitet, indem die Frage sich auflösen läßt, in: ›Wie lange . . . noch?‹ oder: ›Wie lange . . . schon?‹

Die Ich-Du-Verbindung wird in dem Bild ›Mund auf Mund‹ und ›Wang an Wange‹ zwar körperhaft veranschaulicht, doch bleibt die Poetisierung erhalten; denn die konkrete Situation der Liebenden wird durch »buntgeknüpfte Zeiten« in jenen imaginativen Raum verwiesen, der sie dem Real-

Faßbaren entzieht und ins Zeitlich-Unbegrenzte der Vergangenheit öffnet.
Das Gedicht *Ein alter Tibetteppich* hebt die Gegenüberstellung von Gegenstand und Bild auf, um im Wechsel der verschiedenen Bildbereiche das Teppich-Gewebe selbst zur Form des Gedichtes zu machen, durch die hindurch die Liebe poetisch imaginiert wird. Bild und Sache werden derart miteinander verknüpft, daß das Bild zur Sache wird und umgekehrt die Sache zum Bild. Dieses Gewebe aus Form und Inhalt bildet eine Struktur, in der sich das Verwirktsein zweier Liebenden als Inhalt spiegelt. Das Gedicht nimmt in sich auf, worauf es bezogen ist. Somit ist das Moment des Verwirktseins nicht allein der Erfahrungsgrund, aus dem heraus das lyrische Ich seine Substanz gewinnt, sondern es wird zum Gesetz dieses Gedichtes und bestimmt seine Symbolik. *Ein alter Tibetteppich* ist in dem Sinne nicht nur ein Gedicht über die Liebe, die es in seiner Metaphorik beschwört, sondern ein Gedicht über das Gedicht.
Aus dieser Sicht reiht sich der *Alte Tibetteppich* eher in die Tradition des Symbolismus ein als in den Expressionismus der Jahre 1910 bis 1920. Bei aller Unterschiedlichkeit seiner Formen und verkündeten Inhalte, die den Expressionismus nur schwer auf einheitliche Begriffsmerkmale festlegen lassen, zählt doch zu seinen Angriffszielen die Ästhetisierung, die Kohärenz, die Geschlossenheit einer Symbolik und der durch sie veranlaßten ästhetischen Wirkungen. Merkmale, die gerade dieses Gedicht kennzeichnen.
Wenn in der Lyrik eines van Hoddis, Lichtenberg, Stadler und Heym die gedankliche Kontinuität aufeinanderfolgender Bilder abreißt, so steigert Else Lasker-Schüler in artistischer Verflechtung von Bildern gerade das Bindende und Einheitsstiftende zum Kunstprinzip dieses Gedichtes.
Und auch von jener Grundstimmung der Liebeslyrik Else Lasker-Schülers, in der das Ich exponiert wird, um seine Erlebnisse zum Gegenstand seiner Aussprache zu machen, weicht dieses Gedicht ab, indem die Liebe objektiviert wird.

Es findet ein Überschreiten des Ich statt in jenen Zusammenhang, der symbolisch repräsentiert ist im Bild des »alten Tibetteppich«.

Literatur: Clemens Heselhaus: Else Lasker-Schülers literarisches Traumspiel. In: C. H.: Deutsche Lyrik der Moderne von Nietzsche bis Yvan Goll. Düsseldorf 1951. – Karl-Josef Höltgen: Untersuchungen zur Lyrik Else Lasker Schülers. Diss. Bonn 1955.

Jakob van Hoddis

Weltende

Dem Bürger fliegt vom spitzen Kopf der Hut,
In allen Lüften hallt es wie Geschrei,
Dachdecker stürzen ab und gehn entzwei
Und an den Küsten – liest man – steigt die Flut.

5 Der Sturm ist da, die wilden Meere hupfen
An Land, um dicke Dämme zu zerdrücken.
Die meisten Menschen haben einen Schnupfen.
Die Eisenbahnen fallen von den Brücken.

Abdruck nach: Jakob van Hoddis: Weltende. Gesammelte Dichtungen. Hrsg. von Paul Pörtner. Zürich: Arche, 1958. S. 28.
Erstdruck: Der Demokrat. Berlin. 11. 1. 1911.

Karl Riha

»Dem Bürger fliegt vom spitzen Kopf der Hut«

Zur zentralen Bedeutung, die dieses *Weltende*-Gedicht des Jakob van Hoddis (1887–1942) für den deutschen Frühexpressionismus vor dem Ersten Weltkrieg hatte, erinnerte Johannes R. Becher noch nach dem Zweiten Weltkrieg: »Auch die kühnste Phantasie meiner Leser würde ich überanstrengen bei dem Versuch, ihnen die Zauberhaftigkeit zu schildern, wie sie dieses Gedicht ›Weltende‹ von Jakob van Hoddis für uns in sich barg. Diese zwei Strophen, o diese acht Zeilen schienen uns in andere Menschen verwandelt zu haben, uns emporgehoben zu haben aus einer Welt stumpfer Bürgerlichkeit, die wir verachteten und von der wir nicht wußten, wie wir sie verlassen sollten. Diese acht Zeilen entführten uns. Immer neue Schönheiten entdeckten wir in diesen acht Zeilen, wir sangen sie, wir summten sie, wir murmelten sie, wir pfiffen sie vor uns hin, wir gingen mit diesen acht Zeilen auf den Lippen in die Kirchen, und wir saßen, sie vor uns hinflüsternd, mit ihnen beim Radrennen. Wir riefen sie uns gegenseitig über die Straße hinweg zu wie Losungen, wir saßen mit diesen acht Zeilen beieinander, frierend und hungernd, und sprachen sie gegenseitig vor uns hin, und Kälte und Hunger waren nicht mehr. Was war geschehen? Wir kannten das Wort damals nicht: Verwandlung. [...] Alles, wovor wir sonst Angst oder gar Schrecken empfanden, hatte jede Wirkung auf uns verloren. Wir fühlten uns wie neue Menschen, wie Menschen am ersten geschichtlichen Schöpfungstag, eine neue Welt sollte mit uns beginnen, und eine Unruhe, schworen wir uns, zu stiften, daß den Bürgern Hören und Sehen vergehen sollte und sie es geradezu als eine Gnade betrachten würden, von uns in den Orkus geschickt zu werden« (*Expressionismus*, S. 51 f.). Gottfried Benn datierte von diesem Gedicht her den Beginn der expressionistischen Literaturbewegung, und Kurt Pinthus stellte es an den Anfang seiner Anthologie *Menschheitsdämmerung*, mit der er 1919 eben der Anerkennung der expressionistischen Lyrik entscheidend Bahn brach. Erstveröffentlicht wurde es bereits am 11. Januar 1911 in der Berliner Zeitschrift *Der Demokrat*; entstanden ist es vermutlich schon Mitte 1910, mithin in zeitlicher Nähe zum Wiedererscheinen des Halleyschen Kometen im Mai des Jahres, das in ganz Europa Panikstimmung auslöste: man fürchtete, daß es beim Durchgang der Erde durch den Schweif des Wandelsterns zu weltzerstörenden Explosionen kommen würde (*Gedichte der ›Menschheitsdämmerung‹*, S. 66 f.). Eine solche Reduktion des Textes auf die erlebnishafte Verarbeitung eines konkreten historischen Ereignisses greift jedoch zu kurz; sie verfehlt jene sublimeren, tiefere

Krisen signalisierenden Umbruchsstimmungen, die zum Ende des deutschen Kaiserreichs um sich griffen und vor allem die junge Generation erfaßten – man vergleiche dazu die Tagebücher Georg Heyms (bes. S. 164) –, und übergeht jene literarischen Traditionen, gegen die und auf die hin das *Weltende*-Gedicht des Jakob van Hoddis erst seinen extraordinären Stellenwert erhält.

Neuartig ist vor allem die Bildlichkeit des Textes und die Wahrnehmungsproblematik, auf die sie verweist; ihnen gegenüber bleiben – paradox – Metrik, Reim und Strophenbau ganz im konventionellen Rahmen: »[. . .] der jambische Fünfheber, wo immer Jakob van Hoddis ihn verwendet, [weist] auf das Vorbild Stefan Georges zurück, der Hoddis' Werk nicht nur formal, sondern auch sprachlich entscheidend beeinflußt hat« (*Gedichte der ›Menschheitsdämmerung‹*, S. 59). Die Parenthese »liest man« in der Schlußzeile der ersten Strophe gibt dem ganzen Gedicht den Charakter eines Zeitungs-Cross-readings (zum Terminus und der Text-Praxis, die er historisch belegt, vgl. Riha), d. h. einer Montage verquer zusammengesetzter Nachrichten, die auf die Überraschungseffekte des Disparaten, ja Widersprüchlichen aus sind; doch handelt es sich um keine ausdrücklich als solche markierten Zitate aus Zeitungen. Dem Bürger vom Kopf fliegender Hut, abstürzende Dachdecker, Sturmfluten an den Meeresküsten und gebrochene Dämme etc. illustrieren zwar auf je eigene Weise das ›Sturm‹-Thema, wie es in der ersten Zeile der zweiten Strophe – »Der Sturm ist da« – angeschlagen wird, dennoch bleiben sie seltsam unzusammenhängend und unstimmig im Sinne traditioneller dichterischer Komposition. Nicht unwesentlich trägt dazu der Wechsel der lyrischen Diktion in der Folge wie innerhalb der einzelnen Verszeilen bei, die mehr aneinandergereiht als wirklich integriert und zueinander in Beziehung gebracht werden bzw. in sich ›gebrochen‹ erscheinen; man vergleiche den Wechsel von »In allen Lüften hallt es wie Geschrei« (2) zu »Dachdecker stürzen ab und gehn entzwei« (3) bzw. von »Der Sturm ist da« zu »die wilden Meere

hupfen« (5). Ein hauptsächliches Mittel der Irritation sind dabei verquer eingesetzte Verben, die das katastrophale Geschehen scheinbar inadäquat kommentieren; sie lösen den apokalyptischen Ansatz – vom Inhaltlichen wie vom Stil her – ins ›Spielerische‹ auf. Die bedrohlichen Details werden auf Distanz gerückt und verharmlost – ein Vorgang, der ins Groteske und in den schwarzen Humor führt!
Um ›überlegene Distanz‹, eine ironische Relativierung oder gar wirkliche Aufhebung des Schreckens, handelt es sich freilich nicht, im Gegenteil: er grimassiert nur auf eine neue und sehr viel eindringlichere Weise. Man hat in diesem Zusammenhang – quasi als Vorwegnahme im literarischen Werk – auf die Schizophrenie des Dichters hingewiesen, die 1914 ausbrach, deren erste Symptome aber schon 1912 in Erscheinung traten. Es wäre allerdings falsch, diese Krankheit allzu ausschließlich für die auffallende Disparatheit der Elemente des Gedichts verantwortlich zu machen; wahrscheinlich förderte sie nur die spezifische Empfänglichkeit für die Wahrnehmungs-Veränderungen im Zuge einer allgemeineren Ich-Dissoziation, deren Ursachen gesellschaftlicher Natur sind. Silvio Vietta hat vor allem den Einfluß der modernen Großstadt mit ihrer ›Zusammendrängung‹ und ihrem ›schroffen Abstand‹ wechselnder Bilder herauszuarbeiten versucht, wobei er sich auf einen frühen Aufsatz von Georg Simmel stützte (S. 30ff., bes. S. 34). Ein solcher Ansatz rückt den expressionistischen Reihungsstil, wie ihn van Hoddis kreierte, in eine neue Dimension und läßt überhaupt erst plausibel erscheinen, weshalb sich seine poetische Gestik zum Generations- und Epochenstil ausweiten konnte. Und hier läßt sich der Bedeutungszuwachs, den das Gedicht im Kontext und im Fortgang der zeitgenössischen Literatur erfuhr, unmittelbar anschließen.
Das »neue Weltgefühl«, das mit dem *Weltende*-Gedicht Gestalt gewonnen habe, faßte Johannes R. Becher im Anschluß an das einleitend wiedergegebene Zitat als »Gefühl von der Gleichzeitigkeit des Geschehens« (*Expressionismus*, S. 54); dafür sei sofort auch das zündende Etikett ›Simul-

tanismus‹ in Umlauf gekommen. ›Simultanismus‹ bzw. ›Simultaneität‹ war aber zu diesem Zeitpunkt schon das Signal-Stichwort der futuristischen Bewegung, die sich – unter der Führung Marinettis – bereits 1909 in Italien konstituiert hatte und in den folgenden Jahren quer durch Europa heftige Reaktionen zeitigte; der Begriff definierte sich im Manifest als »lyrische Exaltation, die bildnerische Sichtbarmachung eines neuen Absolutum« oder als Versuch, »den Begriff des Raumes, auf den sich der Kubismus beschränkt, mit dem Begriff der Zeit zu vereinen« (Apollonio, S. 230). Die Erscheinungen der Wirklichkeit, hieß es bereits in *Die futuristische Malerei – Technisches Manifest* von 1910, seien nichts weiter als »beharrliche Symbole der universellen Vibration«: der Raum – in seiner gewohnten Vorstellung – existiere nicht mehr, Fernstes und Nächstes schöben sich ineinander, der verschärften und vervielfältigten Sensibilität öffneten sich die »dunklen Offenbarungen mediumistischer Phänomene«. »Die vorüberfahrende Straßenbahn«, illustriert es sich im konkreten Großstadtzusammenhang, »dringt in die Häuser ein, die sich ihrerseits auf die Straßenbahn stürzen und sich mit ihr verquicken« (Apollonio, S. 41).
Nicht um eine Gleichsetzung der Gestaltungstendenzen bei van Hoddis und den Futuristen geht es dabei, auch nicht um die Feststellung eines realen Einflusses, obwohl sich über den Berliner Futuristen-Protegé Herwarth Walden, in dessen Zeitschrift *Der Sturm* die ersten Gedichte des Dichters erschienen, ein solcher Konnex herstellen ließe, sondern um eine aufschlußreiche Parallelität, bei der man die Unterschiede nicht verwischen muß. So findet sich für die eklatante Technikbegeisterung der Futuristen bei van Hoddis keine Entsprechung, wie umgekehrt der ›pervertierte Jugendstil‹, der die Anfänge des deutschen Expressionismus kennzeichnet (so die Hauptthese von Mautz), im Futurismus ausfällt bzw. durch andere Ableitungen ersetzt wird; das hat Folgen für die spezifische Motivik, etwa die der Endzeitthematik hier und die der Kriegsbegeisterung – als ›einzige Hygiene der Welt‹ – dort.

Im übrigen wird die futuristische Perspektive auf das *Weltende*-Gedicht durch die direkte Aufnahme bestätigt, die van Hoddis bei den Dadaisten fand. Bereits im Züricher »Cabaret Voltaire« gehören seine Verse zu den programmatischen Vortragsnummern, in der ersten – gleichnamigen – Publikation figurieren sie im Zusammenhang einer »ersten Synthese der modernen Kunst- und Literaturrichtungen« – »Die Gründer des Expressionisme, Futurisme und Cubisme sind mit Beiträgen darin vertreten« –, und noch in der Nachfolge-Institution des »Cabarets«, in der »Galerie Dada«, stehen sie an signifikanter Stelle (vgl. Ball, S. 72, 91, 150). Einen noch schlagkräftigeren Beleg liefert das *Dadaistische Manifest* von 1918, das neben den Züricher Dadaisten nun auch von den Gründern der Berliner Dada-Bewegung unterzeichnet wurde. Es fordert die Überwindung des Expressionismus, der sich zu diesem Zeitpunkt bereits in abstrakt-pathetische Gesten geflüchtet habe und auf eine ehrenvolle Bürgeranerkennung aus sei; statt dessen gelte es, »das primitivste Verhältnis zur umgebenden Wirklichkeit« einzunehmen: »Das Leben erscheint als ein simultanes Gewirr von Geräuschen, Farben und geistigen Rhythmen, das in die dadaistische Kunst unbeirrt mit allen sensationellen Schreien und Fiebern seiner verwegensten Alltagspsyche und in seiner gesamten brutalen Realität übernommen wird.« So z. B. im ›simultanistischen Gedicht‹, zu dem es heißt, es lehre »den Sinn des Durcheinanderjagens aller Dinge«, konkret: »während Herr Schulze liest, fährt der Balkanzug über die Brücke bei Nisch, ein Schwein jammert im Keller des Schlächters Nuttke« (zit. nach: *Dada Berlin*, S. 22 f.).
Die Aktualität, die van Hoddis auf diese Weise in der fortschreitenden Kunst-Antikunst-Bewegung behält, schlägt auf die Qualität seiner Texte unmittelbar zurück: den Beginn der expressionistischen Lyrik und hier eine eigene Stilrichtung markierend, stehen sie doch verquer zu gleichzeitigen Trends dieser literarischen Richtung und vor allem zu ihrem weiteren Verlauf, ob man nun bei den magisch-mythologi-

schen Tendenzen eines Georg Heym oder bei den pathetischen Ausprägungen ansetzt, zu deren Kennzeichnung sich die Kurzformel ›O Mensch‹-Pathos eingebürgert hat. In beiden Richtungen kommt es zwar zu Annäherungen an den einprägsamen Zeilenstil des *Weltende*-Gedichts, insgesamt aber werden das sprunghafte Nebeneinander der Einzelbilder und ihr abrupter Wechsel von Vers zu Vers doch wieder aufgegeben zugunsten übergreifender Zusammenhänge, eine ins Größere anschwellende Bildeinheit vor allem, die sich auf eine und oft sogar mehrere Strophen ausdehnt. (Vgl. dazu die motivgleichen Gedichte, die Kurt Pinthus in seiner Anthologie unmittelbar auf das *Weltende*-Gedicht folgen läßt: Georg Heyms *Umbra Vitae* und Johannes R. Bechers *Verfall*; in: *Menschheitsdämmerung*, S. 39 ff.) Mit diesem Drang zur Rekomposition fällt aber auch die ironisch-buffoneske Auffassung des Endzeit-Geschehens, die bei van Hoddis Faszination und Distanz grotesk aneinander bindet und im Witz löst; sie zurückzugewinnen war zum Ende des Ersten Weltkriegs, zu Beginn der Weimarer Republik nur noch gegen den etablierten Expressionismus möglich.

Zitierte Literatur: Umbro APOLLONIO: Der Futurismus. Manifeste und Dokumente. Köln 1972. – Hugo BALL: Die Flucht aus der Zeit. Luzern 1946. – Dada Berlin. Texte, Manifeste, Aktionen. In Zusammenarb. mit Hanne Bergius hrsg. von Karl Riha. Stuttgart 1977 [u. ö.]. – Expressionismus. Aufzeichnungen und Erinnerungen der Zeitgenossen. Hrsg. von Paul Raabe. Olten / Freiburg i. Br. 1965. – Gedichte der ›Menschheitsdämmerung‹. Interpretationen expressionistischer Lyrik. Mit einer Einl. von Kurt Pinthus hrsg. von Horst Denkler. München 1971. – Georg HEYM: Dichtungen und Schriften. Hrsg. von Karl Ludwig Schneider. Bd. 3: Tagebücher, Träume, Briefe. Hamburg/München 1960. – Kurt MAUTZ: Mythologie und Gesellschaft im Expressionismus. Die Dichtung Georg Heyms. Bonn 1961. – Menschheitsdämmerung. Ein Dokument des Expressionismus. Mit Biogr. und Bibliogr. neu hrsg. von Kurt Pinthus. Hamburg 1959. – Karl RIHA: Cross-reading und Cross-talking. Zitat-Collagen als poetische und satirische Technik. Stuttgart 1971. – Silvio VIETTA / Hans-Georg KEMPER: Expressionismus. München 1975.

Weitere Literatur: Clemens HESELHAUS: Deutsche Lyrik der Moderne von Nietzsche bis Yvan Goll. Düsseldorf 1962. S. 300 ff. – Udo REITER: Jakob van Hoddis. Leben und lyrisches Werk. Göppingen 1970. – Fritz RICHTER: Jakob van Hoddis' ›Weltende‹. In: Jahrbuch der Schlesischen Friedrich-Wilhelm

Universität zu Breslau 13 (1968) S. 313–320. – Peter Rühmkorf: Bemerkungen zu Jakob van Hoddis' ›Weltende‹. In: 105 expressionistische Gedichte. Berlin [West] 1976. S. 61 f. – Hansjörg Schneider: Jakob van Hoddis. Ein Beitrag zur Erforschung des Expressionismus. Bern 1967. – Richard Sheppard: Jakob van Hoddis' Literary Remains. In: Literaturwissenschaftliches Jahrbuch 18 (1977) S. 219–270.

Georg Heym

Ophelia

I

Im Haar ein Nest von jungen Wasserratten,
Und die beringten Hände auf der Flut
Wie Flossen, also treibt sie durch den Schatten
Des großen Urwalds, der im Wasser ruht.

5 Die letzte Sonne, die im Dunkel irrt,
Versenkt sich tief in ihres Hirnes Schrein.
Warum sie starb? Warum sie so allein
Im Wasser treibt, das Farn und Kraut verwirrt?

Im dichten Röhricht steht der Wind. Er scheucht
10 Wie eine Hand die Fledermäuse auf.
Mit dunklem Fittich, von dem Wasser feucht
Stehn sie wie Rauch im dunklen Wasserlauf,

Wie Nachtgewölk. Ein langer, weißer Aal
Schlüpft über ihre Brust. Ein Glühwurm scheint
15 Auf ihrer Stirn. Und eine Weide weint
Das Laub auf sie und ihre stumme Qual.

II

Korn. Saaten. Und des Mittags roter Schweiß.
Der Felder gelbe Winde schlafen still.
Sie kommt, ein Vogel, der entschlafen will.
20 Der Schwäne Fittich überdacht sie weiß.

Die blauen Lider schatten sanft herab.
Und bei der Sensen blanken Melodien
Träumt sie von eines Kusses Karmoisin
Den ewigen Traum in ihrem ewigen Grab.

Vorbei, vorbei. Wo an das Ufer dröhnt
Der Schall der Städte. Wo durch Dämme zwingt
Der weiße Strom. Der Widerhall erklingt
Mit weitem Echo. Wo herunter tönt

Hall voller Straßen. Glocken und Geläut.
Maschinenkreischen. Kampf. Wo westlich droht
In blinde Scheiben dumpfes Abendrot,
In dem ein Kran mit Riesenarmen dräut,

Mit schwarzer Stirn, ein mächtiger Tyrann,
Ein Moloch, drum die schwarzen Knechte knien.
Last schwerer Brücken, die darüber ziehn
Wie Ketten auf dem Strom, und harter Bann.

Unsichtbar schwimmt sie in der Flut Geleit.
Doch wo sie treibt, jagt weit den Menschenschwarm
Mit großem Fittich auf ein dunkler Harm,
Der schattet über beide Ufer breit.

Vorbei, vorbei. Da sich dem Dunkel weiht
Der westlich hohe Tag des Sommers spät,
Wo in dem Dunkelgrün der Wiesen steht
Des fernen Abends zarte Müdigkeit.

Der Strom trägt weit sie fort, die untertaucht,
Durch manchen Winters trauervollen Port.
Die Zeit hinab. Durch Ewigkeiten fort,
Davon der Horizont wie Feuer raucht.

Abdruck nach: Georg Heym: Dichtungen und Schriften. Gesamtausg. 4 Bde. Hrsg. von Karl Ludwig Schneider. Hamburg/München: Heinrich Ellermann, 1960–68. Bd. 1: Lyrik. 1964. S. 160–162.
Erstdruck: Georg Heym: Der ewige Tag. Leipzig: Rowohlt, 1911.
Entstanden: November 1910.

Walter Hinck

Integrationsfigur menschlicher Leiden. Zu Georg Heyms *Ophelia*

Das Wasser sei das triste, Melancholie weckende Element, das Element der Verzweiflung und des ausgesprochen weiblichen Todes, so schreibt Gaston Bachelard in seinem Buch *L'Eau et les Rêves*, im Abschnitt über den »Complexe d'Ophélie«. Erinnern wir uns des Berichts der Königin über den Tod Ophelias in Shakespeares *Hamlet* (IV,7, in der Übersetzung Schlegels):

Es neigt ein Weidenbaum sich übern Bach
Und zeigt im klaren Strom sein graues Laub,
Mit welchem sie phantastisch Kränze wand
Von Hahnfuß, Nesseln, Maßlieb, Kuckucksblumen,
Die lose Schäfer gröblicher benennen,
Doch zücht'ge Jungfraun tote Mannesfinger;
Dort, als sie aufklomm, um ihr Laubgewinde
An den gesenkten Ästen aufzuhängen,
Zerbrach ein falscher Zweig, und nieder fielen
Die rankenden Trophäen und sie selbst
Ins weinende Gewässer. Ihre Kleider
verbreiteten sich weit und trugen sie
Sirenen gleich ein Weilchen noch empor,
Indes sie Stellen alter Hymnen sang,
Als ob sie nicht die eigne Not begriffe,
Wie ein Geschöpf, geboren und begabt
Für dieses Element. Doch lange währt' es nicht,
Bis ihre Kleider, die sich schwer getrunken,
Das arme Kind von ihren Melodien
Hinunterzogen in den schlamm'gen Tod.

So wichtig das Element des Wassers und so verbreitet die Motive wie Kahnfahrt oder Schiffbruch in der Dichtung des 18. Jahrhunderts und der Romantik waren, erst in der zweiten Hälfte des 19. Jahrhunderts löst das poetische Herzstück

des Shakespeareschen Dramas in der Lyrik eine Initialzündung aus, die – nach abermaliger Verzögerung – freilich erst zu Anfang des 20. Jahrhunderts in Deutschland wirksam wird. Es ist ein Gedicht des jungen Arthur Rimbaud, das dem Ophelia-Thema zu vielfacher Wiedergeburt verhilft.
In *Ophélie* (1870) ist die Shakespearesche Figur zu einer legendären, fast mythischen Gestalt entzeitlicht: ihr »schlamm'ger Tod« wird ausgespart; schon mehr als tausend Jahre treibt sie, bleich wie Schnee, als »fantôme« auf dem schwarzen Strom dahin. Motive wie der verstörte Geist und das Lied Ophelias, ihre aufgebauschten und sie tragenden Kleider oder die herabhängende Weide verweisen noch deutlich auf Shakespeares Bildrepertoire. Doch zwei entscheidende Veränderungen haben sich vollzogen: eine Bilderkette ist freigesetzt, die sich vom Ausgangspunkt löst und selbständig wird, und Ophelia ist bereits zum Bestandteil der elementaren Natur geworden. Sie gleicht einer Lilie, über ihre Stirn neigt sich das Schilf, die Seerosen umseufzen sie, und manchmal weckt sie in einem Vogelnest des Erlenbaums ein Flügelzittern. Auf ihre langen Schleier gebettet, gleitet Ophelia dahin, sie, deren Traum von Himmel, Liebe und Freiheit zerbrach: Inbild der allzu zerbrechlichen Menschlichkeit. Ophelia stirbt an ihren Visionen (Rüesch, S. 49).
Bewahrt Ophelia bei Rimbaud als ein Stück der Natur noch immer ihre menschlichen und individuellen Züge, so zeigt ein Gedicht von Georges Rodenbach sie im Zustand der Auflösung, der Verflüssigung (»elle se liquéfie«). Nur ihre Augen überdauern; ihre begrünten Haare verbinden sich mit den Sumpfgräsern zu einem Pflanzengeschlinge. Bei Rodenbach »beginnt die Verschiebung der Figur zum Gattungswesen, die kein Einzelschicksal mehr hat« (Blume, S. 270).
Auf dem Hintergrund der beiden französischen Gedichte erscheint die Verfremdung der Heymschen Ophelia gegenüber der Shakespeareschen weniger kraß. Im Vergleich zum Auflösungsprozeß bei Rodenbach gewinnt Ophelia sogar ihre Körperlichkeit zurück. Haar, Hände, Brust und die

Augenlider bezeugen ihre leibliche Existenz. Aber gerade angesichts der deutlichen Konturen schärft sich um so mehr die Verunglimpfung des Leibes ein.
Gleich der erste Vers wartet mit einem Schock auf, der im Fortgang des Gedichts kaum noch überboten wird: mit dem Bild der Wasserratten. Kein Tier löst seit alters her im Menschen einen ähnlichen Ekel aus wie die Ratte; überall in Europa spricht ihr der Volksglaube negative Eigenschaften zu, und auch rationale Überlegung vermag ein gewisses Maß an Widerwillen nicht zu verhindern. Daß sich in Heyms Gedicht die Wasserratten im Haar, also in der Nähe der Augen, des Gesichts und des Gehirns eingenistet haben, erhöht noch den Schauereffekt.
Die Entstellung des Menschlichen setzt sich fort im Vergleich der einstmals feingliedrigen, zu vielen Tätigkeiten begabten Hände Ophelias mit den Flossen der Fische, und zwar toter, deren Flossen oben treiben. Unbehagen assoziiert sich mit den Bildern der Fledermäuse und des Aals, der über die Brust schlüpft (in Rimbauds *Ophélie* küßt noch der Wind ihre Brüste). Erst mit dem Licht des Glühwurms scheint etwas Tröstliches auf. Sonst ist es lediglich der – als einziges Nebenmotiv von Shakespeare übernommene – Weidenbaum, in dem sich die Natur als mitfühlend erweist.
Formal, so meint Werner Kraft (S. 190), sehe es aus, als wenn die Sprache Stefan Georges – den Heym haßte, dessen Übertragung von *Fleurs du mal* aber für ihn Stoßkraft gehabt haben könne – in Bewegung geraten sei und für völlig neue Ziele eingesetzt werde, für Ziele der Zerstörung und des Aufbaus. Tatsächlich steckt in Heyms *Ophelia* auch der Gegenentwurf zur hehren, selbstgefälligen Schönheitsverehrung eines Stefan George: deren Herausforderung durch eine Ästhetik des Häßlichen. Doch bleibt solche Absicht der Provokation auf den ersten Teil des Gedichts beschränkt.
Denn mit den ersten beiden Strophen des zweiten Teils wechseln die Wahrnehmungen. (Gar nicht verändert sich die Versform – der fünffüßige Jambus –, nur unwesentlich die Strophenform: durchbricht im ersten Teil zweimal der

Kreuzreim das Reimschema der vierzeiligen Strophe, so wird im zweiten streng der umarmende Reim durchgehalten.) Der »Urwald« (4) des Wassers und das dunkle Röhricht treten zurück, an Kornfeldern vorbei wird Ophelia getragen. Beruhigung tritt ein. In der Windstille des Mittags und unter dem Schattendach von Schwanenflügeln nähert sich der Schlaf; die Lider sinken herab – als ob die Tote noch lebe. Ihr Aufgehoben- und Geborgensein in der Natur läßt wieder an Rimbauds Gedicht denken, und von dort her kennen wir auch das Traummotiv. Im erträumten Kuß wird die einzige Verbindung zur liebenden, zur unglücklich liebenden Ophelia des *Hamlet* geknüpft.
Was diesen Raum der Ruhe und des Traums zu einer Oase macht, ist auch der Farbzauber der beiden Strophen. Man wird an die Explosion der Farben auf expressionistischen Gemälden erinnert (s. auch Blume). Sechs Farbwörter – die in der Mehrzahl auf ihre Bedeutung nicht festgelegt werden wollen, wie die Farbmetaphern Georg Trakls, Else Lasker-Schülers oder Gottfried Benns – prallen in acht Versen aufeinander: Rot und Karmesinrot, Gelb und Blau sowie Weiß und das neutrale Hell des »blank« (17–23).
Es scheint, als ob auch auf diesen Farbenrausch das zweifache »vorbei« gemünzt sei, mit dem die folgende Strophe beginnt. Schon die Doppelform des »ewigen Traums« und des »ewigen Grabs« (24) beschwor das Thema des unaufhörlichen Fortgangs, der Unendlichkeit, und im »Durch Ewigkeiten fort« der vorletzten Gedichtzeile hallt es noch einmal mächtig nach. Durch die Zeiten und Räume gleitet Ophelia – und nicht nur, wie Ophélie, durch eine unversehrte Flußlandschaft.
Denn im Unterschied zu Rimbaud schließt Heym die moderne Welt mit ein. Industrielandschaften ziehen an den Ufern vorbei: von Gedröhn und »Maschinenkreischen« (30) erfüllte Städte, die Dämme des kanalisierten Wasserlaufs, Kräne, Brücken und die in den »harten Bann« (36) der modernen Arbeitsfron geschlagenen Menschen. Die Beschreibung der Stadt ist, im Vergleich zu Gedichten wie *Die*

Dämonen der Städte oder *Der Gott der Stadt*, die nur wenige Monate später entstanden, noch zurückhaltend im Gebrauch dämonisierender Metaphern – immerhin bekundet sich in der Bildertrias für »Kran«: Polyp – Tyrann – Moloch (32–34), schon eindeutig Heyms dichterische Technik des visionären Entwurfs. Trotz mythologisierender Bildlichkeit aber geht die Fahrt Ophelias durch geschichtliche Zeit, eben das Maschinenzeitalter, hindurch.

»Doch wo sie treibt, jagt weit den Menschenschwarm / Mit großem Fittich auf ein dunkler Harm« (38 f.). Ist es Mitleid, das die Menschen bewegt? (Schon im Bericht der Königin in *Hamlet* bestimmt Mitgefühl den Ton, und in Rimbauds Gedicht hat Trauer die gesamte Natur erfaßt). Oder macht der Anblick Ophelias den »verhärmten« Menschen ihr eigenes Leid erst bewußt? Auf jeden Fall ist Ophelia umgeben von einer Aura des Leids, wird zu einer Integrationsfigur für den »dunklen Harm« (39) und die dunkle Ahnung der modernen Welt.

Die vorletzte Strophe hält noch einmal den zeitlichen Augenblick, die Situation des Sommertags fest: in den Bildern des Abends, deren versöhnliche Trostgebärde ein retardierendes Moment bildet. Dann aber ist nur noch von winterlicher Zeit die Rede. Die Winterwelt steht bei Heym für einen öden, erstarrten Weltzustand (Mautz, S. 156). Die letzten Verse lassen den Strom, der Ophelia trägt, ehe sie sinkt, und den Strom der Zeit im Unendlichen münden, dort, wo »der Horizont wie Feuer raucht« (48). Das schließliche Untertauchen der Leiche, Ophelias endgültiger Tod, ist Teil eines allgemeineren Untergangsgeschehens. In der Schlußzeile deutet sich jene apokalyptische Vision an, die uns bei Heym in so mannigfacher Gestalt begegnet.

Mehrfach auch tauchen in Heyms Werk die Motive der Totenreise (z. B. in *Die Wanderer*) und des Tods im Wasser auf (im Gedicht *Die Tote im Wasser* treibt die »zerhöhlte« und »fast zernagte« Leiche ins Meer hinaus). Bilder der Fäulnis und des Verwesens, die sich im expressionistischen

Jahrzehnt und in dessen Umkreis so sehr häufen, daß schon von literarischer Mode gesprochen werden muß, sind Ausdruck einer Spät- und Endzeitstimmung, die fast eine ganze Generation von Schriftstellern ergriffen hat. Viele Dichtungen Georg Heyms demonstrieren das Gefühl des Dichters, in einer überreifen Gesellschaft zu leben.

Was Bachelard den »Complexe d'Ophélie« nennt, muß nicht durch den Namen Ophelias ausgewiesen sein. Ebendieser fehlt in den beiden Gedichten, die man mit Recht in Beziehung zu Heyms *Ophelia* gebracht hat: Gottfried Benns *Schöne Jugend* aus dem *Morgue*-Zyklus (1912) und Bertolt Brechts *Vom ertrunkenen Mädchen.* Benns dichterische Phantasie scheint sich an Heyms Bild des Nestes junger Ratten entzündet zu haben; aber das Makabre wird noch einmal gesteigert:

Der Mund eines Mädchens, das lange im Schilf gelegen hatte,
sah so angeknabbert aus.
Als man die Brust aufbrach, war die Speiseröhre löcherig.
Schließlich in einer Laube unter dem Zwerchfell
fand man ein Nest von jungen Ratten.
Ein kleines Schwesterchen lag tot.
Die anderen lebten von Leber und Niere,
tranken das kalte Blut und hatten
hier eine schöne Jugend verlebt.
Und schön und schnell kam auch ihr Tod:
Man warf sie allesamt ins Wasser.
Ach, wie die kleinen Schnauzen quietschten!

Was hier mit der sprachlichen Geste der Unempfindlichkeit mitgeteilt wird, ist der Befund einer Leichenöffnung. Auf dem Hintergrund der Motivtradition wirkt die medizinische Sachlichkeit zynisch. Eine merkwürdige Übereinstimmung mit archaischer Kunst, die den menschlichen Körper noch gar nicht als Einheit erfaßte, wird deutlich: der Leser erfährt nur von den einzelnen Körperteilen, die den jungen Ratten als Nahrung dienen. War schon in den Gedichten Rimbauds und Rodenbachs Ophelia zu einem Element der Natur geworden, so zeigt uns Benn die Mädchenleiche nur noch

als Durchgangsstufe im Kreislauf und Stoffwechsel der Natur.
Es ist eine provokative medizinisch-naturwissenschaftliche Haltung, die den lebenden und dann sterbenden Tieren mehr Anteilnahme entgegenbringt als dem menschlichen Obduktionsobjekt. Alle poetischen Erwartungen, die der Titel *Schöne Jugend* erweckt, werden in aufreizender Weise enttäuscht; ironisch statt auf das Mädchen auf die jungen Ratten bezogen, scheint der Titel ein Höchstmaß an Lieblosigkeit zu offenbaren. Doch diese scheinbare Inhumanität ist nur der Vorwand für den antiästhetischen Schock, der mit allen Mädchen- und Jugendklischees der Goldschnittlyrik aufräumt und der auch als Antwort auf die poetischen Bilderketten des symbolistischen Gedichts von Rimbaud verstanden werden kann.
Benn macht tabula rasa. Es ist deshalb erstaunlich, wieviel ›Poesie‹ der ansonsten auch nicht gerade zimperliche junge Brecht dem Thema zurückzugewinnen vermag. Das 1920 entstandene und 1922 erstmals gedruckte Gedicht *Vom ertrunkenen Mädchen* ist von Brecht in die *Hauspostille* (1927) übernommen worden.

1
Als sie ertrunken war und hinunterschwamm
Von den Bächen in die größeren Flüsse
Schien der Opal des Himmels sehr wundersam
Als ob er die Leiche begütigen müsse.

2
Tang und Algen hingen sich an ihr ein
So daß sie langsam viel schwerer ward.
Kühl die Fische schwammen an ihrem Bein
Pflanzen und Tiere beschwerten noch ihre letzte Fahrt.

3
Und der Himmel ward abends dunkel wie Rauch
Und hielt nachts mit den Sternen das Licht in Schwebe.
Aber früh ward er hell, daß es auch
Noch für sie Morgen und Abend gebe.

4
Als ihr bleicher Leib im Wasser verfaulet war
Geschah es (sehr langsam), daß Gott sie allmählich vergaß
Erst ihr Gesicht, dann die Hände und ganz zuletzt erst ihr Haar.
Dann ward sie Aas in Flüssen mit vielem Aas.

Man glaubt sich zunächst dem Rimbaudschen Gedicht näher als den Versen Heyms oder gar Benns. Das Licht der Sterne (vertraut von der ersten Zeile Rimbauds) und des Himmels kann als Metapher für Wärme des Mitgefühls gedeutet werden: das ertrunkene Mädchen wird von Sympathie eingehüllt. Zwar beschweren die Pflanzen und die Lebewesen des Wassers ihre letzte Fahrt, aber die Fische haben nicht das Abstoßende der Tiere im Heymschen Gedicht. Das Verb »begütigen« steht als Leitwort zumindest über den Vorgängen der ersten und der dritten Strophe.

Man muß aber den ganzen Sinn des Wortes bedenken. Begütigen meint beschwichtigen. Die Freundlichkeit des Himmelslichtes enthüllt sich nämlich als ein Bemühen, über etwas Unabänderliches noch einmal hinwegzutrösten. Der Verfall indes ist unaufhaltsam. Hier entgeht der abgestorbene Leib nicht der Verwesung; er unterliegt dem Naturgesetz des Organischen wie alles tierische Aas. Jene Gloriole der Ewigkeit, die Heym von Rimbaud übernahm und nur am Schluß durch das apokalyptische Motiv verschattet, wird bei Brecht zerstört: darauf verweist das Bild des am Ende gleichgültigen, des vergessenden Gottes. Das harte Gesetz des Kreatürlichen kennt keinen Stillstand und schon gar keine Umkehr. »Laßt euch nicht verführen / Es gibt keine Wiederkehr. / [...] Ihr sterbt mit allen Tieren / Und es kommt nichts nachher«, heißt es im Schlußkapitel der *Hauspostille*, im Gedicht *Gegen Verführung*.

Die symbolische Poetisierung des Todes wird zurückgenommen; am Ende folgt die Bildlichkeit dem sachlichen Befund. Darin bekundet sich exemplarisch Brechts Abstand und Gegenwendung zum Symbolismus. Dennoch haben Wörter wie »Opal« oder »wundersam« und die »als ob«-Fügung dämpfende Wirkung. Und es scheint, als lasse sich

Brecht auf jene traditionellen Bilder und Empfindungen wieder ein, denen Benn überhaupt keine Chance mehr eingeräumt hatte. Doch ist die dichterische Leistung des jungen Brecht daran zu ermessen, wie unverbraucht uns hier solche romantisierenden Wörter erscheinen.

Benn und Brecht knüpfen nicht an das geschichtliche Moment an, um das Heym den »Complexe d'Ophélie« bereichert, indem er das Motiv mit der modernen Arbeitswelt in Zusammenhang bringt. Wieder wesentlich aber wird der historische Bezug in Peter Huchels Gedicht *Ophelia* (zuerst 1972 in Huchels Band *Gezählte Tage* erschienen):

Später, am Morgen,
gegen die weiße Dämmerung hin,
das Waten von Stiefeln
im seichten Gewässer
das Stoßen von Stangen,
ein rauhes Kommando,
sie heben die schlammige Stacheldrahtreuse.

Kein Königreich,
Ophelia,
wo ein Schrei
das Wasser höhlt,
ein Zauber
die Kugel
am Weidenblatt zersplittern läßt.

Nicht nur das Weidenmotiv erinnert an Shakespeare; auch die »schlammige Stacheldrahtreuse« spielt auf den »schlamm'gen Tod« der Schlegelschen Übersetzung an. Im übrigen spiegelt Huchel die Bilderwelt der märkischen Landschaft mit ihren Seen, Teichen und dem Havelfluß, die er in seiner Lyrik hundertfach variiert, in dieses Gedicht hinein. Aber das Fanggerät der Fischer, die Reuse, dieses vertraute Motiv ist hier verfremdet zum Menschenfang-Gerät. In den »Stacheldrahtreusen« verenden Flüchtende. Hier gibt es keinen Schutz gegen die todbringende Kugel.

Huchel hat das Gedicht noch vor seiner Übersiedlung aus

der DDR in die Bundesrepublik geschrieben, und der kritische Gehalt der Verse ist offenkundig. Die »Stacheldrahtreuse« als Metapher für jene Stacheldrahtgrenze zu deuten, die durch Deutschland verläuft und die beiden deutschen Staaten trennt, ist erlaubt. Und selbst wenn man das Wort als Schlüsselwort versteht für allgemeinere Erfahrungen einer Zeit, in der Menschen an den Zäunen der Gefangenen- und Internierungslager den Tod finden, kann an seiner geschichtlichen Verweisungsfunktion kein Zweifel bestehen.

So endet vorläufig die Wirkungsgeschichte eines literarischen Motivs, in der Heyms Gedicht eine wichtige Vermittlerrolle spielt. Wieder wird Ophelia zur Integrationsfigur menschlicher Leiden, zur Symbolgestalt des entstellten Humanen, des zerbrochenen Traums von Freiheit.

Zitierte Literatur: Gaston BACHELARD: L'Eau et les Rêves. Essai sur l'imagination de la matière. Paris 1942. – Bernhard BLUME: Das ertrunkene Mädchen: Rimbauds »Ophélie« und die deutsche Literatur. In: B. B.: Existenz und Dichtung. Essays und Abhandlungen. Ausgew. von Egon Schwarz. Frankfurt a. M. 1980. S. 258–274. – Werner KRAFT: Ophelia. In: W. K.: Augenblicke der Dichtung. Kritische Betrachtungen. München 1964. – Kurt MAUTZ: Mythologie und Gesellschaft im Expressionismus. Die Dichtung Georg Heyms. Frankfurt a. M. 1961. – Jürg Peter RÜESCH: Ophelia. Zum Wandel des lyrischen Bildes im Motiv der »navigatio vitae« bei Arthur Rimbaud und im deutschen Expressionismus. Zürich 1964.

Weitere Literatur: Walter HINCK: Vom Tod in der Stacheldrahtreuse. Peter Huchels »Ophelia«. In: Frankfurter Anthologie. Bd. 5. Hrsg. von Marcel Reich-Ranicki. Frankfurt a. M. 1980. S. 207–210. – Heinz RÖLLEKE: Die Stadt bei Stadler, Heym und Trakl. Berlin [West] 1966. – Karl Ludwig SCHNEIDER: Der bildhafte Ausdruck in den Dichtungen Georg Heyms, Georg Trakls und Ernst Stadlers. Heidelberg 1954.

Georg Heym

Die Ruhigen

Ernst Balcke gewidmet

Ein altes Boot, das in dem stillen Hafen
Am Nachmittag an seiner Kette wiegt.
Die Liebenden, die nach den Küssen schlafen.
Ein Stein, der tief im grünen Brunnen liegt.

5 Der Pythia Ruhen, das dem Schlummer gleicht
Der hohen Götter nach dem langen Mahl.
Die weiße Kerze, die den Toten bleicht.
Der Wolken Löwenhäupter um ein Tal.

Das Stein gewordene Lächeln eines Blöden.
10 Verstaubte Krüge, drin noch wohnt der Duft.
Zerbrochne Geigen in dem Kram der Böden.
Vor dem Gewittersturm die träge Luft.

Ein Segel, das vom Horizonte glänzt.
Der Duft der Heiden, der die Bienen führt.
15 Des Herbstes Gold, das Laub und Stamm bekränzt.
Der Dichter, der des Toren Bosheit spürt.

Abdruck nach: Georg Heym: Dichtungen und Schriften. Gesamtausg. 4 Bde. Hrsg. von Karl Ludwig Schneider. Hamburg/München: Heinrich Ellermann, 1960–68. Bd. 1: Lyrik. 1964. S. 77. [Letzte (5.) Fassung. 1., 3. und 4. Fassung nach der Handschrift S. 54, 55, 75 f.]
Erstdruck: Georg Heym: Der ewige Tag. Leipzig: Rowohlt, 1911.

Alfred Kelletat

Bändigung und Läuterung. Georg Heyms Gedicht *Die Ruhigen*

Wer an Georg Heym denkt, meint ihn vielleicht in jenem expressionistischen Porträt zu erkennen, das ein Zeitgenosse von ihm entworfen hat: »Man panzre sich das Trommelfell: nur mit Drommeten ist er zu verkünden. Ich ziehe alle Nervenenden ein und strenge nichts an als die Lunge. Brüllende Superlative, brechet in Scharen hervor! Igitur: Georg Heym ist der wuchtigste, riesenhafteste; der dämonischste, zyklopischste; ein platzender Hinhauer unter den Dichtern dieser Tage. [...] steil wüst-starr, mongolisch; Drache auf chinesischen Wandschirmen.« So zeichnete ihn Kurt Hiller 1911 in der Rezension von Heyms erstem Gedichtband *Der ewige Tag* (IV,198). Entsprechend stehn seine Dichtungen als eine Galerie des Grauens und Kaleidoskop des Schrekkens vor der Erinnerung – seine Großstadtgedichte, vor allem Berlins, mit ihren Visionen fremder, verwirrter, ertrinkender und brennender Städte, über denen breit »der Gott der Stadt« thront, die Stadt der Qual und Städte in den Wolken und »der Totenstädte Mauern«. Diese besonders, denn: »Heym liebte die Toten«, schrieb Heinrich Eduard Jacob (IV,165), und ein Totenschädel sei wohl sein Tintenfaß gewesen, ein andrer (IV,206). Die Toten sind immergegenwärtig – sie ziehen in gespenstigen Zügen auf Flüssen oder fahren durch die Wolken, Ophelia treibt »durch die Schatten / Des großen Urwalds«, und »Die Toten auf dem Berge« tanzen »in kühler Julinacht«. So sind weite Partien seiner Gedichte eine einzige Dance macabre, ein unaufhörlicher Reigen von Tauben, Blinden, Lahmen, Verzweifelten und Verfluchten, Selbstmördern und Gehenkten, ein Chor von Verdammten am Ufer des Styx. Darum war auch der Titel seines zweiten Gedichtbandes, *Umbra vitae* (›Lebensschatten‹), gut gewählt, den Heym noch selbst bestimmt

hatte, ehe er im Januar 1912 vierundzwanzigjährig gemeinsam mit seinem Freund Ernst Balcke unter dem Eis der Havel ertrank.
Aber schon bei seinen Freunden, den Neopathetikern im »Neuen Club«, und bei den ersten Lesern tauchte die Frage auf, ob der Dichter dieser zornigen Eruptionen und Ekstasen des Häßlichen der ganze oder der eigentliche Heym sei. Man sah gegen die Nachtseiten die helleren Färbungen mancher Landschaftsgedichte, die zahlreichen Wolkenbilder und jahreszeitlichen Stimmungen, hörte »die unheymischen, süßeren, hellenischen« Töne (IV,202) und Liebesgedichte, die in liedhaft gelöster Schönheit klingen konnten, und empfand die verklärten Horizonte, die manchen fahlen Untergang überwölbten wie eine metaphysische Ahnung: »Und rote Strahlen schoß des Abends Bahn. / Auf allen Köpfen lag des Lichtes Traum.« – »Wie eines Adlers Flug, der von dem Sund / Ins Abendmeer die blaue Schwinge hebt.« – »Purpurn schwebend im All, wie mit schönem Gesange / Über den klingenden Gründen der Seele ein Traum.« So mußte man konstatieren, daß der Ausschlagswinkel zwischen Hell und Dunkel, Hart und Weich, zwischen dröhnendem Lärm und tiefer Stille in diesem Werk sehr groß sei. Denselben Befund zeigen seine Lebenszeugnisse in Tagebüchern, Träumen und Briefen. Da nennt er sich ein »wildes Temperament« und den »allerzartesten«, »ein zerrissenes Meer« und ein »weiches Herz« zuweilen in einem Atemzug, skizziert die Fieberkurve der Stimmungen als »Graphische Linie meines gestrigen Tages« (III,172), setzt davor: »Ich bin einfach der leidenschaftlichste Mensch, der existiert«, oder vergleicht die friedlichen Gesichter der anderen mit dem seinen, »auf dem Qual, Laster, Verzweiflung, Enthousiasmus alles mögliche stündlich tausend mal herüberfahren« (III,165). Einmal schreibt er, am liebsten wäre er, »man denke sich, Kürassierleutnant, – heute – und morgen wäre ich am liebsten Terrorist«, und diese Wünsche seien nicht fein säuberlich getrennt, »sondern wie ein wirrer Knäuel durcheinander. [...] ich hätte ein Kaiser sein müs-

sen«, womit Napoleon gemeint ist (III,168). Freunde berichten, sie hätten ihn zu Hause mit Jakobinermütze und blutroter Schärpe drapiert angetroffen (wozu die Tagebuchnotiz III,164 zu vergleichen ist); immer wieder stößt man auf distanzlos direkte Identifizierungen mit Hölderlin, Kleist, Byron, Grabbe, Büchner oder Marlowe (»wer will mir nun noch etwas anhaben in dieser olympischen Gesellschaft«; III,130), ein andermal erkennt er an Baudelaire die »Kennzeichen eines Genies«: »Mischung aus Enthousiasmus, Sensibilität, Melancholie. Nun auf diese 3 Dinger bin ich allerdings geaicht. Da stelle ich keinen falschen Wechsel drauf aus« (III,165). Mitlebende haben wechselweise die Grobheit, ja Brutalität wie Zartheit und Scheue seines Auftretens überliefert, und Emmy Ball-Hennings sagte aus später Erinnerung, er sei »halb Rowdy, halb ›Bandit‹ und halb Engel« gewesen (IV,90). Vor dem Prospekt dieser zerklüfteten Seelenlandschaft steht das gleichzeitige Gedicht *Die Ruhigen*.
Im April/Mai 1910 entstanden, ist es in fünf Fassungen bekannt, von denen die erste, dritte und vierte Karl Ludwig Schneider in seiner Gesamtausgabe 1964 aus der Handschrift erstmals mitgeteilt hat; die endgültige Fassung erschien 1911 in dem Band *Der ewige Tag*. In Heyms lyrischem Schaffen steht das Gedicht an einer Stelle, an der sich Natur- und Landschaftsausdruck spürbar ändern: statt des bisherigen Gebrauchs überlieferter Formen und Vorbilder, in denen Natur noch Einklang und Geborgenheit gibt, zeigen jetzt die immer noch stark gesehenen Bilder – einen »kolossalen Optiker« hat Hiller ihn genannt – eine vereinsamende Metaphorik und gehämmerte Monumentalität, die Fremdheit und feindselige Kälte ausstrahlt und bis zum antiidyllischen Zerrbild, zur strafenden dämonischen Fratze reicht. Gleichzeitig wird die Fügung noch einfacher, gröber, härter.
In vier vierzeiligen Strophen in fünffüßigen Jamben – einer Grundform Heyms – sammelt das Gedicht in unerschütterlicher Gleichförmigkeit Bilder der Ruhe, deren jedes einen

Vers füllt, nur 1/2 und 5/6 haben Enjambement. Auf die korrekten gekreuzten, meist einsilbigen reinen Reime (1/3 und 9/11 sind weiblich) kommt meist das Prädikat. Eine gewisse Variation bringen in diese vierkantige metrische Monotonie die wechselnden Zäsuren, die die syntaktische Gliederung ergibt. Diese ist von singulärer Konsequenz: es herrscht ein reiner Nominalstil. Am Kopf der Zeilen eine Kolumne von Substantiven, welche auf die unterschiedlichste Art erweitert werden: durch ein bloßes Adjektiv, durch einen attributiven Genetiv oder vor allem durch die zehn angehängten attributiven Relativsätze. Diese nominale Reihe: »Ein altes Boot« – »Die Liebenden« – »Ein Stein« – »Der Pythia Ruhen« – »Die weiße Kerze« – »Der Wolken Löwenhäupter« usw., ist die wie auf der Stelle tretende Schrittfolge dieser statischen Litanei. Wie konsequent der Autor diese lapidare Struktur erarbeitet hat, zeigt ein Blick auf die handschriftlichen Fassungen, besonders den ersten dreistrophigen Entwurf vom 3. April. Der hat einen völlig andern Charakter, indem er gerade einen Vorgang, ein Geschehen vorstellt: das Wiedersehn mit der Geliebten versetzt das lyrische Ich aus seinem Herzensfrieden in die heftigste Bewegung. »So ruhig, *wie* ein Boot«, »*Wie* Liebende«, »*Wie* eine Wolke«.

Wie stumm ein Maulwurf wandert unterm Beet,
Und *wie* ein Herz, das vieles Leid besiegt,
[»so war ich«, ist zu ergänzen]
Eh ich dich wiedersah, geliebtes Herz.
Noch eben Friede. Nun der Wunden Brennen,
Wie ein Vulkan von Reue, Neid und Schmerz.
Ich kann mich selber nicht mehr wiederkennen.

Hier wird das ganze Gedicht von *einem* Vergleich beherrscht (Auszeichnung der Vergleichspartikel »wie« durch mich), der in Vers 10 in dem Umschlagspunkt »Noch eben [...]. Nun [...] gelöst wird und in der Gnome von Vers 12 endet. Die folgenden Zwischenstufen (I,55 und 75 f.) befreien sich erstens von dem veranlassenden Gescheh-

nis, der Liebesbegegnung, und der analogischen Konstruktion, die zunächst noch ungewiß durchschimmert: »Ein morsches Boot [...] / *Wie* Liebende [...] / *Wie* wildes Bergland [...] / Der Maulwurf [...] / [*wie*] Ein altes Herz, das vieles Leid besiegt.« Zum andern akkumulieren sie die Bilderserie der Ruhe, die immer selbständiger wird, ganz beträchtlich um immer mehr Beispiele, auf sechs, dann auf sieben Strophen, aus denen dann durch Ausscheidung der schwächeren, durch energische Verknappung die letzte, endgültige Fassung gewonnen wird. Der Vorgang ist klar erkennbar; und das Beispiel zeigt zugleich, welch bedeutende Hilfe es für den Interpreten ist, mit einem Blick in die Genese des Gedichts verläßlich auf die Absicht des Autors schließen zu können – gemäß Goethes bekanntem Diktum: »Natur- und Kunstwerke lernt man nicht kennen, wenn sie fertig sind; man muß sie im Entstehen aufhaschen, um sie einigermaßen zu begreifen« (an Zelter, 4. August 1803). Das ermöglicht uns, im glücklichen Fall, die Arbeit des Philologen.
Wir wenden uns noch einmal dem vollendeten Gedicht zu – seiner asyndetischen Reihe ruhender Nomina, die meist von der Härte des bestimmten Artikels akzentuiert und von einfach-grundsätzlichen Adjektiven begleitet sind: »altes Boot« – »stiller Hafen« – »grüner Brunnen« – »hohe Götter« – »langes Mahl« – »weiße Kerze« usw. Erst in der zweiten Hälfte wird dieses elementare Gefüge etwas differenzierter. Dabei wird die Wucht der pelasgischen Blöcke von Heyms meisterhaftem Spiel der Vokale belebt und gemildert, die gewohnte starke van Goghsche Farbigkeit ist hier auf grün, weiß und gold eingeschränkt. Gewiß könnte man versuchen, das große Ruhearsenal in verschiedene Kategorien einzuteilen. Dann fände sich in der ersten Strophe die Ruhe der Natur: ein altes schwappendes Boot im Hafen, Nachmittagsträgheit, die Liebenden, Lebendiges, das zur Ruhe kam und der Stein tief im Brunnen wie ein Märchenmotiv. Die zweite Strophe malt den Mythos: »Der Pythia Ruhen« – es ist der erschöpfte Schlaf der ekstatischen

Seherin von Delphi, wenn sie den göttlichen Willen im Orakel verkündet hat – er gleicht dem Schlummer der Götter, die nach ihren olympischen Mählern entschlafen sind; was wiederum in Todesnähe führt: der Schein der Kerze bleicht den Verblichenen. Und das herrliche Sommerbild umhüllt diese erstorbene Welt – die wie leblos verharrenden Wolkengebirge, die das Gewitter ankündigen. Schärfere Ruhebeispiele reiht die dritte Strophe, sie weisen deutlicher auf Gefahr, Bedrohung, Wahnsinn und Verfall: das versteinerte Lächeln eines Blöden – in den Krügen reicherer glücklicherer Zeit blieb nur der Duft – die einst klingenden Geigen liegen beim Gerümpel: beides Relikte einer Welt des Schönen, die vergangen ist. Die trügerische Ruhe, die stikkige Luft um diese alten Zeichen läßt das Gewitter ahnen. Nach dieser Vorahnung bildet die Schlußstrophe noch einmal eine Kette schöner heiler Bilder, nicht aus der Kulturwelt, sondern aus der Natur: ein glänzendes Segel in der Ferne, der Heideduft, der die Bienen zum Honig lenkt, und als Ton des Abschieds des Herbstes Gold. Der letzte Vers führt in die Menschenwelt zurück, im deutlichen Gefühl der Bedrohung. »Der Dichter«, der sich hier dem Bilde einzeichnet, ist der einzige, der – anders als die Seherin, anders als die entschlafenen Götter – wacht: sein weit offnes Auge sieht den Zustand der Welt. Er spüre »des Toren Bosheit«, heißt es änigmatisch knapp und meint doch wohl alles töricht böse Treiben der Welt, das ins Verderben führt (vgl. etwa 1. Mose 6,5: »Da aber der Herr sah, daß der Menschen Bosheit groß war auf Erden«, bei der Ankündigung der Sintflut). – Ob allerdings eine solche Gliederung der Bildbereiche im Sinn des Autors ist, bleibt fraglich. In einer poetologischen Notiz vermerkt er vielmehr, daß er erkannt habe, »es gibt wenig Nacheinander. Das meiste liegt in einer Ebene. Es ist alles ein Nebeneinander.« Und darin, meint er, liege seine Größe (III,140). Das hieße dann aber, daß er die Materialien der ihn bestürzenden Imaginationen in grob gehäuften Blöcken, Quadern ordnete, ohne eine Absicht von Folge, Richtung, Fluß, Zusammenhang, sondern jedes

Teil selbstherrlich und sich selbst genug und gerade in seiner Unverbundenheit von der stärksten Wirkung; in ihrer Beziehungslosigkeit gliche diese Bauart dann eher den unerschöpflich addierenden barocken Bild- und Exempelreihen.

Wendet man sich nach der Beobachtung des Textes zuletzt einem allgemeineren ›Was ist das?‹ zu, so ließe er sich als der seltene Augenblick verstehn, wenn die zuckende Waage eines qualvollen Lebens einmal »in gleichen Schalen stille ruhn« darf, das Pendel seiner Seele mit den »furchtbaren Ausschlägen« (III,141) in der Mitte verhält. Vom »Orgelpunkt« der Ruhe hat man gesprochen (IV,159). Welcher Art aber die Heymsche Ruhe ist, hat die Hintergründigkeit und Doppelbödigkeit des Gedichts schrittweis offenbart; man könnte womöglich geneigt sein, den Titel ironisch zu verstehen. Es ist die ›Ruhe‹, die er stellvertretend für seine Generation als Signatur und Stigma seiner Zeit empfand; in Gedicht, Erzählung und Tagebuch hat er sie in immer neuen Ausbrüchen benannt. »Mein Unglück ruht vielmehr«, heißt es im Juni 1910 (III,135), »in der ganzen Ereignißlosigkeit des Lebens. Warum tut man nicht einmal etwas ungewöhnliches [...] Warum ermordet man nicht den Kaiser oder den Zaren? [...] Warum macht man keine Revolution? Der Hunger nach einer Tat ist der Inhalt der Phase, die ich jetzt durchwandere.« Oder wenig später: »Geschähe doch einmal etwas. Würden einmal wieder Barrikaden gebaut. Ich wäre der erste, der sich darauf stellte, ich wollte noch mit der Kugel im Herzen den Rausch der Begeisterung spüren. Oder sei es auch nur, daß man einen Krieg begänne, er kann ungerecht sein. Dieser Frieden ist so faul ölig und schmierig wie eine Leimpolitur auf alten Möbeln« (III,139). Oder »Mein Gott – ich ersticke noch mit meinem brachliegenden Enthousiasmus in dieser banalen Zeit« (III,164). In einem kleinen Textstück *Eine Fratze* heißt es in überpersönlicher Verallgemeinerung: »Unsere Krankheit ist, in dem Ende eines Welttages zu leben, in einem Abend, der so stickig ward, daß man den Dunst seiner Fäulnis kaum noch ertragen kann« (II,173); und am überzeugendsten womöglich in dem Gedichtentwurf *Gebet*, den Schneider mitgeteilt hat:

Wir ersticken, Herr, denn wir sind fett und krank,
Unser Blut rinnt wächsern, tropft nur blaß [...]
[...]
Laß uns Feuer der Kriege, und brennende Länder sehen,
Daß noch einmal [unser] Herz, wie ein Bogen schnellt [...].
(I,354 ff.]

(Vgl. auch Schneider, S. 61–85: »[...] Barrikaden. Welch ein Wort.«) Das ist aber der überindividuelle Zeitgrund jener Jahre, der in allen Künsten den »Aufbruch« brachte, in denen Herwarth Walden den »Sturm« entfesselte und Jakob van Hoddis dem erschreckten Bürger das »Weltende« signalisierte. So zeigen auch »Die Ruhigen« ihre Herkunft aus den Alpträumen jener »letzten Generation einer untergang-geweihten Welt« (Benn) aus Hohlheit, Dumpfheit und Beklemmung des wie eine Angina pectoris erlittenen Weltzustandes, wie ihn Heyms Gedicht *Umbra vitae* (I,462 f.) darstellt. Diese unendliche Leere durchschreitet er als »Bote einer neuen Epoche« (IV,508) auf das Ziel eines großen verkündeten Einst hin.
Unser Gedicht aber enthält zugleich die Ruhesehnsucht, die allen Stürmen mitten innewohnt, die tiefe Stille im Mittelpunkt des Zyklons und bietet den Anblick eines ruhenden, nicht erloschenen Vulkans. Die Leistung des Artisten ist es, im Artefakt das in ihm wühlende Zerstörungspotential gebändigt, seine dröhnende, zuweilen überschriene Rhetorik beschwichtigt zu haben; die gebannten Sätze und Zeilen lassen den zum Bersten starken Innendruck, lassen die gemeisterte Energie fühlen. Dieses verhalten grollende Sotto voce, mit dem hier der Augenblick zwischen Schrecken und Seligkeit gesungen wird, berechtigt auch die Widmung an Ernst Balcke, den frühen Freund. Er, der den Dichter als »aufs Maßlose und Ungeheuere gerichtet« (IV,194) bezeichnete, war immer der Ruhige, Abgeklärte, Weichere (IV,90). Das Gedicht ist zum Symbolum ihrer im gemeinsamen Tod

besiegelten Freundschaft geworden. In der Novelle *Ein Nachmittag* hat Heym dieses offensichtliche Selbstbildnis eingerückt: »Er, der verurteilt war, noch oft von den Extremen der tiefsten Qualen und des wildesten Glückes erschüttert zu werden, wie ein kostbares Gefäß, das durch viele glühende Flammen gewandert sein muß, ohne zu zerspringen« (II,71). Diese Festigkeit hat einzig seine Dichtung als sein Monumentum aere perennius bewiesen. In ihr gab er seinem Leben den vollendeten Ausdruck. Auf seinen Grabstein aber befahl er ein einziges Wort zu setzen:

KEITAI

»Kein Name, nichts. κεῖται. Er schläft, er ruhet aus« (III,147).

Nachbemerkung: Nach Abschluß der Interpretation wurde mir durch Gunter Martens, der den Apparatteil zu Heyms Dichtungen vorbereitet, freundlicherweise der vollständige Textbefund des Gedichts zugänglich gemacht. Mit sieben handschriftlichen Stufen und gleitenden Übergängen zeigt er sich noch etwas differenzierter, als der Abdruck in Band 1 erkennen läßt. Indes genügt hier die Ergänzung, daß vor einer ersten dreistrophigen Niederschrift der Vermerk steht »Annemarie gesehen«, was die Vermutung des biographischen Anstoßes des Gedichts bestätigt, das sich dann über die siebenstrophige Fassung unter dem Titel *Ruhig* zur vierstrophigen Endform *Die Ruhigen* bändigt und läutert.

Zitierte Literatur: Georg HEYM: Dichtungen und Schriften. [Siehe Textquelle. Zit. mit Band- und Seitenzahl.] – Karl Ludwig SCHNEIDER: Zerbrochene Formen. Wort und Bild im Expressionismus. Hamburg 1967.
Weitere Literatur: Karl Ludwig SCHNEIDER: Der bildhafte Ausdruck in den Dichtungen Georg Heyms, Georg Trakls und Ernst Stadlers. Studien zum lyrischen Sprachstil des deutschen Expressionismus. Heidelberg 1954.

Alfred Lichtenstein

Die Dämmerung

Ein dicker Junge spielt mit einem Teich.
Der Wind hat sich in einem Baum gefangen.
Der Himmel sieht verbummelt aus und bleich,
Als wäre ihm die Schminke ausgegangen.

5 Auf lange Krücken schief herabgebückt
Und schwatzend kriechen auf dem Feld zwei Lahme.
Ein blonder Dichter wird vielleicht verrückt.
Ein Pferdchen stolpert über eine Dame.

An einem Fenster klebt ein fetter Mann.
10 Ein Jüngling will ein weiches Weib besuchen.
Ein grauer Clown zieht sich die Stiefel an.
Ein Kinderwagen schreit und Hunde fluchen.

Abdruck nach: Alfred Lichtenstein: Gesammelte Gedichte. Auf Grund der handschriftlichen Gedichthefte krit. hrsg. von Klaus Kanzog. Zürich: Arche, 1962. S. 44.
Erstdruck: Der Sturm 1. Nr. 55 (18. 3. 1911).

Wolfgang Max Faust

Das Gedicht als verunsichernde Sprachwelt

Warum dieses am 5. März 1911 von Alfred Lichtenstein verfaßte Gedicht interpretieren? Ist nicht alles sichtbar in diesem Text, wird nicht alles schon beim ersten Lesen verstanden? Und kann eine Interpretation hier mehr sein als

eine Begründung dafür, daß der Text für den Zeitpunkt seiner Entstehung wie für den heutigen Leser von Interesse ist? Doch worauf gründet sich dies Interesse?
Wenn wir das Gedicht lesen, so fällt uns sofort eine Spannung zwischen seinem Titel und dem Text auf. »Die Dämmerung« – das verspricht Atmosphäre, Einfühlung, Stimmung. Wer sich in der deutschen Lyrik umsieht, der wird rasch feststellen, daß die Dämmerung als unentschiedene Tageszeit gerade wegen dieses Vagen, Undeutlichen und auch Gefährdenden von den Dichtern geschätzt wird. Goethe beschreibt sie in den *Chinesisch-deutschen Jahres- und Tageszeiten* (VIII) als eine Zeit, in der »alle Nähe fern ist«, denn »alles schwankt ins Ungewisse«:

Durch bewegter Schatten Spiele
Zittert Lunas Zauberschein,
Und durchs Auge schleicht die Kühle
Sänftigend ins Herz hinein.

Die Dämmerung und das Fühlen des Menschen rücken hier in enge Beziehung, die Geborgenheit, Sehnsucht, aber auch Furcht miteinander verbindet. Eichendorff zeigt in seinem Gedicht *Zwielicht* die Dämmerung als eine Zeit, in der sich »Bäume schaurig rühren« und in der man seinem Freund nicht trauen darf:

Freundlich wohl mit Aug und Munde,
Sinnt er Krieg im tück'schen Frieden.

Deshalb rät Eichendorff dem Leser, der der Gefährdung der Dämmerung entgehen will:

Manches bleibt in Nacht verloren –
Hüte dich, bleib wach und munter!

Alfred Lichtensteins Gedicht steht, so zeigen es schon die beiden Hinweise auf Goethe und Eichendorff, in einer Tradition des lyrischen Sprechens, das die Tageszeit »Dämmerung« mit einer Bedeutung auflädt, die durchgängig nicht nur die Außenwirklichkeit beschreibt, sondern die einen Bezug

herstellt zwischen dieser Tageszeit und der Stimmung, dem Fühlen oder der Lebenssituation des Menschen.
Betrachten wir vor diesem Hintergrund das Gedicht von Lichtenstein, so wird uns die Fortführung dieser Tradition deutlich, zugleich aber auch ein Bruch. Lichtenstein verweigert mit diesem Text das Aufkommen von Einfühlung und Stimmung. Er enttäuscht die Erwartung des Lesers durch ein groteskes Sprechen, das die Zweideutigkeit, die stets mit der Dämmerung verbunden wurde, ins Kabarettistisch-Komische wendet. Mit welcher Absicht?
Zu dem Gedicht *Die Dämmerung* hat Lichtenstein eine ausführliche Selbstkritik verfaßt, die im Oktober 1913 in der von Franz Pfemfert herausgegebenen expressionistischen Zeitschrift *Die Aktion* erschien. Diese Selbstinterpretation stellt Lichtenstein programmatisch an die Seite des Gedichts. Wie in fast sämtlichen Avantgarde-Bewegungen des 20. Jahrhunderts geschieht auch bei Lichtenstein die Durchsetzung eines neuen Stils, einer neuen Schreibweise, in der Parallelität von Text und Theorie. Die theoretischen Äußerungen bilden den konzeptuellen Hintergrund, vor dem die Gedichte zu sehen sind. Sie formulieren die Intentionen des Autors, die jedoch keineswegs mit einer abschließenden, endgültigen Interpretation des Textes verwechselt werden dürfen. Lichtenstein schreibt zu seinem Gedicht:

> Absicht ist, die Unterschiede der Zeit und des Raumes zugunsten der Idee zu beseitigen. Das Gedicht will die Einwirkung der Dämmerung auf die Landschaft darstellen. In diesem Fall ist die Einheit der Zeit bis zu einem gewissen Grade notwendig. Die Einheit des Raumes ist nicht erforderlich, deshalb nicht beachtet. In den zwölf Zeilen ist die Dämmerung am Teich, am Baum, am Feld, am Fenster, irgendwo ... in ihrer Einwirkung auf die Erscheinung eines Jungen, eines Windes, eines Himmels, zweier Lahmer, eines Dichters, eines Pferdes, einer Dame, eines Mannes, eines Jünglings, eines Weibes, eines Clowns, eines Kinderwagens, einiger Hunde bildhaft dargestellt. (Der Ausdruck ist schlecht, aber ich finde keinen besseren.)
> Der Urheber des Gedichtes will nicht eine als real denkbare Landschaft geben. Vorzug der Dichtkunst vor der Malkunst ist, daß sie

»ideeliche« Bilder hat. Das bedeutet – angewandt auf die Dämmerung: Der dicke Knabe, der den großen Teich als Spielzeug benutzt und die beiden Lahmen auf Krücken über dem Feld und die Dame in einer Straße der Stadt, die von einem Wagenpferd im Halbdunkel umgestoßen wird, und der Dichter, der voll verzweifelter Sehnsucht in den Abend sinnt (wahrscheinlich aus einer Dachluke), und der Zirkusclown, der sich in dem grauen Hinterhaus die Stiefel anzieht, um pünktlich zu der Vorstellung zu kommen, in der er lustig sein muß – können ein dichterisches »Bild« hergeben, obwohl sie malerisch nicht komponierbar sind. Die meisten leugnen das noch, erkennen daher beispielsweise in der Dämmerung und ähnlichen Gebilden nichts als ein sinnloses Durcheinander komischer Vorstellungen. Andere glauben sogar – zu unrecht –, daß auch in der Malerei derartige »ideeliche« Bilder möglich sind. [...]
Absicht ist weiterhin, die Reflexe der Dinge unmittelbar – ohne *überflüssige* Reflexionen aufzunehmen. Lichtenstein weiß, daß der Mann nicht an dem Fenster klebt, sondern hinter ihm steht. Daß nicht der Kinderwagen schreit, sondern das Kind in dem Kinderwagen. Da er nur den Kinderwagen sieht, schreibt er: Der Kinderwagen schreit. Lyrisch unwahr wäre, wenn er schriebe: Ein Mann steht hinter einem Fenster. Zufällig auch begrifflich nicht unwahr ist: Ein Junge spielt *mit* einem Teich. Ein Pferd *stolpert* über eine Dame. Hunde *fluchen*. Zwar muß man sonderbar lachen, wenn man *sehen* lernt: Daß ein Junge einen Teich tatsächlich als Spielzeug benutzt. Wie Pferde die hilflose Bewegung des Stolperns haben ... Wie menschlich Hunde der Wut Ausdruck geben ...

Vergleichen wir die hier von Lichtenstein gemachten Äußerungen mit unserem eigenen Lesen, so erkennen wir Übereinstimmungen und Abweichungen. Deutlich wird, daß Lichtenstein nur einige der möglichen Aspekte des Gedichts ins Blickfeld rückt. Ihm geht es vor allem um die Rechtfertigung seiner Lyrik vor dem Hintergrund einer Tradition, die die »ideelichen Bilder« des Expressionismus nicht akzeptieren will. Das Gedicht versucht nicht den Entwurf einer als »real denkbaren Landschaft«. Es ist nicht die Umsetzung eines Erlebnisses, obwohl wir davon ausgehen können, daß es von realen Erfahrungen geprägt ist. In seinen Erläuterungen spielt Lichtenstein zwei Möglichkeiten der Wirklichkeitswahrnehmung gegeneinander aus, deren Bedeutung

nicht nur auf die Produktion oder das Lesen von Lyrik beschränkt bleiben soll: Wissen und Sehen. Er fordert, »die Dinge unmittelbar – ohne überflüssige Reflexionen wahrzunehmen«. Was heißt das? Wenn ich mich meinem unmittelbaren Sehen anvertraue, dann schreit – weil ich das schreiende Baby nicht wahrnehme – der Kinderwagen. Für das Gedicht *Die Dämmerung* wird diese minimale Verschiebung vom »wissenden Sehen« zur unreflektierten Wahrnehmung zum ästhetischen Zentrum. Eine neue Sicht der Welt wird möglich, für die das Gedicht nicht nur ein Beleg ist, sondern ein Übungsfeld, das über die Literatur, ihre neue lyrische Wahrheit, hinausführt in eine veränderte Alltagswahrnehmung. Sie aber steht für Lichtenstein (im Jahre 1911) im Zeichen des Lachens: »[. . .] wenn man *sehen* lernt, muß man sonderbar lachen.«
Das Gedicht *Die Dämmerung* kann als programmatische Übung dieses neuen Sehenlernens verstanden werden. Es reiht Momentaufnahmen aneinander, deren Abfolge in keinem räumlichen, aber auch in keinem kausalen Zusammenhang steht. Die Einheit stiftet die Tageszeit »Dämmerung«, deren schon traditionelle Mehrdeutigkeit die Uminterpretation der Wirklichkeit im neuen Sehen rechtfertigt. Doch nicht nur durch den Vergleich mit anderen Gedichten Lichtensteins aus dem Jahre 1911 wird deutlich, daß die Dämmerung eigentlich nur ein Anlaß unter anderen ist, die Mehrdeutigkeit der Realität vorzuführen, sondern auch durch den Text selbst. Die Reihung der Momentaufnahmen besitzt eine äußerst einfache Struktur, die das Naive und das Didaktische streift. Von den zwölf auf drei Strophen verteilten Versen bestehen acht aus einem vollständigen Satz, der jeweils eine Momentaufnahme enthält. Zwei Aufnahmen sind über zwei Verse verteilt. Sie bringen eine Variation in die erste und zweite Strophe, die das Monotone der Satzreihung unterbrechen. Dies gilt auch für den letzten Vers der dritten Strophe. Er rückt als einziger zwei Beobachtungen in einer Momentaufnahme zusammen. Obwohl die einzelnen Beobachtungen keine direkte Beziehung zueinander besit-

zen, bilden sie dennoch eine Einheit, die durch die Einhaltung des metrischen Schemas (fünfhebige Jamben) und die Benutzung des Kreuzreims betont wird. Der Einheit des Sujets (die Zeit »Dämmerung«) entspricht die Einheit der literarischen Komposition, deren Einfachheit die in den einzelnen Momentaufnahmen vorgeführten Verfremdungen um so deutlicher hervorhebt. Dabei greift Lichtenstein keineswegs zu spektakulären neuen Bildern oder zu einer extremen Schreibweise. Im Gegenteil. Er schafft die Wirklichkeitsirritation durch minimale Umdeutungen, die den Leser darauf verweisen, wie fragil die Beziehung von Sprache und Wirklichkeit ist, wie rasch die als gesichert empfundene Realität verunsichert werden kann. Im ersten Vers erreicht Lichtenstein dies durch die Benutzung einer ungewohnten Präposition. Aus »Ein dicker Junge spielt *an* einem Teich« wird »*mit* einem Teich«. Die gewohnte Zuordnung von Subjekt und Objekt – von Mensch und Natur – wird durch das neue Sehen aus dem Blickwinkel der »lyrischen Wahrheit« verfremdet und als neue intensive Einheit ausgewiesen. Im neunten Vers erreicht dies z. B. ein ungewohntes Verb. Statt »stehen« fügt Lichtenstein »kleben« ein: »An einem Fenster klebt ein fetter Mann.«
Welche Wirkung erzielen diese minimalen Veränderungen? In welche Richtung zielen sie? Gehen wir davon aus, daß Lichtenstein durch seine Lyrik die normale Wirklichkeitswahrnehmung durch Komik verunsichern will und daß für ihn der normale Blick auf die Realität nur eine von mehreren Möglichkeiten ist, so stellt sich die Frage, ob das Gedicht hierzu das Gegen-Bild verkörpert oder ob es nicht selbst wiederum nur eine von mehreren Möglichkeiten benennt. Der Vers »An einem Fenster klebt ein fetter Mann« provoziert durch die minimale Abweichung die Assoziation der auch klanglich nahen Erinnerung »klebt – steht«. Die Differenz zum normalen Sprechen wird hierdurch zwangsläufig zur mitzudenkenden Folie, vor der das Gedicht erscheint. Das von ihm entworfene Bild wird deshalb selbst zu einer Möglichkeitsformulierung. Es entzieht sich einer präzisen

Benennung und erzeugt dadurch eine Offenheit der Bedeutung, die nicht umzusetzen ist in eine benennbare Aussage. Am deutlichsten wird dies im vorletzten Vers: »Ein grauer Clown zieht sich die Stiefel an.« Zwar erzeugt das Adjektiv »grau« als Charakterisierung des Clowns die klischierte Vorstellung vom ›traurigen Bajazzo‹, doch verhindert die nüchterne Feststellung »zieht sich die Stiefel an« die triviale Deutung, die Lichtenstein selbst in seiner Interpretation vorschlägt. Der eingefrorene Moment des Stiefelanziehens, der nicht metaphorisch aufgelöst werden kann, wirkt zurück auf den banalen farbsymbolischen Widerspruch von »grau« und »Clown«: Der Clown, der sich die Stiefel anzieht, ist grau, weil er sich die Stiefel in der Dämmerung anzieht!
Dieses »tatsächliche« Sprechen aber wirkt durch den Kontext des Gedichts genauso irritierend wie die Sprache der Vermutung. »Ein blonder Dichter wird vielleicht verrückt« (7). Lichtenstein schreibt hierzu in seiner Selbstkritik: »Zuweilen ist die Darstellung der Reflexion wichtig. Ein Dichter wird vielleicht verrückt – macht einen tieferen Eindruck als: Ein Dichter sieht starr vor sich hin.« Warum? Vor dem Hintergrund einer Wirklichkeitserfahrung, die die Realität wie das Sprechen über sie als verunsicherten Bezug zeigen will, wirkt die Feststellung »Ein Dichter sieht starr vor sich hin« wie ein fester Bezugspunkt in einer instabilen Welt. Daß es Lichtenstein jedoch gerade auf diese Instabilität ankommt, zeigt *Die Dämmerung* in jeder Momentaufnahme. Die Menschen, die Natur, die Dinge werden verfremdet, sei es durch eine ungewohnte Wortwahl, durch einen komischen Vergleich oder durch die Sprache der Vermutung. Daß die Instabilität dabei nicht zur Verzweiflung führt, hat seinen Grund im Lachen, das mit der neuen Sichtweise der Realität verbunden wird. Dieses Lachen aber ist nicht Zeichen eines schwerelosen Humors, sondern Ausdruck einer tiefsitzenden Verunsicherung.
In der *Dämmerung* kann sie nur geahnt werden. Die Momentaufnahmen dieses Gedichts bereiten erst vor, was Alfred Lichtenstein in anderen Texten als Grund für sein

Gefühl einer instabilen Wirklichkeit erkennen wird: »Unglaublich friedlich naht das große Grauenhafte« *(Die Fahrt nach der Irrenanstalt* II).
Trotz des relativen Wohlstands, der die Zeit vor dem Ersten Weltkrieg charakterisiert, ahnten die Schriftsteller, Künstler und Musiker, die sich vor allem in Berlin unter dem Zeichen des Expressionismus zusammenfanden, die Gefährdung, die hinter der saturierten Oberfläche der wilhelminischen Gesellschaft, ihrem nationalen Pathos und imperialistischen Machtstreben lauerte. In Lichtensteins Lyrik und kurzen Prosawerken besitzen wir ein seismographisch genaues Abbild dieser Ahnungen. Von der Verunsicherung durch eine als brüchig empfundene Wirklichkeit, der allein ein groteskes Sprechen gerecht wird, führt seine Dichtung zu einer unpathetischen Schreibweise, die das Grauen des Krieges und den eigenen Tod (September 1914) vorausahnt. Kurz vor der Abfahrt zum Kriegsschauplatz schreibt er das Gedicht *Abschied.* Es beginnt mit den Versen:

Vorm Sterben mache ich noch mein Gedicht.
Still, Kameraden, stört mich nicht.

Die Schlußverse lauten:

Die Sonne fällt zum Horizont hinab.
Bald wirft man mich ins milde Massengrab.

Am Himmel brennt das brave Abendrot.
Vielleicht bin ich in dreizehn Tagen tot.

Die Dämmerung, das Abendrot ... Im *Abschied* gibt es nicht mehr ein komisch-groteskes Sprechen, sondern nur noch einen ohnmächtigen Euphemismus, der lapidar (»Abendrot« / »tot«) die Hilflosigkeit gegenüber einer als absurd empfundenen Realität vor Augen führt. Unsicherheit und Hilflosigkeit bestimmen das literarische Schaffen Alfred Lichtensteins. In seiner Groteske *Café Klößchen*, einer verschlüsselten Beschreibung des literarischen Lebens im Berliner »Café des Westens« (»Café Größenwahn«), läßt er

seinen ›Helden‹ Kuno Kohn sagen: »Das Gefühl der vollkommenen Hilflosigkeit, das dich überfallen hat, habe ich häufig. Der einzige Trost ist: traurig sein. Wenn die Traurigkeit in Verzweiflung ausartet, soll man grotesk werden. Man soll spaßeshalber weiterleben. Soll versuchen, in der Erkenntnis, daß das Dasein aus lauter brutalen hundsgemeinen Scherzen besteht, Erhebung zu finden« (S. 61).
Lesen wir vor dem Hintergrund dieser Aussage noch einmal das Gedicht *Die Dämmerung*, so entdecken wir, wie die Hilflosigkeit ins groteske Sprechen eindringt und wie die ›Schlichtheit‹ der literarischen Komposition (Satzbau, Bildlichkeit, Vers- und Strophenbehandlung) als einigender Halt gegenüber einer unsicher gewordenen Wirklichkeit ausgespielt wird. Literatur als Selbstbewahrung. Doch was wird bewahrt? Die Person des Dichters, die Literatur oder auch – die Wirklichkeit?

Zitierte Literatur: Alfred LICHTENSTEIN: Gesammelte Prosa. Zürich 1966. – Alfred LICHTENSTEIN: Die Verse des Alfred Lichtenstein. In: Die Aktion 3. Nr. 40 (Oktober 1913) S. 942–944.
Weitere Literatur: Alfred Richard MEYER: Über Alfred Lichtenstein und Gottfried Benn. In: Expressionismus. Aufzeichnungen und Erinnerungen der Zeitgenossen. Hrsg. von Paul Raabe. Olten/Freiburg i. Br. 1965.

Gottfried Benn

D-Zug

Braun wie Kognak. Braun wie Laub. Rotbraun.
Malaiengelb.
D-Zug Berlin–Trelleborg und die Ostseebäder.

Fleisch, das nackt ging.
Bis in den Mund gebräunt vom Meer.
Reif gesenkt, zu griechischem Glück.
In Sichel-Sehnsucht: wie weit der Sommer ist!
Vorletzter Tag des neunten Monats schon!

Stoppel und letzte Mandel lechzt in uns.
Entfaltungen, das Blut, die Müdigkeiten,
die Georginennähe macht uns wirr.

Männerbraun stürzt sich auf Frauenbraun:

Eine Frau ist etwas für eine Nacht.
Und wenn es schön war, noch für die nächste!
Oh! Und dann wieder dies Bei-sich-selbst-Sein!
Diese Stummheiten! Dies Getriebenwerden!

Eine Frau ist etwas mit Geruch.
Unsägliches! Stirb hin! Resede.
Darin ist Süden, Hirt und Meer.
An jedem Abhang lehnt ein Glück.

Frauenhellbraun taumelt an Männerdunkelbraun:

Halte mich! Du, ich falle!
Ich bin im Nacken so müde.
Oh, dieser fiebernde süße
letzte Geruch aus den Gärten.

Abdruck nach: Gottfried Benn: Gesammelte Werke. 8 Bde. Hrsg. von Dieter Wellershoff. Wiesbaden: Limes, 1968. Bd. 1. S. 27.
Erstdruck: Die Aktion 2 (1912).

Horst Enders

Gottfried Benn: *D-Zug*

Der Zug fährt in der verkehrten Richtung. Unmöglich aber, in Berlin zu enden: Stettiner Bahnhof – Kopfbahnhof – Prellbock. Unmöglich, die Weite nicht vor sich zu haben: Ostseebäder; sie geben was sie können, auch klanglich, rhythmisch, syntaktisch weich angebunden durch die Konjunktion an Stelle des reichsbahnamtlichen Koppelzeichens. Das Realitätszitat wird vorgehalten, rüde antilyrisch, und wird verdreht, verändert, da Zerlösendes eingeht: Diffusion am Ende des klaren Schienenwegs Berlin–Trelleborg. Vorher die Arten von Braun. Distinktion wird vorgeführt, ohne Anhalt aber, was denn da braun sei, so oder so. »Kognak« und »Laub«, hilfsweise in der Rolle des Farbträgers, treten hervor; Nuancen von Braun geben sich undeutlich, abstrakt, als Unterscheidbarkeit überhaupt, so daß der Farbname »Rotbraun«, ganz für sich gestellt, gewissermaßen erst zur Sache kommt, Farbe fixiert. »Malaiengelb«, formal ähnlich, scheint dies nachzuahmen. Aber es ist ein Gegenwort, im Klang – rotbraun : malaiengelb –, im Rhythmus und semantisch, es beruft die Farbe, präsentiert sie nicht. Die Phantasie schweift aus – Südliches kommt herauf. Die Strecke Berlin–Trelleborg bereitet dem ein einheimisches, nüchternes Ende und einige Rekreation dann, wenn es weitergeht zerfließend in die »Ostseebäder«. Der zweite Vers ist ein Pendant zur zweiten Hälfte des ersten, Nachklang aber nur wie im Medium der Prosa, die gegen lyrische Erhebung gesetzt wäre.

Die Farben, der Zug – drinnen oder draußen? Im Zug – Menschen. »Fleisch, das nackt ging.« Menschen nicht: Fleisch, Schwundstufe, Entindividualisierung. Aber es ist einiges getan für die Aufrichtung des Fleisches: es ging, Vershebungen drängen sich, der Relativsatz rückt ins Bestimmtere, natürlich, aber, mit nur einem Wort oberhalb der grammatischen Minimalausstattung, markiert er Bestimmtheit. Und selbst das Präteritum mit der Abgeschlossenheit des Vorgangs stellt sich in den Dienst der Aufrichtung des Fleisches. Aber, wenn überhaupt, Haiti eher als Winckelmanns Stadien, deren splitternackte Population Fleisch von Gnaden des Marmors, des Travertins und der Bronze war: geistbegabt. Wenn Griechenland, dann nicht klassisch; südlich nur, mediterrane Ursprungsnähe. Wiegend im Rhythmus, so daß man's glauben möchte: »Bis in den Mund gebräunt vom Meer«. Das hat mit den Sommerfrischlern aus den Ostseebädern nur wenig noch zu tun, das geht auf Distanz, operiert nicht mit Beobachtbarem, spielt eine Idee hervor. »Was liegst du nun im Sand, du weißes Fleisch, was rinnst du nicht und sickerst in das Meer« (II,369). Bilder der Verwesung für die Ich-Auflösung, der Rückgang ins Meer als dem Ort des Ungeschiedenen. Mehr Fassung hat das braune Fleisch, das ging, Spuren des Tausches nur von Innen und Außen. Die Sehnsucht des Hinsinkens aber ist in ihm. Sich senken zum Glück, unselig die Bewegung nach oben, wo man sonst das Glück vermutet. Sinken, das ist's. Angespielt der Gedanke nur, der schnell in die Obhut von Verständlicherem genommen wird; reif – Sichel-Sehnsucht – Ende des Sommers: das assoziiert sich zum Gewöhnlichen hin; dabei unvermittelt ein Ausdruckston: »wie weit der Sommer ist!« Das lyrische Ich macht sich in der Situation gemein; das wird denen im Zug am Ende schlecht bekommen, der künftige Dativ und Akkusativ der ersten pluralis suchen höhere Allgemeinheit noch. Stürzendes, taumelndes Braun wird einen Rest nur der Erinnerung an die Sommerfrischler bewahren. Natürlichste Hintergedanken beim neunten Monat, September, der Monat aber auch der Geburt, die mit dem Tod, dem Ziel der Sichel-Sehnsucht, koinzidiert. Den Tod, symbolisch, erleiden zur Wiedergeburt auf höherer Stufe ist Urinventar von Initiationsriten, dessen sich der Gedanke wohl bemächtigen kann, wenn nur das höhere Glück nicht oben, sondern unten gesucht wird, wenn Wiedergeburt auf niederer Stufe erfolgt, Last der Geschiedenheit nimmt. Die harmlose, wie ans Tatsächliche sich wendende Feststellung hat es in sich, die Idee der Ich-Auflösung trägt sich fort unter dem plausiblen Zusammenhang. Dennoch, die Strophe läßt ab vom lyrischen Motiv der Entgrenzung, das einen Vorklang hatte in der ersten Strophe, sich dann aufmachte im Beginn der zweiten.

Das gehört zum Spiel: Rückkehr ins Reale, das durchbrochen sein will, gewendet ins lyrische Motiv.

Stoppel und Mandel, Nördliches und Südliches des Spätsommers, Vermischung der Sphären, dem Vers zum Glück, denn keine Stoppel lechzt in uns lyrisch glaubwürdig, es bedarf der Mandel noch, zudem der letzten, daß Lechzen sein kann. Die Mandel könnte »reif gesenkt« sein und danach lechzen zu fallen. Was aber mit der Stoppel? Da war »Sichel-Sehnsucht« schon am Ziel. Lechzen, zu sein in Zuständen, von denen Stoppel und letzte Mandel sprechen? Nach allem, damit man einen Reim sich mache: Vertauschung von Subjekt und Objekt, Durchdringung von Innen und Außen, durchspielt von der Vermischung der Sphären. Lyrisches Zentrum, wo der Begriff mit Behagen Rechenschaft gibt von dem, was über ihm ist. Wenn sich nur mit der Unbekümmertheit um Verstandestatsachen nicht auch das Geschick der Sprache auffällig machte und Selbstgenügsamkeit eines Bedeutungsspiels offerierte. Erkennbarer lyrischer Sinn zieht sich zugleich hinter seine bloße Möglichkeit zurück. Der programmierte Leser wird im Stich gelassen, muß nach einer etwas anderen, schwierigeren Einstellung suchen; die Distanz des lyrischen Ausdrucks zum strikt Sagbaren wird größer. Lyrisches Zentrum nicht, aber markante Ausgangslage für die Arbeit des Gedichts nun, das

vorstellbar Reales nicht einfach hinter sich läßt, sondern durchdringen möchte.
Entfaltungen – nicht geprägte Form, die lebend usw., beileibe nicht. Öffnung, Losbindung, Rückgang in die Vitalsphäre.
Das Blut, die Müdigkeiten, halb im physiologischen Betracht, halb hinübergespielt ins bloß Zeichenhafte, vielleicht Metaphorische. Zwischenlage, erzeugt noch aus dem Vers zuvor, gehalten durch leichte Esoterik von »Entfaltungen«, den Plural von »Müdigkeit« und traditionell poetischer Befrachtung von »Blut« ohnedies.
Spätsommer, in den Gärten die Dahlien, südliche Blume (Mexiko). Nähe – räumlich, zeitlich? »Georginennähe«, die verwirren soll, duldet solche Unterscheidung nicht, und auch »Dahlien« durften es kaum sein, das Fremdere des Namens muß sich einmischen, wohlklingend dazu. Vom Lechzen nach Unsäglichem zur Verwirrtheit ein Weg zum halbwegs Nachvollziehbaren, innerhalb des lyrischen Sprechens selbst die Rückkehr zur allgemein vertrauteren Art der Realitätsbindung.
Das Braun kommt vollends zur Sache, ohne Umschweif. Sexus in Anonymität; Promiskuität aus dem Urzuständlichen, zu dem das Meer verlockte. Das Braun. Urlaubshänse und -greten pendeln vielleicht friedlich auf den Bänken. Das Gedicht verläßt die äußere, beobachtbare Situation, gewinnt einen Überall-Ort, trägt nur die Erinnerung ans Besondere weiter.
Dann die Verbraucherhaltung, Frivoles im Parlando-Stil, dem Vorstadt-Bonvivant, dem Kasino-Militär vom Munde genommen. Schäbige, unzulängliche Versuche mit dem Glück. Rüde Alltäglichkeit, zum Aufstöhnen: »Oh!« Die Zeit danach. Ausdruckston und bei ihm das Einschwingen wieder in die lyrische Sprechweise mit höhergreifenden Vokabeln auch, Ausdrücken für das unruhige Eingesperrtsein in sich. Semantisch relativ weit auseinander »Stummheiten« und »Getriebenwerden«. Versuche, das eine im Vielfältigen zu fassen; daher das Schillern der Demonstrativa:

eingefriedet durchs Substantiv, dessen bezeichnende Leistung ganz genügt, aber auch vergewisserndes Zeigen aufs Phänomen, vor dem der Ausdruck unsicher und wie suchend erscheint. Formal wieder das Anvisieren wenigstens der lyrischen Sprachebene, auf der Entfaltungen, Blut und Müdigkeiten begegneten. Das Moment von Unsicherheit in der Bezeichnung des gewöhnlichen Falles bedeutet aber auch dessen Zurücktreten gegen den ungewöhnlichen, den Fall der Entgrenzung.
Zweiter Versuch mit der Frau, Variante der Geringschätzung, Feinschmeckerallüre. Der nächste Vers aber nimmt es ernst, stellt es auf den Kopf. »Unsägliches« enthält den Umschwung schon; »Stirb hin« rückt in eine Reihe mit »Reif gesenkt« und »Sichel-Sehnsucht«. »Resede«: Die gelbe Resede (auch gelber Wau), meist *niederliegende* Kräuter, geruchlos (ein deutsches Lexikon), besonders entlang der *Eisenbahnlinien* ausgebreitet (ein deutscher Pflanzenführer), Symbol der Verinnerlichung, da ihr Zauber in ihrem *betäubenden Duft* gegenüber der rein äußerlich wenig bestechenden Form liegt (ein mediterraner Pflanzenführer), die *wohlriechende Gartenresede* (ein anderes deutsches Lexikon). Ein weites Feld für Assoziationen demjenigen, der sich auskennt. Der Vers kommt mit dem Ungefähren aus. Der Gedanke an Geruch, starken Duft ist unumgänglich, vielleicht auch der an niederen Wuchs, Niedergesenktes. Die Ausdrücke, syntaktisch isoliert gestellt, finden Zusammenhang außerhalb ihrer möglichen logischen Verbindung, spiegeln sich ineinander, schaffen Freiheit für die lyrische Imagination: Süden. Geruch, die Sinneswahrnehmung, die die Erinnerung vergangener Situationen heraufruft, daß man sich wie vom Gegenwärtigen gefangennehmen läßt – solcher Behilflichkeiten des Wissens bedarf es aber nicht. Die Methode ist nun die der Assoziation schon gewesen. Sie setzt sich fort: Süden, Hirte, Meer, und dann die Bildlichkeit im nächsten Vers, bestechend und unauflösbar. Doch die Substantive sind befrachtet vom Früheren her: »Abhang« gibt wieder die Richtung des Sinkens, das

»Glück«, das griechische, ist als eines der Selbstpreisgabe, des Individualitätsverlustes avisiert. »Unsägliches! Stirb hin!«: die Zeichen klassischer Ruhe und Gefaßtheit trügen, Faßbarkeit nur eines anderen Zustands wird gesucht. Nach der ganzen Entwicklung des Gedichtes könnte hier nicht das Ende sein. Ein Bild nur, für das die deutsche Seele besonders empfindlich ist, wenn sie sich ins Glück träumt. Durchgangsphase des Gedichts, in der die Unruhe der Verschmelzungssehnsüchte anhält.

Wieder Braun in Braun. Taumelnd, willenlos, ziellos das Ziel findend. Kaum mehr bestimmbar ist das Lokal der Szene. Der Zug? Griechenland? Überhaupt? Jede Eingrenzung ginge nun gegen den Strich. Nur die *Möglichkeit*, daß die Ausgangssituation wieder in den Blick gerät, muß offengehalten werden. Das Konkrete in Potentialität sichert den Zusammenhang im Gedicht, verhindert, daß der Schluß sich zu nichtssagender Freiheit der Einbildungskraft weghebt.

Methodenwechsel. Das lyrische Ich tritt das Wort ab, nimmt es auf wie von außen. Unauffällig vorbereitet ist der Wechsel durch den früheren Imperativ »Stirb hin«. Nun das Fallen, wie man es kennt, Besinnungsschwund. Gehalten zu werden ist dann ernsthafter Wille schon nicht mehr. Fallen, das ist's. Im Vers wird die Bewegung des Fallens deutlich als ein Sich-Lösen vom Du: der Imperativ hält das Du noch fixiert, unter seiner Nennung geht es – in der Ausdruckssituation – als bestimmtes Gegenüber schon verloren. Natürlich, die Absicht des Dichters ist am Werke. Hunderttausendmal geäußert – spontan oder eingeübt –, hat die Wortfolge doch die Möglichkeit, als eine poetisch arrangierte angesehen zu werden. Poesie aber ist es gerade, worauf der Blick nicht gehen soll. Der Ausdruckston schaltet in einen Vorgang des Fallens, des Sinkens, des Sich-Verlierens ein, nimmt ihm den Grad von Mittelbarkeit, den er in lyrischer Präsentation sonst noch hat.

Der nächste Vers enthält schon keine Allerweltsbekundung mehr. Der Nacken gehört bei Benn zu den sozusagen poetogenen Zonen. Der Nacken hier muß einer sein, der sich beugt, der Aufgerichtetheit preisgibt, »müde«, das Stichwort aus dem Früheren ist aufgenommen, »Müdigkeiten« mit allem, worauf es bezogen war.

Letztes dann. Der letzte Geruch aus den Gärten, der fiebernde, süße. Die Interjektion schafft Übergang zu einem Sprechen, das nun vielleicht wieder ganz in der Verantwortung des lyrischen Ich ist. Vielleicht aber auch nicht, vielleicht immer noch ›Rolle‹. Diese Unbestimmtheit und die Situationsferne, die gerade von dem situativ sich bindenden und mehrfach so erinnerten Anfang des Gedichts her spürbar wird, grundieren den lyrischen Ausdruck, geben ihm die Möglichkeit, einzustehen für das Sich-Verlieren, das Hinausgeraten aus den Grenzen des Ich. Der Geruch wieder, die Sinneswahrnehmung, in der, von allen am meisten, die Distanz verlorengeht. Fiebernd und süß – Verfallenheit ist signalisiert. Letzter Geruch – hinsterben mit dem Sommer, sich verlieren, Rückkehr ins Ungeschiedene.

Wer wird es wörtlich nehmen? Wer aber hat noch nicht Anwandlungen gehabt am Meer, im Süden, im süßen Duft von Gärten? Philosophisch heißt man's das Problem der Subjektivität, zeitkritisch das des Individualismus, der Ich-Vereinzelung. Das Gedicht – in seinem Schluß – findet zur gewöhnlichen Erfahrung zurück, öffnet sie zugleich auf eine Tiefe hin, in der sich ein unbestimmtes, kaum erahnbar anderes als Widerspruch zur modernen Zivilisation zeigt. Die bleibt für das Gedicht gegenwärtig – durch die Überschrift, die Ausgangssituation, das Realitätszitat, die flapsigen Redewendungen. Die lyrische Sprechweise selbst geht von einer äußersten Position, in der das reine Spiel von Bedeutungen schon nahe ist, hinüber zur Assoziationstechnik und schließlich zu dem der Sprachnormalität am meisten angenäherten Ausdruckston, unter dem die lyrische Qualität in der Eintiefung von Bedeutungen sich freilich noch erhält. Die Modifikation des Lyrischen selbst zeigt schon die Mühe, die Realität als den heillosen Ursprung der Träume in ebendiesen nicht verschwinden zu lassen. Insofern dann: D-Zug Ostseebäder–Trelleborg–Berlin.

Zitierte Literatur: Gottfried Benn: Gesammelte Werke. [Siehe Textquelle. Zit. mit Band- und Seitenzahl.]
Weitere Literatur: Bodo Heimann: Der Süden in der Dichtung Gottfried Benns. Diss. Freiburg 1962.

Georg Trakl

De profundis

Es ist ein Stoppelfeld, in das ein schwarzer Regen fällt.
Es ist ein brauner Baum, der einsam dasteht.
Es ist ein Zischelwind, der leere Hütten umkreist.
Wie traurig dieser Abend.

5 Am Weiler vorbei
Sammelt die sanfte Waise noch spärliche Ähren ein.
Ihre Augen weiden rund und goldig in der Dämmerung
Und ihr Schoß harrt des himmlischen Bräutigams.

Bei der Heimkehr
10 Fanden die Hirten den süßen Leib
Verwest im Dornenbusch.

Ein Schatten bin ich ferne finsteren Dörfern.
Gottes Schweigen
Trank ich aus dem Brunnen des Hains.

15 Auf meine Stirne tritt kaltes Metall
Spinnen suchen mein Herz.
Es ist ein Licht, das in meinem Mund erlöscht.

Nachts fand ich mich auf einer Heide,
Starrend von Unrat und Staub der Sterne.
20 Im Haselgebüsch
Klangen wieder kristallne Engel.

Abdruck nach: Georg Trakl: Dichtungen und Briefe. 2 Bde. Hrsg. von Walther Killy und Hans Szklenar. Salzburg: Otto Müller, 1969. Bd. 1. S. 46.
Erstdruck: Der Brenner 3 (1912/13) H. 6 (15. 12. 1912).

Manfred Kux

»De profundis« – aus dem Abgrund

Wie die Überlieferung zeigt, hat Trakl die Überschrift zum vorliegenden Text sehr bewußt gewählt. »Herbstlied« und »Psalm« lauten in der ersten Niederschrift erwogene Titel. An ihre Stelle tritt mit *De profundis* der Verweis auf den Psalm 130, der – getragen vom Vertrauen auf einen gnädigen und vergebenden Gott – mit den flehenden Versen anhebt: »Aus der Tiefe rufe ich, Herr, zu dir. Herr, höre meine Stimme«.

Trakl jedoch entwirft zunächst die Kulisse einer herbstlichen Landschaft. Die wenigen, nachdrücklich gesetzten Elemente konturieren eine abweisende Kargheit und rufen die ›Traurigkeit‹ hervor, die das lyrische Ich – selbst scheinbar aus dem Szenarium herausgenommen, aber präsent in seiner Anschauungs- und Empfindungsweise – in dem verkürzten Schlußvers erfaßt und mit klagendem Unterton benennt. Die Formgebung verdichtet diese Atmosphäre noch. Das jambische Metrum, freirhythmisch aufgelöst nur am Ende der dritten Zeile – wohl um die Bewegung des »Zischelwinds« zu unterstreichen (vgl. Prawer, S. 55) –, die simplen Anaphern, die das statische Nebeneinander akzentuieren, der nur im ersten Abschnitt konsequent durchgehaltene Zeilenstil und die parallelen Satzstrukturen der drei Anfangsverse korrespondieren mit der Monotonie und Leblosigkeit der »traurig« (4) stimmenden Impressionen.

Erst im zweiten Abschnitt – die Vier- und Dreizeiler weisen nicht die syntaktische und metrische Gleichheit auf, die die Strophenform verlangt – werden die düstere und verlassene Landschaft und mit ihr Metrum, Syntax und Versbau belebt. Wie ein dem Leser vertrautes Wesen führt Trakl die einsame Gestalt der »sanften Waise« (6) ein, doch der bestimmte Artikel bezeichnet hier die in der modernen Lyrik häufig nachzuweisende »Unbestimmtheitsfunktion der Determi-

nanten«, die darauf zielt, »vertraut Klingendem die Unvertrautheit einzuprägen« und »das isolierte, herkunftslose Neue noch rätselhafter« zu machen (Friedrich, S. 160 f.). Bleibt die personale Identität der Waise also unbestimmt und geheimnisvoll, so nimmt sie als Typus gleichwohl qualifizierbare Züge an, die sie – wie Lachmann schreibt – als »eine irdische Schwester des Elis, des schuldlosen Menschen«, ausweisen (Lachmann, S. 138; vgl. auch Trakls *Elis*-Gedichte). Was sie mit dieser Figur Trakls verbindet, sind ihr in der Einsamkeit gereiftes Kindsein, die Sanftmut und der »goldig« (7) verklärte, sich arglos hingebende Blick als Spiegel einer das Irdische transzendierenden Seele, für die die durch mystische Erotik geprägte Sehnsucht nach dem »himmlischen Bräutigam« (8) einen Fixpunkt angibt. Vor dem traurig-düsteren Hintergrund der eingangs skizzierten Herbstlandschaft setzt die Erscheinung der Waise einen Akzent, dessen freundlich-friedliche Tönung von der Lautgebung untermalt wird. Aber auch im Versmaß findet sich eine formale Entsprechung zum explizit Gesagten. Während zunächst das Nebeneinander von Jambus und Anapäst sowie der Wechsel von Daktylen und Trochäen mit der Bewegung der Ährenlesenden korrespondieren, findet in dem trochäischen Metrum des siebten Verses die gesammelte Ruhe ihres »weidenden« Blicks – und damit ihrer Seele – zu einem angemessenen Ausdruck. Das gespannt-erwartungsvolle »Harren« auf den »himmlischen Bräutigam« schließlich gewinnt mit der alternierenden Häufung von Hebungen Nachdrücklichkeit.
Doch Trakl desillusioniert und schockiert. Nicht von himmlischer Auserwähltheit oder Erfüllung weiß er zu berichten, sondern von Tod und Verwesung. Zugleich macht er durch den Tempuswechsel deutlich, daß das anfangs Vorgestellte aus Bildern der Erinnerung geschöpft ist, in der objektiv Vergangenes subjektiv gegenwärtig bleibt und somit in die präsentisch vermittelte Zeitlosigkeit des Gedichts integrierbar wird. Die szenische Exposition, die die »sanfte Waise« (6) in abendlicher Herbstlandschaft zeigt – einer Landschaft,

die Trakl in seinem Werk häufig zur Anschauung bringt, weil in ihr die vom Verfall gezeichnete oder bedrohte Welt sinnfällig wird –, gehört also der Vergangenheit an. Zwischen ihr und ihrer vergegenwärtigenden Darstellung liegt das Auffinden des bereits »verwesten« »süßen Leibs« (10 f.) der Waise. Der Tempuswechsel vom aktualisierenden Präsens der ersten Abschnitte zum resümierenden Präteritum des dritten holt Zeit ein. Dabei werden die Umstände des Todes, der die Waise ereilt, übersprungen. Konfrontiert mit dem erschreckenden Faktum, bleiben Beweggründe und Zusammenhänge im Verborgenen. Nur so viel wird deutlich: Tod und Verwesung – auch des herausgehobenen Menschen – gehören zur Conditio humana dieses hinfälligen lyrischen Kosmos.

Das Gedicht enthält nach dem dritten Abschnitt eine Zäsur, die es in zwei Hälften teilt. Es wäre denkbar, den Text an dieser Stelle enden zu lassen. Die letzten Verse gäben dann einen lakonischen Kommentar zu der mit der Überschrift assoziierten und von der Waise gehegten Hoffnung auf einen unverborgenen oder gar erscheinenden Gott, in dem eben diese Erwartung als trügerisch entlarvt wird. Aber Trakl führt das Gedicht nach dem Einschnitt in einem Neuansatz fort. Dabei greift er Strukturen auf, die er zuvor geprägt hat. In unverhüllter Selbstaussage gibt sich das lyrische Ich als eine mit der Waise verwandte Existenz zu erkennen. Es ist isoliert wie sie und kennt wie sie die einsame Hinwendung zu Gott, die bei ihm gleichfalls unerwidert bleibt. Auch Situationen, in denen der Zustand menschlicher Verlorenheit sich verdichtet, sind ihm vertraut. Die strukturelle Parallelität zwischen dem dritten Abschnitt und dem ersten Teil des sechsten legt einen solchen Bezug nahe: Auffällig sind nicht nur die Wortwiederholung (10/18: »finden«) und eine ähnliche zeitliche wie räumliche Situation (Abend bzw. Nacht in unbewohnter Landschaft), sondern auch fast identische Versmaße in den Zeilen 10 und 19, denen gerade in einem in freien Metren verfaßten Text Verweisungsfunktion zugesprochen werden darf.

Während aber die Gestalt der Waise, ihrer Schuldlosigkeit entsprechend, wie verklärt erscheint, offenbart sich das Wesen des lyrischen Ichs in seinen dunklen und kalten Zügen. Es begreift sich als ein »Schatten [...] ferne finsteren Dörfern« (12) und umschreibt die eigene Befindlichkeit metaphorisch oder chiffriert als die einer bedrohten und angstvollen Existenz. Simon hat in seiner Deutung von Trakls *Psalm* auf die »scholastische Definition des peccatum« (der ›Sünde‹, des ›Vergehens‹) als »inopia entis« (›Mangel an Sein‹) verwiesen (Simon, S. 68). Sie läßt sich auch auf die schattenhafte Existenz des lyrischen Ichs beziehen, indem sie seine besondere Seinsweise als ›lebendiger Toter‹ erklärt. Doch woher rührt das Bewußtsein der Sündhaftigkeit? Soweit das Weltbild Trakls christlich geprägt ist – und hierfür gibt es in seinem Werk vielfältige Hinweise –, gründet es in der Vorstellung der Erbsünde, einer überindividuellen Schuld, die der einzelne nicht auf sich geladen, aber zu tragen hat. Folgt man indes der gewagten Interpretation Goldmanns, der *De profundis* als eine ›verhüllte‹ Gestaltung des »Lustmordmotivs« zu verstehen sucht (Goldmann, S. 63), ließe sich die Schuldproblematik im Kontext des Gedichts konkretisieren: Das lyrische Ich träte dann in Gestalt des Mörders in eine direkte Verbindung mit dem unschuldigen Opfer der »sanften Waise« (6).
Da der Text keinen stringent motivierten Handlungszusammenhang bietet, entbehrt er auch der vordergründig aufzeigbaren Belege für diese Deutung. Goldmann bezieht sie daher aus strukturellen Parallelen und Berührungspunkten mit verwandten Motiven im Gesamtwerk Trakls. Doch lassen sich – so man will – auch textintern mögliche Stützen für diesen Interpretationsansatz nachweisen, und zwar über die Analyse der Funktion der Tempora und ihres Wechsels.
Auf die Zeiten, ihre Abfolge und ihren Aussagegehalt im ersten Teil von *De profundis* ist bereits hingewiesen worden. Betrachtet man sie aus der Perspektive der zweiten Hälfte, nehmen sie vor dem Hintergrund der von Goldmann anvisierten Deutung einen das ganze Gedicht merkwürdig

beleuchtenden Sinn an. Außer den Hinweisen auf Erfahrungen der Abwesenheit oder Verborgenheit Gottes, die – wie im ersten Teil – im Präteritum vermittelt werden, erfolgt die Aussprache des lyrischen Ichs im Präsens. Doch eignet diesem Tempus hier eine andere Funktion als die ihm zuvor zugesprochene, Vergangenes als Erinnertes zu aktualisieren. Es dient jetzt als Ausdruck unmittelbarer Gegenwart, die im Gedicht den Charakter der Zeitlosigkeit annimmt. Damit wird eine textinterne ›Geschichte‹ rekonstruierbar, in der das Wandeln der Waise in herbstlicher Landschaft, ihr Tod und ihre Verwesung, die Erfahrung des »deus absconditus« (des ›verborgenen Gottes‹) und die Selbstdarstellung des lyrischen Ichs in einer in die Gegenwart hineinreichenden Abfolge stehen. Sie wird vermittelt durch das Medium des ›Ichs‹, dessen Existenz bereits im vierten Vers, wenngleich hier noch halb verborgen, eingebracht wird. So ließe sich schließlich auch der Bruch erklären, den der Handlungsverlauf des Textes aufweist, indem Zeit und Umstände des Todes der Waise ausgespart bleiben. Die Auslassung entspräche der Psyche des Mörders, dem sich die Erinnerung an sein Opfer ständig aufdrängt, der aber die begangene Untat verdrängt.

Doch auch ungeachtet der Frage, ob die Teile und ihr Zusammenhang in einer Weise verstanden werden dürfen, die dem lyrischen Ich die direkt nicht nachzuweisende Rolle des Mörders aufbürdet, bleibt die Kohärenz der Texthälften evident. Neben den bereits aufgezeigten Strukturbezügen, deren Parallelismus an ein wesentliches Gestaltungsmittel der biblischen Psalmen erinnert, wird sie gestiftet von dem gemeinsamen Thema, das die Grundbefindlichkeit menschlicher Existenz und das Verhältnis des Menschen zu Gott bestimmt. Am Beispiel der Waise und des lyrischen Ichs werden Einsamkeit und Verlassenheit, Schuld und Tod als Konstituenten menschlichen Daseins gesehen, und Trakl verschärft diesen Befund noch, wenn er auch das Hoffen und Suchen, das sich aus dem Dunkel auf Transzendentes richtet, in Enttäuschung münden läßt. Er begreift das

menschliche Schicksal, das er in seinem Werk wiederholt mit den Sternen in Verbindung setzt (vgl. 19), unter den Vorzeichen von Verwesung und Verfall. Wie zentral diese Erfahrung für das dichterische Weltbild Trakls ist, läßt sich an *De profundis* exemplarisch belegen: Wie um eine innere Achse ist das Gedicht um die »Verweste« im »Dornenbusch« (11) gebaut. Doch auch das lyrische Ich, »Starrend von Unrat und Staub der Sterne« (19), trägt die Spuren physischen und moralischen Verfalls. Die Wahrnehmung »kristallner Engel« (21) – christlichem Denken als Abgesandte Gottes an die Menschen vertraut, denn »angelos« ist der ›Bote‹ – widerspricht nur im ersten Anschaun der »negativen Theologie« Trakls (Killy, S. 128). Die Engel vermitteln keine Botschaft, sondern verschwebende ›Klänge‹ (21), und ihre Kristallität, die im Kontrast steht zu dem dunklen Geschick des Menschen, beläßt sie in »vollkommener Ambivalenz« (Killy, S. 127). Somit offenbart ihre verhaltene Erscheinung im »Haselgebüsch« (20) noch einmal die ganze Spannung zwischen einer hoffnungweckenden vermeintlichen Nähe und der faktischen Unnahbarkeit des Göttlichen, an der sowohl die Waise als auch das lyrische Ich zerbrechen.
Liest man den Titel *De profundis* – wie in dieser Untersuchung – als ein alttestamentarisches Zitat, mit dem auf den Psalm 130 verwiesen wird, so ist die Kluft zu ermessen, die sich auftut zwischen dem biblischen Vertrauen auf einen erhörenden und erlösenden Gott, dessen sich der Gläubige gewiß ist, und der von Trakl ausgesagten neuzeitlichen Erfahrung der Gottferne und Gottverlassenheit. Die ›Tiefe‹, aus der Trakls Figuren sich dem Göttlichen zuwenden, wird als Abgrund erlebt, aus dem heraus das Transzendente unerreichbar bleibt und endlich in Frage steht. Damit nähert sich der Dichter einer Tradition, aus der Nietzsches Ausruf »Gott ist tot!« als Schlagwort hervorgegangen ist. Doch Trakl widersagt nicht dem christlich geprägten Denken, indem er etwa die Existenz Gottes negiert. Denn nicht anklagender Aufruhr, sondern klagendes Erleiden bestimmt seine Haltung. Wenn Trakl im Januar 1914 in einem Brief

schreibt: »O Gott, durch welche Schuld und Finsterniß müssen wir doch gehn. Möchten wir am Ende nicht unterliegen« (I,532), so wird deutlich, daß er das Böse als ein Verhängnis begreift, dem der Mensch als Opfer wie als Täter unterstellt ist, in dem aber auch die Möglichkeit zur Bewährung enthalten ist. Der Dichter hat dieses Wissen um die negative Bedingtheit menschlicher Existenz zur Grundlage seines Gestaltens gemacht und in seinem Werk wiederholt gezeigt, wie der Reine zum Opfer des Bösen wird, aber auch der Böse, der Mörder sogar, als Opfer erscheinen kann. Dabei spiegeln sich bisweilen beide Weisen der Existenz in einem Wesen. In *De profundis* treten sie in der Gestalt der Waise und des lyrischen Ichs in Erscheinung. Es erweist sich als legitim, in der Waise und in dem »Ich«, dessen Nennung Trakl sonst gerne vermeidet und statt dessen durch »metaphorische Maskierungen wie ›der Fremdling‹, ›ein Verwestes‹, ›ein Erstorbenes‹, ›der Mörder‹« umschreibt (Sokel, S. 69), auch einen Ausdruck des Selbstverständnisses des Autors zu sehen, der in den Briefen einmal von sich sagt, er »werde endlich doch immer ein armer Kaspar Hauser bleiben« (I,487; vgl. dazu Trakls *Kaspar Hauser Lied*), und ein andermal bekennt: »Zu wenig Liebe, zu wenig Gerechtigkeit und Erbarmen, und immer zu wenig Liebe; allzuviel Härte, Hochmut und allerlei Verbrechertum – das bin ich. [...]. Ich sehne den Tag herbei, an dem die Seele in diesem unseeligen von Schwermut verpesteten Körper nicht mehr wird wohnen wollen und können, an dem sie diese Spottgestalt aus Kot und Fäulnis verlassen wird, die ein nur allzugetreues Spiegelbild eines gottlosen, verfluchten Jahrhunderts ist« (I,519).

Trakl hat sich in seinem Werk dem »gottlosen, verfluchten Jahrhundert« ganz persönlich gestellt. Medium der Auseinandersetzung war ihm nicht eine politische oder soziale Analyse, sondern die subjektiv gebundene Erfahrung von Schuld und Leid, die objektiviert zum Ausdruck gebracht wird. Wie sehr Trakl sich hierbei selbst hineingenommen und ausgesprochen hat, vermag ein Aphorismus zu erhellen, in dem er schreibt: »Erwachend fühlst du die Bitternis der Welt; darin ist alle deine ungelöste Schuld; dein Gedicht eine unvollkommene Sühne« (I,463). Das Gedicht als »Sühne« – von daher läßt sich eine Brücke schlagen zwischen *De profundis* und dem Bußpsalm, auf den der Titel verweist. Sie überspannt den Abgrund zwischen der Gewißheit einer Geborgenheit in Gott und einer Verzweiflung, aus der heraus Trakl in einem Brief die Worte findet: »Es ist steinernes Dunkel hereingebrochen« (I,530).

Zitierte Literatur: Hugo Friedrich: Die Struktur der modernen Lyrik. Von der Mitte des 19. bis zur Mitte des 20. Jahrhunderts. Erw. Neuausg. Hamburg [4]1971. – Heinrich Goldmann: Katabasis. Eine tiefenpsychologische Studie zur Symbolik der Dichtungen Georg Trakls. Salzburg 1957. – Walther Killy: Der Tränen nächtige Bilder. Trakl und Benn. In: W. K.: Wandlungen des lyrischen Bildes. Göttingen [6]1971. S. 116–135. – Eduard Lachmann: Kreuz und Abend. Eine Interpretation der Dichtungen Georg Trakl's. Salzburg 1954. – Siegbert Prawer: Grammetrical Reflections on Trakl's ›De profundis‹. In: German Life and Letters 22 (1968/69) S. 48-59. – Klaus Simon: Traum und Orpheus. Eine Studie zu Georg Trakls Dichtungen. Salzburg 1955. – Walter H. Sokel : Der literarische Expressionismus. Der Expressionismus in der deutschen Literatur des 20. Jahrhunderts. München 1970. – Georg Trakl: Dichtungen und Briefe. [Siehe Textquelle. Zit. mit Band- und Seitenzahl.]

Georg Trakl

An den Knaben Elis

Elis, wenn die Amsel im schwarzen Wald ruft,
Dieses ist dein Untergang.
Deine Lippen trinken die Kühle des blauen Felsenquells.

Laß, wenn deine Stirne leise blutet
5 Uralte Legenden
Und dunkle Deutung des Vogelflugs.

Du aber gehst mit weichen Schritten in die Nacht,
Die voll purpurner Trauben hängt,
Und du regst die Arme schöner im Blau.

10 Ein Dornenbusch tönt,
Wo deine mondenen Augen sind.
O, wie lange bist, Elis, du verstorben.

Dein Leib ist eine Hyazinthe,
In die ein Mönch die wächsernen Finger taucht.
15 Eine schwarze Höhle ist unser Schweigen,

Daraus bisweilen ein sanftes Tier tritt
Und langsam die schweren Lider senkt.
Auf deine Schläfen tropft schwarzer Tau,

Das letzte Gold verfallener Sterne.

Abdruck nach: Georg Trakl: Dichtungen und Briefe. 2 Bde. Hrsg. von Walther Killy und Hans Szklenar. Salzburg: Otto Müller, 1969. Bd. 1. S. 84.
Erstdruck: Der Brenner 3 (1912/13) H. 23 (1. 5. 1913).

Hans Esselborn

Trakls Knabenmythos

Dieses Gedicht ist nach der Großform des *Helian* eines der ersten eigenrhythmischen Gedichte aus Trakls mittlerer Zeit mit neuer Form und Sprache. Mit ihm gelang auch der musterbildende Durchbruch zu einem neuen und von nun an beherrschenden Thema, nämlich dem Leben und Sterben eines mythisch verklärten und mit verschiedenen Namen bezeichneten Knaben. Die Elis-Texte, auf die auch der Autor großen Wert legte, erweckten deshalb bei der Rezeption und Forschung großes Interesse. *An den Knaben Elis* entstand im April 1913, *Elis* im Monat darauf. Bis zum späten *Abendland* vom Frühjahr 1914, das eine Art von poetischem Rückblick auf die Elis-Gestalt enthält, sind die meisten Gedichte von einer ganz ähnlichen, wenn auch nicht namentlich genannten Figur beherrscht.

Die biographische Situation Trakls im Frühjahr 1913 ist bestimmt von Unrast und Stellungssuche, von der Konfrontation mit seiner Kindheit und Jugend in Salzburg und von seelischen Krisen, die sich am Ende des Jahres bis zur Verzweiflung steigern. Auf der anderen Seite erfolgt in dieser Zeit nach der freundschaftlichen Aufnahme im *Brenner*-Kreis auch der Durchbruch zur literarischen Öffentlichkeit und Anerkennung.

Da sich die Interpretation der schwierigen Texte Trakls kaum auf begrifflich faßbare Aussagen stützen kann, soll die Aufmerksamkeit den dargestellten anschaulichen Vorgängen (wegen ihrer direkten Eindrücklichkeit) und den auffälligen Dingen und Figuren (wegen ihres weitreichenden Assoziationsfeldes) gelten. Außerdem ist bei diesem Gedicht, das aus einem Anruf hervorgeht, auf das Verhältnis des lyrischen Ich zur Titelfigur zu achten.

Die ersten vier Strophen des Gedichts beschwören das schöne und glückliche Leben des Knaben Elis (besonders

Str. 3), das aber von der Prophezeiung des »Untergangs« (2) und der Todesahnung überschattet ist (Str. 2). Konkret ist der Lebensgang, der als ein mythischer charakterisiert wird (5, 6), als eine Wanderung in den nächtlichen Wald dargestellt, auf der Naturdinge wie »Amsel« (1) und »Felsenquell« (3), aber auch Elemente der geistigen Tradition wie »purpurne Trauben« (8) und der tönende »Dornbusch« (10) mit dem gleichen überzeugenden Realitätsanspruch begegnen. Der Ruf der Amsel wirkt dabei wie eine Totenbeschwörung, die das Schicksal des Knaben magisch wieder in Gang setzt. Eine andere Bedingung für die mythische Wiederholung ist Elis' Einwilligung in seinen »Untergang« (2) und die Erinnerung an tragisch getönte frühere Vorgänge (vgl. die beiden zugleich temporalen wie konditionalen Wenn-Sätze!). Das »Laß« der 4. Zeile muß nach einem Brief Trakls (I,518) als »dulde« aufgefaßt werden und das Bluten als schmerzliches, gedankliches Hervorbringen »uralter Legenden« (5).
Was das Ich hinweisend und resümierend »Untergang« nennt, erweist sich in den folgenden kurzen Szenen eher als ein idyllisches Geschehen mit erfrischendem Trinken aus dem »Felsenquell« (3), einem gelösten Gehen »in die Nacht« (7) und einer freien Bewegung der »Arme«, die ausdrücklich »schöner« genannt wird, weil sie im Raum des »Blauen« stattfindet (9), das die Finsternis der Nacht vergessen läßt. Dies macht deutlich, daß sich Elis, von dem nur das Leben als aktiv Handelnder und nicht das Sterben als passives Opfer dargestellt wird, im paradiesischen Einklang nicht nur mit der Natur, sondern auch mit den göttlichen Mächten befindet. Diese darf man bei der Traklschen Lieblingschiffre »blau« assoziieren. Der tönende »Dornbusch« (10), erinnernd an den Auftrag Gottes an Mose und zugleich an Christi Dornenkrone, deutet den »Untergang« als göttlich verhängte Passion (vgl. *Elis*: »Immer tönt [...] Gottes einsamer Wind«, I,86).
Die nun zu erwartende Darstellung des Sterbens des Knaben ist ausgespart, und statt dessen wird sein Schicksal mit einem scharfen Schnitt in eine weit zurückliegende und abgeschlos-

sene Vergangenheit gerückt (12). Zurück bleibt in der jetzt anders gearteten Gegenwart nur sein Leichnam, aber doch in verwandelter und fortdauernder Gestalt. Dies stimmt sowohl mit der christlichen Aufhebung des Todes durch die Auferstehung als auch mit seiner mythischen Überwindung zusammen, die oft als zyklische Wiederkehr in der Natur, z. B. im Frühling, erscheint. Konkret bedeutet hier die Identifizierung mit einer Hyazinthe die Gleichsetzung Elis' mit einem Knaben des antiken Mythos. Aus dem Blut des an der Stirn tödlich getroffenen Hyakinthos läßt der ihn liebende Gott der Dichtkunst, Apoll, zur Erinnerung die nach ihm benannte Blume sprießen. So baut sich aus den idyllischen Szenen der Wanderung, den Anspielungen an die Passion und den antiken Mythos das Bild eines glücklichen Lebens und frühen, aber metaphysisch geborgenen Sterbens auf.
Wie aber der Titel zeigt, thematisiert das Gedicht nicht das Schicksal Elis', sondern stellt die Kontaktaufnahme des lyrischen Ich mit diesem dar, der zweimal beim Namen gerufen (1, 12) und nicht als dritte Person, sondern als Du schlechthin beschrieben wird. In dem eindringlichen »Dieses« (2), dem klagenden »O« (12) und dem auffordernden »Laß« (4) ist das emotionale und geistige Verhältnis des nicht ausdrücklich genannten Ich zu ihm enthalten. Zugleich wird durch die Apostrophen der Lebenslauf Elis' erst vorgestellt und später wieder abrupt beendet.
Durch die differenzierten Sprechakte des Ich entstehen verschiedene Zeit- und Wirklichkeitsebenen. Einerseits wird das Schicksal Elis' in den Du-Aussagen als mythische wiederholbare Gegenwart dargestellt. Andererseits wird es auch als abgetane Vergangenheit bezeichnet (12: »wie lange bist [...] du verstorben«) und als unwiederbringlich zum letzten Mal geschehend in einem anschaulichen Vorgang vorgeführt (19: »Das letzte Gold verfallener Sterne«). Außerdem bleibt auch in der scheinbar eindeutigen Aussage der Zeile 12 die Doppeldeutigkeit von Leben und Tod erhalten, denn der Tote wird hier wie ein Lebender angeredet, und ihm gilt die aktuelle Trauer des Ich und damit auch des Gedichts.

Das komplizierte Verhältnis zwischen dem redenden Ich, der angeredeten Figur und dem aus der Rede resultierenden Text weist auf die in diesem Gedicht enthaltenen Aussagen über das Dichten selbst hin. Sie zeigen sich in den beiden folgenden spiegelbildlich gebauten, sich ergänzenden Szenen, in denen neue Figuren ins Spiel kommen und mit denen zwei durch apodiktische Identifikationen gesetzte Chiffren verbunden werden: »Dein Leib ist eine Hyazinthe« (13) und »Eine schwarze Höhle ist unser Schweigen« (15). Die Blume ist als Gegenstand anwesend gedacht, da sie »ein Mönch« (14) berührt, zugleich aber ist sie Stellvertreterin für ein Abwesendes, den Leib Elis' oder den toten Hyakinthos. Ähnlich ist die »schwarze Höhle« (15) ein konkreter Raum, aus dem ein »Tier« (16) treten kann und zugleich das Schweigen eines abstrakten Wir.
Die anschauliche erste Szene erinnert an die Geste des Apostels Thomas, der zur Beschwichtigung seiner Zweifel die Hand in die Wunde Christi legt (vgl. *St. Thomas taucht die Hand ins Wundenmal*, I,43). Außerdem klingt hier ein homoerotischer Vorgang an, der dem Verhältnis von Apoll und Hyakinthos entspricht. Befremdend ist in diesem Zusammenhang aber der Mönch, der bei Trakl eine gelegentlich gewählte Identifikationsfigur für den Dichter darstellt, an den auch bei »unser Schweigen« (15) zu denken ist. Der Dichter schweigt als lyrisches Ich von sich selbst und handelt unter dem Aspekt des Mönches auf stumme Weise. Die Kommunikation des maskierten Dichters mit der verwandelten mythischen Gestalt hat eine Vergewisserung und vielleicht auch wie jeder sexuelle Vorgang eine Zeugung, hier aber im geistigen Sinne, zum Ziel. Die Umstände der Verbindung von »Mönch« und Blume (vgl. 14: »die wächsernen Finger«) suggerieren aber Fragwürdigkeit und Mißlingen des Bemühens. (Marson hebt beim Vergleich mit möglichen literarischen Vorbildern die hier angedeutete Sterilität hervor, S. 377.)
Auch die andere Szene, die umgekehrt zum Eintauchen, das Hervorgehen aus einem geschlossenen Raum darstellt, das

an eine Geburt erinnert, scheint letztlich nicht erfolgreich zu verlaufen. Zwar ist das »sanfte Tier« (16) bei Trakl eine durchaus positive Gestalt für das schuldlose passive Opfer (in *Elis* heißt es von der Hauptfigur: »Ein blaues Wild / Blutet leise im Dornengestrüpp«, I,86). Das aus dem abgeschlossenen Innern des Dichters »bisweilen« hervorgehende »Tier« meint also Elis als Figur des Gedichtes. »Dies kann nichts anderes besagen, als daß [...] sich jemandes Mundhöhle öffnet und daraus ein tönendes Wort oder [...] ein Gedicht tritt« (Bolli, S. 119). Aber der folgende Vorgang des Senkens der »schweren Lider« (17) suggeriert ein vorgezeichnetes, negatives Ende. Die wichtige Geste des Sehens bedeutet in Trakls mittlerer Zeit ein Gedenken oder Erinnern. Ihre hier vorliegende Umkehrung signalisiert also ein Vergessen und muß als Negation der Vorahnung Elis' (des Blutens der »Stirne« [4]) aufgefaßt werden, die eine Bedingung für die mythische Wiederholung seines Lebens war.
Ähnlich zeigt der Schluß des Gedichts, dessen Du sowohl auf das »Tier« als auch auf Elis bezogen werden kann, daß die objektiven Voraussetzungen seiner Existenz bedroht sind: Aus dem »Gold« der »Sterne«, die die transzendente Ordnung verbürgten, ist der »schwarze Tau« geworden, der wie die Waffe des Mythos die »Schläfen« des Helden trifft.
So scheint die zunächst so überzeugend dargestellte Legende vom schönen Leben, geborgenen Sterben und der verwandelten Wiederkehr des Knaben in Frage gestellt. Dies geschieht durch Zweifel an ihrer fortdauernden Gültigkeit (s. 12: »lange [...] verstorben«, und 19: »Das letzte Gold«) und durch die Hervorhebung des Todes. Der hier gleich zu Anfang genannte Untergangshorizont wird in *Elis* und vergleichbaren Gedichten dann in eine eindringliche Darstellung des Sterbens umgesetzt. Zugleich mit dem Zweifel am vorbildlichen und tröstlichen Schicksal des Knaben stellt sich das Problem seiner poetischen Wiederholbarkeit. Elis muß durch den Anruf des lyrischen Ich ins Gedicht zitiert werden, und die subjektiven Voraussetzungen des Dichtens

(die Vergewisserung durch den Mythos) wie seine objektiven Bedingungen (die Lebensfähigkeit der Gestalt) bleiben prekär.

Schon in *Elis* wird die Apostophe zurückgenommen (das Du erscheint nur noch im ersten Teil), und später werden Ich und Du bis auf Spuren getilgt. Die poetologische Dimension, die gegenseitige Abhängigkeit von Dichter und Knabengestalt, bleibt aber als konstitutiver und stilistisch integrierter Bestandteil der Texte oft erhalten (vgl. *An einen Frühverstorbenen*, I,117).

Der Vorbereitungscharakter von *An den Knaben Elis* für die Gedichte aus Trakls mittlerer Zeit zeigt sich auch in Sprache und Form. Hier werden Elemente der literarischen Tradition erstmalig in Chiffren mit esoterischer Bedeutung verwandelt. An die Stelle der ausdrücklichen Identifikation: »Dein Leib ist eine Hyazinthe« (13) tritt später das bloße Adjektiv, das meist einem befremdenden Substantiv zugeordnet wird und scheinbar nur einen Farbeindruck wiedergibt, in Wirklichkeit aber alle Implikationen des Elis-Schicksals enthält. Dies läßt sich bei der späten Kurzfassung beobachten, bei der das zum privaten Mythos gewordene Knabenleben nochmals zitiert wird: »Oder es läuten die Schritte / Elis' durch den Hain / Den hyazinthenen / Wieder verhallend unter Eichen. / O des Knaben Gestalt / Geformt aus kristallenen Tränen, / Nächtigen Schatten« (I,139). Von nun an werden die einmal geprägten individuellen Chiffren, z. B. die Farben, und ebenso die Motive leicht variierend wiederholt und konstituieren als vorgegebene Elemente eines geschlossenen Systems die verrätselte Welt des Gedichts.

Merkmale des Übergangs zeigt auch die rhythmische Anlehnung an das Modell der alternierenden Terzinen und die gattungsmäßige an die traditionelle Odenform (vgl. die Anrufe und die Wenn-Konstruktionen). Insgesamt überwiegen aber die Merkmale des Neuen, der szenischen Sprache, die sich schon in *Elis* ganz durchsetzt:

1. Der Inhalt wird in Form ›dramatischer‹ Gesten und

Szenen wiedergegeben (vgl. das Senken der »Lider« [17] und der Untergang als Wanderung).

2. Die rhythmische Form ist Trakls eigenständige Leistung, die auf der Einheit der Verse bzw. Strophen mit festen Wortverbindungen oder Sätzen und zugleich mit szenisch dargestellten, selbständigen Vorgängen basiert. Die Verwendung ausgesuchter Wörter ermöglicht es Trakl, ohne metrischen Zwang und Reim eine harmonische Betonungsfolge und musikalische Klangfülle zu erreichen.

3. Im Gedicht dominiert eine idyllische oder elegische Sprechhaltung je nach dem Verhältnis des Dichters zur dargestellten Figur oder zu seiner eigenen Wirklichkeit.

Abschließend soll auf die Vorbilder für die Elis-Figur eingegangen werden, die die Forschung sehr beschäftigt haben, wobei vor allem die Namensgebung im Vordergrund stand. Heselhaus hat erstmals auf Elis Fröbom, die Hauptfigur einer Erzählung von E. T. A. Hoffmann und eines Dramas von Hofmannsthal, hingewiesen, die mit Trakls Elis vor allem den frühen Tod und das wunderbare Wiedererscheinen gemeinsam hat. Wichtiger scheint mir das biblische Vorbild, auch wenn man Elis nicht als (sonst nicht bezeugte) hebräische Form für ›Gott-Mensch‹ oder ›Kind Gottes‹ auffassen will, wie Lachmann das tut (S. 35 bzw. 89). Die Anklänge an die Namen der Propheten Elia und Elisa, an die Berufung Moses und die Passion Christi sind unübersehbar. Das Kernstück des Gedichts, das paradiesische Leben im Einklang mit der Natur und dem Göttlichen, kann sowohl auf die Bibel als auch auf die Antike bezogen werden, z. B. auf das glückliche Leben der schuldlos Verstorbenen auf den elysischen Feldern oder auf die idyllische Existenz in Arkadien (neben dem die Landschaft Elis liegt!). Hierher gehört auch der Hyakinthos-Mythos, der die Wiederkehr des Knaben in dichterischer Gestalt erklären kann. Die blaue Blume wird bei Trakl dann zur Chiffre für das Gedicht (vgl. *An Novalis*, I,325).

So läßt sich nicht *ein* entscheidendes Vorbild für Elis ausmachen und dementsprechend nicht *eine* verbindliche Deutung geben. Vielmehr liegt für jeden Zug des Knabenschicksals eine mehr oder weniger vollständige Entsprechung bei verschiedenen literarischen Vorbildern vor, also eine »Überdetermination«, wie sie Freud bei den Traummotiven feststellt. Die Montage einer Fülle von geistigen Traditionen ermöglicht Trakl die Freiheit gegenüber jeder einzelnen von ihnen und ihre Verwendung für den eigenen, sehr persönlichen Ausdruck. Zudem wird eine Mehrdimensionalität der Bedeutungen erreicht, die die Stereotypie der Motive bei ihm kompensiert.

Über die Frage der Vorbilder hinaus soll nun die Bedeutung der Knabengestalt für Trakl ins Auge gefaßt werden. Für Hermand steht Elis »für den Zustand der Kindheit schlechthin« (S. 271), zunächst verdankt diese Figur ihre Existenz aber der Erinnerung des Dichters an seine eigene unschuldige und glückliche Kindheit und der Sehnsucht nach einer ähnlichen Geborgenheit angesichts einer Welt, mit deren Schwierigkeiten er beruflich und privat nicht fertig wird. Eine ähnliche Rolle wie die im Unbewußten erhaltenen Kräfte der Kindheit spielen die in der kulturellen Tradition verankerten Vorbilder für das von Trakl als eigentliche Lebensaufgabe verstandene Dichten. Marson meint, daß das bei ihm als eine Art Dichtermythos gestaltete Leben des Novalis auch ein Vorbild für Elis war (S. 370 ff.). Nun ist dieser selbst keine Dichtergestalt, aber sicherlich konnte die Hoffnung auf ein verwandeltes Fortleben nach dem Tod zum Antrieb für einen Dichter werden, dessen Verlangen nach Glück und Liebe sich meist nur in poetischer Gestalt verwirklichen konnte. So ist Elis als Entwurf einer positiven Lebensmöglichkeit und als Gegenbild zu einer ausweglosen Wirklichkeit zu verstehen, und die Knabenfigur bei Trakl überhaupt als Statthalter der Wünsche des Autors aufzufassen, die dieser nicht direkt aussprechen, sondern nur in szenischen Vorgängen anschaulich vorführen und mit Hilfe mythologischer Parallelen erläutern kann (vgl. Esselborn, S. 192 ff.).

Zitierte Literatur: Erich BOLLI: Georg Trakls »dunkler Wohllaut«. München/Zürich 1978. – Hans ESSELBORN: Georg Trakl. Die Krise der Erlebnislyrik. Köln/Wien 1981. – Jost HERMAND: Der Knabe Elis. Zum Problem der Existenzstufen bei Georg Trakl. In: J. H.: Der Schein des schönen Lebens. Studien zur Jahrhundertwende. Frankfurt a. M. 1972. S. 266–278. – Clemens HESELHAUS: Die Elis-Gedichte von Georg Trakl. In: Deutsche Vierteljahrsschrift für Literaturwissenschaft und Geistesgeschichte 28 (1954) S. 384–413. – Eduard LACHMANN: Kreuz und Abend. Eine Interpretation der Dichtungen Georg Trakls. Salzburg 1954. – E. L. MARSON: Whom the Gods Love. A new Look at Trakl's Elis. In: German Life and Letters 29 (1975/76) S. 369–381. – Georg TRAKL: Dichtungen und Briefe. [Siehe Textquelle. Zit. mit Band- und Seitenzahl.]

Ernst Stadler

Fahrt über die Kölner Rheinbrücke bei Nacht

Der Schnellzug tastet sich und stößt die Dunkelheit entlang.
Kein Stern will vor. Die ganze Welt ist nur ein enger, nachtumschienter Minengang,
Darein zuweilen Förderstellen blauen Lichtes jähe Horizonte reißen: Feuerkreis
Von Kugellampen, Dächern, Schloten, dampfend, strömend .. nur sekundenweis ..
5 Und wieder alles schwarz. Als führen wir ins Eingeweid der Nacht zur Schicht.
Nun taumeln Lichter her.. verirrt, trostlos vereinsamt.. mehr.. und sammeln sich.. und werden dicht.
Gerippe grauer Häuserfronten liegen bloß, im Zwielicht bleichend, tot – etwas muß kommen.. o, ich fühl es schwer
Im Hirn. Eine Beklemmung singt im Blut. Dann dröhnt der Boden plötzlich wie ein Meer:
Wir fliegen, aufgehoben, königlich durch nachtentrissne Luft, hoch übern Strom. O Biegung der Millionen Lichter, stumme Wacht,
10 Vor deren blitzender Parade schwer die Wasser abwärts rollen. Endloses Spalier, zum Gruß gestellt bei Nacht!
Wie Fackeln stürmend! Freudiges! Salut von Schiffen über blauer See! Bestirntes Fest!
Wimmelnd, mit hellen Augen hingedrängt! Bis wo die Stadt mit letzten Häusern ihren Gast entläßt.
Und dann die langen Einsamkeiten. Nackte Ufer. Stille. Nacht. Besinnung. Einkehr. Kommunion. Und Glut und Drang
Zum Letzten, Segnenden. Zum Zeugungsfest. Zur Wollust. Zum Gebet. Zum Meer. Zum Untergang.

Abdruck nach: Ernst Stadler: Der Aufbruch und ausgewählte Gedichte. Ausw. und Nachw. von Heinz Rölleke. Stuttgart: Reclam, 1981. (Reclams Universal-Bibliothek. 8528.) S. 37.
Erstdruck: Die Aktion 3. Nr. 17 (23. 4. 1913). [Titel: Fahrt über die Coelner Rheinbrücke bei Nacht.]
Weitere wichtige Drucke: Ernst Stadler: Der Aufbruch. Gedichte. München: Verlag der Weißen Bücher, 1914. – Ernst Stadler: Der Aufbruch. Gedichte. 2. Aufl. München: Kurt Wolff, 1920. – Ernst Stadler: Dichtungen. Gedichte und Übertragungen mit einer Auswahl der kleinen kritischen Schriften und Briefe. Hrsg. von Karl Ludwig Schneider. 2 Bde. Hamburg: Heinrich Ellermann, 1954. Bd. 1. S. 161 f.

Jürgen Viering

»Aufbruch« und »Einkehr«. Über Ernst Stadlers *Fahrt über die Kölner Rheinbrücke bei Nacht*

Daß in dieses Gedicht die Wirklichkeit der Großstadt und der modernen Technik (der »Schnellzug«, die »Rheinbrücke«, eine Industrielandschaft mit Fördertürmen und Fabrikschloten, in metaphorischer Verwendung die Untertagewelt des Bergwerks: »Minengang« [2]) Eingang gefunden hat, ist Ausdruck einer, wie Stadler selbst es 1912 bezogen auf die Lyrik seiner Zeitgenossen Heym, Loerke und Dauthendey formuliert, »neuen Haltung des Ich zur Welt« (II,14), nämlich einer »unbedingten Zusage an unsere Gegenwart, an diese Zeit« (II,11). Eben dies, daß sie der eigenen Zeit »geschmäcklerisch und wählend« gegenübersteht (II,11), daß sie »von der Welt nichts zu fassen vermag als einen ganz bestimmten, wählerisch begrenzten Ausschnitt« (so in einer Rezension von 1913, II,23), wird jetzt der im Bann des Ästhetizismus stehenden Lyrik (Stadler denkt hier an Hofmannsthal, George, aber durchaus auch an seine eigene Gedichtsammlung *Präludien* von 1904) zum Vorwurf gemacht. Wenn Stadler in den »Großstadtgedichten« Loerkes (im Unterschied zu der ästhetizistischen Lyrik)

»das Streben nach härterer Gegenständlichkeit, ungefärbterer Anschauung, den Willen, die ungeschmälerte, unverschönte Fülle des Wirklichen« in Versen einzufangen, wirksam sieht (II,13), so gilt dasselbe auch von seinem eigenen »Großstadtgedicht«.
Es ist Stadler selbst durchaus bewußt, daß mit der Wahl von Gegenständen aus dem Stoffkreis Großstadt, moderne Industriewelt und den damit einhergehenden programmatischen Erklärungen »gewisse Zusammenhänge mit der naturalistischen Lyrik der achtziger Jahre« wieder aufgenommen werden (II,13). Wenn Conrad Alberti in seinen *Zwölf Artikeln des Realismus* 1889 erklärt, daß es in der Natur »nichts an sich Häßliches, Schmutziges, Gemeines, Unkünstlerisches« gebe und dementsprechend auch »für den Künstler keine Stoffe zweiten und dritten Ranges« (S. 134), dann ist dies eine Überzeugung, die Stadler wie überhaupt die Autoren des ›Expressionismus‹ mit den Vertretern des Naturalismus teilen und durch die beide, Naturalisten und Expressionisten, sich von den Vertretern des Ästhetizismus unterscheiden.
Rückt so von der Stoffwahl und der darin sich ausdrückenden Einstellung zur Wirklichkeit her das vorliegende Gedicht in einen Traditionszusammenhang mit der naturalistischen Lyrik, so ist doch andererseits sogleich zu betonen, daß der angestrebte »innigste Anschluß an alles Wirkliche« keineswegs bedeutet, »in einen äußerlichen Naturalismus zu fallen« (II,23). Schon durch die Emphase seines Bekenntnisses zur Wirklichkeit unterscheidet sich Stadler von den Naturalisten. Wenn bei ihm von der »neuen und heftigeren Intensität des Welterlebens« (II,24), von der »Weltfreudigkeit« als dem »Grundgefühl unserer Zeit«, von »Lebensenthusiasmus« und »Hingegebenheit an die Dinge, die nichts kleinliches, nichts häßliches, nichts unbedeutendes kennt« (II,14 f.), die Rede ist, dann hat das in diesen Formulierungen sich ausdrückende neue Verhältnis zur Realität in Wahrheit doch eine ganz andere Qualität als die Bindung an die »reale Natur«, wie die Naturalisten sie fordern (s. Alberti,

S. 133). Durchaus anders als bei den Naturalisten interessiert der »Stoffkreis« der Großstadt deshalb, weil er eine »größere Energie und Intensität der Bilder bedingt« (II, 13). Die Welt der »großen Städte« wird zum Gegenstand des Gedichts, weil sie als eine Quelle ungewohnter seelischer »Erregungen« (II, 100) entdeckt worden ist.
Dem entspricht, daß Stadlers *Fahrt über die Kölner Rheinbrücke bei Nacht* zwar durchaus den äußeren Vorgang der Annäherung eines Schnellzugs an die Großstadt Köln und dann der Fahrt über die Rheinbrücke, die einen Blick über die Stadt und den Fluß hinunter ermöglicht, wiedergibt, daß aber der eigentliche Gegenstand des Gedichts offenbar ein inneres Erleben ist, das diesen Vorgang begleitet und ihn alsbald weit hinter sich läßt. Dabei sind deutlich verschiedene Phasen zu unterscheiden. Daß das Gedicht nicht einen Zustand schildert, sondern ein Geschehen, nämlich eine Bewegung durch den Raum, ist gleichbedeutend damit, daß es, wie dies ja auch die Verwendung der Zeitadverbien »Und wieder« (5), »Nun« (6), »Dann« (8), »Und dann« (13) zu erkennen gibt, einen zeitlichen Verlauf schildert, der in gleicher Weise für das äußere Geschehen wie für das innere Erleben bestimmend ist.
Die Grenze der ersten Phase ist markiert durch das »Dann« (8), inhaltlich durch den Moment, da der Schnellzug den festen Erdboden verläßt und gleichsam ›abhebt‹, indem er über die Brücke fährt. Es ist dies die wohl wichtigste Zäsur des ganzen Gedichts, sie stellt zugleich, wie sich zeigen wird, einen Wendepunkt dar. Die dieser Zäsur vorangehende Phase ist selbst noch einmal zeitlich untergliedert: Beschrieben wird, wie der Zug zunächst durch eine von keinem Stern erhellte Dunkelheit fährt, die nur »zuweilen« (3) und für Sekunden (wegen der Geschwindigkeit des Zuges) von der blendenden Helligkeit von »Förderstellen« (3) unterbrochen wird. Dann kündigen erst einzelne, bald aber immer zahlreicher werdende Lichter (6: »mehr . . und sammeln sich . . und werden dicht«) die Annäherung an die Stadt an. Schließlich werden »Häuserfronten« (7) sichtbar.

Das in dieser Phase vorherrschende Gefühl wird am Ende direkt benannt: es ist das einer »Beklemmung« (8). Dieses Gefühl dem Leser zu suggerieren, diente vorher schon eine ganze Reihe sprachlicher Mittel. Wenn der Schnellzug (gleichsam wie an einer Wand, die nirgends eine Öffnung aufweist) die »Dunkelheit entlang« (1) tastet und stößt, wenn die bedrückende Untertagewelt des Bergwerks (»Minengang«, später wieder aufgegriffen: »Als führen wir [. . .] zur Schicht« [5]) als Metapher bzw. Vergleich herangezogen wird, wenn der »Minengang« noch näher bestimmt wird als von Nacht »umschient« (2), wenn mit einer wieder anderen Metapher die Nacht vorgestellt wird als ein Riesenbauch, in dessen »Eingeweid« (5) der Zug einfährt, so dient all dies demselben Zweck, nämlich den Eindruck des Eingesperrt- und Gefangenseins zu vermitteln. Indem die Metapher des »Minengangs« für die Kennzeichnung der Welt in ihrer Totalität (2: »Die ganze Welt«) verwendet wird, ist auch das Gefühl der Beklemmung ein das Ich total beherrschendes. Dies Gefühl wird auch durch die Begegnung mit den ersten Lichtern der Stadt nicht aufgehoben. Indem diese Lichter personifiziert werden (6: sie »taumeln«, sind »trostlos vereinsamt«), wecken sie die Vorstellung von verirrten Seelen, denen das Ich auf einer Fahrt in die Unterwelt begegnet, und dazu paßt, daß die »Häuserfronten« als im »Zwielicht bleichende« »Gerippe« wahrgenommen werden (7). Durch all diese Mittel wird die Wirklichkeit ins Unheimliche und Bedrohliche verfremdet und damit ein Erwartungsstau geschaffen: »etwas muß kommen« (7), wobei ungewiß ist, ob dieses »etwas« eine Katastrophe sein wird oder aber die Erlösung.
Es ist die Erlösung, eine plötzliche Befreiung nach der langen Phase der Bedrückung und Beklemmung. Wenn in dieser zweiten Phase des Gedichts der Schnellzug »hoch übern Strom« (9) fährt, dann wird diese Fahrt nun als ein befreites Fliegen erlebt. Die Erfahrung der Enge und Ausweglosigkeit wird auf einmal abgelöst durch die Erfahrung grenzenloser Weite (die »Millionen Lichter« [9] der Stadt

bilden ein »Endloses Spalier« [10] für den Fluß). Es ist dies ein geradezu ekstatisches Erleben, für dessen Veranschaulichung eine Fülle von Bildern herangezogen wird, die rein visuell mit der tatsächlich wahrgenommenen Wirklichkeit (die »Millionen Lichter« der Stadt) wenig oder auch nichts (11: »Salut von Schiffen über blauer See!«) zu tun haben, vielmehr ist für ihre Wahl vorrangig oder gar einzig bestimmend, daß sie dieselbe Erlebnisqualität wie diese Wirklichkeit aufweisen: die Erlebnisqualität des Freudigen, Festlichen, rauschhaft Beglückenden. Die Haltung des Beobachtens, wie sie für die erste Phase noch durchaus kennzeichnend war, ist hier nun aufgegeben. Nicht einzelne Beobachtungen werden registriert, sondern ein rauschhaftes Erleben artikuliert sich in einer Reihe unverbunden hintereinandergesetzter ekstatischer Ausrufe (s. die Ausrufezeichen), eröffnet durch ein »O« (9). Erst wenn dann von den »letzten Häusern« der Stadt, die den Fluß, metaphorisch als ihr »Gast« bezeichnet, »entlassen« [12], die Rede ist, kommt auch die empirisch wahrgenommene Wirklichkeit wieder zur Geltung, womit dann diese Phase eines ekstatischen Erlebens ihr (allerdings vorläufiges) Ende gefunden hat.
Es folgt, markiert durch das »Und dann« [13], eine letzte Phase. Das Ich begleitet mit seiner Vorstellung (an eine Fortsetzung der Bahnfahrt zu denken ist, schon im Hinblick auf den Titel des Gedichts, abwegig) den Fluß, der die Stadt hinter sich gelassen hat und nun über weite Strecken durch einsames Land dem Meer zustrebt. Diese Vorstellung von dem realen Verlauf des Flusses weckt eine Reihe anderer Vorstellungen, die sich wiederum sehr weit von der empirisch wahrnehmbaren Wirklichkeit entfernen, gleichwohl aber zwei verschiedenen Momenten dieser empirischen Wirklichkeit zuordnen lassen und damit auch zwei deutlich voneinander zu unterscheidende Gruppen bilden. Dem Vorbeifließen des Flusses an einsamen Ufern in der nächtlichen Stille sind zugeordnet die durch die Substantive »Besinnung«, »Einkehr«, »Kommunion« (13), »Gebet« (14) evozierten Vorstellungen; dem Hinstreben des Flusses »Zum

Meer« (14) und schließlichen Einmünden die Vorstellungen »Glut und Drang / Zum Letzten«, »Zeugungsfest«, »Wollust«, »Untergang« (13f.). Damit gliedert sich diese letzte Phase noch einmal auf in zwei Teilphasen, deren Grenze allerdings verfließt. Auf eine Phase der Ruhe folgt eine Phase erneuter starker Gefühlsspannung (13: »Und Glut und Drang«) und dann Gefühlsentladung. Das Gedicht gipfelt in einem ekstatischen Erleben, das dem, das schon die Fahrt über die Brücke vermittelte, durchaus vergleichbar ist, nun aber eine endgültige, durch nichts mehr überbietbare Erfüllung bedeutet.

Überblickt man das Gedicht als ganzes, dann stellt es sich also dar als eine Abfolge von Beklemmung, ekstatisch erlebter Befreiung, Ruhe, erneuter Ekstase. Der äußere Vorgang der Fahrt mit dem Schnellzug dient offenbar als Mittel, diese Abfolge von Gefühlserregungen zu ermöglichen, und es ist offenbar auch gerade der Wechsel der Gefühlserregungen von Stadler gewollt. In seinem Essay über René Schickele tadelt er an dessen frühen Gedichten, daß sie »durch die gleichmäßige Heftigkeit der Instrumentierung, die nichts von dem Glück selig verweilender Geigentöne nach dem gewitterhaften Sturm der Hörner weiß«, »ermüden« (II,80). An einem anderen Werk lobt er gerade »eine strenge Ökonomie, eine kluge Zurückhaltung der Mittel, die sich nicht voreilig verausgabt und das Crescendo seelischer Steigerungen langsam aufschwellen und zurückfluten läßt« (II,101). Stadler beschreibt damit ein Verfahren, dem sein eigenes Gedicht folgt.

Mit dem gleichen Recht, mit dem sich das Gedicht begreifen läßt als eine mit kluger Ökonomie arrangierte Abfolge von Phasen wechselnder Gefühlserregungen, läßt es sich aber auch auffassen als eine Abfolge von Bildern. In einer durchaus noch an die Technik des Impressionismus erinnernden Weise werden Bilder ohne Verknüpfungen aneinandergereiht, aber diese Bilder sind nun nicht das Ergebnis flüchtiger Außenreize, die das Ich nacheinander registriert, »unverbundene Augenblicksbilder der eiligen Ereignisse auf

den Nerven« (so Hermann Bahrs Formel für den Impressionismus), vielmehr sind diese Bilder ja überhaupt nur zum kleineren Teil Bilder der tatsächlich wahrgenommenen Wirklichkeit, zum größeren Teil handelt es sich um Vorstellungsbilder, die das erlebende Ich mit den wahrgenommenen Bildern assoziiert. Die tatsächliche Wirklichkeit wird von der Flut dieser Bilder förmlich zugedeckt, sie selbst ist überhaupt nur in »Wahrnehmungsfragmenten« (Schneider, S. 158) noch vorhanden. Obgleich die imaginierten Bilder als Metaphern und Vergleiche herangezogen werden, haben sie den wahrgenommenen Bildern gegenüber doch keineswegs eine dienende Funktion. Sie verselbständigen sich oft so weit, daß es einer eigenen Anstrengung bedarf, in ihnen überhaupt noch den Bezug zur wahrgenommenen Realität zu entdecken. Von der gleichen »stupenden Kraft der Anschauung« (II,80) wie die Bilder der wahrgenommenen Realität, treten die imaginierten Bilder gleichberechtigt neben diese, weshalb Reihen gebildet werden können, in denen wahrgenommene und imaginierte Bilder unterschiedslos aneinandergefügt sind. Das aber bedeutet, daß die Wirklichkeit selber den Charakter des Irrealen annimmt. Erreicht wird dies außer durch Metaphorik und Vergleich vor allem auch durch ein anderes sprachliches Mittel, das der Personifizierung, mit der den Dingen in der Imagination des Erlebenden Tätigkeiten zugeschrieben werden, die ihnen ›in Wirklichkeit‹ gar nicht zukommen (der Schnellzug »tastet sich« [1], Lichter »taumeln« [6]).
Gegenüber dem Naturalismus wie Impressionismus (den man überhaupt – mit Hermann Bahr – als einen verfeinerten Naturalismus auffassen sollte) begegnet also in diesem Gedicht eine grundlegend veränderte Wirklichkeitswahrnehmung. Es wäre aber falsch, diese veränderte Wirklichkeitswahrnehmung lediglich als radikale ›Subjektivierung‹ zu begreifen. Orientiert man sich am Selbstverständnis Stadlers (wie überhaupt der Expressionisten, s. Kasimir Edschmid), dann dient das Verfahren, tatsächlich Wahrgenommenes und bloß Imaginiertes gleichsam übereinander-

zublenden, gerade dem Zweck, das ›Wesen‹ der empirisch wahrgenommenen Wirklichkeit zum Vorschein zu bringen. Die von Stadler propagierte »Hingegebenheit an die Dinge«, der »innigste Anschluß an alles Wirkliche« bedeuten gerade nicht, daß das äußere Erscheinungsbild wiedergegeben werden soll, wohl aber kommt in solchen Formulierungen die Meinung zum Ausdruck, daß die gegenständliche Wirklichkeit dem Ich gegenüber einen eigenen Anspruch hat, dem sich das Ich unterwerfen muß. Die »neue und heftigere Intensität des »Welterlebens« ist gegenüber dem Ästhetizismus etwas »Neues«, weil das Ich sich diesem Anspruch der gegenständlichen Wirklichkeit unterwirft; sie ist aber auch gegenüber dem bloß »äußerlichen Naturalismus« etwas Neues insofern, als hier eine wechselseitige Durchdringung von Subjekt und Objekt stattfindet. Das Ich stößt mit seinem Erleben durch die Oberfläche der empirisch wahrgenommenen Wirklichkeit hindurch und erfaßt sie damit in ihrem Wesen, umgekehrt bezieht das Ich aus dieser ›Vision‹ der wahrgenommenen Wirklichkeit seelische Erregungen, wie keine bloß empirisch wahrgenommene Realität sie jemals rechtfertigen würde. Wenn das vorliegende Gedicht sich einerseits als eine Abfolge von Phasen wechselnder Gefühlserregungen, andererseits als Abfolge von Bildern darbietet, dann ist dies nur der Ausdruck dafür, daß in der neuen »Intensität des Welterlebens«, für die dieses Gedicht ein herausragendes Beispiel ist, sich beides verbindet: das visionäre Erfassen der Wirklichkeit und ein gesteigertes Fühlen.

Sowohl in der Abfolge seiner Vorstellungen als auch in der Erregungskurve, die es beschreibt, ist das vorliegende Gedicht ein für Stadler ganz typisches. Es stellt geradezu ein Musterbeispiel dar für jenen »Aufbruch«, der gemeint ist, wenn Stadler die Gedichtsammlung, in die er dieses Gedicht eingebracht hat, mit dem Titel *Der Aufbruch* (1914) versieht. Dieser »Aufbruch« ist eine Bewegung, die immer ihren Ausgang nimmt aus einer Situation des Gefangenseins, der Enge, Beklemmung, unerträglichen Drucks: »Brich

aus!« (I,200), und die hinführt ins »Weite« (I,147, 142, 127), »Ferne« (I,118), »Grenzenlose« (I,194), eine Bewegung, die immer auch eine kraftvolle, gegen Widerstände sich durchsetzende Bewegung ist. Man hat von jeher (s. z. B. Schirokauer, S. 331: Stadler ist ein »Anwalt des Werdenden«) zu Recht in dieser dynamischen Bewegung das Hauptindiz für die seit den *Präludien* (1905) gewandelte Haltung Stadlers gesehen. An die Stelle eines passiven Empfangens von Eindrücken in der statischen Welt des Ästhetizismus ist nun dynamische Aktion getreten (ablesbar vor allem an den Verben, die in *Der Aufbruch* häufig durch Verbindung mit Richtungspräfixen eine zusätzliche Dynamisierung erfahren). Das hat Konsequenzen auch für die äußere Gedichtform. Die an herkömmlichen Mustern orientierte streng geregelte Form der Gedichte in den *Präludien* ist in dem vorliegenden Gedicht wie überhaupt in den Gedichten, die den »Aufbruch« thematisieren, abgelöst durch sogenannte Langzeilen, die zwar jambisches Versmaß aufweisen, bei den Senkungen aber Abweichungen vom Schema zulassen und vor allem keine feste Zahl von Hebungen, damit eine ganz unterschiedliche, immer aber erhebliche Länge haben: die Bewegung wird so weder durch ein strenges Versschema noch durch häufige Verszäsuren gehemmt.
Es ist der »Wille« des Ich selbst, der »ins Ferne, Uferlose drängt« (I,118), es kann aber ebenso auch von etwas »Fremdem« (gedacht ist an eine metaphysische Instanz) die Rede sein, durch die das Ich »ins Uferlose« »fortgerissen« wird (I,192) und dem es »wehrlos« (I,142) ausgeliefert ist. Die Fahrt mit dem Schnellzug über die Rheinbrücke ist ein Bild für dieses wehrlose Hineingerissenwerden in eine übermächtige Bewegung. Und wenn in diesem Gedicht auf das ekstatische Erlebnis dieser Bewegung dann doch wieder eine Phase der »Stille«, »Einkehr« (13) folgt und diese wiederum überführt wird in »Glut und Drang / Zum Letzten« (13 f.), so hat auch dies in anderen Gedichten Stadlers aus der Zeit zwischen 1910 und 1914 seine Entsprechung. Überblickt man eine größere Zahl dieser Texte, dann zeigt sich: der

»Trieb zum Grenzenlosen«, der Drang, »sich selig, selig hinzugeben« (I,194), sich zu »verschwenden« (I,132), sich von seinem »Selbst« zu »befreien« (I,113) auf der einen Seite, der Wille, »nur im Nächsten noch« sich zu »finden« (I,121), die Hinwendung zur »Stille« (I,171, vgl. 121), der Entschluß, »sich zur Einkehr zu besinnen« (I,156, vgl. 171) auf der anderen Seite stehen zueinander in einem dialektischen Verhältnis (vgl. Martens, S. 166 ff.). Es handelt sich um zwei Vorstellungsreihen, die gegensätzlich sind, beide aber ihr Recht behaupten. Stadler kann die zweifelnde Frage stellen: »Und du wolltest deine Hände müde zur Ergebung falten?« und darauf antworten mit dem Appell: »Fühle:« »Sturm ist los und weht dein Herz in schmelzendes Umfangen, / Bis es grenzenlos zusammensinkt im Schrei von Lust und Glück und Tod« (I,198). Er kann aber auch umgekehrt von einem »Glück« sprechen, vor dessen Stimme »alle Sehnsuchtsvögel weggeflogen« sind (I,142), er kann sich selbst mahnen: »Keine Ausflüge mehr ins Wolkige«, und damit den »Reisen ins Metaphysische« eine Absage erteilen (I,121). Keine der beiden Haltungen ist für sich auf Dauer zu behaupten, und das ist der Grund, weshalb im Schlußteil des vorliegenden Gedichts die beiden unterschiedlichen Vorstellungsreihen eine so enge Verbindung eingehen können. Ja es kann sogar ein und dasselbe Bild die Spannung dieser unterschiedlichen Vorstellungen in sich aufnehmen. Wenn am Schluß des Gedichts durch bloße Nennung das Bild vom »Meer« (14) evoziert wird, dann kann zur Erläuterung des hier gemeinten Vorstellungskomplexes das umfangreiche Gedicht *Meer* dienen, in dem das Ich das Meer anredet einerseits als »Du Sehnsucht Zeugendes!«, andererseits als »Du Tröstendes!«, einerseits als »Du Sturm, du Schrei«, andererseits als »Du Rastendes!« (I,168 f.).
Man kann, was hier als ›Dialektik‹ beschrieben wurde, natürlich auch als einfache Widersprüchlichkeit interpretieren und in dieser Widersprüchlichkeit das Eingeständnis Stadlers sehen, daß der »Aufbruch« gescheitert ist. Problematisch erscheint einer solchen Kritik vor allem, daß der

»Aufbruch«, von Stadler selbst als ein Aufsprengen der Welt des Ästhetizismus und als eine Hinwendung zur Wirklichkeit verstanden, ja doch hinzielt auf ein Rauscherlebnis, in dem die Wirklichkeit gerade wieder aus dem Blick gerät. Daß das Ziel des »Aufbruchs« ein ekstatisches Erleben ist, erscheint so geradezu als ein Rückfall in den Ästhetizismus.

Diese Auffassung läßt sich mit literarhistorischen Argumenten stützen. Es ist nämlich gar nicht zu bestreiten, daß Stadlers Beschreibungen von Momenten einer ekstatisch erlebten Erfüllung, wie gerade der Schluß des vorliegenden Gedichtes eine bietet, sehr weitgehende Übereinstimmungen aufweisen mit den Beschreibungen von Verklärungszuständen, wie sie sich in den frühen Gedichten der *Präludien* und darüber hinaus überhaupt in Gedichten des Jugendstils finden. *Der Aufbruch* stellt in Wahrheit nicht einen so radikalen Neubeginn gegenüber den *Präludien* dar, wie Stadler selbst dies gemeint hat, das ließe sich beispielhaft bei einem Vergleich des vorliegenden Gedichts mit dem Gedicht *Der Zug ins Leben* aus den *Präludien* sehr genau zeigen. Das Ergebnis eines solchen Vergleichs wäre eine Bestätigung der These, daß es »eine innere Beziehung zwischen jugendstilhaftem Verklärungspathos und expressivem, ekstatischem Aufbruchswillen« (Fritz, S. 250, vgl. S. 265 f.) gibt. Auch wäre darauf hinzuweisen, daß die hier wie dort mit z. T. überraschend ähnlicher Metaphorik beschriebenen Rauscherlebnisse geistesgeschichtlich gesehen eine gemeinsame Voraussetzung haben, nämlich Nietzsches Begriff des »Dionysischen«, wie denn überhaupt der Lebenskult des Jugendstils und der im »Aufbruch« sich dokumentierende »Lebensenthusiasmus« Stadlers gemeinsam in den Zusammenhang des sich von Nietzsche herschreibenden ›Vitalismus‹ gehören (s. Martens).

Man hat aus der Feststellung solcher Gemeinsamkeiten die Folgerung gezogen, daß das »Überspringen der Wirklichkeit im pathetischen Entrücktsein des Subjektes«, wie es am Ende des vorliegenden Gedichts begegne, in Wahrheit nichts

anderes sei als die »bereits im Jugendstil anzutreffende Wirklichkeitsflucht«, allgemeiner gesprochen: »daß der expressionistische ›Aufbruch‹, obgleich er sich als neuer und intensiver Wirklichkeitsbezug« verstehe, »sich dem Problem der Wirklichkeit ebensowenig« stelle »wie der Jugendstil« (Fritz, S. 266, 261 f., vgl. Hucke, S. 96: »der Aufbruch in die Realität erweist sich als Flucht in die Epigonalität«). Es läuft auf dasselbe hinaus, wenn von anderer Seite kritisch bemerkt wird: »für Stadler ist die Wirklichkeit des ›Lebens‹, auf die er sich zunächst in den verschiedensten Konkretionen einläßt, schließlich nur Mittel und Substrat zur Überwindung, zum Aufschwung in immer weitere und höhere Dimensionen«; der »Aufbruch« münde letztlich ins »Leere«, die »Ichentgrenzung«, auf die er hinziele, sei gleichbedeutend mit »Regression« (Vietta/Kemper, S. 276, 278, 194).
Solche Kritik verkennt, daß bei Stadler die Alltagswirklichkeit der bleibende Gegenpol zur ekstatisch erlebten Entgrenzung ist. Die Spannung zwischen Alltagswirklichkeit und der Vision eines ganz anderen Zustands entlädt sich in einzelnen herausgehobenen Momenten, baut sich aber immer neu wieder auf, und es ist eben dieses fortbestehende »polare Spannungsfeld« (Martens, S. 167 Anm. 48), dem sich die dynamische Bewegtheit der Stadlerschen Gedichte verdankt. Wenn aber schon die Tatsache, daß das Ich bei Stadler in herausgehobenen Momenten sich in der Tat rückhaltlos der Vision eines ganz anderen Zustands überläßt, als Indiz für »Wirklichkeitsflucht« und »Regression« herhalten muß, dann setzt dies voraus, daß die Berechtigung jenes Bedürfnisses, für das Stadler Bezeichnungen wie »Sehnsucht« (I, 147), »Trieb zum Grenzenlosen« (I, 194), »irrer Himmelsdurst« (I, 121) u. a. verwendet und das bei ihm von zentraler Bedeutung ist, überhaupt geleugnet wird. Die Denunzierung dieses »metaphysischen Bedürfnisses« als »Wirklichkeitsflucht«, »Regression« entspricht einem Wirklichkeitsverständnis, das jedenfalls ein anderes ist als das Stadlers selbst. Die Verpflichtung des Autors auf die Auseinandersetzung mit der konkreten historischen Wirklich-

keit und die Erwartung, daß er Perspektiven für diese aufzeige, nicht aber sie transzendiere, ist Ausdruck einer auf die empirisch wahrnehmbare Wirklichkeit fixierten Haltung, wie sie Stadler selbst gerade überwinden wollte. So gewiß der »Aufbruch« die Antwort ist auf den Druck einer ganz bestimmten historischen Situation, er ist zugleich doch die Antwort auf den Druck der Realität überhaupt. Eben dies aber dürfte die Bedingung sein für die Übertragbarkeit des vorliegenden Gedichts auch in einen ganz anderen historischen Kontext.

Zitierte Literatur: Conrad ALBERTI: Die zwölf Artikel des Realismus. Ein litterarisches Glaubensbekenntnis (1889). In: Literarische Manifeste des Naturalismus 1880–1892. Hrsg. von Erich Ruprecht. Stuttgart 1962. – Hermann BAHR: Wahrheit, Wahrheit! (1891). In: H. B.: Zur Überwindung des Naturalismus. Theoretische Schriften 1887–1904. Hrsg. von Gotthart Wunberg. Stuttgart 1968. S. 78–85. – Kasimir EDSCHMID: Über den dichterischen Expressionismus (1918). In: Theorie des Expressionismus. Hrsg. von Otto F. Best. Stuttgart 1976 [u. ö.]. S. 55–67. – Horst FRITZ: Literarischer Jugendstil und Expressionismus. Zur Kunsttheorie, Dichtung und Wirkung Richard Dehmels. Stuttgart 1969. – Karl-Heinz HUCKE: Utopie und Ideologie in der expressionistischen Lyrik. Tübingen 1980. – Gunter MARTENS: Vitalismus und Expressionismus. Ein Beitrag zur Genese und Deutung expressionistischer Stilstrukturen und Motive. Stuttgart 1971. – Arno SCHIROKAUER: Über Ernst Stadler. In: Akzente 1 (1954) S. 320–334. – Karl Ludwig SCHNEIDER: Der bildhafte Ausdruck in den Dichtungen Georg Heyms, Georg Trakls und Ernst Stadlers. Studien zum lyrischen Sprachstil des Expressionismus. Heidelberg 1954. – Ernst STADLER: Dichtungen. [Siehe Textquelle. Zit. mit Band- und Seitenzahl.] – Silvio VIETTA / Hans-Georg KEMPER: Expressionismus. München 1975.
Weitere Literatur: Helmut GIER: Die Entstehung des deutschen Expressionismus und die antisymbolistische Reaktion in Frankreich. Die literarische Entwicklung Ernst Stadlers. München 1977. – Jost HERMAND: Stadlers stilgeschichtlicher Ort. In: J. H.: Der Schein des schönen Lebens. Studien zur Jahrhundertwende. Frankfurt a. M. 1972. S. 253–265. – Bruno HILLEBRAND: Expressionismus als Anspruch. Zur Theorie der expressionistischen Lyrik. In: Zeitschrift für deutsche Philologie 96 (1977) S. 234–269. – Werner KOHLSCHMIDT: Die Lyrik Ernst Stadlers. In: Der deutsche Expressionismus. Formen und Gestalten. Göttingen ²1970. – Heinz RÖLLEKE: Die Stadt bei Stadler, Heym und Trakl. Berlin [West] 1966.

August Stramm

Erinnerung

Welten schweigen aus mir raus
Welten Welten
Schwarz und fahl und licht!
Licht im Licht!
5 Glühen Flackern Lodern
Weben Schweben Leben
Nahen Schreiten
Schreiten
All die weh verklungenen Wünsche
10 All die harb zerrungenen Tränen
All die barsch verlachten Ängste
All die kalt erstickten Gluten
Durch den Siedstrom meines Blutes
Durch das Brennen meiner Sehnen
15 Durch die Lohe der Gedanken
Stürmen stürmen
Bogen bahnen
Regen wegen
Dir
20 Den Weg
Den Weg
Den Weg
Zu mir!
Dir
25 Den Weg
Den ichumbrausten
Dir
Den Weg
Den duumträumten
30 Dir
Den Weg
Den flammzerrissenen

Dir
Den Weg
35 Den unbegangenen
Nie
Gefundenen Weg
Zu
Mir!

Abdruck nach: August Stramm: Das Werk. Hrsg. von René Radrizzani. Wiesbaden: Limes, 1963. S. 41 f.
Erstdruck: Der Sturm 5 (1914).
Weitere wichtige Drucke: August Stramm: Du/Liebesgedichte. Berlin: Verlag der Sturm, 1915. – August Stramm: Dein Lächeln weint. Gesammelte Gedichte. Hrsg. von Inge Stramm. Wiesbaden: Limes, 1956. – August Stramm: Dramen und Gedichte. Ausw. und Nachw. von René Radrizzani. Stuttgart: Reclam, 1979. (Reclams Universal-Bibliothek. 9929.)

Jeremy Adler

Von der Mystik zur Avantgarde. August Stramms *Erinnerung*

Als Anfang August 1914 *Erinnerung* in der von Herwarth Walden herausgegebenen Zeitschrift *Der Sturm*, einer der führenden Zeitschriften des Expressionismus, erschien, war August Stramm im Begriff, der wichtigste Dichter des *Sturm*-Kreises zu werden, aus dem dann so wichtige Autoren wie Reinhard Goering, Franz Richard Behrens oder Kurt Schwitters hervorgingen. So schlug Stramm eine Brücke von Nietzsche und Holz bis hin zur jüngsten Avantgarde. Von den Gedichten, auf die sich sein Ruhm und seine Wirkung gründen, ist *Erinnerung* wohl nicht das bekannteste. Es darf aber durchaus als charakteristisch gelten. Sowohl das Thema als auch die Sprach- und Formgestaltung zeigen

die Eigenart einer Lyrik, die dem Leser kompromißlos gegenübertritt.
Erinnerung war das sechzehnte Gedicht, das Walden in rund vier Monaten veröffentlichte. Im *Sturm* stand es am Anfang einer kleinen Gruppe, gleich vor *Liebeskampf*. Beide Gedichte entstanden wahrscheinlich zwischen Mitte Juni und Ende Juli 1914 (Bozzetti, S. 22–27), d. h. erst *nach* der Bekanntschaft mit Walden und seinen Kunstanschauungen: der Weg in die Abstraktion ist bereits glücklich zurückgelegt. Ihr Kontext im *Sturm* ist unwesentlich, erhellt aber die Verwandtschaft und das Entstehungsdatum beider Gedichte. Anders verhält es sich mit dem späteren Buchdruck. Fünf Monate nach der Erstveröffentlichung gehörte *Erinnerung* zu den 31 Gedichten, die Stramm während eines kurzen Fronturlaubs am 14. Januar 1915 für seine erste Gedichtsammlung, *Du / Liebesgedichte*, übersandte (*Das Werk*, S. 443). Stramms begeisterter Aufnahme dieser Sammlung, belegt in drei Briefen von der Front, entnehmen wir, daß Walden die Gedichte in eine für Stramm verbindliche Reihenfolge brachte, die man als Zyklus begreifen kann (Adler, 1980). Hier steht *Liebeskampf* sinnvoll am Anfang, Stramms Hauptthema bezeichnend: das Ineinanderwirken der zwei Grundkräfte Liebe und Krieg (Bozzetti, S. 133–137). Der Zyklus vereint die schroffsten Gegensätze körperlicher und geistiger Liebe und variiert mannigfaltig das Verhältnis von »Ich« und »Du«. Das »Du« wird nicht nur als Frau angesprochen; es steht absolut für das Gegenüber, dem das »Ich« widerwillig, liebend oder werbend und schließlich als kosmisches Prinzip gegenübertritt. In *Wunder* ist das »Du« allmächtig. In *Allmacht* wird es zum Gott. *Erinnerung* bildet das Schlußstück: hier wird der polare Gegensatz von »Ich« und »Du« ein letztes Mal aufgegriffen und auf seinen Ursprung zurückgeführt.
Die Form von *Erinnerung* ist einmalig wie bei allen Gedichten Stramms. Der Text besteht aus 39 ungleich langen Zeilen (+ Titel = 40) und 99 Wörtern (+ Titel = 100). Beide Summen basieren auf der Zahl Drei (bzw. Fünf), die auch

für die Kleinstruktur bedeutsam ist. Das mag auch erklären, warum Franz Marc bei Stramms Gedichten »geometrische Gefühle« erlebt haben soll: die Zahlen deuten auf eine fast mathematische Grundstruktur. Aber die Form ist bei Stramm selten einfach. Hier entsteht sie aus einer Überlagerung mehrerer Strukturen und wirkt dadurch zugleich fließend und streng; so gewinnt sie ihre dynamische, geradezu explosive und daher *scheinbar* jede Form sprengende Einheit. Wie Sheppard wohl zuerst erkannt hat, ist das Paradox ein zentrales Merkmal Strammscher Kunst. Das offenbart nicht zuletzt die Gestaltung der Form.

Diese Form ist nicht vorgegeben; sie erwächst unmittelbar aus dem Wort und dann besonders aus dem Zusammenspiel von Syntax und Bedeutung. Zunächst läßt sie sich an der Syntax erkennen. Der Text scheint aus vier Sätzen zu bestehen, die jeweils durch Ausrufzeichen markiert sind. Der dritte Satz enthält fünf verschiedene Teileinheiten – 9 substantivierte Infinitive (5–8), 4 gereihte ›All‹-Sätze (9–12), 3 gereihte ›Durch‹-Sätze (13–15), 6 Infinitive (16–18), eine dreifache Schlußformel (19–23) –, so daß acht ›Blöcke‹ entstehen.

Diese acht Blöcke kommen vor allem durch Wiederholungen und Parallelismen zustande, d. h. durch Reihungen. So wie die Reihungen den dritten Satz in fünf Blöcke spalten, so verbinden sie auch den Schluß des Satzes (19–23) mit dem ganzen vierten Satz, aus welcher Verbindung eine weitere Struktur hervorgeht. Der Schlußsatz nämlich besteht aus einer viermaligen Variation des vorhergehenden Satzendes, wodurch der ersten Sinnhälfte des Gedichts eine zweite, fast gleich lange gegenübergestellt wird: nachdem die erste Hälfte ausschließlich das »Ich« behandelt (1–18), markiert die Hinwendung zum »Du« den Wendepunkt (19); danach veranschaulichen die letzten zwanzig Zeilen (20–39) den Weg zwischen »Dir« und »Mir«. Der Sinn des Textes, insofern er auf der Polarität von »Ich« und »Du« beruht, spiegelt sich fast mathematisch in dieser Doppelstruktur, welche die kleineren Blöcke zur Einheit zusammenreißt.

Zwar erzeugen die Reihungen profilierte Blöcke, doch fließt der Sinn so stark von einem zum anderen, daß er sie zu einer Einheit verschmilzt.
Von den drei Zeilen des ersten Satzes könnte einzig die erste für sich stehen. Sie enthält Subjekt und Prädikat und liefert eine vollständige Aussage. Keine andere Zeile ist ähnlich selbständig; alle hängen sie von der ersten ab. Die zweite Zeile wiederholt lediglich das Subjekt zweimal, und so sind die »Welten« dreimal genannt. Die dritte Zeile bestimmt das Subjekt näher, indem sie drei Farbtöne angibt.
Dem Sinn der ersten Zeile entspricht ihre besondere grammatische Form: sie bildet die Prämisse für den Fortgang des poetischen Geschehens. Sie ist unmittelbarer Ausdruck von Gefühlsmystik, aber nicht vag; hinter ihr steht eine klare gedankliche Konzeption. Das »Ich« erfährt sich als absolut. Es sieht sich nicht als ein Produkt der Natur, sondern erfährt sich als Schöpfer einer Pluralität von Welten, die, in einer Art Emanation, aus ihm heraus »schweigen«. Dieses »schweigen« ist mehrdeutig. Als Schöpfer und Totalität begriffen, hat das »Ich« kein »Nicht-Ich«, mit dem es kommunizieren müßte oder auch nur könnte. Die Unnötigkeit oder Unmöglichkeit von Kommunikation drückt sich im »Schweigen« aus. Gleichzeitig aber bedeutet »schweigen« die dauernde Gewährleistung der Existenz des durch das Ich Existierenden, indem das »Ich« die »Welten« unablässig aus sich selbst produziert. Das »Ich« bedarf keiner Tat, seine Schöpfung vollzieht sich im passiven Akt. Schließlich impliziert »schweigen« auch die Einsamkeit des »Ich«. Diese Einsamkeit der All-Einigkeit bringt das »Ich« dann dazu, sich dem »Du« zuzuwenden. Indem die Eingangszeile die prekäre, paradoxe Lage des absoluten Ichs aufzeigt, schafft sie über die theoretische Prämisse hinaus den Antrieb für die weitere Aussage.
Die Wiederholungen in Zeile 2 bilden eine sinnvolle Tautologie, die die Kraft des Ichs gleichsam magisch beschwört. Nicht Beschreibung veranschaulicht das Phänomen, sondern formelhafte Benennung. In ihr tritt das Wort so sehr

für den Gegenstand ein, daß es selbst zum Gegenstand wird – zum konkreten Symbol für die Pluralität der Welten. Auf die dreifache Benennung folgt eine dreifache analytische Bestimmung der Welten, zugleich eine neue Totalität: »Schwarz und fahl und licht« stehen symbolisch für die ganze Farbenwelt. Durch Farbe zeigt sich die Materie der Schöpfung. Rückblickend läßt sich der erste Satz als mystisch komprimierte Umwandlung biblischer Schöpfungsgeschichten verstehen. Ist Gott bei Johannes das Wort, so schweigt hier das »Ich«, um wie in der Genesis die Schöpfung der Welt und die Trennung von Licht und Dunkel zu vollziehen.

Zeile 4 greift das letzte Bestimmungwort der dritten Zeile auf, um es als Hauptwort im Ausruf zu wiederholen: »Licht im Licht!« Der Ausruf gemahnt an eine mystisch gesteigerte Schau, wie sie eine von Meister Eckhart gedeutete Bibelstelle zeigt: »Herr, in Deinem Licht wird man das Licht erkennen« (Ps. 35,10; Meister Eckhart, Nr. 1). Die bloße Eigenschaft der geschaffenen »Welten« wird nun selbst zum Wesen, das die Bedeutung der »Welten« ablöst, indem der Dichter das gesteigerte, das potenzierte Licht anruft. Licht wird – im Gegensatz zur zitierten Bibelstelle – nicht als Qualität erfahren, sondern ekstatisch als absolut erlebt. Schienen zunächst die zwei ersten Sätze wie verschiedene Einheiten, wird jetzt ihr formaler Doppelcharakter deutlich: der zweite geht aus dem ersten hervor; erst das Aufgreifen von »licht« führt zur dreifachen Beschwörung und so zum Abschluß der Aussage. Formal führen die Dreier-Gruppen der Worte zu einer Vierer-Gruppe der Zeilen.

Ähnlich besteht der nächste Teil aus drei Dreier-Gruppen substantivierter Infinitive, aufgeteilt in vier Zeilen. Auch dieser Teil gewinnt so einen numerischen Doppelcharakter, der die Form dynamisiert. Diese Technik ist eine neue Art der lyrischen Gliederung, wobei die eindeutige Struktur verschwindet und durch eine einzige, mehrfach artikulierte Aussage ersetzt wird. Ähnlich fließend wird die Aussage.

An die Stelle der reinen Substantive treten neun substantivierte Infinitive. Durch diese Wortform wird »der statische Charakter des Subjekts [...] aufgehoben«; »in das Subjekt dringt ein verbales, prädikatives Element ein [...], alles wird [...] ›infinit‹, in Intensität aufgelöst« (Bozzetti, S. 83).
So wie der zweite Satz Eigenschaft in Wesen verwandelt, so der dritte Wesen in Aktivität. Die wörtliche Aussage wird zum dramatischen Prozeß. »Licht« als Seiendes wird in dreifacher Steigerung aktiviert und dynamisiert, vom »Glühen« über das »Flackern« zum »Lodern«. Danach verselbständigt sich die Bewegung und führt über »Weben« und »Schweben« – biblisch wie volkstümlich dem Geist zugesprochen – schließlich zum Begriff des »Lebens«. Nun tritt eine doppelte Veränderung ein: Erstens scheint die ursprüngliche Entfernung der »Welten« (»schweigen aus mir raus«) der Gegenbewegung des »Nahens« Platz zu machen; zweitens spezifiziert sich die Bewegung im »Schreiten« zur menschlichen Fortbewegung. Die ersten sieben Zeilen lassen sich jetzt als Schöpfungsgeschichte in sechs Hauptphasen verstehen, von der Erschaffung der Welten bis zur Differenzierung des Lebens.
Nach der Erschaffung des Menschen geht das Gedicht in die Welt individuellen Empfindens über, von der äußeren Schöpfung zum inneren Gefühl (9–15). Grammatisch wirken die »All«-Sätze zunächst wie die Subjekte voraufgegangener Prädikate: rückwirkend gewinnen die substantivierten Infinitive einen mehr verbalen Charakter. Die grammatischen Zusammenhänge werden fließend und vieldeutig. In diesem Kontext wirkt »All« nicht nur adjektivisch (oder pronominal), sondern geradezu substantivisch: das »All« der Schöpfung scheint wie ausgefüllt von innerem Leid und Enttäuschung. Neben der grammatischen Form schmieden Binnenreim (9/10: »verklungen«/»zerrungen«), Assonanz (10/11: »harb«/»barsch«), gedankliche Assoziation (9/10: weh«/»harb«) und Kontrast (12: »kalt«/»Gluten«) die vier

Zeilen zur Einheit. Im schmerzlichen Gefühl erscheint eine Totalität der Leidenschaft, gekennzeichnet durch die Paare »Wünsche« und »Ängste« (9/11), »Tränen« und »Gluten« (10/12), die andeutungsweise den Gedanken der vier Elemente bzw. Temperamente aufleuchten lassen, vor allem aber einen Zusammenhang äußerster, komplementärer Gegensätze darstellen.
Dem Licht der Schöpfung wird ein inneres Feuer der Leidenschaft gegenübergestellt, das sich mit den Worten »Gluten«, »Siedstrom«, »Brennen« und »Lohe« steigert (12–15). Kehrte die Schöpfung zum »Ich« zurück (7 f.), so schreitet jetzt etwas durch das Ich und seine Schöpfung hindurch: sein Inneres wird von Bewegung ausgefüllt. Auch in den »Durch«-Sätzen stellt sich eine Totalität ein, teils geschlechtlich, durch grammatische Symbolik (»*den* Siedstrom«, »*das* Brennen«, »*die* Lohe«), vor allem aber durch die Einbeziehung von Fleisch und Blut (13/14: »Blutes«, »Sehnen«), von Gefühl und Geist (14/15: Anspielung auf ›*das* Sehnen‹, »Gedanken«): der ganze Mensch erscheint unter dem Aspekt des Feuers. Nach der Erschaffung der Welten enthüllt sich die Welt des Menschen.
Wirkten vorübergehend die substantivierten Infinitive (5–8) mehr verbal, so übernehmen im Verlauf des Satzes die sechs gereihten Verben (16–18) die prädikative Funktion für die »All«-Sätze. »Wegen« (18) scheint sowohl Präposition als auch Verbum zu sein. Auch in *Weltwehe* und *Urtod* wird »wegen« im Sinne von ›einen Weg machen‹ verwendet (*Das Werk*, S. 59, 87). Das Gedicht hebt das Wort aus jeder eindeutigen grammatischen Kategorie heraus.
In dieser eigenartigen Sprachbehandlung treffen sich zwei Haupttendenzen. Erstens jene in Deutschland auf Klopstock zurückgehende Methode, Sprache als Material, als veränderbare Substanz zu verwenden (vgl. Kohl). So fallen Vorsilben aus wie bei »wegen« oder kommen hinzu wie bei »zerringen« (10); und kühne Komposita treten auf wie »ichumbraust« (26) und »duumträumt« (29). Die Sprache

gibt nichts Vorgegebenes wieder, sondern drückt ein einmaliges Erlebnis mit einem neuen, nur einmal verwendeten Wort aus: *Erinnerung* erweist sich als Exempel der ›*Wortkunst*‹, um den von Nietzsche und Holz benützten und von Walden aufgegriffenen Terminus für ›Dichtung‹ zu verwenden (Pörtner, Bd. 2, S. 295 ff.). Zweitens erscheint jene von Marinetti im Futurismus propagierte Tendenz, die das Wort aus jeder syntaktischen Beziehung lösen und das ›freie Wort‹, die »parole-in-libertà« einführen möchte (Arnold, S. 15–56; Bridgwater, S. 39–46). Stramm wird Marinettis *Technisches Manifest der Futuristischen Literatur* und das *Supplement* dazu, im *Sturm* 1912 erschienen (abgedruckt bei Pörtner, Bd. 2, S. 47–63), durch Walden spätestens im März 1914 kennengelernt haben; im September schreibt er von seiner »Hinneigung zum Futurismus«, den er allerdings mit Walden und nicht mit Marinetti identifiziert (*Das Werk*, S. 434). Wenn Stramm auch wesentlich von Marinetti abweicht, so folgt er ihm doch in wichtigen Punkten. »Nur der unsyntaktische Dichter, der sich der losgelösten Wörter bedient, wird in die Substanz der Materie eindringen können und die dumpfe Feindlichkeit, die sie von uns trennt, zerstören« (Pörtner, Bd. 2, S. 53). Ähnlich überwindet *Erinnerung* die Kluft zwischen Innen- und Außenwelt. Beiden Tendenzen, der Klopstockschen wie der futuristischen, ist jene Dynamisierung der Sprache gemeinsam, durch welche *Erinnerung* nicht zum Abbild der Wirklichkeit wird, sondern zu einem unmittelbaren, selbständigen Ausdruck der Welt. Mit Waldens Worten: »Kunst ist Gabe und nicht Wiedergabe« (Walden, S. 106).
Die sechs Hauptworte (oder Verben) kehren von der Gefühlswelt der »All«- und »Durch«-Sätze zum kosmischen Geschehen zurück; die Wiederholung von »Stürmen« (16) erinnert an die von »Schreiten« (7 f.), wodurch die sieben Aussagen (9–15) gänzlich in Bewegung eingegliedert sind. Aus der allgemeinen Wirbelbewegung (»Stürmen«) tritt eine wie von Planeten hervor (17: »Bogen bahnen«), bis das

konkrete Motiv des »Weges« auftritt (18), gleichzeitig aber das Motiv des Regenbogens im Sturm (17 f.) als Zeichen der Hoffnung erscheint. Schon im frühen Gedicht *Gewitter* (*Das Werk*, S. 111 f.), das von fern an Klopstocks *Frühlingsfeier* gemahnt, erschien der (Regen-)Bogen; jetzt tritt er zusammen mit dem Du-Motiv in einer komprimierten Schöpfungsgeschichte auf. Ist er in der Bibel ein Zeichen des Bundes, so hier der (Vor-)Bote der Beziehung zum »Du«, d. h. Zeichen der Beziehung schlechthin.

Mit der Benennung des »Du« endet die erste Hälfte des Gedichts. Jetzt gelangt der »Weg« in den Mittelpunkt (20 ff.). Auch zu ihm gehören die Bestimmungen des Feuers (32: »flammzerrissen«) und des Wassers (26: »ichumbraust«). Er scheint sowohl real als Weg *zwischen* beiden zu existieren als auch als Weg, der *vom* einen *zum* andern führt. Von hier aus scheint es, als habe die ganze Schöpfung des »Ich« nur stattgefunden für (18: »wegen«) das »Du«. Der verbale Sinn von »wegen« läßt sich vom präpositionalen nicht mehr trennen.

Rückblickend läßt sich eine Übereinstimmung von numerischer Kleinstruktur und Gedichtinhalt erkennen, der sich in drei größere Sinngruppen aufteilt:

I.	Ich (1–7 f.):	Erschaffung der Welten ↓ Erschaffung des Menschen
II.	Ich (9–17 f.):	Innenwelt des Menschen ↓ Zeichen des Bundes
III.	Ich und Du (19–39):	Der Weg, die Beziehung

Erinnerung wirkt sowohl als Zweiheit (1–18 und 19–39), wobei sich der Gegensatz zwischen »Ich« und »Du« spiegelt, als auch als Dreiheit, wobei sich die Gegensätze symbolisch vereinen. Dieser formalen Mehrdeutigkeit entspricht die Bedeutung des Schlusses.

Am Ende wird der Rhythmus immer stärker zum Bedeutungsträger; in den ausgeprägten Trochäen (5–8) sich zuerst intensivierend, dann sich stauend, sich gleichsam aufbauend (9–15), bis die starken Trochäen wiederkehren (16–18), um zum ersten, durch die Jamben (20–22) hinausgezögerten Höhepunkt zu führen (23), worauf endlich der als fünffache Stauung zu lesende Schluß eintritt (34–39). Obwohl die Worte rational offenbar eine Trennung zwischen »Ich« und »Du« aufrechterhalten (35–37: »unbegangen«, »nie gefunden«), scheint das Pathos der gestauten Bewegung die Kluft mystisch zu überwinden, wodurch das »Ich« das »Du« in sich aufnimmt, es ›er-innert‹. Der Rhythmus hebt den Sinn ins Unsagbare. Das »Du« scheint mit der Schöpfung zum »Ich« zurückzukehren. Kommt es aber tatsächlich oder bloß in der Erinnerung zur Vereinigung? Durch solch eine mehrdeutige Spannung entzieht sich das Gedicht dem Leser und behauptet letztlich seine unausdeutbare Eigenständigkeit.

Zitierte Literatur: J. ADLER: The Arrangement of the Poems in Stramm's »Du/Liebesgedichte«. In: German Life and Letters 33 (1980) S. 124–134. – Armin ARNOLD: Die Literatur des Expressionismus. Sprachliche und thematische Quellen. Stuttgart 1966. – Elmar BOZZETTI: Untersuchungen zu Lyrik und Drama August Stramms. Diss. Köln 1961. – Patrick BRIDGWATER: The Sources of Stramm's Originality. In: August Stramm: Kritische Essays und unveröffentlichtes Quellenmaterial aus dem Nachlaß des Dichters. Hrsg. von J. D. Adler und J. J. White. Berlin [West] 1979. S. 124–134. – Meister ECKHART: Die deutschen und lateinischen Werke. Bd. 1: Predigten. Hrsg. und übers. von Josef Quint. Stuttgart/Berlin 1958 – Katrin KOHL: Klopstock and Modern German Poetry. Diss. London. [In Vorbereitung.] – Paul PÖRTNER (Hrsg.): Literatur-Revolution 1910–1925. Dokumente. Manifeste. Programme. 2 Bde. Mainz 1960/61. – Richard SHEPPARD: Rezension. In: Journal of European Studies 11 (1981) S. 147f. – August STRAMM: Das Werk. [Siehe Textquelle.] – Herwarth WALDEN: Erster Deutscher Herbstsalon. In: Der Sturm 4 (1913) S. 106.

Weitere Literatur: Rudolf HALLER: August Stramm. In: Expressionismus als Literatur. Gesammelte Studien. Hrsg. von Wolfgang Rothe. Bern/München 1969. S. 232–250. – Walter HUDER: August Stramm. In: Welt und Wort 11 (1960) S. 40–42, 44–47. – M. S. JONES: ›Der Sturm‹ and German Expressionism. Diss. Hull 1974. – Rex LAST: Stramm Concordance. University of Hull 1974. – Peter MICHELSEN: Zur Sprachform des Frühexpressionismus bei

August Stramm. In: Euphorion 58 (1964) S. 276–302. – C. R. B. PERKINS: August Stramm's Poetry and Drama. A Reassessment. Diss. Hull 1972. – Thea POKOWIETZ: August Stramm. In: Expressionismus. Gestalten einer literarischen Bewegung. Hrsg. von Hermann Friedmann und Otto Mann. Heidelberg 1956. S. 116–128.

Alfred Wolfenstein

Glück der Äußerung

Bewegungen, des Menschen Blitze! Zeichen
Des Menschen, die von Aug zu Augen reichen:
Beim roten Grunde meines Bluts beginnt!
Erhebt euch wie auf Wellen Wind.

5 Das Meer ist leibhaft Meer bis an den Rand,
Doch freier streckt es noch die Hand
Der Segel auf – so aus der Tiefe dehnen
Zum Firmament mich meine Sehnen.

Gestalt! an deren großer Fahrt die Leere
10 Zerschellt, du voll gehißtes Knie, durchquere
Die Welt, der Hüften und der Schultern Flug
Ist sichtbar, sichtbar nie genug!

Und morgenrot erhebe sich der Mund,
Er tue der Gefühle Wölbung kund.
15 So zeichnet sich des Innern nebliger Garten
Grünend hervor, und Arme wie Standarten

Führen das Wort und heben es hinüber
Zum Sonnenantlitz eurer Brüder
– Und welches Elend weicht? Das Schweigen weicht!
20 Vom Menschen wird der ferne Mensch erreicht.

Wie Erde, sausend, niemals still
Stets höher ausdrückt, was die Tiefe will,
Drückt alles, alles aus! Der Allmacht gleichen
Bewegungen, des Menschen Zeichen.

Abdruck nach: Alfred Wolfenstein: Werke. Hrsg. von Hermann Haarmann und Günter Holtz. Bd. 1: Gedichte. Hrsg. von Günter Holtz. Mainz: von Hase und Koehler, 1981. (Die Mainzer Reihe. 53.) S. 186.

Erstdruck: Alfred Wolfenstein: Die Freundschaft. Neue Gedichte. Berlin: S. Fischer, 1917.
Weitere wichtige Drucke: Alfred Wolfenstein: Menschlicher Kämpfer. Ein Buch ausgewählter Gedichte. Berlin: S. Fischer, 1919. – Alfred Wolfenstein: Bewegungen. Eine Auswahl Dichtungen. Berlin: Roderich Fechner, 1928. – Kurt Pinthus (Hrsg.): Menschheitsdämmerung. Berlin: Rowohlt, 1919. Neudr. Hamburg: Rowohlt, 1959. – Revolution. Nr. 2 (München, 30. 11. 1918).

Günter Holtz

Allmacht des Menschen im Wort des Dichters. Zu Alfred Wolfensteins *Glück der Äußerung*

Der Titel *Glück der Äußerung* verrät nicht viel von dem offensichtlichen appell- und bekenntnishaften Charakter des Gedichts, über dem er steht. Das mag auch an der intimen oder doch zumindest subjektiven Konnotation des Wortes »Glück« liegen – auf jeden Fall ist aber dem Wort »Äußerung« nicht anzusehen, daß es hier eine geistige Tätigkeit bezeichnet, in der sich so etwas wie eine »Allmacht« (23) des Menschen offenbaren soll.
Wer nun in dem Band *Die Freundschaft*, Wolfensteins zweiter Gedichtsammlung aus dem Jahr 1917, blättert, entdeckt rasch den Zusammenhang, der die spezifische Bedeutung des Titels herstellt. *Die Freundschaft* besteht aus drei großen Textgruppen, die jeweils durch ihre inneren thematischen und formalen Beziehungen eine große kompositorische Einheit, ähnlich den Sätzen einer Symphonie, bilden. Die erste trägt die Überschrift *Allegro der Finsternis*; in ihren 45 Gedichten spricht das lyrische Subjekt aus alltäglichen Zwängen und Abhängigkeiten, die es als Symptome einer unnatürlich betriebsamen, unmenschlich verwalteten, von Konkurrenz, Karrierismus, bürgerlicher und militärischer Aggressivität gezeichneten Überzivilisation deutet. Das

Bewußtsein vom »gottlosen« Zustand der Welt – Wolfensteins erster Lyrikband von 1914 trug den Titel *Die gottlosen Jahre* – äußert sich in Metaphern der Beziehungslosigkeit gegenüber Natur und Mitmenschen, der Ohnmacht der Seele und der Sprache. Doch durch die Metapher erobert sich das Bewußtsein die Sprache zurück, die in den Kommunikationsnetzen der modernen Großstadt zu einem armseligen Artikulationsrudiment verkümmert ist, dessen sich z. B. in dem Gedicht *Stadtnachmittag* (I,151) mit sinnloser Wiederholung die der Natur entfremdeten Tiere und die Phonographen angenommen haben:

Aus Käfigen wimmern
Wie aus längst gehauenen Wäldern
Die Vögel, schon eckig und hohl gleich Zimmern,
Papageien mit menschlichen Worten
Knacken den letzten Tiersang zu Trümmern.

Zurück in den Himmel schreien
Rasselnd in Blech gefesselte Reden,
Phonographen seihen
Brausende Leidenschaften der Menschen
Durch ihre Ritzen und Reihen.

Ein Kind mit flötender Stimme
Summt aus dem Keller unter meinem Stuhle..
Augenblicke lang bricht die Stadt ins Knie
Wie vor einem blauen Donnerklang.
Und ich schwieg, als sie weiterschrie.

Wie das singende Kind für einen Augenblick den Leerlauf sinn- und bewußtloser Aktivität unterbricht, so ist im dichterischen Wort die Möglichkeit eines menschlicheren Daseins jederzeit gegenwärtig. Das dichterische Wort ist die »Verkörperung« (I,174) zur weltgestaltenden Tat drängender Gedanken; so wird Dichtung selbst zur Tat, die neue Gemeinschaft herstellt.
Das Gedicht *Glück der Äußerung* steht als zweites, unmittelbar nach dem Titelgedicht, im zweiten Teil der Samm-

lung, der den Titel *Andante der Freundschaft* trägt und insgesamt 33 Gedichte enthält. (Der dritte, *Scherzo der Einsamkeit*, ist ein Zyklus von nur neun Gedichten.) Seine Form – acht vierzeilige, paarig reimende Strophen mit alternierendem Metrum, vorherrschend Auftakt und unregelmäßiger Wechsel von vier und fünf Hebungen – enthält keinerlei Anhaltspunkte, mit deren Hilfe sich sein zweiteiliger Aufbau beschreiben ließe. (Im Gegenteil: die über je zwei Strophen reichende wiederkehrende Anordnung weiblicher und männlicher Versschlüsse scheint eher auf einen dreiteiligen Aufbau hinzudeuten.) Der Leser nimmt ihn freilich spontan wahr – durch die angesichts der Überschrift überraschende Entdeckung, daß die drei ersten Strophen überhaupt nicht von der Sprache, sondern von »Bewegungen« sprechen. Die »Äußerung«, deren Preisung der Titel ankündigt, scheint eine Art von Ausdruckstanz zu sein; ihre »Zeichen« (1) sind nicht hörbar, sondern »sichtbar« (12). Erst von Vers 13 an wird klar, daß wir unter »Zeichen« auch das »Wort« (17) zu verstehen haben – vielleicht sogar nichts anderes als das Wort. Die Entscheidung dieser Frage wird erschwert durch eine verwirrende Bildbewegung, genauer: ein unruhiges Nacheinander metaphorischer Elemente, die, sich überlagernd und durchdringend, kaum unterscheidbare Bildkomplexe entstehen lassen. Ein solcher Komplex, der sich auf die Verse 1f., 12f., 15f., 18 und 24 verteilt, vereinigt Begriffe der visuellen Wahrnehmung und Bezeichnungen für Farben und Licht (»Zeichen«, »Blitze«, »von Aug zu Augen«, »sichtbar«, »morgenrot«, »neblig«, »grünend«, »Sonnenantlitz«). Ein anderer, nachweisbar in den Versen 4–12 und 21f., ließe sich durch die semantischen Felder Erde, Meer, Luft und Wörter aus dem Vorstellungsbereich schneller, weiträumiger Bewegung definieren (»Wellen«, »Wind«, »Meer«, »Segel«, »Firmament«, »Fahrt«, »gehißt, »durchqueren«, »Welt«, »Flug«, »Erde«, »sausend«, »höher«, »Tiefe«). Diese beiden Komplexe zusammen bilden die im Verhältnis zum Thema entferntere Vergleichsebene der Metaphorik. Die andere Vergleichsebene

wird – selbstverständlich – repräsentiert durch einen Bildkomplex, dessen Inhalt der Mensch, das Subjekt des Sich-Äußerns, selbst ist. Er ist in den Versen 1–3, 5f., 8–11, 13–18 und 24 zum größten Teil durch Körperteilbezeichnungen realisiert (»Bewegung«, »Auge«, »Blut«, »leibhaft«, »Hand«, »Sehnen«, »Gestalt«, »Knie«, »Hüften«, »Schultern«, »Mund«, »Gefühle«, »Wölbung«, »das Innere«, »Arme«, »Wort«, »Sonnenantlitz«, »Brüder«).
Die wechselseitige Durchdringung der drei Komplexe läßt Wortkombinationen entstehen, deren metaphorischer Sinn den Verstehensmöglichkeiten innerhalb einer traditionellen, letztlich an antiken Vorbildern geschulten Poesie entzogen ist. Diese einzelnen Metaphern wären in der Terminologie einer traditionellen Poetik Katachresen zu nennen, unzulässige Wortfügungen aus nicht zusammengehörenden lexikalischen Bereichen, die als ›Stilblüten‹ auffielen. In Wolfensteins Gedicht erscheinen Fügungen wie »des Menschen Blitze« (1), »die Hand der Segel« (6f.) noch als die am wenigsten harten. Erst dort, wo sich das Bild weit von jeder konventionellen Vorstellungsmöglichkeit entfernt, sieht sich der Leser solcher Verse vor die Entscheidung gestellt, ob er das Gedicht als etwas nicht Nachvollziehbares zurückweisen oder als Resultat eines möglicherweise planmäßig und konstruktiv verfahrenden modernen Stilwollens mitsamt seinen ästhetischen Voraussetzungen akzeptieren oder zumindest gelten lassen soll. Solch ein Bild ist das »voll gehißte Knie« (10), ist »der Gefühle Wölbung« (14). Das eigentlich Verwirrende und Herausfordernde sind freilich die jähen Versetzungen einzelner Bildelemente aus einer in eine andere metaphorische Beziehung, wie sie sich beispielhaft am Wort »Bewegungen« in den odenhaften Anredeversen der ersten Strophe zeigen lassen: Nach der Gleichsetzung mit dem Begriff »Zeichen«, die ihnen die Qualität einer Lichterscheinung, einer sichtbaren Entladung gibt, finden wir die »Bewegungen« plötzlich in das Blut des Sprechenden als in ihren Ursprung zurückversetzt, einen Vers weiter als das

Sich-Erheben des Windes über Wellen, wahrscheinlich wegen der assoziativen Verbindung mit der Meer-Metapher der zweiten Strophe. Diese bildet wiederum nach knapp angedeuteter Personifizierung ihres Subjekts (das Segel als Hand am Leib des Meeres) das erste Glied eines Vergleichs, als dessen anderes Glied wieder die »Bewegungen« des lyrischen Subjekts fungieren, allerdings in einer ans Unvorstellbare reichenden Hyperbel.
Zu den ästhetischen Voraussetzungen einer solchen Metaphorik gehört, soviel ist erkennbar, die bewußte Zurückweisung der Forderungen traditioneller Poetik. Damit soll nicht gesagt sein, daß expressionistische Lyriker nicht an historische Stile angeknüpft hätten, die ihren – summarisch ausgedrückt – antiklassischen Formintentionen zu entsprechen schienen, z. B. Dichtungen des Barock, des Sturm und Drang oder des Symbolismus. Zu den Voraussetzungen gehören aber auch stilbestimmende Implikationen des Gehalts, der weltanschaulichen Programmatik und der Überzeugungsabsicht des Autors. An *Glück der Äußerung* lassen sie sich nicht nur stilanalytisch nachweisen, sie sind im Gedicht mit fast sentenziöser Klarheit ausgesprochen (19 f. und 23 f.). Die bewußte Wahrnehmung der aufgebotenen Bildelemente und des Zustandekommens von Bildfragmenten, die zumeist übergangslos, wenn auch assoziierbar über ein gemeinsames Wort, aneinandergeschlossen sind, löst die Frage aus, was denn der metaphorische Sinn des *Ganzen* ist und woraus er sich ergibt. Die Schwierigkeiten, die Wolfensteins Metaphorik dem verständnissuchenden Zugang bereitet, entkräften durchaus nicht den verkündigend-rhetorischen Gestus seiner Verse. Müssen wir es bei der Feststellung einer Diskrepanz zwischen der Bildebene, der Ebene des intendierten Sinnes und dem deklamatorischen Schwung dieses Textes bewenden lassen?
Zum ersten ist zu beobachten, daß die nachgewiesenen Bildkomplexe sämtlich der umschreibenden Nennung eines

einzigen Vorganges dienen: der Äußerung. Es lassen sich vier Gruppen solcher Nennungen unterscheiden:
1. Die Äußerung als Ausdruckswirkung einer emporstrebenden Bewegung im Gegensatz zur ›Ebene‹ (4: »Erhebt euch«; 6 f.: »streckt [...] auf«; 7: »dehnen«; 13: »erhebe sich«; 17: »heben [...] hinüber«; 22: »höher ausdrückt«).
2. Die Äußerung als Ausdruckswirkung einer horizontalen Bewegung im Gegensatz zu allem Statischen (9–12).
3. Die Äußerung als Ausdruckswirkung des Sichtbaren im Gegensatz zum ›Trüben‹ (1: »Blitze«; 3: »Beim roten Grunde«; 12: »sichtbar«; 13: »morgenrot«; 15 f.: »zeichnet sich [...] hervor«).
4. Die Äußerung als Ausdruckswirkung einer Verkörperung im Gegensatz zur ›Leere‹ (5: »leibhaft«; 9: »Gestalt«; 14: »Wölbung«).
Das semantische Zusammenwirken aller Metaphern läßt aber auf der Ebene des intendierten Sinnes die anfangs beobachtete Zweiteiligkeit des Gedichts belanglos werden. Als »Äußerungen« sind »Bewegung« und »Wort« (17) gleichrangig, ja sogar annähernd synonym. Dann bedeutet freilich »Bewegung« mehr als Gebärde und Tanz, »Wort« mehr als ein als Lautfolge identifizierbares Lexem. Wie der Sinn aller bewegten Gestalt Sichtbarkeit ist, so auch der Sinn der Sprache. Das Wort erschallt nicht als Ruf, es weht als »Standarte« (16) über den Armen dessen, der es zu seinen Menschenbrüdern trägt. Dennoch soll es alles andere als Parole oder Schlagwort sein, womit man Menschen sammelt, um sie politischen, sozialen oder anderen weltanschaulichen Zielen dienstbar zu machen. Seine einzige Bestimmung ist, die Kluft des Schweigens zu überbrücken und freie Gemeinschaft herzustellen. Die bewegte Gestalt, welche die Leere besiegt, und das Wort, das das Schweigen vertreibt, sind im Grunde Namen für dieselbe weltverändernde Kraft. Wolfenstein verstand unter den Wirkungen dieser Kraft keine politischen oder sozialen Neuerungen – was nicht bedeutet, daß er nicht auch sie für notwendig gehalten hätte und für sie eingetreten wäre. Allerdings versprach er sich

weder von organisierten Reformen noch von Revolutionen einen Sieg über das Elend, unter dem Menschen am schlimmsten leiden: das Alleinsein, das Stumm- und Fremdsein unter vielen anderen. In einem Aufsatz von 1922 beschrieb der Dichter die Botschaft des freien Wortes in einer nachrevolutionären Welt, in der für die gerechte Befriedigung aller Bedürfnisse der Menschen – der im wesentlichen doch unveränderten Menschen – gesorgt ist:

> Wenn dann die Sprache der menschlichen Ordnung dienstbar geworden ist und als eine gezähmte Herde für alle Zwecke sich satteln läßt: tritt die Kunst erschütternd vor sie hin als Rückerinnerung an ihre Klageseele. Der orphische Mund lockt die entstellten Tiere in den Urwald des Gedichts. (*Musik im Wort*, S. 121.)

Durch die Nietzsche-Anklänge dieser Sätze schimmert das nach 1917, dem Jahr seiner Lösung vom ›Aktivismus‹ Hillers und Pfemferts, wiedergewonnene Selbstbewußtsein des Dichters Wolfenstein, der sich – obwohl der bedeutendere Teil seines lyrischen Schaffens bereits abgeschlossen war – nun wieder zur verwandelnden und berauschenden Gewalt der »Musik« bekannte. Seine erste Gedichtsammlung hatte er 1914 mit jenem Titelgedicht *Die gottlosen Jahre* (I,45) eröffnet, das seither oft als seine programmatische Lösung vom lyrischen Wohlklang und preziösen Stil des Impressionismus zitiert wurde. Darin sind bereits beide Dimensionen der Bewegung als Metaphern der neuen Ausdruckskunst verwendet: die horizontale – das »Schreiten« – und die vertikale – das »Stehn« und Sich-Emporstrecken. Was dort als gestaltschaffender Akt des höchsten und einsamsten Bewußtseins postuliert war, wurde drei Jahre später im Zusammenhang der »Freundschafts«-Utopie zur einigenden Verkörperung des Gefühls. Das »Glück der Äußerung« ist ja kein Hochgefühl des Dichters im Ausblick auf die sich vollendende Form, sondern die zu ihm zurückkehrende, ihn einbeziehende Wirkung seiner Selbstmitteilung. Darüber schrieb Wolfenstein 1917 unter dem Titel *Über Lebendigkeit der Kunst*:

Der Dichter aber ist ein Freund der Äußerung. Sie ist sein Glück, das zwar nichts Tragisches in ihm auflösen, es nur wie einen Strudel überfließen kann; aber an sich unlösbare Geheimnisse und Leiden münden dennoch beglückend für ihn und die andern hinaus.

(S. 173; vgl. das Gedicht *Hingebung des Dichters*, I, 208 f.)

Die neue, »andere Musik« (*Musik im Wort*, S. 122), die er 1922 forderte, ist nur eine nachträgliche Revision der Begriffe, da die Polemik gegen den Impressionismus, durch die »viel alter Klinklang [. . .] zerbrochen worden« war, nun überholt war (*Musik im Wort*, S. 121). Die *Freundschaft* war bereits der große Versuch einer Synthese gewesen. Der Entschluß, sich jeden gesuchten Wohlklang zu versagen, das bloße ekstatisch-rhythmische Aussprechen der Utopie sollte im *Andante der Freundschaft* die mitreißende Überzeugungskraft der »anderen Musik« freisetzen. Wolfensteins Glaube an die »Allmacht« der Dichtung, den er mit vielen seiner schöpferischen Zeitgenossen teilte, verrät etwas von dem geschichtlich späten idealistischen Weltbild, das dem Expressionismus zwanzig Jahre später, während der ideologischen Kontroversen in der Moskauer Exilzeitschrift *Das Wort*, das Urteil eintrug, er habe dem Chauvinismus und dem Krieg Vorschub geleistet und letztlich sogar dem Faschismus den Weg bereitet. Diese Probleme können hier nicht erörtert werden. Nach dem Ersten Weltkrieg und der Revolution, angesichts der desillusionierenden Entwicklung der ersten Republik verwehten die lebensreformerischen Hoffnungen der Jugend der »Literatur-Revolution« (Paul Pörtner) – doch ihre künstlerischen Impulse wirkten bis heute fort. Alfred Wolfenstein sah in dem Weltkrieg die organisierte Austragung eines barbarischen Kampfes aller gegen alle, der latent schon die letzten Jahre des falschen europäischen Friedens geprägt hatte. Die unzerstörbare Freundschaft mit gleichgesinnten Menschen – vor allem Menschen in Frankreich, mit dessen Sprache und Kultur er vertraut war – blieb ihm buchstäblich das Unterpfand einer besseren Zukunft, das in den Zeiten der Verfinsterung den Dichtern anvertraut ist.

Zitierte Literatur: Alfred WOLFENSTEIN: Werk. [Siehe Textquelle. Zit. mit Band- und Seitenzahl.] – Alfred WOLFENSTEIN: Musik im Wort. In: Die neue Bücherschau 4. F. 2 (1922) S. 121 f. – Alfred WOLFENSTEIN: Über Lebendigkeit der Kunst. In: Summa 1 (1977) H. 2. S. 171–176.
Weitere Literatur: Peter FISCHER: Expressionismus und verendende Kunst. München 1968. – Günter HOLTZ: Die lyrische Dichtung Alfred Wolfensteins. Thematik, Stil und Textentwicklung. Diss. Berlin 1970. – Edgar LOHNER: Alfred Wolfenstein. In: Handbuch der deutschen Gegenwartsliteratur. Hrsg. von Hermann Kunisch und Hans Hennecke. München 1965. S. 634. – Carl MUMM: Alfred Wolfenstein. Eine Einführung in sein Werk und eine Auswahl. Wiesbaden 1955. – Hans-Jürgen SCHMITT (Hrsg.): Die Expressionismusdebatte. Materialien zu einer marxistischen Realismuskonzeption. Frankfurt a. M. 1973.

Hans Arp

eitel ist sein scheitel und sinn und trägt berge und glanz darin am morgenroten am kanonenbooten muß er sterben samt seinem kern und chor und einzelvox und klopft mit den stimmgabeln an die dürren stollen seiner leiber
5 nachtzitzen und münzt in kleinen kesseln sein blut und bespritzt mit sternen die eckige nacht ja wachsgarderobe wettergarbengeläute und wenn einer nicht will ist einer da der will und muß und wieder kann und möchte und die gläser bis zum rande vollstreicht und lacht und den anderen
10 weder fühlt noch riecht darum bewegen sich die wiegen im galopp

Abdruck nach: Hans Arp: Gesammelte Gedichte. In Zusammenarb. mit dem Autor hrsg. von Marguerite Arp-Hagenbach und Peter Schifferli. Bd. 1: Gedichte 1903–1939. Zürich: Arche / Wiesbaden: Limes, 1963. S. 74. [Textergänzung: Z. 1 »und« nach »sinn« (entsprechend dem Erstdruck).] Mit Genehmigung der Limes Verlag Niedermayer und Schlüter GmbH, Wiesbaden und München.
Erstdruck: Hans Arp: die wolkenpumpe. Hannover: Paul Steegemann, 1920. (die silbergäule. 51/52 [richtig 52/53].)

Wolfgang Max Faust

Dada oder Die befreite Phantasie

Schon beim ersten Lesen dieses 1917 von Hans Arp verfaßten ›Gedichts‹ machen wir eine seltsame Erfahrung: Wir geraten ins Stottern, in eine Unsicherheit und Irritation, weil wir nicht genau wissen, wie wir die Abfolge des Textes gliedern sollen. Da der Text nicht durch Satzzeichen unterteilt ist, müssen wir selbst eine Ordnung vornehmen. Dies

aber gelingt uns nicht beim ersten Lesen. Denn es gibt Fallen in diesem Text, die mehrere Lesarten ermöglichen. Soll man z. B. hinter »und glanz darin« das »am morgenroten« ohne Zäsur anschließen, oder gibt es hier eine Pause, die auf den Beginn einer neuen Satzeinheit hinweist? Sicher werden wir uns für das letztere entscheiden, denn der Teil vor der Zeit- und Ortsbestimmung »am morgenroten am kanonenbooten« bildet eine rhythmische Einheit, die durch den Reim »sinn«/»darin« noch in ihrem Zusammenhalt betont wird. Diese ›Arbeit‹ einer syntaktischen Gliederung müssen wir auch noch an anderen Stellen des Textes vornehmen.
Arp hätte sie uns ersparen können, wenn er den Text durch Satzzeichen gegliedert oder die Satzeinheiten typographisch – wie wir es von Gedichtzeilen gewohnt sind – angeordnet hätte. Doch auf diese Mitarbeit des Lesers scheint es Arp gerade anzukommen. Er deklariert einen Text, den man normalerweise eher unter Prosa einordnet, zum Gedicht, doch was den Gedichtcharakter ausmacht, muß der Leser selbst entdecken. Das aber heißt: Die Bedeutung des Gedichts entsteht erst im Prozeß des Lesens, in der Entscheidung für oder gegen bestimmte Textgliederungen durch den Leser. Doch soll der Text überhaupt gegliedert werden? Kann nicht das Fehlen von Satzzeichen auch bedeuten, daß der Text monoton – wie eine Litanei – gesprochen werden soll? Alle Teile des Textes sind dann gleichwertig, nichts wird hervorgehoben, ein emotionales Sprechen wird zurückgedrängt, der Text wird zur rhythmischen Sprachstruktur. Probieren wir dieses Sprechen aus, so ergeben sich immer neue Lesarten, denen jedoch eines gemeinsam ist: Für *eitel ist sein scheitel* gibt es keine festzulegende Lesart, sondern nur verschiedene Lesemöglichkeiten. Diese bewegen sich zwischen zwei Extremen. Auf der einen Seite kann der Text als rein klangliche Mitteilung aufgefaßt werden, auf der anderen Seite können die geahnten Bedeutungen einzelner Wortgruppierungen betont werden, ohne daß wir jedoch genau wissen, was der Text uns sagt. Dabei entdekken wir, daß der Text offensichtlich nicht ›sinnlos‹ ist, reines

Sprachspiel um des sprachlichen Effektes willen, sondern daß er einen latenten Sinn transportiert, den wir allerdings nur durch unsere Assoziationen aufschließen können. Das bedeutet: wie auf syntaktischer Ebene, so gibt es auch auf der Ebene der Aussage keine Eindeutigkeit. Dementsprechend entdecken wir eine Spannung zwischen dem Spiel mit sprachlichen Mitteln und den thematischen Andeutungen, die jedoch keinen benennbaren Inhalt vermitteln.

Welche Vorstellungen tauchen dabei auf? Zuerst einmal wird von einem »er« gesprochen (»eitel» bis »nacht«). Dann gibt es einen Einschub (»ja wachsgarderobe wettergarbengeläute«). Es folgt ein Abrücken vom »er«, der nun zu »einer« wird (»wenn einer nicht will«), an das sich eine Schlußfolgerung anschließt: »darum . . .«.

Als Bewegung vom ›Besonderen‹ zum ›Allgemeinen‹ läßt sich dies lesen. Doch was ist ›das Besondere‹? Oder anders: Wer ist dieser »er« der ersten Hälfte des Textes? Versuchen wir ihn durchs Folgende zu konkretisieren, so fällt uns besonders der Hinweis »am kanonenbooten muß er sterben« auf. Ist der »er« ein Soldat? Denn wer sonst würde am Kanonenboot sterben? Lesen wir den Text unter dieser Annahme, so ergeben sich zahlreiche Assoziationen zum Soldatentum und zum Krieg.

»eitel ist sein scheitel und sinn und trägt berge und glanz darin«. Dieser gesamte ›Satz‹ steht unter dem Aspekt »eitel«. »eitel«, das ist ›affektiert‹, aber auch ›vergebens‹ und – wenn man ältere Bedeutungen des Wortes hinzunimmt – ›vergänglich‹. »eitel ist sein scheitel«. »Scheitel«, hier vielleicht ganz real, der militärisch präzis gezogene Scheitel des Soldaten oder auch – als Pars pro toto – das korrekte Äußere als Metapher für eine bestimmte Lebenshaltung, die »er« sich selbst und der Welt gegenüber bezieht. »und sinn«: hier wohl in der Bedeutung von ›Sinnen (und Trachten)‹. Scheitel und Sinn: Äußeres und Inneres, Innenwelt und Außenwelt. »und trägt berge und glanz darin«: ein Widerspruch zum ersten Teil des Satzes? Und trägt »dennoch . . .«? Oder ein Zeichen der Hoffnung und der Zuversicht? »darin« läßt sich zurückbeziehen auf »sinn«, auf die Vorstellungswelt des »er«. Berge und Glanz, ein Konkretum und ein Abstraktum, als Zusammengesetztes eine Chiffre für Größe und Schönheit.

Bis hierher ist Arps Text kaum irritierend, auch wenn uns statt der Beschreibung oder Schilderung einer Person nur ihre vage Andeutung gegeben wird. Verwundert sind wir jedoch über die folgende Textpassage: »am morgenroten am kanonenbooten«. Was ist dies für ein Sprechen? Arp benutzt hier Formulierungen, die vom normalen Sprechen durch antigrammatische Wortneuschöpfungen abweichen, die jedoch – so ahnt man – eine innere Logik besitzen. Arp gibt eine Orts- und Zeitbestimmung für »muß er sterben«. In der Normalform könnte sie etwa lauten: ›Im Morgenrot am Kanonenboot‹. Doch Arp spielt – wohl vor allem aus rhythmischen und lautlichen Gründen – mit diesem Wortmaterial. Statt ›morgens‹, ›am Morgen‹ findet er »Morgenrot«, das sich auf »Kanonenboot« reimen läßt. Doch die korrekte Form ›Im Morgenrot am Kanonenboot‹ scheint für Arps literarische Zwecke zu ›realistisch‹ zu sein. Er verfremdet die Ausdrucksweise durch die Zusammenziehung von ›am Morgen‹ und ›Morgenrot‹ (oder durch die Umstellung von ›am roten Morgen‹) zu »am morgenroten«. Durch einen klanglichen Analogiebezug findet er dann »am kanonenbooten«. Was wird durch dieses Sprechen erreicht? Sicher dies: Unser normales, auf die gesehene oder vorgestellte Wirklichkeit bezogenes Sprechen wird unterlaufen, statt dessen gibt es ein Sprechen aus der Sprache heraus, das lustvoll die Möglichkeiten von Sprachspielen ausnutzt, um eine Freiheit in der Beziehung von Sprache und Wirklichkeit erfahrbar werden zu lassen. Vertraut wird dabei auf die Schönheit und den Sinn eines assoziativen Sprechens, das wir aus Kinderreimen, Zaubersprüchen, Tagträumen, aber auch aus psychoanalytischen Verfahren kennen. Die Freisetzung der assoziativen Sprachphantasie bestimmt Arps Text. Ihr muß ein assoziatives Lesen entsprechen, das nicht *eine* Bedeutung entdecken will, sondern eine Vielheit von Bedeutungen.

»am morgenroten am kanonenbooten muß er sterben samt seinem kern und chor und einzelvox«. Kern, Chor, Einzelvox – die ersten beiden Begriffe dieser Reihung können wir durchaus wieder in den Bereich des Militärischen rücken. Der ›Kern‹ der Truppe ist der wichtigste Teil der Truppe, und ›Chor‹ wird – als Homophon – gesprochen zu ›Korps‹, ebenfalls eine militärische Bezeichnung. Die Wortschöpfung »einzelvox« jedoch bezieht sich zurück auf das geschriebene »chor«: der einzelne und die vielen. Mit dem Blick auf den einzelnen läßt sich dann auch »kern« verstehen als ›der gute Kern‹ oder das, was den Menschen ›in seinem Wesen‹ ausmacht.
Die folgende Textpassage gliedert sich bis »ja« in drei Teile: »und klopft...«, »und münzt ...«, »und bespritzt ...«. Diese Passage wirkt extrem verschlüsselt, und das Lesen vermag kaum in Arps Assoziationen einzudringen. Die surreale Wirkung ergibt sich dabei vor allem durch den Widerspruch von grammatisch korrektem Satzbau und kaum ausdeutbarer Bildlichkeit. Doch wird auch hier deutlich, daß die Assoziationsfelder von »Kanonenboot« und »sterben müssen« weitergeführt werden: Blut, Krieg, Tod, (kosmischer) Untergang. Das bestätigende »ja« leitet zu einer Art Zusammenfassung über: »wachsgarderobe wettergarbengeläute«. »wachsgarderobe« assoziiert Schutzkleidung, Kleidung aus Wachstuch. »wettergarbengeläute« wirkt dagegen wie ein kaum entzifferbarer Neologismus. Zum Wetter fügen sich (Geschoß-)Garbe und das Geläute der Glocken. Die Zusammensetzung bewirkt jedoch keine sinnvolle Summe der drei getrennten Bereiche, sondern eine neue Einheit, die als bildliche Chiffre eine fremde, ungewohnte Bedeutung transportiert, die wir assoziativ umkreisen müssen. Auffällig ist die lautliche Rückbeziehung (w-g-g) zu »wachsgarderobe«, die eine enge Beziehung zwischen den beiden Begriffen herstellt. War bis »ja« der Text auf »er« zu beziehen, so stellen »wachsgarderobe wettergarbengeläute« eine Art Abbreviatur der Situation dar. In der Fortführung des Textes wird nun vom »er« zu »einer« übergeblendet.

Diese Überblendung geschieht durch die Konjunktion »und«, die als bestimmendes Verbindungselement den gesamten Text parataktisch zu einer Einheit zusammenfügt.
»und wenn einer nicht will«. Diese Textpassage zeigt die Beliebigkeit des »er«. Für den Kampf, fürs Soldatentum findet sich immer jemand, der »die gläser bis zum rande vollstreicht« (der Ausdruck wirkt wie eine Umkehrung von ›das Glas bis zur bitteren Neige leeren‹) »und lacht und den anderen weder fühlt noch riecht«. Rücksichtslosigkeit, Unmenschlichkeit, Brutalität lassen sich hierzu assoziieren, der zynische Menschenverschleiß im Kampf, dem das Geborenwerden korrespondiert: »darum bewegen sich die wiegen im galopp«. Auch hier wieder eine militärische Assoziation, die Leben und Sterben aufeinander bezieht.
Lesen wir nun noch einmal den gesamten Text, so erkennen wir die Relativität der bisherigen Deutungen. Zugleich wird erfahrbar, daß es Arp offensichtlich nicht auf einzelne auflösbare Bilder ankommt, sondern auf den Text als sprachliche Einheit, in der die einzelnen Textelemente (Sätze) sich zu einer Gesamtheit zusammenfügen, die in der Schlußfolgerung ihre Begründung findet. Das Prinzip des assoziativen Sprechens und die Verfahren des Sprachspiels bestimmen den Text, der keine benennbare Aussage (»Inhalt in eine Form gegossen«) enthält, sondern ein durch Assoziationen zu erkundendes Bedeutungsfeld. Die Rhythmik der Sprache, die Reime, die Alliterationen, die Neologismen, die Und-Verbindungen schaffen einen Sprachfluß, der weniger einer rationalen Kontrolle als einem kalkulierten Spiel mit dem Zufall und der freien Assoziation zu entstammen scheint.
Die historische Folie für diese Literatur bilden die literarische Situation im Ersten Weltkrieg, Hans Arps Exil in Zürich, seine Teilnahme am Aufkommen der internationalen Dada-Bewegung. Diese Bewegung versuchte eine neue Literatur, die bewußt dem öffentlichen Sprechen der Propaganda wie der literarischen Sprache der Tradition (Symbo-

lismus, Expressionismus) konfrontiert wurde. Hans Arp schreibt: »Angeekelt von den Schlächtereien des Weltkriegs 1914, gaben wir uns in Zürich den schönen Künsten hin. Während in der Ferne der Donner der Geschütze grollte, sangen, malten, klebten, dichteten wir aus Leibeskräften. Wir suchten eine elementare Kunst, die den Menschen vom Wahnsinn der Zeit heilen und eine neue Ordnung, die das Gleichgewicht zwischen Himmel und Hölle herstellen sollte« (Arp/Huelsenbeck/Tzara, S. 106).

eitel ist sein scheitel ist ein Beleg für diese Form der Kunst. Ordnung und Chaos, Sinn und Un-Sinn werden miteinander verflochten, um ein literarisches Gebilde zu ergeben, das der »durch den Journalismus verdorbenen und unmöglich gewordenen Sprache« (Hugo Ball) entgegengestellt wird. Sprachspiel und assoziatives Sprechen sollen eine »Unschuld« der Sprache zeigen, die sowohl der Bestätigung wie der aufs politische Programm zu bringenden Entlarvung der gesellschaftlichen Verhältnisse entgehen will. Das Moment der Zerstörung im Dadaismus ist zugleich eine »schaffende Lust«, die die durchgängig unterdrückten Möglichkeiten der Kunst- und Selbsterfahrung vor Augen führt. Deshalb formuliert auch *eitel ist sein scheitel* kein politisches Antikriegsthema. Arp geht vielmehr davon aus, daß nur die schöpferische Selbsterkundung (die Produktion von Kunst) eine Gegenkraft aufzubauen vermag, die die bestehenden gesellschaftlichen wie individuellen Bedingungen – langfristig – zu unterminieren fähig ist. Denn in der assoziativen Kunstproduktion zeigt sich ein Moment der Freiheit des Menschen sowohl gegenüber der normierten Wirklichkeit wie gegenüber den Normen der Sprache. Wer der Beherrschung durch Sprache (auch in der Kunst) entgehen will, der muß sich zugleich der Sprache und ihren befreienden Möglichkeiten anvertrauen. Arp: »Viele Gedichte aus der ›Wolkenpumpe‹ sind automatischen Gedichten verwandt. Sie sind wie die surrealistischen Gedichte unmittelbar niedergeschrieben, ohne Überlegung oder Überarbeitung. Dialektbildung, altertümelnde Klänge, Onomatopoesien und Wort-

spasmen sind in diesen Gedichten besonders auffallend« (*wortträume*, S. 7). Als Anregung für seine Texte benutzte er »Wörter, Schlagworte, Sätze aus Tageszeitungen«. »Öfters bestimmte ich auch mit geschlossenen Augen Wörter und Sätze in Zeitungen, indem ich sie mit Bleistift anstrich [. . .]. Es war die schöne Dadazeit, in der wir das Ziselieren der Arbeit, die verwirrten Blicke der geistigen Ringkämpfer, die Titanen aus tiefstem Herzensgrund hassten und belachten« (*wortträume*, S. 6).
Das anarchische Moment des Dadaismus ist aus dieser Äußerung deutlich zu spüren, zugleich aber auch der Wunsch nach einer neuen Kunst, deren Wirkung nicht auf den Künstler beschränkt bleiben soll, sondern die auch den Nicht-Künstler mit einbezieht. Zu den Gedichten der *wolkenpumpe* sagt Arp: »Ich schrieb diese Gedichte in einer schwer leserlichen Handschrift, damit der Drucker gezwungen werde, seine Phantasie spielen zu lassen und beim Entziffern meines Textes dichterisch mitzuwirken. Diese kollektive Arbeit glückte gut. Verballhornungen, Zerformungen entstanden, die mich damals bewegten und ergriffen« (*wortträume*, S. 7).
Die Arbeit mit dem Zufall, die im Dadaismus als neue literarische Technik in die Literatur eindringt, wird hier über den Künstler hinaus verlängert auf den Nicht-Künstler. Zugleich überschreitet diese Arbeit die tradierten Gattungsgrenzen. Hans Arp gehört zu jenen Doppelbegabungen, die sowohl als Literaten wie als bildende Künstler, Musiker oder Theatermacher neue Kunstformen im 20. Jahrhundert entdecken. Auch für die Gedichte der *wolkenpumpe* gibt es eine Nähe zu einer anderen Kunstgattung. Arp berichtet: »Die ›Wolkenpumpen‹ sind aber nicht nur automatische Gedichte, sondern schon Vorläufer meiner ›papiers déchirés‹, meiner ›Zerreissbilder‹, in denen die Wirklichkeit und der Zufall ungehemmt sich entwickeln können. Das Wesen von Leben und Vergehen ist durch das Zerreissen des Papieres und der Zeichnung in das Bild einbezogen« (*wortträume*, S. 7). Das Prinzip der Zerreißbilder fand Arp folgender-

maßen: Als er einmal eine Zeichnung, die ihm nicht gefiel, in kleine Stücke riß und auf den Boden warf, entdeckte er in der Anordnung der Schnipsel eine neue Schönheit, die ihn unmittelbar faszinierte. Er klebte die Papierteile – wie er sie vorfand – auf einen Karton und schuf so sein Blatt »Nach den Gesetzen des Zufalls«. Dieses Verfahren ähnelt den literarischen Verfahren, die Arp für seine Texte erfindet. Nur daß in ihnen neben vorgefundenem Material aus Zeitschriften, Büchern, Katalogen das Zufallsmaterial der freien Gedankenassoziation hinzukommt.

Der französische Schriftsteller Lautréamont hatte im 19. Jahrhundert gefordert: »Poesie muß von allen gemacht werden!« Der Dadaismus entdeckt zwischen 1917 und 1922 literarische Verfahren, die auf eine allgemeine Produzierbarkeit von Kunst verweisen und die dies Schaffen mit der politischen Parole »Verändert die Welt!« verbinden. Dahinter steht die Hoffnung, über die Kunst auch das Leben ändern zu können. Während der Zürcher Dadaismus (Hugo Ball, Emmy Hennings, Hans Arp, Tristan Tzara, Richard Huelsenbeck) dies vor allem für die Boheme forderte, will der Berliner Dadaismus (Raoul Hausmann, John Heartfield, Hannah Hoech, George Grosz, Franz Jung, Johannes Baader) eine Herausforderung und Veränderung der gesamten Gesellschaft bewirken. Vor dem Hintergrund des sozialen Umsturzes nach dem Ersten Weltkrieg sollen sich Kunst und Politik revolutionär miteinander verbinden. Hans Arps literarisches und künstlerisches Werk zielt dagegen eher auf eine ›Mikropolitik‹ des Individuums. So fordert *eitel ist sein scheitel* den Leser eben auch als schöpferischen Mitproduzenten.

Zitierte Literatur: Hans Arp: worttträume und schwarze sterne. auswahl aus den gedichten 1911–1952. Wiesbaden 1953. [Darin die Selbstdarstellung Arps: Wegweiser. S. 5–11.] – Hans Arp / Richard Huelsenbeck / Tristan Tzara: Dada. Dichtung und Chronik der Gründer. Zürich 1957.

Weitere Literatur: Reinhard Döhl: Das literarische Werk Hans Arps 1903–1930. Zur poetischen Vorstellungswelt des Dadaismus. Stuttgart 1967. [Mit Werk-Bibliographie.]

Rudolf Borchardt

Abschied

Wir haben nicht wie Knecht und Magd am Zaun
Gelegenheit; und nicht wie Brautgesellen
Den Trost, ein heimlich Scheiden zu bestellen:
Wo aller Augen wartend auf uns schaun,
5 Soll dieses Schwert durch unsre Seele haun:
Kein Baum, den zwanzig an der Wurzel fällen,
Stirbt allgemein besudelter im Grellen:
Nur noch verachten gilt, und sich vertraun,

Und, wie Ermordete im alten Stück
10 Noch schwatzen, vorwärts du und ich zurück,
Im Griff das schwarze Eingeweide tragend,
Fortsteigen, gleichen Fußes und Gesichts;
Und erst wo keins mehr zusieht, in das Nichts
Quer treten, ohne Laut vornüberschlagend.

Abdruck nach: Rudolf Borchardts Schriften. Jugendgedichte. Berlin: Ernst Rowohlt, 1920. S. 71.
Erstdruck: Rudolf Borchardts Jugendgedichte. Leipzig 1913. [Privatdruck im Auftrage von Alfred Walter Heymel.]
Weiterer wichtiger Druck: Rudolf Borchardt: Gesammelte Werke in Einzelbänden. 8 Bde. Stuttgart: Klett, 1955–62. [Bd. 3:] Gedichte. 1957.

Ernst Osterkamp

Die Kraft der Form. Rudolf Borchardts Sonett *Abschied*

Das Sonett *Abschied* gehört nicht nur im äußeren Sinn den Borchardtschen *Jugendgedichten* an. Erst spät und nur auf Drängen seiner Freunde hat Rudolf Borchardt sich entschließen können, die überaus reiche lyrische Produktion seiner Jugendjahre noch einmal durchzumustern, zu ordnen und dann in Druck zu geben. Auch dies freilich geschieht nicht für eine literarische Öffentlichkeit, die bis dahin von dem Lyriker Borchardt ohnehin nichts oder nur sehr wenig wußte: 1901/02 hatte er Gedichte in der exklusiven Zeitschrift *Die Insel* erscheinen lassen, weniges war in Almanachen publiziert, und 1909 erschienen noch zwei Gedichte in dem von Hofmannsthal, Schröder und Borchardt gemeinsam herausgegebenen Jahrbuch *Hesperus* – nicht genug also, als daß Borchardt als Lyriker öffentlichen Kontur hätte gewinnen können. Der Druck der *Jugendgedichte*, veranstaltet im Auftrag von Alfred Walter Heymel, geschieht erst im Jahre 1913, nicht aber fürs anonyme Publikum, sondern in einer Anzahl von 100 Exemplaren als Freundesgabe zu Rudolf Alexander Schröders 35. Geburtstag. Es ist dies in doppeltem Sinne eine Zeit des Abschieds: für Borchardt, der nun fast 36 Jahre alt ist und seine Jugend endgültig hinter sich weiß, für die Epoche, die ein Jahr später in den Feuern des Ersten Weltkriegs zusammenbricht. Erst nach dem Krieg, als Borchardt für den Ernst Rowohlt Verlag die Sammlung seiner Schriften unternimmt, läßt er als deren ersten Band die *Jugendgedichte*, nur geringfügig überarbeitet, öffentlich erscheinen: Im Jahre 1920 ist ihm das Werk wie die Epoche, der es entstammt, historisch geworden.
Dem außerordentlichen Formenreichtum der *Jugendgedichte* entspricht deren thematische Vielfalt. Dennoch lassen sich in Thema und Form rasch Dominanzen erkennen: Den

Kernbereich der *Jugendgedichte* bildet die Liebeslyrik, nicht aber als Lobpreis erfüllter, sondern als Gestaltung bedrohter oder verhinderter Liebe. Das erotische Gedicht verwirklicht sich bei Borchardt in einer Vielzahl souverän gehandhabter Formen: als Ballade, Sestine, Elegie, Lied oder gar Tagelied. Mehr als den dritten Teil aber der *Jugendgedichte* nehmen deren Sonette ein. Nichts setzt die Borchardtsche Lyrik so sehr dem Verdacht aus wie gerade dieser Befund: Denn die Dominanz des Sonetts scheint den Vorwurf klassizistischer Formspielerei, der Borchardt im Gefolge seiner Auseinandersetzung mit der George-Schule immer wieder getroffen hat, schon vorab zu bestätigen, wie sie andererseits seine Verse als Ausdruck nicht künstlerischer Subjektivität, sondern modischer Artistik zu exponieren droht. Gerade in Neuromantik und Jugendstil erlebte ja das Sonett eine große Neublüte: mit der Georgeschen Formstrenge, mit Hofmannsthals Sonettenkunst, schließlich nach viel leerem Ornament und hohlem Klingklang mit Rilke, dessen Sonette aber schon mehr die Auflösung der Form als deren Erfüllung dokumentieren. Der Expressionismus, in den der Jugendstil mündet, übernimmt dann konsequent von diesem die Vorliebe fürs Sonett, um die von der Mode ausgehöhlte Form mit der ganzen Intensität seines Pathos neu auszufüllen. In diesen Jahren aber schreibt Borchardt schon längst keine Sonette mehr, und selbst zu der Zeit, als die Form ihre letzte Blüte erlebt, in der Inneren und Äußeren Emigration während des Dritten Reichs, hat er sich ihr konsequent verschlossen. Tatsächlich steht Borchardts letztes Sonett schon in den *Jugendgedichten*; es trägt den Titel *Abschied vom Sonett* und begründet mit zeitkritischer Intention und hohem subjektiven Anspruch die weitere Unmöglichkeit der Form:

[...] es ist aus. Musik und Qual
Der großen Zeiten ward dir vollgemessen:
Ich gieße nichts Gemeinres in das Maß,
Draus ich die Minne trank: was ich besessen
Ward in dir ewig: Götter, nehmt das Glas.

Es ist in diesem Sonett, das in sich die Selbstreflexion der Form bis zu ihrer eigenen Selbstaufhebung vollzieht, zu Sprache geworden, was Borchardt an ihr faszinierte: die Durchdringung von Sprachmusik und Gefühlsintensität, ihre Prädisposition fürs Erotische, die Möglichkeit, das Allerephemerste und nirgends Anschaubare, das Gefühl in der Reinheit des Augenblicks, in der Form für alle Ewigkeit anschaubar werden zu lassen, die Bewährung schließlich vor einer großen Tradition. Borchardt ist zwar konsequenter Traditionalist, jedoch in seinem Denken über die Aneignung Herders und Hegels geschichtsphilosophisch geschult; er steht deshalb den Formen niemals naiv gegenüber. Deren historische Begründung ist von ihm bei ihrer poetischen Erfüllung stets mitgedacht, so daß die Form zwar gegen die eigene Zeit zitiert zu werden vermag, nicht aber beliebig einem neuen historischen Inhalt sich preisgibt. ›Minne‹ ist ihr Gehalt. Dies ist wörtlich zu nehmen: Borchardt verfällt hier nicht voluntativer Archaisierung, sondern fordert fürs Sonett als seinen Gegenstand tatsächlich die hohe Liebe statt der niederen, die durchglühte Verehrung statt der Liebeserfüllung, die ideale Gestalt der Geliebten statt der leiblichen. Dies ist nur für denjenigen eine doktrinäre Verengung der Möglichkeiten des Sonetts, der nicht wie Borchardt jede Form von ihrem Ursprung her denkt. Die thematische Willkür in der Geschichte des Sonetts seit dem Barock konnte für ihn nur Verwilderung sein; die unverfälschte Idee des Sonetts aber besaß er in seinen provenzalischen Quellen, in den am staufischen Kaiserhof entstandenen ersten Sonetten, vor allem aber in Dantes *Vita nova*, die er wie die provenzalische Poesie übersetzt hat. Borchardt zielt deshalb nicht auf die artistische Überbietung seiner Zeitgenossen, sondern auf die Restitution der Form durch die Rückbindung an deren Ursprung. Seine Sonette sind mithin nicht Einstimmung in die Mode, sondern in sich Kritik an der Mode, die geschichtslos als leere Form nimmt, was in Borchardts historischer Perspektive als Ausdruck einer Idee erscheint. Sein Abschied von der Form kann damit nur

meinen, daß diese Idee in der historischen Realität ihr Recht nicht mehr findet, daß die aktuelle Wirklichkeit vor der Idee versagt. Die Unmöglichkeit des Sonetts ist die Unmöglichkeit der hohen Liebe als einer sozialen Idee.
Hinter diesem Befund freilich verbergen sich allerprivateste Erfahrungen. Wie die Mehrzahl der Borchardtschen Sonette einer großen Liebe entsprang, so erfolgt der Abschied vom Sonett aus dem Ende dieser Liebe. Nach einer schweren Krankheit hält Borchardt sich vom April bis zum Oktober 1901 in Bad Nassau bei Bad Ems zur Kur auf. Er lernt dort die junge Margarete Ruer kennen, verliebt sich in sie, schreibt ihr in langen Monaten der Trennung große Briefe und schickt zahlreiche Gedichte, hält schließlich von Wien aus um ihre Hand an. Damit bricht die Beziehung ab. Bei aller Gefühlsintensität der Briefe und Gedichte nun bemerkt deren Leser rasch Spuren eines Abstraktionsprozesses: In dem äußersten rhetorischen Raffinement seiner Briefe präsentiert zwar Borchardt sich in ganzer Gestalt, Margarete Ruer aber erscheint allenfalls in der schemenhaften Blässe einer idealen Frau, mehr noch: einer idealen Adressatin. In dem Umstand, daß Borchardt die geliebte Frau mit ihrem richtigen Namen zu nennen sich weigert, sondern sie immer nur mit dem idealen Namen Vivian bedenkt, gelangt diese Abstraktion vollkommen zum Ausdruck: Nicht, was Margarete Ruer ist, sondern was sie *für ihn* ist, wird erfahren und gestaltet. Die literarischen Stilisierungen in den Briefen und Gedichten aufs Ideal hin aber sind nicht einfach preziös oder gar prätentiös, sondern zielen auf die Verwandlung der Kaufmannskinder ins hohe Paar, auf die Umdeutung der zufälligen Begegnung in die hohe Notwendigkeit des Füreinanderbestimmtseins, auf die Überhöhung einer bürgerlichen Liebesbeziehung, deren es viele gibt, zur aristokratisch geprägten, in der Vollendung der Form den Zufall überwindenden hohen Liebe, wie sie die Dichtung der Provenzalen nicht anders als die Dantes gestaltete. Aus der Abstraktion auf dies Ideal hin bezieht die Borchardtsche Liebeslyrik ihr Pathos, aus der Kollision aber dieses Ideals mit der eigenen

Gefühlsrealität und der gegenwärtigen Lebenspraxis, die ja nie unterdrückt werden, gewinnt sie ihre Wahrheit. Die in Form und Gehalt als Ideal, das Tradition fortsetzt, intendierten Gebilde sind gerade deshalb Kritik an der eigenen Zeit, weil jeder Zeile die Spur der Anstrengung, mit der das tradierte Ideal gegen die Gegenwart behauptet wird, eingezeichnet bleibt. Am Sonett *Abschied* ist dies mit besonderer Deutlichkeit abzulesen. In den *Jugendgedichten* nimmt es die zweitletzte Stelle innerhalb der unter der Überschrift *Ave atque vale* versammelten 16 Gedichte ein. Über sie schreibt Borchardt am 28. April 1920 an Margarete Ruer, als er ihr die öffentliche Ausgabe der *Jugendgedichte* schickt: »Mögen Sie sich alles, was unter den Worten ave atque vale – dem Willkomm-Abschiedsworte auf den Gräbern Roms – gesammelt ist, zueignen, und mehr als blos das« (S. 452). Im Privatdruck der *Jugendgedichte* von 1913, der noch sämtliche Entstehungsdaten nennt, wird das Sonett auf den »Juni 1901« datiert; der biographische Hintergrund seiner Entstehung ist also geklärt. Sein Titel *Abschied* nimmt zudem das »Vale« aus der Titulatur der Gedichtgruppe wieder auf, in deren Anordnung die aufsteigende und rasch abfallende Kurve dieser Liebe sich spiegelt.

Formal ist das Sonett von äußerster Strenge: Borchardt hält sich an das seit dem Ende des Barock in der deutschen Literatur übliche Versmaß des Sonetts, den fünffüßigen Jambus; damit ist auch der isometrische Bau des Gedichtes gesichert. Die beiden Quartette sind in umschlingender Reimform geordnet; durch die Reimordnung der Terzette ccdeed findet das Sonett zu völliger formaler Geschlossenheit, weil die Reimumschlingung der Quartette zum Schluß wiederaufgenommen wird. Borchardt gewinnt durch diese Reimordnung drei Quartette, wobei dem umschlingenden Prinzip der Wechsel des Reimgeschlechts genau entspricht: In den ersten beiden Quartetten wird jeweils ein weiblicher Paarreim vom männlichen Reim gleichsam umarmt, während im Schlußquartett der weibliche Reim den männlichen Paarreim umschließt. Diese Formprinzipien sind Bedeutungsträger: Die auf Symmetrie zielende Reimordnung der Quartette und der vier Schlußverse, die den Bau der Quartette wiederaufnehmen, spiegelt in sich die Endgültigkeit und Abgeschlossenheit des Gestalteten, während durch das wechselnde Reimgeschlecht die Form jenes Ineinander von Männlichem und Weiblichem evoziert, dessen Verhinderung und Unmöglichkeit gerade das Thema des Sonetts bildet. Die Verhinderung erfüllter Liebe wird von der Form widerrufen, die ihren Resistenzcharakter und ihre Widerständigkeit angesichts der ausgesetzten und preisgegebenen Emotion bewährt: Die Form erfüllt, was außerhalb ihrer nicht mehr möglich scheint.

Was der Titel *Abschied* meint, läßt sich erst nach der Deutung des Gedichttextes ganz benennen; die Situation der Trennung, auf die er anspielt, bleibt vorerst unspezifiziert. Der Text des Sonettes selbst entfaltet sich als eine sprachliche Tour de force: Ein einziger gewaltiger Satz füllt das strenge Reimschema aus, so daß die Trennung zwischen Quartetten und Terzetten, die für das Sonett doch konstitutiv ist, auch syntaktisch eingeebnet erscheint. Doch trügt dieser Eindruck: Während die Quartette auf drei negativen Vergleichen (1: »nicht wie Knecht und Magd«, 2: »nicht wie Brautgesellen«, 6: »Kein Baum«) aufgebaut sind, bestehen die Terzette aus einem einzigen groß angelegten positiven Vergleich (9: »wie Ermordete«). Mit anderen Worten: während die Quartette in negativer Situationscharakteristik der Erfassung des Trennungsaugenblicks sich erst annähern, gelangt das Sonett in der Wendung der Terzette zu seiner concettistischen Erfüllung. Tatsächlich entfaltet sich der Gehalt des Sonetts in der Abfolge seiner Vergleiche; die eigentliche, nichtbildliche Zustandsbeschreibung beschränkt sich auf einen einzigen Vers am Ende des ersten Quartetts: »Wo aller Augen wartend auf uns schaun«. Dem entspricht am Ende des zweiten Quartetts als Reaktion auf die Trennung unter den Bedingungen öffentlicher Aufmerksamkeit die nichtmetaphorische Benennung intendierter Affektkontrolle: »Nur noch verachten gilt, und sich vertraun«. Das

Sonett beläßt damit Ort, Zeit, Ursachen, Bedingungen, Zuschauer und Beteiligte dieses Abschieds völlig im Unentschiedenen; jegliche sinnliche Konkretion des Situativen wird zugunsten einer Beschränkung auf das Wesentliche des Vorgangs vermieden: Ein heimliches Paar trennt sich öffentlich, so daß ein Eingeständnis der Gefühle unmöglich ist. Das Selbstverständnis des Paares, seine Ausgrenzung aus einer Öffentlichkeit und der Versuch einer Gefühlsbewältigung aber vermitteln sich erst in der Bildstruktur des Sonetts: in der Abfolge der Vergleiche.

Bereits der erste Vers exponiert die Grundsituation des Sonetts in aller Schärfe: »Wir haben nicht wie Knecht und Magd am Zaun / Gelegenheit«. Zwar verbleiben die Abschiednehmenden im ganzen Gedicht in der Anonymität der Personalpronomina (»wir«, »uns«, »unsre«, »du und ich«), doch konkretisieren sie sich schon über diesen ersten negativen Vergleich zu Liebenden, mehr noch: zum hohen Paar. Entschieden gewinnt bereits hier die Privatheit des Trennungsschmerzes eine soziale Dimension: Die Not der Gefühlstarnung wird erfahren als Preis für gesellschaftliche Hochrangigkeit. Dies Paar weiß sich ständisch verankert, grenzt sich nach unten ab und bezahlt dafür mit äußerster Affektkontrolle. Die Rigidität ständischen Ordnungsdenkens, die für Borchardt so bezeichnend ist, verlangt auf der Ebene des Affekts einen Rigorismus der Gefühlsordnung, der in der Faszination wie in der Ächtung der Triebhaftigkeit, die wie herkömmlich den niederen Ständen zugeschrieben wird, sein negatives Korrelat hat. Die Intensität des Gefühls fügt sich der gesellschaftlichen Form, während die Entgrenzung durch den Affekt allenfalls »Knecht und Magd« noch gestattet ist. Immerhin schlägt Borchardts ständische Intransigenz auch noch zwischen sie einen »Zaun« und bewährt die Ordnung darin, daß bei ihnen der erotische Affekt zwar gezeigt, aber doch nicht erfüllt werden darf. Die »Gelegenheit« als Occasio, als günstige Gelegenheit, aber ist dem hohen Paar jenseits aller situativen Notwendigkeit grundsätzlich nicht gegeben, weil es, wie der einleitend

angeschlagene soziale Grundton zeigt, die gesellschaftliche Form in sich selbst bewahrt. Die Einpanzerung des Affekts ist Folge der Identifikation mit einer erstarrten Ständeordnung, in deren hohen Rängen das Paar sich weiß. Das gefühlsmäßige Überspielen der Form, die öffentliche Präsentation des erotischen Affekts wäre damit nichts anderes als ein Angriff auf die soziale Gliederung, der jeder einzelne sich und seine Gefühle einzufügen hat.
Der zweite Vergleich spielt aus der sozialen in die private Dimension hinüber: Das hohe Paar erweist sich als heimliches Paar. Nichts sagt das Sonett darüber, warum die Liebenden nicht zueinander kommen können, ob elterliche Verbote hier wirksam sind oder einer der beiden schon gebunden ist; es sagt nur, daß kein Verlöbnis sie verbindet und damit dem Gefühl noch der geringste Freiraum öffentlicher Duldung, die bescheidenen Heimlichkeiten des Verlöbnisses in der Erwartung ehelicher Erfüllung, grundsätzlich verwehrt ist. (Borchardts Neologismus »Brautgesellen« transponiert hier das mittelhochdeutsche Wort »êgeselle«, das Gatte bedeutet, auf die Situation von Verlobten und stellt schon dadurch ihr Verhältnis ganz unter das Zeichen künftiger Ehe.) Damit verschärft sich die Situation der Liebenden zur Trostlosigkeit (»nicht [...] / Den Trost«): Ihr sozialer Rang verpflichtet sie auf die Einbindung ihrer Gefühle in die Form, und der Gefühlsraum, den die Form freiläßt: Verlöbnis und Ehe, kann von ihnen nicht betreten werden. Dabei zielt das Sonett ausdrücklich nicht auf die Erfüllung des Gefühls im Beieinandersein, sondern nur auf die Möglichkeit, es im Auseinandergehen zeigen zu dürfen. In einer Situation äußerster sozialer Kontrolle, in der das hohe Paar für den Augenblick des Abschieds ganz in den Mittelpunkt universal überwachender Aufmerksamkeit gestellt ist, wobei die umgebenden Menschen völlig auf Organe der Beobachtung reduziert sind (4: »aller Augen«), in einer solchen Situation ist nur äußerste Heimlichkeit möglich: »wartend« (4) meint ja nicht nur das Erwarten des Abschieds, sondern das prüfende Abwarten, ob sich eine

Gefühlsreaktion verraten werde. Es gehört aber zu der Dialektik dieses Augenblicks, daß der Mechanismus universaler Überwachung, der die beiden nicht zueinanderkommen lassen soll, sie als Paar nur bestätigt: Vor den Augen aller konstituiert sich ein »uns«; die gemeinsame Blickrichtung fixiert ein Paar, wo ein Paar doch gerade nicht sein darf. Dies bestätigt sich an der nahezu archaischen Metapher, die Borchardt für den Trennungsvorgang findet: »Soll dieses Schwert durch unsre Seele haun« (5). Im verheimlichten Abschiedsschmerz wird »unsre Seele« erst ganz erfahren; das getrennte Innere der Liebenden schmilzt unter der Not des äußeren Zwangs zu *einem* Seelenganzen zusammen. Die Vereinigung der Liebenden wird so in äußerster Heimlichkeit *und* im Angesicht der Öffentlichkeit gerade durch ihre Trennung bewirkt, ein dialektischer Vorgang durch und durch, der aber die rigide Trennung des Inneren vom Äußeren zu seiner Voraussetzung hat.
Der Zwang jedoch (»dieses Schwert«), den die vielen dem hohen Paar antun, fällt auf diese als Verachtung zurück. Durchgängig entwirklicht sich in Borchardts Sonett die Außenwelt ins Gesichtslose, Kollektive (4: »aller«, 6: »zwanzig«) und Sächliche (13: »keins«). Aus dieser allgemeinen Anonymität gipfelt sich das hohe Paar auf und wird doch von ihr zu Fall gebracht. Borchardt hält dies in seinem dritten Vergleich fest:

Kein Baum, den zwanzig an der Wurzel fällen,
Stirbt allgemein besudelter im Grellen (6 f.).

Die Konnotationen, die die Liebe des hohen Paares durch diesen Vergleich gewinnt, sind überdeutlich: ihre Vereinzelung, ja Einzigartigkeit, ihre Größe, ihre Aufrichtigkeit, ihre organische Einheit und ihr Elementares. Nicht weniger deutlich sind die Zuordnungen, die sich die umgebende Gesellschaft gefallen lassen muß: Mediokrität, Tödlichkeit, Schmutz und Schamlosigkeit. Dieser Vergleich funktioniert gerade in der Rücksichtslosigkeit seiner Gegensatzbildung überaus widersprüchlich: Denn einerseits ächtet er die Form

des sozialen Verhaltens, der die Liebenden sich fügen, als unnatürlich und zwanghaft, andererseits aber entwickelt er die Prominenz des hohen Paares gerade aus den Zwängen der Konvention, denen es in jeder Hinsicht gehorcht. Die Verachtung trifft damit implizit auch das eigene Verhalten. Der Widerspruch zwischen der erkannten Widersinnigkeit, ja Schändlichkeit der geforderten Normen für das Paar und der Unfähigkeit, sie im eigenen Verhalten zu überwinden, bleibt unaufgelöst. Er wird verlagert in eine menschliche Zerteilung: Im Äußeren wird die Form vollendet eingehalten, während das Innere unter dem Affektsturm zerbricht. Es ist aber das Selbstvertrauen, mit dessen Evokation die Quartette abschließen, ganz eine Funktion jenes formgerechten Verhaltens, das die Verheerungen der Gefühlswelt allererst herbeiführt. Der Widerspruch zwischen der normativ geprägten Außenwelt, der beobachtenden Gesellschaft, und dem die Konventionen überwindenden Eigenleben subjektiver Affekte wird damit in die Körpergrenzen der Liebenden selbst übertragen: Sie betreiben Selbstbeobachtung. Nicht nur die anderen schauen ihnen zu, sondern sie selbst schauen sich als anderen zu. So wird anders wohl, als Borchardt es gemeint hat, hinter der Zerstörung, der Konvention und gesellschaftliche Form den Affekt ausliefern, die Selbstzerstörung dessen erkennbar, der bis in Körperhaltung und Gesichtsausdruck sich von der Norm bestimmen läßt und sein Gefühl ihr unterwirft. Die Selbstzerteilung wird in einem Akt der Identifikation mit dem Aggressor vollkommen: Es siegt die Form, der Affekt aber drängt von innen gegen die Panzerung.
Erst in dem Schlußvergleich von elisabethanischer Krudelität – auf die der Hinweis auf das »alte Stück« (9) unzweifelhaft zielt – bricht der Konflikt ganz aus und wird zugleich seine artistische Lösung begründet. Er ist vorbereitet durch den ersten Vers des zweiten Quartetts: Der Hieb des »Schwertes« ist nun zwischen die Liebenden gefallen, sie trennen sich formvollendet, tauschen nach den Gesetzen höflicher Konversation Abschiedsfloskeln aus (10: »schwat-

zen«), indes der Schlag doch unverwindbar war (9: »Ermordete«), und brechen außerhalb des Bannkreises der Gesellschaft zusammen. In der Schlußwendung »ohne Laut vornüberschlagend« ist zudem der Vergleich mit dem gefällten »Baum« wiederaufgenommen. – Prägend für den Schlußvergleich nun ist eine metaphorische Inkonsequenz: Während die Quartette gerade auf der absoluten Tarnung des Inneren, des Affektbereichs, beruhen, bricht die Innenwelt in den Terzetten ununterdrückbar hervor. Das mühsam eingedämmte Innere tritt förmlich nach außen, ja es wird von dem Getroffenen anschaubar vor sich hergetragen: »Im Griff das schwarze Eingeweide tragend« (11). Das »schwarze Eingeweide« bezeichnet in der Tradition von Antike und Renaissance die Melancholie, also die aussichts- und zukunftslose Affektlage unüberwindbarer Betrübnis. Was Borchardt mit diesem gewaltigen Bild bezeichnen will, ist eindeutig: die übermenschliche Kraftanstrengung, die die Aufrechterhaltung der Contenance verlangt, und damit die Gewalt des Gefühls, der die Liebenden jenseits der Öffentlichkeit erliegen. Darin geht das Bild aber nicht auf. Die in den Quartetten festgestellte Ambivalenz, die Identifikation mit der gesellschaftlichen Form, die doch das Gefühl verdeckt und sein Leben verhindert, gelangt in den Schlußversen erst ganz zum Austrag: Denn hier, »wo keins mehr zusieht«, wo also die Mechanismen sozialer Affektkontrolle und die Gefühlseinpanzerung über formgerechtes Verhalten nicht mehr greifen, erfolgt die Überantwortung ans Gefühl als Absturz ins »Nichts« (13). Das Substantiv »das Nichts« kommt sonst nirgends in Borchardts Lyrik vor und ist gerade deshalb wörtlich zu nehmen: Außerhalb der Sphäre der Gesellschaftlichkeit, wo Haltung nicht mehr gefordert ist (»wo keins mehr zusieht«), liegt das »Nichts«. Die Aufgabe der Haltung, die Selbstüberantwortung an den Affekt und der Absturz ins »Nichts« also sind identisch. Dies aber heißt: Die Form dämmt den Affekt ein und rettet gerade dadurch den Liebenden; sie schützt ihn vor der Zerschlagung seiner Körpergrenzen durch den Gefühlssturm und damit vor dem

Selbstverlust im »Nichts«. Denn »Abschied« heißt ja mehr als nur Trennung, heißt im Sinne des Vergleichs Tod (Verscheiden) und im Sinne seines Gehalts Selbstaufgabe. Das Sonett darf deshalb nicht allein als eine Anklage gegen die gefühlszerstörerische Normativität gesellschaftlicher Affektkontrolle gelesen werden, es ist in gleichem Maße Warnung vor der Persönlichkeitszerstörung durch den freigelassenen Affekt. So wird der soziale Rigorismus der Eingangsverse durch den Gefühlsanarchismus des Schlusses nicht aufgehoben, sondern allenfalls aufgewogen, ja eigentlich erst begründet: Die Einbindung der überbordenden Emotion ins Soziale ist Schutz. Freilich bezeichnet das Sonett gerade durch seine unüberwindbare Trennung des Sozialen vom Allerprivatesten den Preis, den die Persönlichkeit für diesen Schutz zahlt: den ins einzelne Individuum verlagerten Widerspruch zwischen den Bedürfnissen und Imperativen des Gefühls und einer über vorgezeichnete Normen sich stabilisierenden Außenhaut, das empfindliche und immer wieder gestörte Gleichgewicht zwischen Affekt und Form.

Das empfindliche Widerspiel zwischen einer jedem subjektiven Eingriff entzogenen Form und einer nur noch in der Starre dieser Form zu bewältigenden Emotion aber ist das Strukturprinzip des Sonetts von seinem Ursprung her. Dies noch reflektiert der Schlußvergleich in äußerster Präzision. Was oben als metaphorische Inkonsequenz bemerkt wurde, beweist als Selbstreflexion der Form seine äußerste Konsequenz. Denn was dem Dichter außerhalb des Sonetts verwehrt ist, zwingt in ihrem Inneren die Form herbei: »das schwarze Eingeweide« aus sich herauszubringen, die ganze Not und das ganze Glück des Affekts anschaubar zu machen, indem der Dichter es in den »Griff« nimmt. Im Sonett kann der Affekt in seiner ganzen Größe gelebt und erlitten, gezeigt und bewältigt werden. Die Kraft hierzu kommt dem Dichter von der Form selbst: Denn wo er vor der Gewalt des Gefühls zusammenzubrechen droht, bleibt das Sonett immer »gleichen Fußes und Gesichts« (12): Isometrie, Reimschema, Strophenbau. Der Gleichmut der bewährten Form sichert vor dem Absturz ins »Nichts«, und erst, wo das Sonett sein Ende findet, Sprache den Schmerz nicht mehr gestaltet, in der Form die Not nicht mehr Ausdruck wird und Gestalt findet, bricht der Leidende zusammen: »ohne Laut vornüberschlagend«. Dies ist bei Dante nicht anders als bei Petrarca, nur beweist sich Borchardts Modernität darin, daß die transzendentale Trennung von der Liebeserfüllung ersetzt ist durch gesellschaftliche Barrieren, die noch die einzelne Persönlichkeit durchschneiden.

Zitierte Literatur: Rudolf BORCHARDT: Briefe an Vivian. In: Die Neue Rundschau 71 (1960) S. 414–452.
Weitere Literatur: Theodor W. ADORNO: Die beschworene Sprache. Zur Lyrik Rudolf Borchardts. In: Th. W. A.: Gesammelte Schriften. Bd. 11: Noten zur Literatur. Frankfurt a. M. 1974. S. 536–555. – Werner KRAFT: Rudolf Borchardt. Welt aus Poesie und Geschichte. Hamburg 1961.

Rainer Maria Rilke

Sei allem Abschied voran, als wäre er hinter
dir, wie der Winter, der eben geht.
Denn unter Wintern ist einer so endlos Winter,
daß, überwinternd, dein Herz überhaupt übersteht.

5 Sei immer tot in Eurydike –, singender steige,
preisender steige zurück in den reinen Bezug.
Hier, unter Schwindenden, sei, im Reiche der Neige,
sei ein klingendes Glas, das sich im Klang schon zerschlug.

Sei – und wisse zugleich des Nicht-Seins Bedingung,
10 den unendlichen Grund deiner innigen Schwingung,
daß du sie völlig vollziehst dieses einzige Mal.

Zu dem gebrauchten sowohl, wie zum dumpfen und
stummen
Vorrat der vollen Natur, den unsäglichen Summen,
zähle dich jubelnd hinzu und vernichte die Zahl.

Abdruck nach: Rainer Maria Rilke: Sämtliche Werke. 6 Bde. Hrsg. vom Rilke-Archiv in Verb. mit Ruth Sieber-Rilke. Bes. durch Ernst Zinn. Frankfurt a. M.: Insel, 1955–66. Bd. 1. 1955. S. 759 f.
Erstdruck: Rainer Maria Rilke: Die Sonette an Orpheus. Leipzig: Insel, 1923.
Weiterer wichtiger Druck: Rainer Maria Rilke: Sämtliche Werke. Werkausg. in 12 Bdn. Hrsg. vom Rilke-Archiv in Verb. mit Ruth Sieber-Rilke. Bes. durch Ernst Zinn. Frankfurt a. M.: Insel, 1975. Bd. 2.

Peter Sprengel

Orphische Dialektik. Zu Rilkes Sonett *Sei allem Abschied voran* (*Sonette an Orpheus* II,13)

Im Februar 1922 entstehen in dichter Folge, fast gleichzeitig mit dem Abschluß der *Duineser Elegien*, die beiden Reihen der *Sonette an Orpheus*. Wie das vorangehende 12. (»Wolle die Wandlung ...«) und das nachfolgende 14. (»Siehe die Blumen ...«) setzt auch das 13. des zweiten Teils mit einem Imperativ ein: »Sei allem Abschied voran«. Abwandlungen dieses Imperativs markieren den Anschluß des zweiten Quartetts und den Übergang zu den Terzetten. Die imperativische Form bleibt bis zum Schluß bestimmend. Nicht zuletzt dieser befehlsartigen Zuspitzung verdankt das Gedicht sein apodiktisches Gepräge, den Anschein letztwilliger Gültigkeit, wie sie Rilke selbst diesem »mir, im ganzen Zusammenhang, nahesten und, am Ende, überhaupt gültigsten« der Orpheus-Sonette zugesprochen hat (an Gertrud Ouckama Knoop, 18. März 1922).

Worin besteht das »mächtige Geheiß« (Mörchen, S. 295) dieses Sonetts? Schon die erste Strophe lehrt, daß die Botschaft des Gedichts, wenn es denn eine hat, nicht in konkreter Inhaltlichkeit, sondern in einer spezifischen Form der Verallgemeinerung und einer dialektischen Struktur zu suchen ist, die zunächst als Paradoxie erscheint. Wie kann man einem Abschied voran sein, als wäre er hinter einem, wie läßt sich ein Winter überwintern, der endlos ist? Das alltagssprachliche Verständnis von Vergangenheit, Zukunft und zeitlicher Dauer ist hier wie im folgenden – etwa im befremdlichen Präteritum »zerschlug« (8) – außer Kraft gesetzt. Dem artistischen Spiel mit »Winter« – das Wort begegnet in drei Zeilen viermal, davon dreimal an der gleichen Stelle des Verses (derselben, an der in Zeile 1 »Abschied« steht) – korrespondiert antithetisch die dreifache Nennung von »über«. Die Überwindung, deren Begriff

in der Reihe »überwinternd« – »überhaupt« – »übersteht« anklingt, gilt einer Erfahrung, die mit den Bildern der Trennung und der Kälte erst vorläufig, übrigens vergleichsweise konventionell umschrieben ist. Daß die Erfahrung des Todes gemeint ist, macht nach der Wendung vom »endlosen Winter« ein sehr präzis eingesetztes Selbstzitat deutlich. Das Ende des ersten Quartetts bezieht sich direkt auf die berühmte Formel, mit der Rilkes *Requiem für Wolf Graf von Kalckreuth* schließt: »Wer spricht von Siegen? Überstehn ist alles.«
Der ganze Zyklus der *Sonette an Orpheus* ist ja – als »Grab-Mal für Wera Ouckama Knoop« – ein Requiem und als solches vergleichbar den Requiem-Dichtungen, die Rilke 1908 und 1915 Kalckreuth, Paula Modersohn-Becker und dem achtjährigen Peter Jaffé gewidmet hat. Damals stand die Individualität des Toten und die Klage um seinen frühen Weggang im Vordergrund – sie konnte sich bis zur Anklage steigern wie im Falle Paula Modersohn-Beckers. Jetzt bietet die Lektüre der Aufzeichnungen, die Gertrud Ouckama Knoop vom Sterben ihrer achtzehnjährigen Tochter angefertigt hat, dem Dichter nicht viel mehr als die freilich entscheidende Anregung zur Formulierung einer »lyrischen Summe«, die kaum dem Tod als solchem gilt, ihn eher als Chiffre eines nicht anders deutbaren Lebensgeheimnisses benutzt. Die todgeweihte Gestalt der jungen Tänzerin ist im Rahmen des Sonettzyklus nicht mehr als ein immerhin tragendes Motiv unter anderen. Ins Zentrum des symbolischen Feldes rückt – als Inbegriff des Dichters – der mythische Sänger Orpheus. Natürlich nicht zuletzt wegen seiner Teilhabe an der Sphäre des Todes, als Vertreter des »Doppelbereichs«, wie Sonett I,9 formuliert. Aber erst gegen Mitte der zweiten Sonettreihe, die übrigens nur sparsam vom Orpheus-Mythos Gebrauch macht, wird jene Episode aktualisiert, die der Auffassung des Sängers als Mittler zwischen den Reichen eigentlich zugrunde liegt: Orpheus' scheiternder Versuch der Rückholung Eurydikes, der toten Geliebten, aus dem Hades.

Die Aktualisierung erfolgt eben – und nur – zu Anfang des zweiten Quartetts: »Sei immer tot in Eurydike«. Die unvermittelte Nennung des mythischen Namens ordnet das Gedicht, das als solches wohl für sich stehen könnte, programmatisch dem Zyklus ein und einer Tradition der Mythenrezeption zu, die auch in Rilkes früherem Werk ihre Spuren hinterlassen hat. Die beiden ersten Verse des zweiten Quartetts lesen sich wie eine Korrektur der Haltung, die das große Gedicht *Orpheus. Eurydike. Hermes* (1904) dem Sänger des Mythos zuweist. Seine Ungeduld zum Leben, so sieht es damals Rilke, sein egoistischer Besitzanspruch verfehlen die spezifische Qualität von Eurydikes Tot-Sein, das gleich zweifach auf Kunst verweist: als Voraussetzung für die Welt-Schöpfung in Orpheus' Klage und als Analogie zum In-sich-Ruhen des Kunstwerks. Das späte Sonett greift diese bis in die Romantik zurückreichende Annäherung von Unterwelt/Tod und Kunstwelt auf. Sein Orpheus – ist er Angeredeter oder Sprecher des Gedichts? – wird zum Exempel einer genuin künstlerischen Haltung, die den Tod »in Eurydike« auf sich nimmt (der kühne Ausdruck knüpft an das Paulinische »in Christo« an), die durch den Tod geschaffene Distanz als Voraussetzung jenes »reinen Bezugs« erkennt, der für Rilke – im Gegensatz zum geschmähten Besitz – dichterische Produktion (»Singen«, »Preisen«) allererst ermöglicht.
Schon einmal hat Rilke seine Auffassung von Dichtung im Bild des Orpheus-Mythos artikuliert und mit den von diesem unabtrennbaren Begriffen des Abschieds und des Todes verbunden: in der Huldigung *An Hölderlin* (1914).

Dir, du Herrlicher, war, dir war, du Beschwörer, ein ganzes
Leben das dringende Bild, wenn du es aussprachst,
die Zeile schloß sich wie Schicksal, ein Tod war
selbst in der lindesten, und du betratest ihn; aber
der vorgehende Gott führte dich drüben hervor.

O du wandelnder Geist, du wandelndster! Wie sie doch alle
wohnen im warmen Gedicht, häuslich, und lang

bleiben im schmalen Vergleich. Teilnehmende. Du nur
ziehst wie der Mond. Und unten hellt und verdunkelt
deine nächtliche sich, die heilig erschrockene Landschaft,
die du in Abschieden fühlst. [...]

An Hölderlin und die in der Geschichte der deutschen Lyrik nächst Klopstock vor allem durch ihn vertretene hymnische Tradition gemahnt das vorliegende Gedicht ja auch in der Forderung nach »Preis« (6) und »Jubel« (14), darüber hinaus in der Höhe seiner Diktion und dem daktylischen Metrum, das es übrigens mit vielen anderen der *Sonette an Orpheus* und einem Großteil der *Duineser Elegien* gemein hat. Rilkesche Prägungen wie die Komparative »singender«, »preisender«, aber auch die an sie anschließenden nichtgesteigerten Präsenspartizipien im zweiten Teil der Strophe (»Schwindenden«, »klingendes«) sind typische Exponenten einer daktylischen, potentiell hymnischen Rhythmisierung.

Die zweite Hälfte des zweiten Quartetts, mit der ersten durch die zitierten Partizipien, die Doppelung als Stilprinzip und den antithetischen Reimbezug »steige«/»Neige« formal aufs engste verklammert, führt die Kunstthematik des Strophenbeginns jenseits des mythologischen Rahmens fort – im Bild des klingenden Glases, das zerschlägt, genauer: »sich im Klang schon zerschlug«. Sie wendet damit ein Lieblingssymbol des Ästhetizismus ins Existentielle, ja Poetologische. Wie der Dichter im Vollzug seiner Kunst sich selbst zum Opfer bringt, muß sich offenbar die Kunst – um »klingen« zu können – zerschlagen. Die im Fortgang des Gedichts erkennbare Tendenz zu höchster gedanklicher Abstraktion bei weitgehender Zurückdrängung des bildlichen Elements scheint solcher Poetik zu gehorchen. Wieweit die Zeile 7 benannten Voraussetzungen »hier, unter Schwindenden«, »im Reiche der Neige« außer dem Verweis auf das allgemeine Gesetz irdischer Vergänglichkeit auch den auf ein bestimmtes historisches Hic et nunc enthalten, ist später zu zeigen.

Mit der Doppelung »sei« – »sei« hatte gerade der Schluß des zweiten Quartetts den in Zeile 5 (»Sei immer«) mit großer

Genauigkeit aufgenommenen Eingang des Gedichts (»Sei allem«) nachdrücklich in Erinnerung gebracht. Wenn das erste Terzett jetzt mit einem isoliert stehenden »Sei« anhebt, wirkt dies zunächst wie eine Fortsetzung der Anapher. In Wahrheit ist es ihre Aufhebung: aus dem Hilfsverb ist ein Hauptverb geworden, es geht nicht mehr um ein Wie- oder Was-Sein, sondern um Sein und Nicht-Sein schlechthin. Rilke, der sich in den *Sonetten an Orpheus* vielfach den freiesten Umgang mit dem Gattungsmuster erlaubt – man betrachte nur das Brunnen-Sonett II,15, dessen mimetischer Sprachfluß die vorgegebenen Strophengrenzen überspült –, hat im hier interpretierten Gedicht dem wesentlichsten Strukturmerkmal der Sonettform zu glänzender Geltung verholfen: nämlich der Zweiteiligkeit der Komposition, die sich aus dem Gegenüber vier- und dreizeiliger Strophen ergibt und diese letzteren von jeher für eine gedankliche Durchdringung des im Vorhergehenden breiter Dargestellten besonders qualifizierte. Indem es diese Zäsur in klassischer Weise ausnutzt, erweist sich *Sei allem Abschied voran* als genuines Sonett; die Abweichung vom traditionellen Reimschema, in die es sich mit den übrigen Gedichten des Zyklus teilt, ist demgegenüber durchaus peripher.
Es geht, wie gesagt, um Sein *und* Nicht-Sein – nicht um die Alternative von Sein *oder* Nicht-Sein, wie sie aus Hamlets Monolog geläufig ist. Es gilt, das Nicht-Sein als Bedingung des Seins zu begreifen; nur in dieser explikativen Bedeutung gibt der Genitiv in »des Nicht-Seins Bedingung« logischen Sinn (vgl. Mörchen, S. 302). Wir erkennen die dialektische Struktur der ersten Quartette wieder; der Übergang von der Künstlerthematik der zweiten zur Daseinsproblematik der dritten Strophe erklärt sich aus der Selbstverständlichkeit, mit der Rilke – in Verlängerung von Positionen der klassisch-romantischen Ästhetik – die künstlerische Existenz als die eigentlich menschliche, einzig menschenwürdige voraussetzt. »Dasein ist Gesang«, könnte man in Abwandlung eines Rilke-Worts (*Sonette an Orpheus* I,3: »Gesang ist Dasein«) das Grundaxiom dieser »Apotheose des Dichters

durch den Dichter« (Holthusen, S. 290) umschreiben. Sie ist noch in der letzten Zeile greifbar: das Partizip »jubelnd« bezieht sich sicher nicht ausschließlich auf den Dichter oder Künstler, aber doch primär auf diesen als Prototyp des Humanen.

Im Gegensatz zu der dem Mythos oder der Natur entliehenen Bildlichkeit der beiden ersten Strophen führen die Terzette die Dialektik von Sein und Nicht-Sein unter Rekurs auf die Sprache der Logik (9: »Bedingung«, 11: »vollziehst«), Mathematik (13: »Summen«, 14: »zähle«, »Zahl«) und Naturwissenschaft fort. »Schwingung« (10) ist für Rilke, wie seine Ausführungen über »Schwingungs-Sphären« und »Schwingungsexponenten« des Weltalls im Brief an Hulewicz vom 13. November 1925 zeigen, ein physikalischer Begriff im Umkreis der Strahlentheorie! Das prosaische Vokabular, zu dem auch Ausdrücke wie »gebraucht« und »Vorrat« zählen, wirkt jedoch nicht, wie etwa bei Brecht, als gezielte Störung der lyrischen Diktion, sondern verschmilzt mit dieser, quasi nobilitiert und integriert durch das erstaunliche Experiment, in das der Schluß des Gedichts mündet: die Synthese von Mystik und Mathematik als Modell orphischer Dialektik.

Das lyrische Du, wie man hier wohl sagen muß, addiert sich zu Vergangenheit, Gegenwart und Zukunft: »Zu dem gebrauchten sowohl, wie zum dumpfen und stummen / Vorrat« (12 f.). Die Fülle temporal strukturierter Totalität oder, mit Rilke selbst zu sprechen, »vollzähliger Zeit« (vgl. Allemann, S. 128 ff.), die ihm dadurch zuwächst, wird durch ein dreifaches »Voll« (11: »völlig vollziehst«, 13: »vollen Natur«) und durch die Häufung dunkler Vokale in den Zeilen 12/13 unterstrichen (im Gegensatz zum Vorherrschen von i und ü in der ersten Strophe). Daß solches Sich-Hinzuzählen die Grenzen der Sprache und des Denkens überschreitet, machen Adjektive wie »unsäglich« (13) und »unendlich« (10) deutlich, nach »endlos« (3) und »Nicht-Sein« (9) weitere Beispiele dafür, daß sich die dialektische Signatur des Gedichts bis in die Struktur des Einzelworts

erstreckt. Das außerordentliche Rechenexempel findet einen überraschenden Abschluß in der – typisch für die Sonettform! – Schlußpointe des Gedichts: »und vernichte die Zahl«. Nur im Zeichen des Nicht-Seins ist Sein erfahrbar, Mathematik geht in Mystik auf.
Auch die *Duineser Elegien* kennen die Erfahrung eines Umschlags, der auf der Vernichtung der Zahl oder dem Hinausgehen über sie beruht.

Siehe, ich lebe. Woraus? Weder Kindheit noch Zukunft
werden weniger ..... Überzähliges Dasein
entspringt mir im Herzen. (*Neunte Elegie.*)

Und die *Sechste Elegie* beschwört

die unsägliche Stelle, wo sich das reine Zuwenig
unbegreiflich verwandelt –, umspringt
in jenes leere Zuviel.
Wo die vielstellige Rechnung
zahlenlos aufgeht.

Überzählig, zahlenlos: in der Wiederkehr der Umschreibung zeichnet sich eine sehr individuelle Sehnsucht und in dieser wiederum – in spiegelbildlicher Verkehrung – ein persönlicher Alptraum Rilkes ab: die Angst vor der »abgezählten Zeit« (wie es im *Requiem für eine Tote* heißt). Sie spricht sich nirgends deutlicher aus als in einer unauffälligen Episode der *Aufzeichnungen des Malte Laurids Brigge* (1910). Der kleine Beamte Nikolaj Kusmitsch hat die Zahl der Sekunden ausgerechnet, die die ihm noch zur Verfügung stehende Lebenszeit enthält. Angesichts der unwiederbringlich verrinnenden Zeiteinheiten ergreift ihn ein Schwindel. Er verläßt das Bett nicht mehr und deklamiert Gedichte: »Wenn man so ein Gedicht langsam hersagte, mit gleichmäßiger Betonung der Endreime, dann war gewissermaßen etwas Stabiles da, worauf man sehen konnte, innerlich versteht sich.«
Nikolaj Kusmitsch deklamiert, Rilke schreibt Gedichte. Sie dienen auch ihm zur Abwehr von Vergänglichkeit, freilich

nicht primär des eigenen Lebens. Wie der schon zitierte Brief an Hulewicz ausweist, begreift Rilke das Schwinden der Dinge, der »belebten«, »erlebten«, *»uns mitwissenden Dinge«* als Gefahr seiner Epoche: »Nun drängen, von Amerika her, leere gleichgültige Dinge herüber, Schein-Dinge, *Lebens-Attrappen.*« Vom gleichen Pathos konservativer Entfremdungskritik ist die Auseinandersetzung mit der Maschine in verschiedenen *Sonetten an Orpheus* getragen. Die zitierten Passagen des Hulewicz-Briefs in den Horizont einer Deutung von *Sei allem Abschied voran* aufzunehmen scheint um so legitimer, als die *Neunte Elegie*, auf die sie sich zunächst beziehen, das veränderte Verhältnis des Menschen zu den Dingen mit Formulierungen umreißt, die sich unmittelbar mit Zeile 7 des Sonetts berühren. Das »Hiesige« wird dort als das »Schwindende« bezeichnet, »das / seltsam uns angeht. Uns, die Schwindendsten«. Im Zusammenklang der Texte wird der historische Ort der Vergänglichkeitserfahrung sichtbar, auf die das interpretierte Sonett reagiert, der es zu entgehen versucht durch eine doppelte Strategie. Durch das Programm einer Flucht nach vorn, dialektischer Überwindung mittels antizipierenden Zurücktretens in den »reinen Bezug« (6) – und durch Erzeugung einer lyrischen Form, die das Prinzip der Negation als bestimmende Struktur längst in sich aufgenommen, aufgehoben hat.

Zitierte Literatur: Beda ALLEMANN: Zeit und Figur beim späten Rilke. Ein Beitrag zur Poetik des modernen Gedichtes. Pfullingen 1961. – Hans Egon HOLTHUSEN: Rainer Maria Rilke: Sei allem Abschied voran. In: Wege zum Gedicht. Mit einer Einf. von Edgar Hederer. Hrsg. von Rupert Hirschenauer und Albrecht Weber. Bd. 1. München/Zürich [8]1972. S. 288–296. – Hermann MÖRCHEN: Rilkes Sonette an Orpheus. Stuttgart 1958.
Weitere Literatur: Gertrud HÖHLER: Niemandes Sohn. Zur Poetologie Rainer Maria Rilkes. München 1979. – Walther REHM: Orpheus. Der Dichter und die Toten. Selbstdeutung und Totenkult bei Novalis – Hölderlin – Rilke. Darmstadt [2]1972.

Rainer Maria Rilke

Komm du, du letzter, den ich anerkenne,
heilloser Schmerz im leiblichen Geweb:
wie ich im Geiste brannte, sieh, ich brenne
in dir; das Holz hat lange widerstrebt,
5 der Flamme, die du loderst, zuzustimmen,
nun aber nähr' ich dich und brenn in dir.
Mein hiesig Mildsein wird in deinem Grimmen
ein Grimm der Hölle nicht von hier.
Ganz rein, ganz planlos frei von Zukunft stieg
10 ich auf des Leidens wirren Scheiterhaufen,
so sicher nirgend Künftiges zu kaufen
um dieses Herz, darin der Vorrat schwieg.
Bin ich es noch, der da unkenntlich brennt?
Erinnerungen reiß ich nicht herein.
15 O Leben, Leben: Draußensein.
Und ich in Lohe. Niemand der mich kennt.

Abdruck nach: Rainer Maria Rilke: Sämtliche Werke. 6 Bde. Hrsg. vom Rilke-Archiv in Verb. mit Ruth Sieber-Rilke. Bes. durch Ernst Zinn. Frankfurt a. M.: Insel, 1955–66. Bd. 2. 1956. S. 511. © Insel-Verlag, Frankfurt a. M.
Erstdruck: Rainer Maria Rilke: Gedichte 1906 bis 1926. Sammlung der verstreuten und nachgelassenen Gedichte aus den mittleren und späteren Jahren. Hrsg. vom Rilke-Archiv in Verb. mit Ruth Sieber-Rilke. Bes. durch Ernst Zinn. Wiesbaden: Insel, 1953.
Weitere wichtige Drucke: Ingeborg Schnack: Rainer Maria Rilke. Leben und Werk im Bild. Frankfurt a. M.: Insel, 1973. (insel taschenbuch. 35.) S. 249. [Reproduktion der Handschrift.] – Rainer Maria Rilke: Sämtliche Werke. Werkausg. in 12 Bdn. Hrsg. vom Rilke-Archiv in Verb. mit Ruth Sieber-Rilke. Bes. durch Ernst Zinn. Frankfurt a. M.: Insel, 1976. Bd. 3.

Alfred Behrmann

Rilkes letzte Verse

Rilke starb am 29. Dezember 1926, einundfünfzigjährig, im Sanatorium Val-Mont sur Territet (Waadt). Die vorstehenden Verse, aufgezeichnet »wohl gegen Mitte Dezember 1926«, sind die »letzte Eintragung im letzten Taschenbuch« (II,511). Es folgen ihnen vier weitere Verse, deren letzter abbricht, ohne das Satzgefüge zu schließen, und die im Manuskript gestrichen sind. Die sechzehn Verse, die so verbleiben, bilden ein Gedicht, an dessen Vollendung kein Zweifel besteht.
Zum Verständnis ist zweierlei wichtig; beides aus dem gleichen Grund: weil Rilkes Dichten in seiner höchsten Form ein Akt sein will, der zugleich ein Lebensakt ist. Die eine Voraussetzung ist Vertrautheit mit seiner Vorstellung vom »eignen Tod«, die andere: Kenntnis seiner letzten Leidens- und Todesumstände. Wenn Rilkes Dichtung eine Lebens-Lehre enthält oder darstellt – eine Aussage mit Anspruch auf Gültigkeit über das Leben, den Tod und deren Wechselbezug –, so wäre zu prüfen, ob die Erfahrung des nahenden Todes, die seine letzten Verse aussprechen, die Lehre der Dichtung bestätigt.
Vom *Stunden-Buch* an, dessen dritter Teil (1903) *Von der Armut und vom Tode* handelt, bis zu den letzten geschloßnen Gedichtkreisen, den *Duineser Elegien* und den *Sonetten an Orpheus* (1922), ist der Tod ein immer wiederkehrendes Thema.

O Herr, gieb jedem seinen eignen Tod.
Das Sterben, das aus jenem Leben geht,
darin er Liebe hatte, Sinn und Not.
(*Stunden-Buch*, I,347.)

Denn dieses macht das Sterben fremd und schwer,
daß es nicht *unser* Tod ist; einer der
uns endlich nimmt, nur weil wir keinen reifen.
(*Stunden-Buch*, I,348.)

Aus einem Leben hervorgehend, in dem der einzelne »Sinn« hat, ist das Sterben wie das Leben selbst ein Ausdruck, ja eine Beglaubigung dieses Sinns. Wo es nicht mit dem Leben heranreift, gleichsam als dessen Frucht, »gebären / wir unsres Todes tote Fehlgeburt« (*Stunden-Buch*, I,348). So bittet das *Stunden-Buch* für einen, den Gott »groß« und »herrlich« machen soll:

Und [...] heiß ihn seiner Stunde warten,
da er den Tod gebären wird, den Herrn:
allein und rauschend wie ein großer Garten,
und ein Versammelter aus fern. (I,350)

Auch *Die Aufzeichnungen des Malte Laurids Brigge* (1904 bis 1910) schlagen das Thema an. Auf den ersten Seiten ist vom Hôtel-Dieu, dem Armenspital von Paris, die Rede: »Dieses ausgezeichnete Hôtel ist sehr alt, schon zu König Chlodwigs Zeiten starb man darin in einigen Betten. Heute wird in 559 Betten gestorben. Natürlich fabrikmäßig. Bei so enormer Produktion ist der einzelne Tod nicht so gut ausgeführt, aber darauf kommt es auch nicht an. Die Masse macht es. Wer giebt heute noch etwas für einen gut ausgearbeiteten Tod? Niemand. Sogar die Reichen, die es sich doch leisten könnten, ausführlich zu sterben, fangen an, nachlässig und gleichgültig zu werden; der Wunsch, einen eigenen Tod zu haben, wird immer seltener. [...] Man stirbt, wie es gerade kommt; man stirbt den Tod, der zu der Krankheit gehört, die man hat (denn seit man alle Krankheiten kennt, weiß man auch, daß die verschiedenen letalen Abschlüsse zu den Krankheiten gehören und nicht zu den Menschen; und der Kranke hat sozusagen nichts zu tun). In den Sanatorien, wo ja so gern und mit so viel Dankbarkeit gegen Ärzte und Schwestern gestorben wird, stirbt man einen von den an der Anstalt angestellten Toden; das wird gerne gesehen« (VI,713 f.).
Es folgt die Geschichte vom Tod des Kammerherrn Christoph Detlev Brigge auf Ulsgaard. Sie belegt die Ansicht, die dem Abschnitt als dessen Thema voransteht: »Früher wußte

man (oder vielleicht man ahnte es), daß man den Tod *in* sich hatte wie die Frucht den Kern. Die Kinder hatten einen kleinen in sich und die Erwachsenen einen großen. Die Frauen hatten ihn im Schooß und die Männer in der Brust. Den *hatte* man, und das gab einem eine eigentümliche Würde und einen stillen Stolz« (VI,715).

Hier stellt sich die Frage, zu welchem Schluß der Begriff des eigenen Todes bei einem Sterben im Krieg oder durch andere Formen von Gewalt und Not wie Mord, Unfall, Seuche, Hunger herausfordert. Was den Kriegstod betrifft, so gibt *Die Weise von Liebe und Tod des Cornets Christoph Rilke* (1904) das Beispiel eines rauschhaften und im Rausch das Leben überhöhenden Tods. Die Zuordnung von Tod und Lebenssinn, wie sie hier geschieht, ist freilich eine Operation literarischer eher als philosophischer Art. Außerhalb des poetischen Mediums mag sie weniger überzeugen. Moritz Heimanns Satz, wonach ein Mann, der mit fünfunddreißig stirbt, auf jedem Punkt seines Lebens ein Mann ist, der mit fünfunddreißig stirbt, erregte den lebhaften Widerspruch Gottfried Benns: »[. . .] alles ist sinnvoll«, schrieb er, »und dieser Sinn wirft sogar seine Schatten voraus, auf fünfunddreißig Jahre, alles ist notwendig. Diese deutsche Notwendigkeit! Diese deutsche Sinnhaftigkeit! [. . .] Man muß alles recht deuten, dann verwischen sich die den Deutschen so lästigen Konturen [. . . und] es west alles in allem [. . .].« Benn erklärte den Satz für ebenso sinnvoll, wie wenn man sagte, von einem Hecht, der einen halben Meter lang ist, enthalte jeder fünfzigste Teil einen Zentimeter Fisch (Benn, S. 398).

Auch der Tod des alten Brigge ist ein höchst literarischer Tod, nur daß die *Aufzeichnungen* bessere Literatur sind als der *Cornet*. Wie Jean Rodolphe von Salis bemerkt, hat aber Rilke in seinen letzten Jahren und in seinen reifsten Werken die berühmten alten Bilder nicht mehr gebraucht, die er einst im *Stunden-Buch* und in den *Aufzeichnungen des Malte Laurids Brigge* für die Erscheinung des Todes gefunden hatte (Salis, S. 216). Das Massensterben, das 1914 anhob,

mochte ihm nahegelegt haben, über den Tod als Ausweis eines eigenen Lebens von neuem nachzudenken.
Was die reifste Dichtung dagegen ausprägt, ist die Vorstellung, um nicht zu sagen die Lehre, von einem menschlichen Innenraum, in dem die Sphären des Lebens und des Todes nicht als hermetisch gegeneinander geschlossen, sondern als übergänglich empfunden werden. Um das Ganze des Daseins zu fühlen, müsse der Lebende den Bereich des Todes als Ergänzung des Lebens, als dessen andere Seite, erfahren:

Nur wer mit Toten vom Mohn
aß, von dem ihren,
wird nicht den leisesten Ton
wieder verlieren.

Mag auch die Spieglung im Teich
oft uns verschwimmen:
Wisse das Bild.

Erst in dem Doppelbereich
werden die Stimmen
ewig und mild.
(*Sonette an Orpheus* I/9; I,736.)

Mild, ein Wort, das im »hiesig Mildsein« (7) der letzten Verse wiederkehrt, bezeichnet den Zustand des Gestilltseins durch Vollständigkeit. Ein so erfahrenes Dasein läßt den Tod als Bild der Hinfälligkeit alles Menschlichen verblassen:

Ach, das Gespenst des Vergänglichen,
durch den arglos Empfänglichen
geht es, als wär es ein Rauch.

Als die, die wir sind, als die Treibenden,
gelten wir doch bei bleibenden
Kräften als göttlicher Brauch.
(*Sonette an Orpheus* II/27; I,769.)

Von daher gewinnt der Schmerz, alles, was sich aus Not, Leiden, Entbehrung, auch aus dem Tod für den Menschen an Beeinträchtigung ergibt, eine relative, »die herrlichen

Überflüsse / unseres Daseins« (*Sonette an Orpheus* II/22) niemals erdrückende Bedeutung. Eins der *Sonette an Orpheus* (II/21) faßt das Leben des einzelnen im Verhältnis zum Ganzen des Daseins in das Bild von Faden und Teppich:

Welchem der Bilder du auch im Innern geeint bist
(sei es selbst ein Moment aus dem Leben der Pein),
fühl, daß der ganze, der rühmliche Teppich gemeint ist. (I,765)

Daraus ergibt sich, daß wir, auch als Leidende, nur »gerecht« sind, »wo wir dennoch preisen« (*Sonette an Orpheus*, II/23). So hebt die zehnte *Duineser Elegie*, die letzte, mit dem inständigen Wunsch an:

Daß ich dereinst, an dem Ausgang der grimmigen Einsicht,
Jubel und Ruhm aufsinge zustimmenden Engeln.
Daß von den klar geschlagenen Hämmern des Herzens
keiner versage an weichen, zweifelnden oder
reißenden Saiten. [...] (I,721)

Die grimmige Einsicht verschlug dem Dichter, der sich lange gegen sie sträubte, Jubel und Ruhm. Ein namenloser Schmerz entpreßte ihm Schreie, »in denen sich unsere Stimme nicht wiedererkennt«. »[...] oui,« schrieb er am Tag vor seinem Tod: »misérablement, horriblement malade, et douloureusement jusqu'à un point que je n'ai jamais osé imaginer. C'est cette souffrance déjà anonyme, que les médecins baptisent, mais qui, elle, se contente à nous apprendre trois ou quatre cris où notre voix ne se reconnaît point« (*La dernière amitié*, S. 211). Sein Sterben entfernte ihn von allem, was als eigener Tod, gestillter Innenraum oder Lob des Daseins auch unter Schatten in den Dichtungen seinen bildhaften Ausdruck gefunden hatte. »Es war keine literarische Krankheit und kein literarischer Tod, die sich seiner bemächtigt haben«, schreibt von Salis, wenn der Kranke auch beide »als ein mannhafter, tapferer Mensch erlitt« (Salis, S. 216).
Rilke hatte 1922 mit der Vollendung der *Duineser Elegien*

und den *Sonetten an Orpheus* sein dichterisches Werk im wesentlichen abgeschlossen. Von der tiefen Erschöpfung, die darauf folgte, gelang es ihm nicht mehr, sich nachhaltig zu erholen. Die Anzeichen schwerer, vorerst noch unbestimmter körperlicher Mißstände nahmen zu. Ärztliche Konsultationen, Kuren und Sanatoriumsaufenthalte durchzogen seit 1923 sein Leben. Im November 1926, beim fünften und letzten Besuch in Val-Mont, wird der Grund seines Leidens entdeckt: »[...] une maladie mortelle des globules blancs dans le sang qu'on appelle leucémie et malheureusement de la forme la plus rare et la plus aiguë de leucémie de myéloblastes [Rückenmarkszellen]. C'est une affection extrêmement rare qui se localisa chez Rilke en une forme spécialement douloureuse, dans les intestins et provoqua ensuite sur la peau des pustules noires comme dans les cas de septicémie« (Rilke / Thurn und Taxis, S. 955). Die Pusteln, die auch die Schleimhäute befallen hatten, »brechen auf und bluten, was den Kranken am Trinken hindert, so daß er neben den Schmerzen auch von nicht zu stillendem Durst gepeinigt wird« (Leppmann, S. 454).
Rilke hatte 1924 geschrieben: »Niemandes Lage in der Welt ist so, daß sie seiner Seele nicht eigentümlich zustatten kommen könnte« (*Briefe*, S. 467). Eine Lage, die er dabei nicht bedacht hatte, war die der Überwältigung durch physischen Schmerz. Sie wurde nun seine. »Und ich«, schrieb er an Rudolf Kassner, »der ich ihm nie recht ins Gesicht sehen mochte, lerne, mich mit dem inkommensurabeln anonymen Schmerz einrichten. Lerne es schwer, unter hundert Auflehnungen, und so trüb erstaunt« (*Briefe*, S. 535). Und in einem andern Brief, an Lou Andreas-Salomé: »Du weisst, wie ich den Schmerz, den physischen, den wirklich grossen in meine Ordnungen untergebracht habe, es sei denn als Ausnahme und schon wieder Rückweg ins Freie. Und nun. Er deckt mich zu. Er löst mich ab. Tag und Nacht!« (Rilke/Andreas-Salomé, S. 483). Und anderswo: »Ich bin wie eine leere Stelle, ich bin nicht, ich bin nicht einmal identisch mit meiner Noth, die ich nur bis zu einem gewissen Grad

legitimieren kann« (*Briefe an Wunderly-Volkart*, S. 1074). Das Ausgeliefertsein an den anonymen physischen Schmerz erfährt er als »abdiquer: devenir ›le malade‹« (*Briefe an Wunderly-Volkart*, S. 1171).

Dabei hält er eigenartigerweise den Gedanken des Sterbens von sich fern. »Malgré ses souffrances jusqu'aux trois derniers jours de sa maladie il n'eut jamais l'idée qu'on ne pourrait pas le sauver«, schrieb später der Arzt (Rilke / Thurn und Taxis, S. 955). Die Prognose verlangte er nicht zu wissen, und nur in einer einzigen Äußerung jener Zeit – an Frau Wunderly-Volkart – erscheint das Wort Tod: »[...] helfen Sie mir zu meinem Tod, ich will nicht den Tod der Ärzte – ich will meine Freiheit haben –« (*Briefe an Nölke*, S. 135). Gleichzeitig lehnte er es ab, sich betäuben zu lassen, als wollte er doch noch versuchen, mit seinem Leiden identisch zu werden.

Und davon sprechen die letzten Verse. Schon daß er sie schrieb, in seinem qualvollen Zustand, ist eine auszeichnende Leistung. Daß sie diesen Zustand so rein, so genau benennen und damit eine Wirklichkeit feststellen, die den gedichteten Todesbildern wie ein Gegenbild gegenübertritt, bezeugt, daß hier ein Dichter, gemäß seinem Anspruch, den Akt des Dichtens als Lebensakt vollzieht, d. h. in diesem Fall: ein Leiden ausspricht, das sich jeder Deutung als Sinnerfülltes versagt.

Die von Rilke gestrichenen Verse, die das Gedicht hatten fortsetzen sollen, lauten:

Verzicht. Das ist nicht so wie Krankheit war
einst in der Kindheit. Aufschub. Vorwand um
größer zu werden. Alles rief und raunte.

(Der vierte Vers bricht mitten im Satz ab.) Hier ist ausgeführt, worauf der Brief an Lou Andreas-Salomé Bezug nimmt: Krankheit »als Ausnahme und schon wieder Rückweg ins Freie«, ja als Versprechen künftigen Wachstums (»Alles rief und raunte«). Solche Krankheit war in den Ordnungen des Dichters unterzubringen. Diese ist es nicht.

Schon die Art, wie er »des Leidens wirren Scheiterhaufen« (10) bestieg, ließ nichts an Austausch von gegenwärtigem Leiden – sonst ein Wert, eine Leistung – gegen künftigen Zuwachs erwarten. Die inneren Bestände, um die sich Zukunft hätte kaufen lassen, regten sich nicht, der »Vorrat« des Herzens »schwieg« (12). (Damit war auch die Dichtung verstummt.) Das Ich war aus dem Kreislauf des Sich-Verausgabens-um-sich-anzufüllen herausgetreten. Wie sich nichts aus ihm weggeben wollte, erwartete es nichts, war von Zukunft »planlos frei« (9). Es war ein Gegen-Zustand zu dem, den der Ausgang der neunten Elegie mit hymnischen Worten benennt:

Siehe, ich lebe. Woraus? Weder Kindheit noch Zukunft
werden weniger ..... Überzähliges Dasein
entspringt mir im Herzen. (I,720)

Doch ist der Zustand des Stillseins, der Unbegehrlichkeit, von dem die letzten Verse sprechen, kein entwerteter Zustand; er heißt ja »rein« und »frei« (9) und erinnert insofern an die Verfassung des Mystikers, das ›ledige gemüete‹, das jede Regung des Willens abtut, um sich ganz dem Höchsten zu überlassen: Gott. Für Rilke ist es nicht Gott, dessen Name im *Stunden-Buch* und noch in den *Duineser Elegien* erscheint, sondern ein Unnennbares, Numinoses, das den »Doppelbereich« von Leben und Tod als Sinn-Raum menschlichen Daseins begründet. Sein eigenes Leben in diesem Raum, ein »hiesig Mildsein« (7), ist nun, beim Anbruch »der anderen Auslegung« (*Malte Laurids Brigge*, VI,756), umgeschlagen in einen »Grimm der Hölle nicht von hier« (8). Die »Hölle« war in den Ordnungen, die er gefunden oder errichtet hatte, nicht vor-gesehen. Ihr Einbruch zehrt weg, worauf sie in ihm beruhten; sein Ich verbrennt zum namenlosen Nicht-mehr-Ich, das zwar noch spricht, doch sich selbst unkenntlich werdend fragt: »Bin ich es noch [...]?« (13). So ist die Grundfigur dieser letzten, alles umkehrenden Verse das Paradox.
Der Schmerz wird berufen; er soll kommen, obwohl es ein

»heilloser« (2) Schmerz ist, der nicht das Ganze des Leidenden als Leidensfähiges ergreift, sondern nur den einzeln getroffenen Teil, das »leibliche Geweb« (2). Seine Anerkennung, die Zustimmung zu diesem Schmerz erfolgt, weil es außer ihm, dem nackten souveränen Übel, keinen reinen Zustand mehr gibt, in den man eintreten könnte. Einst ein Befeuertsein im Geist, ist jetzt der Brand das Feuer der Vernichtung, die Scheiterhaufenflamme; der darin brennt, von allem Leben, allem Gelebten abgelöst: »Erinnerungen reiß ich nicht herein« (14). Er, dem Dasein ein Er-innern war, ruft nun:

O Leben, Leben: Draußensein.
Und ich in Lohe. Niemand der mich kennt. (15 f.)

Das ganze Gewicht dieses Ausrufs ermißt man, wenn man bedenkt, wie etwa die neunte *Duineser Elegie* das Verhältnis von innen und außen für das Leben bestimmt:

Erde, ist es nicht dies, was du willst: *unsichtbar*
in uns erstehn? – Ist es dein Traum nicht,
einmal unsichtbar zu sein? – Erde! unsichtbar!
Was, wenn Verwandlung nicht, ist dein drängender Auftrag? (I,720)

Wenn die Erde erst im Innern des Menschen ihr wahres Leben gewinnt, wie andrerseits der Mensch erst wahrhaft lebt, indem er Äußeres in Inneres verwandelt, ist Leben Innensein. Nun aber ist das Innere des Dichters ›zugedeckt‹, ja ›abgelöst‹ vom Schmerz. Da nichts darin mehr Platz hat außer diesem Schmerz, ist Stoff, Vorrat, Möglichkeit des Lebens nur noch draußen, »Leben: Draußensein« (15). Und das Ich, sich selbst unkenntlich und von niemand mehr gekannt, verbrennt im »Grimm der Hölle« (8).
Ist das ein Widerruf? Macht es die *Elegien*, die *Sonette* zunichte? Mindert es ihre Gültigkeit? Es fügt ihnen etwas hinzu. Es fügt ihnen die Erfahrung eines »Ausgangs« hinzu, der dort nicht angelegt, unter die Gestaltungen des Möglichen nicht aufgenommen war. Diese Ergänzung bezieht ihr Gewicht aus dem leuchtenden Ernst, mit dem ein Dichter

ein letztes Mal seine Größe zeigt, indem er klar und makellos spricht, wo andre, im Schatten des Todes, verstummen. Als biographisches Zeugnis bewegend, gewinnt das Gedicht seine Macht, der sich schwerlich ein Leser entzieht, aus seiner hohen dichterischen Vollkommenheit.

Versmaß ist der jambische Fünftakter, gelegentlich zur Viertaktigkeit verkürzt (8,15), mit beliebig wechselnder weiblicher und männlicher Kadenz, erst kreuzweis (1–8), dann umarmend (9–16) gereimt (mit einem unreinen Reim [2/4]) – jene biegsame Form, die stets für Rilke die geläufigste war. Sie kann sich entspannen zu drucklosem Fluß, doch auch zum Hymnischen straffen. Hier herrscht ein gehaltener mittlerer Ton, der nur in den ersten und den letzten beiden Versen die Höhe des Anrufs oder des Ausrufs erreicht.

Die Satzbewegung tritt da und dort in Spannung zum Versmuster, einmal, zu Anfang, in einem harten, hakenförmigen Zeilensprung (3/4), ein zweites Mal, in der Mitte, in einem ausschwingenden Übergreifen (9/10), fügt sich aber von Mal zu Mal dem Metrum wie einem Auferlegten »anerkennend« (1) und »zustimmend« (5) ein. Am Ende strafft sich der Satzbau zum strengen Zeilenstil. Dem Gefüge des viertletzten Verses folgt im nächsten ein einfacher Hauptsatz. Die Schlußverse sind weiter zu Ellipsen verknappt, der vorletzte zu einer, der letzte gar zu zweien. Ohne die Klarheit zu verwischen, geht das Aussparen bis in die Form der gedanklichen Fügung. Der Gegensatz von außen und innen auf der Grenze der letzten Verse wird ohne Adversativ, als einfache Reihung gesetzt: »Und ich in Lohe« (16). Das gibt der Sprache den Zug des Lapidaren, das Endgültige. Rilke sah sehr wohl, daß sich diesen Versen nichts hinzusetzen ließ.

So sicher wie die Gangart mutet die Gliederung an. Das Gedicht ist deutlich gehälftet. Die beiden Achtzeiler, die so entstehen, sind wiederum von durchsichtigem Bau. Der erste zitiert die Stanze, zwar nicht mit dem Reim (der durchgehend alterniert), wohl aber mit dem Satzgruppenplan (1–6, 7/8). Der zweite, ein Doppelquartett, schließt ebenfalls mit einem Verspaar, das den Gedankengang prä-

gnant zusammenfaßt und so dem Schlußpaar der ›Stanze‹ entspricht.
Beide Teile führen die Lage des Dichters aus, indem sie Gegenwart durch Früheres (3–5) oder Jüngstvergangenes (9–12) als nunmehr Fremdes grundieren. Dies mit einer Knappheit, die nirgends ins Unscharfe fällt. Die Bilder des Brennens (»Holz«, »Flamme«, »lodern«, »Hölle«, »Scheiterhaufen«, »Lohe«), eingesetzt für Vergehen im physischen Schmerz und Unkenntlichwerden, schaffen eine geisthafte Helle. Indem er sich selbst unkenntlich wird, erscheint der Dichter darin mit eigenartiger Deutlichkeit. Die Stimme, mit der er spricht, die Sprache, die er führt, ihre Klarheit und Ordnung bis in die letzte Fügung sind Zeugnis für die Fähigkeit der Kunst, auch da, wo ihr Stoff das Schreckliche ist, die mögliche Schönheit des Daseins zu zeigen, nämlich in ihrer Form.

Zitierte Literatur: Gottfried Benn: Gesammelte Werke. Hrsg. von Dieter Wellershoff. Bd. 1. Wiesbaden 1959. – La dernière amitié de Rainer Maria Rilke. Lettres inédites de Rilke à Madame Eloui Bey, avec une étude par Edmond Jaloux. [Paris] 1949. – Wolfgang Leppmann: Rilke. Sein Leben, seine Welt, sein Werk. Bern/München 1981. – Rainer Maria Rilke: Sämtliche Werke. 6 Bde. [Siehe Textquelle. Zit. mit Band- und Seitenzahl.] – Rainer Maria Rilke: Briefe. Bd. 2. Hrsg. vom Rilke-Archiv in Weimar in Verb. mit Ruth Sieber-Rilke. Bes. durch Karl Altheim. Wiesbaden 1950. – Rainer Maria Rilke: Die Briefe an Frau Gudi Nölke. Aus Rilkes Schweizer Jahren. Hrsg. von Paul Obermüller. Wiesbaden 1954. – Rainer Maria Rilke: Briefe an Frau Nanny Wunderly-Volkart. Bd. 2. Im Auftr. der Schweizerischen Landesbibliothek und unter Mitarb. von Niklaus Bigler bes. durch Rätus Luck. Frankfurt a. M. 1977. – Rainer Maria Rilke / Lou Andreas-Salomé: Briefwechsel. Neue erw. Ausg. Hrsg. von Ernst Pfeiffer. Frankfurt a. M. 1975. – Rainer Maria Rilke / Marie von Thurn und Taxis[-Hohenlohe]: Briefwechsel. Bd. 2. Bes. durch Ernst Zinn. Zürich/Wiesbaden 1951. – J[ean] R[odolphe] von Salis: Rainer Maria Rilkes Schweizer Jahre. Ein Beitrag zur Biographie von Rilkes Spätzeit. 3., neu bearb. Aufl. Frauenfeld 1952.
Weitere Literatur: Hans Heinrich Schaeder: Des eigenen Todes sterben. In: Nachrichten der Akademie der Wissenschaften in Göttingen aus den Jahren 1945/1948 [2]. S. 24–36. Göttingen 1948. – [Die Abhandlung geht der »indogermanischen Wendung ›des eigenen Todes sterben‹ im Sinne von ›eines natürlichen Todes sterben‹« nach und verfolgt Entsprechendes in einigen nichtindogermanischen (orientalischen und afrikanischen) Sprachen. Der 6. und letzte Abschnitt befaßt sich mit dem ›eigenen Tod‹ bei Rilke und erwähnt

dabei die schon früh bemerkte Einwirkung Jens Peter Jacobsens (»Niels Lyhne«, »Frau Marie Grubbe«) auf Rilkes Vorstellung. Interessant im Zusammenhang mit Rilke ist folgender Passus (S. 35): »Die Ewe in Südtogo (und ähnlich andere Stämme Oberguineas) unterscheiden drei Todesarten: (a) bösen Tod, (b) normalen Tod und (c) des Menschen eigenen Tod. [...] Der eigene Tod des Menschen besagt: er starb des Todes, der ihm von allem Anfang bestimmt war, den Gott oder sein Schicksal festgesetzt hatten.« Erkennbar wird ein solcher Tod am Alter des Sterbenden. Erst wenn er ›alt und lebenssatt‹ stirbt, darf man annehmen, daß er seine Zeit erfüllt und den ihm vom Schicksal zugedachten Tod erlitten hat.]

Bertolt Brecht

Entdeckung an einer jungen Frau

Des Morgens nüchterner Abschied, eine Frau
Kühl zwischen Tür und Angel, kühl besehn.
Da sah ich: eine Strähn in ihrem Haar war grau
Ich konnt mich nicht entschließen mehr zu gehn.

5 Stumm nahm ich ihre Brust, und als sie fragte
Warum ich Nachtgast nach Verlauf der Nacht
Nicht gehen wolle, denn so war's gedacht
Sah ich sie unumwunden an und sagte:

Ist's nur noch eine Nacht, will ich noch bleiben
10 Doch nütze deine Zeit; das ist das Schlimme
Daß du so zwischen Tür und Angel stehst.

Und laß uns die Gespräche rascher treiben
Denn wir vergaßen ganz, daß du vergehst.
Und es verschlug Begierde mir die Stimme.

Abdruck nach: Bertolt Brecht: Gesammelte Werke. 20 Bde. Hrsg. vom Suhrkamp Verlag in Zusammenarb. mit Elisabeth Hauptmann. Bd. 8: Gedichte 1. Frankfurt a. M.: Suhrkamp, 1967. (werkausgabe edition suhrkamp.) S. 160 f.

Erstdruck: Bertolt Brecht: Gedichte. Bd. 2: 1913–1929. Unveröffentlichte und nicht in Sammlungen enthaltene Gedichte. Gedichte und Lieder aus Stücken. Frankfurt a. M.: Suhrkamp, 1960.

Alfred Behrmann

»Denn wir vergaßen ganz, daß du vergehst«. Zu Brechts Sonett *Entdeckung an einer jungen Frau*

»Die Liebe ist eine Himmelsmacht«, sagt Mutter Courage zu ihrer Tochter, »ich warn dich« (Szene 3; IV,1372 [1939]). Witzig wie das Zitat der Operettenbanalität ist die Warnung vor dem Walten des Himmels. Witzig, boshaft und ernst. Denn im Brechtschen Himmel erhebt sich, nach Sergio Lupi, ein Thron, der nicht der Thron Gottes, sondern des schicksalhaften Verhängnisses ist, eben der Liebe; und die hat nichts mit dem zu tun, was üblicherweise himmlisch und göttlich heißt, sondern eher mit dämonischem Trieb und Verderben (Lupi, S. 198).
In den frühen Stücken ist die Warnung der Courage entbehrlich: sie sind voll von Liebe, die an der Bordellkasse in bar bezahlt wird. Ein reifes Stück wie *Der gute Mensch von Sezuan* (1938–40) zeigt die unheilvollen, zerrüttenden Wirkungen von Liebe, der gestattet wird, das Gefühl zu besetzen. Der Dichter selbst hält sich lästige Verwicklungen, die aus solcher Fahrlässigkeit herrühren können, vom Leib, indem er seine diesbezüglichen Verhältnisse mit kühler Entschiedenheit regelt:

In meine leeren Schaukelstühle vormittags
Setze ich mir mitunter ein paar Frauen
Und ich betrachte sie sorglos und sage ihnen:
In mir habt ihr einen, auf den könnt ihr nicht bauen. (VIII,261)

So die berühmten Verse *Vom armen B. B.* (1922). Im Gedicht *An die Nachgeborenen* (1934–38) heißt es: »Der Liebe pflegte ich achtlos« (IX,724). Doch auch wo die Stilisierung zum öffentlichen Ich zugunsten eines mehr persönlichen Sprechens zurücktritt, ist die abstandsetzende Haltung die gleiche. Im *Me-ti* (entstanden seit 1934) schreibt Brecht unter der Maske Kin-jehs seiner »Schwester«: »Ich

habe dich oft angehalten, nicht zu mir zu sagen: ich liebe dich, sondern: ich bin gern mit dir zusammen; nicht: verlaß dich auf mich, sondern: rechne in bestimmten Grenzen mit mir; nicht: für mich gibt es nichts als dich, sondern: es ist angenehm, daß es dich gibt« (XII,579).
In einer ganzen Reihe von Gedichten stellt sich Liebe als Begegnung, oft als flüchtige, meist als erinnerte, dar, aus der sich nicht das Ganze des Partners, sondern Einzelheiten im Gedächtnis erhalten – nicht immer der Person, zuweilen nur der Umstände wie in der *Erinnerung an die Marie A.* (1920):

Doch ihr Gesicht, das weiß ich wirklich nimmer
Ich weiß nur mehr: ich küßte es dereinst.

Und auch den Kuß, ich hätt ihn längst vergessen
Wenn nicht die Wolke dagewesen wär
Die weiß ich noch und werd ich immer wissen
Sie war sehr weiß und kam von oben her. (VIII,232)

In der *Ballade vom Tod der Anna Gewölkegesicht* (1919), die biographisch auf dieselbe Person bezogen ist wie die *Erinnerung*, wird die Wolke zur Metapher des Vergessens, ihr Vergehen zum Vergehn des Gesichts, was die Namensprägung im Titel erklärt:

Einmal sieht er noch ihr Gesicht: in der Wolke!
Es verblaßte schon sehr. [...]

Aber in späteren Jahren verblieben
Ihm nur mehr Wolke und Wind, und die
Fingen an zu schweigen wie jene
Und fingen an zu vergehen wie sie. (VIII,47)

Im *Sonett* von 1925, dem Gedicht, das in den *Gesammelten Werken* der *Entdeckung an einer jungen Frau* vorangeht, sind fragmentarische Erinnerung und Vergessen das Thema, wobei dem Haar und dem Gesicht, die beide zweimal genannt werden, besondere Bedeutung zukommt, dem Gesicht als schnell Vergessenem, dem Haar, aufgrund seiner doppelten Erwähnung und der Steigerung durch den Geruch, als, wie es scheint, noch am besten Erinnertem:

[...] doch entschlief ich bald
Und lag abwesend lang in ihrem Haar.

Drum weiß ich nichts von ihr als, ganz von Nacht zerstört
Etwas von ihrem Knie, nicht viel von ihrem Hals
In schwarzem Haar Geruch von Badesalz
[...].

Man sagt mir, ihr Gesicht vergäß sich schnell
[...].

Sie selber wisse, daß man sie vergißt
[...]. (VIII,160)

Die Reihenfolge, in der die Teile des weiblichen Körpers vergessen werden, scheint bedeutsam; sie wiederholt sich im *Hauspostillen*-Gedicht *Vom ertrunkenen Mädchen* (1920):

Als ihr bleicher Leib im Wasser verfaulet war
Geschah es (sehr langsam), daß Gott sie allmählich vergaß
Erst ihr Gesicht, dann die Hände und ganz zuletzt erst ihr Haar.
(VIII,252)

Sind hier Vergehen und Vergessenwerden noch als Abfolge eines physischen und eines geistigen Vorgangs gefaßt, so setzen die Terzinen der *Liebenden* (1928/29) das eine für das andere und sprechen von Vergehen, wo Entschwinden im Doppelsinn der äußeren und inneren Entfernung gemeint ist:

So mag der Wind sie in das Nichts entführen
Wenn sie nur nicht vergehen und sich bleiben
So lange kann sie beide nichts berühren
So lange kann man sie von jedem Ort vertreiben
[...]. (II,536)

Flüchtig übrigens wie die Gemeinschaft andrer Liebenden ist auch der Halt, den das Kranichpaar in diesen Versen an der Liebe zu finden »scheint«:

[. . .] wie lange sind sie schon beisammen?
Seit kurzem. Und wann werden sie sich trennen? Bald.
So scheint die Liebe Liebenden ein Halt. (II,536)

Das entspricht der immer wieder in den Versen und Stücken des jungen Brecht begegnenden Einsamkeit, die den Menschen als unaufhebbar Vereinzelten vom anderen trennt. »Alle Annäherung«, schreibt Herbert Lüthy in seiner *Fahndung nach dem Dichter Bertolt Brecht*, »ist nur Illusion, Täuschung und Enttäuschung, süße Illusion vielleicht«, weshalb es gelte, den Augenblick in seiner ganzen Intensität, nicht aber – jenseits der Begegnung – den Menschen zu halten, »der weitergeht und schon im nächsten Augenblick wieder ein Fremder ist« (Lüthy, S. 139). So grenzenlos ist die Einsamkeit, daß weder Sympathie noch Liebe noch auch Haß sie durchbrechen können. Shlink, der vergeblich versucht, im *Dickicht der Städte* (1921–24) eine wirkliche Beziehung zu einem anderen Menschen herzustellen, sagt: »Die Liebe, Wärme aus Körpernähe, ist unsere einzige Gnade in der Finsternis! Aber die Vereinigung der Organe ist die einzige, sie überbrückt nicht die Entzweiung der Sprache« (Szene 10; I,187).

Der früheste Entwurf zur *Entdeckung an einer jungen Frau* ist »um 1925« datiert (*Bertolt-Brecht-Archiv*, S. 83). Als Entstehungszeit der endgültigen Fassung wird 1925/26 angegeben (X,7* [Anmerkungen]). Der Neuen Sachlichkeit, die damals herrschte, mochten die Verse entgegenkommen und zugleich widerstreben: sie zeigen die für Brecht auch sonst charakteristische Haltung kühler Distanz, die plötzliche Passioniertheit nicht ausschließt.

Was zunächst die Handelnden in diesem Erotikon kennzeichnet, ist ›désinvolture‹. An Leidenschaft im Sinne tieferer Bewegung war bei dem nächtlichen Zusammensein von beiden Seiten nicht gedacht, der Abschied ist »nüchtern« (1), die Frau steht ebenso »Kühl zwischen Tür und Angel«, wie sie »kühl besehn« (2) wird. Dann erfolgt die »Entdeckung«, und der Abschiednehmende, eben noch ganz gelassen, ist sofort in ihrem Bann. Die Temperatur, bezeichnet im zwei-

maligen »Kühl« des Eingangs, schlägt um; vom Besehn der Frau – »wie ein Ding« (Sachs, S. 62) – über das Sehn der grauen Strähne bis zum Ansehn – »unumwunden« (8) – vollzieht sich ein Vorgang von höchster Intensität. »Was eben noch selbstverständlich war, der Abschied, der ›um ein Haar‹ ganz ohne Zögern geschehen wäre, bedarf auf einmal eines Entschlusses; ja, weit mehr: der Mann ist nicht mehr imstande, diesen Entschluß zu fassen« (Sachs, S. 62). Alles geht vor sich ohne ein Wort. »Stumm nahm ich ihre Brust« (5). Auch die Rede der Frau, ihre verwunderte Frage, warum der Nachtgast nach Verlauf der Nacht nicht gehen wolle, läßt sich, wie Hella Sachs bemerkt, als bloßer fragender Blick verstehn (Sachs, S. 61).
Die Antwort ist äußerst bezeichnend; sie liefert den Schlüssel zum Verständnis des ganzen Gedichts. Der Frau in direkter Rede entgegengesprochen, geht sie dennoch über die Frau hinweg. »Unumwunden« wie der Blick, den die Antwort gleichsam in Rede übersetzt, verhehlt sie nicht, daß sie im Grunde ein Monolog ist, ganz aus dem ungeteilten und unteilbaren Erleben des Mannes kommt und eine momentan intensivere, keineswegs aber, wie einige Interpreten gemeint haben, tiefere, d. h. persönliche Beziehung zu dem Partner für »nur noch eine Nacht« (9) begehrt. (Hans Kaufmann, mehr mit ideologischen Improvisationen als mit Analyse beschäftigt, spricht sogar von »ethischen Impulsen«, die in den Versen »wirksam sind« und »die mit Brechts Übergang zur Arbeiterklasse und zum Sozialismus eng zusammenhängen« [Kaufmann, S. 98].)
»Ist's nur noch eine Nacht, will ich noch bleiben« (9). Die Zeile klingt, als werde ein Zugeständnis gemacht, eins von genau bemessenem Umfang. Es ist auch ein Zugeständnis, nämlich des Mannes, der mehr Zeit aufwendet, als er vorgehabt hatte, an sich selbst; denn die Frau, erstaunt, daß er nicht gehen will, kann ihn nicht gebeten haben, »noch« zu »bleiben«. Etwas unvermittelt fährt er fort: »Doch nütze deine Zeit« (10). Oberflächlich scheint es, als mahne der Mann die Frau, ganz im Sinn des Horazischen Carpe diem,

die Frist zu nützen, die ihr für die Liebe noch bleibt. Daß sie »zwischen Tür und Angel« (11) steht, also auf der Schwelle, und dies etwas »Schlimmes« (10) ist, kann nur bedeuten, daß sie, vielleicht ohne es zu wissen, vom Schatten des Alterns bedroht wird. In dieser Lesart stimmen alle Deutungen überein, und sie ist wohl auch richtig. Eine Schwierigkeit allerdings bietet das »Doch«, mit dem die Mahnung »nütze deine Zeit« dem eben erklärten Zugeständnis angeschlossen wird. Im Verein mit dem Imperativ rückt die adversative Konjunktion die Mahnung in die Nähe einer weiteren Bedingung; zumindest stellt sie eine enge logische Beziehung zum Vorangehenden her. Die Frau soll das Zugeständnis des Mannes, das er nicht ihr, sondern sich selbst gemacht hat, rechtfertigen, indem sie ihr Erleben intensiviert. Wenn »zwischen Tür und Angel« auf der Schwelle des Alters bedeutet und die Zeit, die zu nützen ist, die noch verbleibende Jugend als Möglichkeit des Liebesgenusses, dann ist die Beziehung zwischen den Sätzen, streng genommen, nicht logisch. Denn die Zeit, die der Mann mit der Frau noch zu teilen gedenkt, ist ausdrücklich eine einzige weitere Nacht. Die dringende Empfehlung, im angedeuteten Sinn die Zeit zu nützen, muß sich aber, naturgemäß, bei einer jungen Frau auf eine Spanne von Jahren beziehen. Die Schwierigkeit löst sich, wenn »zwischen Tür und Angel« nicht allein, vielleicht nicht einmal vorwiegend als Schwelle zum Alter verstanden wird, sondern als unsicherer flüchtiger Zustand des Sich-Verlierens aus dem Gedächtnis des Mannes. Bündig schreibt Edgar Marsch in seinem Kommentar zu diesem Gedicht: »›Vergehen‹ ist Verbalmetapher des Vergessens. Wiederholung der Liebesbegegnung scheint das ›Vergehen‹ aufzuhalten« (Marsch, S. 150). Das greift vor auf das Schlußterzett, das gleichfalls ohne weiteres verständlich ist, wenn diese Ebene der Deutung festgehalten wird.
Mit den »Gesprächen«, die »rascher«, drängender ›getrieben‹ werden sollen (12), ist die Sprache gemeint, die »Boden und Halt dieses Paares ist« (Wapnewski, S. 27): die stumme Kommunikation der Glieder. Antrieb dazu ist die jähe

Begierde des Mannes; sie benimmt ihm die »Stimme« (14), wird aber die »Gespräche«, um die es hier geht, »nicht ersticken, sondern eröffnen« (Wapnewski, S. 27). Wie erklärt sie sich? Aus der Entdeckung eines vorzeitigen Altersmerkmals an einer jungen Frau: eines Zeichens, das gleichsam (im Mann) den Trieb herausfordert, den es (in der Frau) bedroht.

»Denn wir vergaßen ganz, daß du vergehst« (13). Man hätte hier erwarten können: daß *wir* vergehn. Das entspräche dem reinen vitalen Reflex, von dem soeben die Rede war; »daß du vergehst« greift darin ein; es stellt noch einmal, diskret, doch beharrlich, die zweite Ebene her: die, auf der das Vergehen als Vergessen erscheint. Der Dichter will ihm entgegenwirken, bei sich, im Hinblick auf die Frau. Es heißt aber nicht: Denn *ich* vergaß, sondern: »Denn wir vergaßen ganz, daß du vergehst«. Was dem ›Vergehen im Gedächtnis‹ entgegengesetzt werden kann, ist allein eine neue körperliche Vereinigung. Deren Intensität hängt von beiden Partnern in gleichem Maße ab, wenn auch nur einer, der Mann, die Erinnerung daran festhält und später noch – im Gedicht – von ihr zeugt. (Der erste Entwurf zu diesen Versen beginnt: »vor jahren mich verabschiedend von einer frau« [*Bertolt-Brecht-Archiv*, S. 83].) »Denn *wir* vergaßen ganz, daß *du* vergehst«, ist also äußerst präzis. Es meint, daß die Beziehung bisher hinter ihrer höchsten Möglichkeit zurückblieb, weil beide Partner jene drängende Begierde noch nicht ineinander geweckt hatten, die jetzt der Mann in die zweite Begegnung hineinträgt. Wenn auch die Frau ihre Zeit »nützt«, indem sie teilnimmt an den »*rascheren* Gespräche«, ist ihr Vergehn in der Erinnerung noch eine Zeitlang aufzuhalten. Daß dies gelingen kann – gelungen ist, wie die Existenz des Gedichts zu beweisen scheint –, setzt die Erregung durch ein Zeichen des unaufhaltsamen Vergehens voraus. Ein Paradox? Ja und Nein.

Der Gedanke an die Vergänglichkeit des Fleisches hat schon viele Verse in die Welt gesetzt. Daß er zum Antrieb des Festhaltens in der Erinnerung wird, ist ebenfalls traditionell.

Insofern liegt hier nichts Erstaunliches vor. Ungewöhnlich ist allerdings die Variante des Themas. Denn der ›Gedanke an die Vergänglichkeit des Fleisches‹ erzeugt sich nicht, wie üblicherweise in der Überlieferung, durch sinnendes Betrachten (Kontemplation, Meditation), sondern durch ein plötzliches sinnliches Erkennen. Es ist auch gar kein Gedanke, der hier zur Sprache kommt, sondern eine Erregung; was sie speist, kein Nachdenken, sondern eine unmittelbare Erfahrung. Was ›denkt‹, sind gleichsam die Sinne, »as if the body thought« (Eliot, S. 362).
Nicht auf Verewigung zielt das Gedicht wie die Sonette Shakespeares oder Michelangelos, sondern auf Festhalten für einige Zeit. (Insofern ist es, mit Brecht zu reden, »unterschwenglich«.) Festhaltenswert (für den Leser) ist nicht die Person, von deren Wert und Eigenart die Verse nichts sagen, sondern die unvermutete neue Hinwendung zu ihr und wie es dazu kam. Thema ist die Vereinigung von Mann und Frau im Gliederspiel, die »Wärme aus Körpernähe« als eine »Gnade in der Finsternis« und der Versuch, in der Inbrunst der Vereinigung den Partner aus deren Flüchtigkeit (für den Dichter) in die Erinnerung zu retten.
Der erste faßbare Keim des Gedichts ist eine Notiz: »sonett: das weiße haar« (*Bertolt-Brecht-Archiv*, S. 83). Die Form des Sonetts ergibt sich also nicht im Lauf der Entstehung, sie liegt von vornherein fest. Damit ist eine Entscheidung getroffen, zwar noch nicht für ein ἦθος, denn Sonette können, auch bei Brecht, sehr verschieden sein in Ton und Haltung, doch für eine kurze, zur Prägnanz einladende Form.
Der Typus, den Brecht gewählt hat, ist der auch sonst bei ihm geläufige eines frei behandelten sogenannten deutschen Sonetts. Er trägt den prosodischen Kontingenzen des Deutschen Rechnung, indem er statt der obligaten weiblichen Reime des Italienischen den Wechsel von weiblichen und männlichen und im zweiten Quartett ein neues Reimpaar erlaubt (Normalform: abba, cddc). Brecht hat diese Form noch weiter gelockert, indem er nicht nur den Zwang der

umarmenden Reimstellung aufgibt, sondern die Reime im ersten Quartett auch anders setzt als im zweiten (abab, cddc). Überdies verzichtet er beim weiblichen und männlichen Reim auf geregelten Wechsel (in den Quartetten: mmmm, wmwm). Auch die Terzette sind auf eine Art behandelt, die alle Symmetrie der kanonischen Form vermeidet: e(w)f(w)g(m), e(w)g(m)f(w) – weder Parallelismus noch Spiegelverkehrung. Der Anfangsvers enthält im dritten Takt eine doppelte Senkung (»nüchterner Abschied«), was den Jambus verwischt und so das Beiläufige des knappen elliptischen Eingangs auch rhythmisch herausbildet; der dritte Vers hat einen überzähligen Takt: die erregende Entdeckung, von der er berichtet, treibt ihn über das vorgezeichnete Maß hinaus, in das die folgende Zeile zurücklenkt.
Angesichts solcher Freiheiten und Lockerungen von »Prunkgewand der Quartette und Terzette« und »raffinierten Reimwindungen« zu sprechen (Wapnewski, S. 26) ist sicher verfehlt. Andrerseits ist das Sonett nichts weniger als salopp. Es hat die Tournüre, die Baudelaire auch jenen seiner Gedichte gab, deren Stofflichkeit von allem Klassischen weit abliegt. Der Bau folgt streng der Teilung in Oktett und Sextett. Das erste Quartett entwickelt die Situation, das zweite bereitet mit der Frage die Antwort vor, aus der das Sextett besteht. Der Hälftung des ersten Quartetts in skizzierte Situation (1 f.) und Umschlag aufgrund der »Entdeckung« (3 f.) mit dem Kreuzen der männlichen Reime folgt im zweiten ein einziges geschloßnes Gefüge, durchdrängt von der Bewegung des Mannes, die auf neue Umarmung zielt, mit umarmendem weiblichen und männlichen Reim. Das Sextett, in strengem Zeilenstil, geht Schritt für Schritt dem Höhepunkt des letzten Verses zu, indem es präzis und doch durchpulst von innerer Erregung einen seiner Gründe um den anderen setzt. Das erste Terzett entfaltet den Reim in einfacher Folge (efg), das zweite scheint die Folge aufzunehmen (e), überstürzt sich dann aber und kehrt sie um (gf), wie der Mann, der ruhig gehen wollte, erregt wird und umkehrt.

Zur Sonett-Tradition, der »profanen« wie der »pontifikalen« (*Arbeitsjournal*, S. 124), steht dies Gedicht in erheblicher Spannung. Es ist durchaus ein hohes Gedicht. Mit den Hurensonetten eines Cecco Angiolieri oder Pietro Aretino hat es daher nichts zu tun, obwohl seine Szene das »Treppenhaus« ist (Wapnewski, S. 26). Dem Frauendienst eines Dante oder Petrarca steht es nicht weniger fern. Es teilt mit jenen, wenigstens oberflächlich, das Thema der sinnlichen Liebe, mit diesen den hohen Stil und den Ernst. Es übertrifft die einen wie die andern durch die Höhe der formalen Spannung, die aus solchem Überlagern erwächst. Es zeigt, daß ein Gedicht, wenn es vorzüglich ist, in jedem Umkreis Klassizität gewinnt, am eindrucksvollsten vielleicht, wo es am wenigsten zu erwarten war. Klassizität nicht unbedingt als Ausdruck einer Haltung, die vorbildlich oder auch nur sympathisch erschiene, doch als unvergleichlich und unvergeßlich Gesagtes.

Zitierte Literatur: Bertolt Brecht: Gesammelte Werke. [Siehe Textquelle. Zit. mit Band- und Seitenzahl.] – Bertolt Brecht: Arbeitsjournal. Hrsg. von Werner Hecht. Bd. 1. Frankfurt a. M. 1974. – Bertolt-Brecht-Archiv. Bestandsverzeichnis des literarischen Nachlasses. Bd. 2. Gedichte. Bearb. von Herta Ramthun. Berlin/Weimar 1970. – T[homas] S[tearns] Eliot: A Sceptical Patrician. The Education of Henry Adams. An Autobiography. In: The Athenaeum 92. Nr. 4647 (23. 5. 1919) S. 361 f. – Hans Kaufmann: Brecht, die Entfremdung und die Liebe. Zur Gestaltung der Geschlechterbeziehungen im Werk Brechts. In: Weimarer Beiträge 11 (1965) S. 84–101. – Herbert Lüthy: Fahndung nach dem Dichter Bertolt Brecht. In: H. L.: Nach dem Untergang des Abendlandes. Zeitkritische Essays. Köln/Berlin 1964. S. 131–185. – Sergio Lupi: Tre saggi su Brecht. Milano 1966. – Edgar Marsch: Brecht-Kommentar zum lyrischen Werk. München 1974. – Hella Sachs: Ein Sonett Bertolt Brechts. »Entdeckung an einer jungen Frau«. In: Neue Deutsche Hefte 10 (1963) H. 92. S. 60–64. – Peter Wapnewski: Entdeckung an einer jungen Frau. In: Walter Hinck (Hrsg.): Ausgewählte Gedichte Brechts mit Interpretationen. Frankfurt a. M. 1978. S. 24–28.
Weitere Literatur: Franz Norbert Mennemeier: Bertolt Brechts Lyrik. Aspekte, Tendenzen. Düsseldorf 1982. S. 65 f. – Adolf Muschg: Drei Gedichte von Brecht. In: Bertolt Brecht: Gedichte. Ausgew. von Autoren. Mit einem Geleitw. von Ernst Bloch. Frankfurt a. M. 1975. S. 101 f. – Klaus Schuhmann: Der Lyriker Bertolt Brecht 1913–1933. Berlin [Ost] 1964. S. 181 f.

Kurt Tucholsky

Der Graben

Mutter, wozu hast du deinen aufgezogen?
Hast dich zwanzig Jahr mit ihm gequält?
Wozu ist er dir in deinen Arm geflogen,
und du hast ihm leise was erzählt?
5 Bis sie ihn dir weggenommen haben.
Für den Graben, Mutter, für den Graben.

Junge, kannst du noch an Vater denken?
Vater nahm dich oft auf seinen Arm.
Und er wollt dir einen Groschen schenken,
10 und er spielte mit dir Räuber und Gendarm.
Bis sie ihn dir weggenommen haben.
Für den Graben, Junge, für den Graben.

Drüben die französischen Genossen
lagen dicht bei Englands Arbeitsmann.
15 Alle haben sie ihr Blut vergossen,
und zerschossen ruht heut Mann bei Mann.
Alte Leute, Männer, mancher Knabe
in dem einen großen Massengrabe.

Seid nicht stolz auf Orden und Geklunker!
20 Seid nicht stolz auf Narben und die Zeit!
In die Gräben schickten euch die Junker,
Staatswahn und der Fabrikantenneid.
Ihr wart gut genug zum Fraß für Raben,
für das Grab, Kamraden, für den Graben!

25 Werft die Fahnen fort!
Die Militärkapellen
spielen auf zu euerm Todestanz.
Seid ihr hin: ein Kranz von Immortellen –
das ist dann der Dank des Vaterlands.

30 Denkt an Todesröcheln und Gestöhne.
Drüben stehen Väter, Mütter, Söhne,
schuften schwer, wie ihr, ums bißchen Leben.
Wollt ihr denen nicht die Hände geben?
Reicht die Bruderhand als schönste aller Gaben
35 übern Graben, Leute, übern Graben –!

Abdruck nach: Kurt Tucholsky: Gesammelte Werke. 3 Bde. Hrsg. von Mary Gerold-Tucholsky und Fritz J. Raddatz. Hamburg: Rowohlt, 1972. Bd. 2. S. 573 f.
Erstdruck: Das Andere Deutschland. Hagen i. W. / Berlin. 20. 11. 1926.

Dirk Walter

Versöhnung – die Sache der kleinen Leute. Zu Kurt Tucholskys Gedicht *Der Graben*

Der Erste Weltkrieg ist ein Ereignis, das zur Zeit der Weimarer Republik eine Fülle von Autoren beschäftigte. Die Versuche literarischer Aufarbeitung oder – psychologisch gesehen – Bewältigung sind Legion und finden sich in allen dichterischen Gattungen. Dabei zeigen die Schriftsteller noch oder gerade in der zweiten Hälfte der zwanziger Jahre ein Engagement und stößt dieses wiederum auf Öffentlichkeitsreaktionen, als ob es sich um einen Gegenstand von ausgesprochener Tagesaktualität handelte. Dies ist nicht verwunderlich, wenn man sich bewußt macht, daß der Krieg die eigentliche historische Hypothek der ersten deutschen Republik bildet, deren Lasten sich u. a. mit Stichworten wie Versailles, Reparationen, Ruhrbesetzung benennen lassen. Das – je nach Perspektive – »große Stahlbad« oder auch der »Massenmord« wird zum Reizthema Nummer 1 für die politischen Parteien und Gruppierungen; hier stoßen Auf-

fassungen und daraus gezogene Folgerungen in äußerster Schärfe aufeinander. Obwohl zum Verständnis dieser Auseinandersetzungen die Formeln »militaristisch«/»antimilitaristisch« nur grobe Kategorien darstellen, besitzen sie bei der Betrachtung der Kriegsliteratur jener Jahre dennoch heuristischen Ausgangswert.
Einer der prominentesten Vertreter des sogenannten antimilitaristischen Flügels der Intellektuellen ist Kurt Tucholsky. Zwar hat er nicht *das* große Antikriegsbuch geschrieben, aber sein publizistischer Einsatz im Bereich literarischer Kleinformen, die sich mit dem Krieg beschäftigen, ist quantitativ und qualitativ außergewöhnlich. Das Gedicht *Der Graben* ist in diesem Zusammenhang einer seiner bekanntesten Texte; an ihm lassen sich die Einstellung des Verfassers und seine Wirkungsabsicht beispielhaft ablesen.
Die Brisanz der Tagesaktualität, von der die Rede war, ist auch hier spürbar. Obwohl die Ereignisse zwischen August 1914 und November 1918 im Präteritum angesprochen werden, wirkt der Graben im Schlußappell des Gedichtes doch als etwas noch immer Vorhandenes, und der Text ruft vor dem Hintergrund eines auch im Jahre 1926 noch schwelenden Konfliktes zur Versöhnung auf. Macht man sich bewußt, daß in weiten Teilen der deutschen Bevölkerung eine militaristische und nationalrevanchistische Grundströmung in den zwanziger Jahren herrscht, dann scheint dieser Aufruf Tucholskys zu jedem beliebigen Zeitpunkt motiviert, eine Frage nach Erscheinungsjahr oder genauerem -datum also nicht unbedingt notwendig. Und doch läßt sich auch nach mehrfachem Lesen das Gefühl nicht verdrängen, daß es sich hier um eine Art ›Gelegenheitsgedicht‹ handeln könnte. Zunächst: 1926 ist Tucholsky bereits im dritten Jahr in Paris, betrachtet und kommentiert die Situation Deutschlands teilweise von außen, teilweise aufgrund von Erfahrungen, die er bei regelmäßigen Aufenthalten in Berlin macht. Frankreich ist für ihn zu einem Ort geworden, an dem er sich »von seinem Vaterlande ausruht« (vgl. *Park Monceau*, I,1152); der liberalere Geist des öffentlichen Lebens zieht

ihn an, und obwohl er sich über ebenso vorhandene deutschfeindliche Chauvinismen rechter politischer Gruppierungen des Landes nicht hinwegtäuscht, schlummert in ihm die Wunschvorstellung, es könne zumindest ansatzweise so etwas wie eine geistige Annäherung der ehemaligen Kriegsgegner geben (I,1157).
In demselben Jahr ist aber, vor Drucklegung des Gedichtes, etwas Entscheidendes geschehen: Am 8. September 1926 ist Deutschland dem Völkerbund beigetreten. Das Gedicht *Der Graben* erscheint nun, zwei Monate später, am 20. November in der Zeitung *Das Andere Deutschland*, nur drei Tage bevor im deutschen Reichstag die Debatte über diesen Schritt erfolgen wird. Der Eintritt in die Genfer Vereinigung, deren Hauptaufgabe eine dauerhafte Erhaltung des Weltfriedens sein sollte, ist ein Ergebnis der Stresemannschen Politik des Ausgleichs und der Versöhnung. Und wenn Tucholsky auch nie eine positive Einstellung zum »Realpolitiker« Stresemann gewinnen konnte (Schulz, S. 90), so maß er doch dieser Entscheidung einen gewissen Wert bei: »Genf ist gut –: weil sich Stresemann und Briand überhaupt gesprochen haben.« Zugleich aber warnt er vor Illusionen: »Genf wird überschätzt –: die Kluft zwischen diesen beiden Völkern [Deutschland und Frankreich] ist sehr, sehr groß« (II,1179). Für Tucholsky findet die Völkerversöhnung nicht auf dem roten Teppich der offiziellen Politik statt, für ihn sind die eigentlichen Adressaten das Volk selbst, die »kleinen Leute«, oder – wie er an anderer Stelle ausdrückt – nicht die ehemaligen »Vorbereiter« des Krieges, sondern die »Vorbereiteten« (III,145). Und so wendet er sich unter seinem Lyrikerpseudonym Theobald Tiger gewissermaßen in einem dichterischen Kommentar zum Tage direkt an sie.
In den ersten beiden Strophen spricht er zu den Familienmitgliedern der Kriegsopfer. Ein vertraulicher Ton herrscht, verstärkt durch die Du-Anrede (1: »Mutter«, 7: »Junge«), die den Eindruck vermittelt, daß hier einer spricht, der sich mit den einfachen Leuten solidarisiert, nicht ein ›Dichter‹,

ein ›Olympier‹. Das einfühlsame Sprechen dient dazu, Erinnerungen wachzurufen, es entwirft empfindsame und zugleich sehr alltäglich einfache Bilder des Friedens, der Aggressionsfreiheit, der Verbundenheit, deren man sich oft erst dann bewußt wird, wenn man einen Menschen verloren hat. Selbst bei sensibler und kritischer Einstellung gegenüber solchen ›positiven‹ Darstellungen wird man doch eingestehen müssen, daß hier keine kitschige Idyllik mit falschen Tönen vorherrscht. Gerade deshalb wiegt der Kontrast der beiden refrainartigen Doppelzeilen am Schluß der Strophen um so schwerer, zumal da das grausige Schlüsselwort »Graben«, das nicht nur inhaltlich, sondern auch lautlich düster wirkt, noch wiederholt wird. Und auch hier wieder – eingeschoben – die eindringlich wirkende Anrede.
Die dritte Strophe, die nun den Blick auf die im Graben richtet, bildet eigentlich den zweiten gedanklichen Abschnitt. Hier wird der Schritt vom Individuellen zum Allgemeinen auf doppelte Weise vollzogen. Nicht nur erscheinen Menschen, um die es in den ersten beiden Strophen ging, lediglich als zwei unter *Millionen* Opfern, die auf *allen* Seiten ihr Leben ließen, vielmehr ist nun auch nicht mehr von Sohn und Vater die Rede, sondern von »Genossen« (13) und vom »Arbeitsmann« (14). Die Stillage erfährt eine Wandlung; die sozialistisch orientierten Begriffe kündigen die weitere Argumentationsrichtung an. Zugleich erhalten die Verse durch Wendungen wie »Blut vergossen« (15) oder »ruht Mann bei Mann« (16) auch einen pathetischeren Zug. Er setzt sich fort in den Schlußzeilen der Strophe mit dem beinahe etwas altväterlichen »Knabe« (17) und dem im Sinne der gehobenen Sprachebene deklinierten »Massengrabe« (18). Dieser Stil verrät interessanterweise eine menschliche (d. h. nicht: soldatisch-heroische) Hochschätzung der Toten gerade durch einen Autor, dem man von seiten der politischen Rechten immer wieder Verachtung der Frontsoldaten vorwarf (vgl. besonders *Wer hat die Frontsoldaten »Schweine« genannt –?*, III,373 f.).
Der sozialistische Tenor, den die Schlüsselworte »Genosse«,

»Arbeitsmann« andeuten, findet in der vierten Strophe nun inhaltliche Entsprechung, und zwar nicht allein durch den (Negativ-)Appell zur Ablehnung aller nationaler Ehrenbezeugungen und -zeugnisse, die dann in entsprechend abwertendem Jargon als »Geklunker« (19) bezeichnet werden, sondern auch in der Form direkter Aufklärung über den wirklichen Sinn des Krieges, den Tucholsky-Tiger in den Interessen und Manien von Adel, Staat und Kapitaleignern entdeckt zu haben glaubt.
Unter solcher Perspektive erweist sich der ›Opfergang‹ verständlicherweise als wertlos, und dies bekräftigt wiederum die fünfte Strophe, die im bitter-ironischen Verweis auf die »Immortellen« (28), d. h. die ›unsterblichen‹, nicht verwelkenden Strohblumen, als fast schon zynischen »Dank des Vaterlands« (29) gipfelt. Darüber hinaus aber wird der Appell in dieser Strophe verstärkt. Das »Seid nicht stolz« (19/20) der voraufgegangenen Strophe ist nun zum aktivistischeren »Werft die Fahnen fort!« (25) gesteigert, ein Aufruf, den man wiederum als ganz konkret gemeint verstehen darf, wenn man sich den militärischen Symbolkult vergegenwärtigt, den Krieger- und Veteranenvereinigungen bis hin zu politischen Bünden wie dem »Stahlhelm« in der Weimarer Republik trieben. Das Gedicht endet freilich nicht mit Aufklärung und Ablehnungsappell. Vielmehr wird in der letzten Strophe dem bisher nur ›Negativistischen‹ eine positive Aufforderung entgegengestellt. Es ist wirkungsästhetisch bemerkenswert, daß dabei das lyrische Ich nach dem Exkurs ins Politisch-Allgemeine zum ›Persönlich-Menschlichen‹ zurückkehrt. Die Geste des völkerversöhnenden Händereichens erscheint noch inniger durch die Tatsache, daß nun wieder von Vätern, Müttern, Söhnen als Beteiligten die Rede ist. So knüpft die Strophe einerseits an die Tonlage der Anfangsstrophen an, diesmal freilich mit positivem Kontext, während andererseits die Zeile »Reicht die Bruderhand als schönste aller Gaben« (34) entfernt noch einmal das proletarische Pathos der dritten Strophe anklingen läßt.

Es lohnt, sich solchermaßen zu vergegenwärtigen, daß das Gedicht, so einfach ›gemacht‹ es wirkt, einen kunstvollen und konsequenten Aufbau besitzt: Es führt vom Einzelfall über die Ausweitung ins Allgemeine zur Benennung der Ursachen und endlich zur Schlußfolgerung im Sinne einer Alternative. Die künstlerische Leistung solcher Literatur liegt also gerade in dem ›Leichten‹, das das bewußt und kalkuliert Gestaltete so selbstverständlich und natürlich wirken läßt. Mag dieses Prinzip in der publizistischen Prosa Tucholskys vielleicht sogar noch höher entwickelt sein, so grundiert es doch auch die Lyrik als ein autoren- und darüber hinaus epochentypisches Charakteristikum.
So weist *Der Graben* auch eine Reihe von Merkmalen auf, die sich unter dem Begriff der ›Neuen Sachlichkeit‹ zusammenfassen lassen. Gemeint ist damit jene kulturelle Strömung, die teilweise als Reaktion auf die ernüchternden Zeitereignisse seit dem Weltkrieg entstand und spätestens seit Mitte der zwanziger Jahre sich in Deutschland durchsetzte. Sie läßt sich, wie Klotz feststellt, »in Literatur, Malerei und im Design des Bauhauses und in Kleidermode, in Musik und Rohkost, in Sport und Revue, in Körpergebaren und Redensarten« der Zeit nachweisen (Klotz, S. 479). Speziell literarisch ist diese Richtung gekennzeichnet durch Abkehr vom Esoterischen (hierin dem Naturalismus verwandt). Die Autoren verzichten bewußt auf gehobene ›dichterische Sprache‹, und dies selbst in jener Gattung, in der Verschlüsselung und ›Sprachmagie‹ am ausgeprägtesten sind – der Lyrik. (Theoretische Dokumente dieser sich sowohl vom Rilke-George-Stil wie vom Expressionismus distanzierenden Einstellung sind Brechts Kommentar zum Lyrik-Wettbewerb der *Literarischen Welt* [1927] oder Kästners *Prosaische Zwischenbemerkung* in dem Gedichtband *Lärm im Spiegel* [1929]). Ohne daß die so gestaltete Lyrik zum Produkt der rein funktional-kommunikativen Alltagssprache würde, verwenden die ›neusachlichen‹ Autoren Wörter, Wendungen, ganze Satzmuster des Mannes auf der Straße. Ihr Grundbedürfnis ist, allgemein verständlich zu sein, die

breite Masse anzusprechen, direkt bewußtseinsprägend zu wirken. So gehen Stil und Inhalt Hand in Hand: die Literatur nimmt sich ohne Mystifikation oder bewußte Mythisierung der politischen, sozialen, kulturellen Tagesthemen, des Aktuellen schlechthin, an, sie fürchtet die Nähe zum Journalismus nicht, sondern sucht sie, scheut nicht das ›Ephemere‹, Vergängliche, im Gegenteil: ›Gebrauchsliteratur‹ wird zum Modewort, das, rezeptionsästhetisch gesehen, freilich eine breite Skala von Trost über »Stärkung« (Brecht) bis hin zum Auflehnungsappell besitzt und deshalb auch für die »gereimten oder rhythmischen Parteimanifeste« der KP-Agitatoren verwendet wurde (vgl. II,1319).
Auch der Begriff ›Sachlichkeit‹ erhält formalen und inhaltlichen Bezug: das Konkrete, die für jeden faßbaren (oder besser: erfahrbaren) Umweltphänomene werden einer nüchtern wirkenden Bestandsaufnahme unterzogen, in der sich selbst satirische Attacken noch mit einer gewissen lässigen Kühle umgeben. Besonders in diesem letztgenannten Punkt aber unterscheidet sich die neusachliche Lyrik von der gleichzeitigen Arbeiterdichtung und der Agitpropliteratur im Umkreis der KPD, die bei ähnlichen Themenstellungen pathetischere und parolenhafte Töne aufweist, allzumal dann, wenn der revolutionäre Appell direkt formuliert wird. Das Gedicht *Der Graben* bewegt sich etwa auf der Grenze zwischen beiden literarischen Strömungen, was dem Schwanken Tucholskys zwischen ›Bürgerlichkeit‹ und ›proletarischer‹ Ideologie durchaus entspricht.
Es ist für diesen Zusammenhang bezeichnend, daß die Literaturwissenschaft der DDR gerade in den aktivistischen, mit dem entsprechenden Schlüsselvokabular (»Genosse«, »Arbeitsmann«, »Bruderhand«, »die Partei« usw.) durchsetzten Texten und Textauszügen aus der Feder des Autors das Fortschrittliche erblickt (u. a. Kaufmann, S. 378), während bürgerlich-konservative, aber auch linksliberale Literaturkritiker und -wissenschaftler die politische oder ästhetische Überzeugungskraft dieses »affirmativen Pathos« in

Zweifel zogen (Schulz, S. 119; Mörchen, S. 64f., 118). Tucholsky selbst sah in den deklamatorischen Passagen seiner Lyrik und Prosa sicherlich ein Dokument des Muts zum ›Positiven‹, ein Zeichen von ›Kraft‹, was nicht zuletzt aus seinen Äußerungen über Schriftstellerkollegen wie z. B. Kästner herausgelesen werden kann, die auf solche Akzente verzichteten und deswegen von ihm der Schwäche verdächtigt wurden (III,129).

Daß Tucholsky dabei dennoch nicht mit fliegenden Fahnen ins Lager der damaligen kommunistischen Linken oder der Parteiliniendichtung überwechselt, zeigt nun nicht zuletzt die Strophe, in der er die Ursachen des Ersten Weltkrieges auflistet. Indem er neben dem »Fabrikantenneid« (22) auch die preußische Ideologie (21: »Junker«, 22: »Staatswahn«) verantwortlich macht, stellt er – marxistisch gesprochen – Überbauphänomene funktional auf die gleiche Ebene mit der ökonomischen Basis, ein Grundsatz, den er auch noch drei Jahre später ausdrücklich vertritt (vgl. *Juli 14*, III,139ff.). Diese Position eint ihn wiederum mit ›Neusachlichen‹ wie Mehring und Kästner, die in ihren Gedichten *viele* soziale Gruppen und besonders deren Bewußtsein als Ursache des Krieges anprangern. Daß sich aufgrund solcher Einstellung teilweise sogar heftige Auseinandersetzungen mit den Kommunisten ergaben, läßt sich den Schriften Tucholskys über die gesamten zwanziger Jahre hinweg ablesen. Und so macht es vielleicht gerade das literarisch und psychologisch Besondere dieses Autors aus, daß er zur selben Zeit, in der er mit Texten an die Öffentlichkeit tritt, die das proletarische Pathos und den entsprechenden optimistischen Aktivismus vorweisen, ebenfalls unter dem Pseudonym Theobald Tiger auch ein Gedicht wie *Hej –!* verfaßt, das deutliche Identifikationsschwierigkeiten ausdrückt: Obwohl er darin bei der Musterung der verschiedensten Ideologien dem Kommunismus noch die größte Sympathie entgegenbringt, entscheidet er sich in einer Art Selbstgespräch:

Sie schrein:
In die Reihn!
In den Verein!
[...]
Schwächling! schrein sie; Einzelgänger!
Unentschiedener!
Her zu uns!
Zur Ordnung! Zur Ordnung!
[...]
Bleib tapfer.
Bleib aufrecht.
Bleib du.
Hör immer den Schrei:
– »Hej!«
Laß dich nicht verlocken.
Geh deinen Weg. Es gibt so viele Wege.
Es gibt nur ein Ziel. (III,229 f.)

Betrachtet man nochmals das Gedicht *Der Graben*, so ist zu fragen, ob solche aufklärerisch orientierte Lyrik nicht eine größere Wirkungschance besaß als die eindeutig KP-treue Agitpropkunst, die beim bürgerlichen Publikum, bei konservativ Denkenden allzumal, von vornherein auf Ablehnung stieß. Waren Tucholskys antimilitaristische, in Sprache und Stil allgemeinverständliche Verse, die den Ton der einfachen Leute trafen, nicht gerade dazu angetan, möglichst viele zum Umdenken zu bewegen? Und waren sie nicht damit als ästhetisch beachtenswertes Medium des publizistischen Tageskampfes zugleich auch eine Waffe gegen den heraufkommenden deutschen Faschismus? Hierzu gilt: Abgesehen vom Umstand, daß es, außer in Ausnahmesituationen, nahezu unmöglich ist, die konkrete Wirkung eines literarischen Textes zu bestimmen, muß man grundsätzlich davon ausgehen, daß festgefügte ideologische Denkschemata durch Lehrdichtung welcher Art auch immer nur schwerlich ins Wanken zu bringen sind. Es genügt, sich bewußt zu machen, daß diejenigen, die das Gedicht *Der Graben* umstimmen sollte, kaum zu den Käufern der pazifistischen Zeitung *Das Andere Deutschland* gezählt haben dürften, in

der es erschien. Auch insofern steht dieser Text stellvertretend für die Chancen der antimilitaristischen Literatur vor dem Dritten Reich. Hinzu kommt, daß solchen Bemühungen eine literarische Front der Rechten entgegenstand, die ihre propagandistische Schlagkraft gerade aus der Tatsache zog, daß sie dem Sterben, das unser Gedicht als sinnlos ausweist, einen fragwürdigen Sinn verlieh. Die »Väter, Mütter, Söhne«, an die Tucholsky sich wendet, wurden auch von jenen angesprochen, die sie glauben machten, der Kriegstod sei ein Opfer für die ›Volksgemeinschaft‹ gewesen, die in der Stunde der Gefahr im Schützengraben zu erstem Leben erwacht sei und die es nun generell und rigoros zu verwirklichen gelte.
Der Blick auf dieses zeitgeschichtliche Umfeld macht es verständlich, daß Kurt Tucholsky, der ›aktivistischste‹ und ›optimistischste‹ unter den neusachlichen Autoren, die deprimierende Formel prägte: »Erfolg, aber keine Wirkung«.

Zitierte Literatur: Bert BRECHT: Kurzer Bericht über 400 (vierhundert) junge Lyriker. In: Die Literarische Welt. 4. 2. 1927. (Vgl. auch: B. B.: Schriften zur Literatur und Kunst 1. Frankfurt a. M. 1967.) – Geschichte der deutschen Literatur 1917–1945. Von einem Autorenkollektiv unter Leitung von Hans Kaufmann [...]. Berlin [Ost] 1973. [Zit. als: Kaufmann.] – Volker KLOTZ: Lyrische Anti-Genrebilder. Notizen zu einigen neusachlichen Gedichten Erich Kästners. In: Historizität in Sprach- und Literaturwissenschaft. Hrsg. von Walter Müller-Seidel [u. a.]. München 1974. S. 479–495. – Helmut MÖRCHEN: Schriftsteller in der Massengesellschaft. Studien zur politischen Essayistik und Publizistik Heinrich und Thomas Manns, Kurt Tucholskys und Ernst Jüngers während der zwanziger Jahre. Stuttgart 1973. – Klaus-Peter SCHULZ: Kurt Tucholsky. Reinbek bei Hamburg 1969. – Kurt TUCHOLSKY: Gesammelte Werke. [Siehe Textquelle. Zit. mit Band- und Seitenzahl.]
Weitere Literatur: Fritz J. RADDATZ: Lied und Gedicht der proletarisch-revolutionären Literatur. In: Die deutsche Literatur in der Weimarer Republik. Hrsg. von Wolfgang Rothe. Stuttgart 1974. S. 396–407. – Wolfgang ROTHE (Hrsg.): Deutsche Großstadtlyrik vom Naturalismus bis zur Gegenwart. Stuttgart 1973. S. 21–25. – Ursachen und Folgen. Vom deutschen Zusammenbruch 1918 und 1945 bis zur staatlichen Neuordnung Deutschlands in der Gegenwart. Bd. 6. Berlin o. J. S. 511 f.

Gottfried Benn

Valse triste

Verfeinerung, Abstieg, Trauer –
dem Wüten der Natur,
der Völker, der Siegesschauer
folgt eine andere Spur:
5 Verwerfen von Siegen und Thronen,
die große Szene am Nil,
wo der Feldherr der Pharaonen
den Liedern der Sklavin verfiel.

Durch den Isthmus, griechisch, die Wachen,
10 Schleuder, Schilde und Stein
treibt im Zephir ein Nachen
tieferen Meeren ein:
Die Parthenongötter, die weißen,
ihre Zeiten, ihr Entstehn,
15 die schon Verfall geheißen
und den Hermenfrevel gesehn.

Verfeinerte Rinden, Blöße.
Rauschnah und todverfärbt
das Fremde, das Steile, die Größe,
20 die das Jahrhundert erbt,
getanzt aus Tempeln und Toren
schweigenden Einsamseins,
Erben und Ahnen verloren:
Niemandes –: deins!

25 Getanzt vor den finnischen Schären –
Valse triste, der Träume Schoß,
Valse triste, nur Klänge gewähren
dies eine menschliche Los:

Rosen, die blühten und hatten,
30 und die Farben fließen ins Meer,
blau, tiefblau atmen die Schatten
und die Nacht verzögert so sehr.

Getanzt vor dem einen, dem selten
blutenden Zaubergerät,
35 das sich am Saume der Welten
öffnet: Identität –:
einmal in Versen beschworen,
einmal im Marmor des Steins,
einmal zu Klängen erkoren:
40 Niemandes –: seins!

Niemandes –: beuge, beuge
dein Haupt in Dorn und Schlehn,
in Blut und Wunden zeuge
die Form, das Auferstehn,
45 gehüllt in Tücher, als Labe
den Schwamm mit Essig am Rohr,
so tritt aus den Steinen, dem Grabe
Auferstehung hervor.

Abdruck nach: Gottfried Benn: Gesammelte Werke. 8 Bde. Hrsg. von Dieter Wellershoff. Wiesbaden: Limes, 1968. Bd. 1. S. 72.
Erstdruck: Gottfried Benn: Gesammelte Gedichte. Berlin: G. Kiepenheuer, 1927.

Horst Enders

Valse triste von Gottfried Benn

Kommentar

Ein Kommentar erklärt selbstverständlich nicht das Gedicht, sondern beseitigt äußere Erschwernisse der Lektüre. Der Schein gedanklicher Konsistenz, der sich aus ihm ergeben könnte, trügt; für den geschichtsphilosophischen Hintergrund, über den namentlich die Essayistik Benns gute Auskunft gibt, mag das dahinstehen, im Gedicht jedenfalls ist auf einen Zusammenhang des Begreifens nicht Wert gelegt. Im Gegenteil, dessen Rationalität bleibt unentfaltet, und insofern könnte der Kommentar, der der Lektüre behilflich sein will, die Interpretation behindern.
Philologenspaß – mäßiger freilich – ist mit am Werke, und es ist nur zu hoffen, daß er etwas »Hirn« zum Vorschein bringt, an dem – nach Benn – wir alle leiden. Dann hätte der Kommentar für die Interpretation den guten Sinn einer Darbietung des Themas.
Der Titel des Gedichts ist von einer Komposition des Finnen Jean Sibelius genommen, der den schwermütigen Walzer seiner Schauspielmusik zu *Kuolema* (›Der Tod‹), einem Stück des Landsmannes Arvid Järnefelt, eingefügt hatte (1903, op. 44). Die *Valse triste*, 1904 separat publiziert, hatte einen großen, langanhaltenden Erfolg. Benn zielt also in keinen entlegenen Bildungswinkel der zwanziger Jahre, er bezieht sich auf Gängiges. Der mehrfache inhaltliche Rekurs auf das Tanzen hält sich an das Titelthema; auch eine Zeile wie »Rauschnah und todverfärbt« (18) könnte die Erinnerung an die *Valse triste* mit ihrem Wechsel der schleppenden und hetzenden Tempi; der Moll- und Dur-Tonart, der reichen und ausgehöhlten Instrumentierung heraufrufen.
Das Feld für musikinteressierte Reminiszenzen ist eröffnet. – Die »große Szene am Nil« (6) findet sich in der Oper

Verdis, die den ägyptischen Feldherrn Radames als Geliebten der äthiopischen Sklavin Aida zum Verräter von Kriegsplan und -handwerk werden läßt (nach Wodtke, S. 69, hat Heselhaus als erster die Anspielung auf *Aida* bemerkt). Der ehemalige »salvator della patria«, zur Strafe dem Tod im unterirdischen Gewölbe des Tempels preisgegeben, kann den Stein (»o fatal pietra«), der den Ausgang versperrt, nicht bewegen. – Vielleicht sollen Kommentare zu einer Erinnerung an den Stein des Grabes Christi (Str. 6) verlockt werden.

Auf Wagners *Parsifal* wird mit der fünften Strophe rekurriert. Schon der Kontext der Anspielungen macht es wahrscheinlich. »Den heil'gen Speer – / ich bring ihn euch zurück! / Oh! welchen Wunders höchstes Glück! – / Der deine Wunde durfte schließen, / ihm seh ich heil'ges Blut entfließen / in Sehnsucht nach dem verwandten Quelle, / der dort fließt in des Grales Welle!« (Ende des 3. Aufzugs). Die Wagnersche Bearbeitung des Stoffes kennt den sich mit Blut füllenden Gral; daß das »Heilsgefäß«, vor dem »Erlösungswonne« alle Seelen »durchzittert«, von Benn als das »selten blutende Zaubergerät« angesprochen sei (wie Heselhaus, S. 262, annimmt), hat wenig für sich. Sprachlich genau genommen, kann nur die Lanze beim Gral (literarischer Abkömmling des heilskräftigen Longinus-Speers) gemeint sein. Ihrem Gebrauch in der Oper, der zauberischen Besiegung Klingsors, entspräche zudem die Bezeichnungsweise besser. – Für Benns als selbstverständlich vorauszusetzende Kenntnis des *Parsifal* gibt es einen späteren, beinahe schlüssigen Beweis: »Montsalvat, sagte ein Oberleutnant, der offenbar Opern gehört hatte« (*Doppelleben* IV, VIII,1979).

Der christlichen und musikalischen Spur folgt auch die sechste Strophe. Paul Gerhardts Kirchenlied *O Haupt voll Blut und Wunden* klingt durch Text und Takt unüberhörbar an.

In der zweiten Strophe gibt es ein Problem, das, wiewohl unaufhebbar, den Kommentar zur Hartnäckigkeit veranlaßt – auch der Meinung gegenüber, bei Gedichten dürfe man so genau es nicht nehmen. Die Schwierigkeit ist entweder sprachlicher oder nautischer Natur. Fixpunkt der Erklärung soll der treibende »Nachen« (11) sein, der hier als ›Dionysos-Schiff‹ reklamiert wird. Zwar ist das ehemalige Seeräubergefährt nur schwer als Nachen vorstellbar, doch hatte schon in der Antike die einschlägige Ikonographie, weinrankenselig und disproportionell, das wehrhafte Schiff zu einer Art Nachen gemacht und der besseren, sagengetreuen Erinnerung an die Piraten bei den begleitenden Delphinen, Rettungsmetamorphosen der Untäter, ornamental Raum gelassen (z. B. Schale des Exekias, München, Museum für antike Kleinkunst). – Der Verweis auf Dionysos ergibt sich leicht bei der Übersicht über Benns zentrale Ideen und ihren Ausdruck. »Hellstes Griechenland, die Taineschen Hellenen, arme sparsame junge Rasse und plötzlich: aus Thrazien: Dionysos. [. . .] – nun ist die Stunde der großen Nacht, des Rausches und der entwichenen Formen« (*Das Moderne Ich*, III,582 f.). Der Weg aus dem Osten, mythengeschichtlich gesichert, aus Thrazien und, wie es weiter heißt, »aus den phrygischen Bergen«, verbunden mit der Theophanie auf dem Meere, mag die Idee des Seewegs durch die Dardanellen (Hellespont), gelegentlich »Isthmi« genannt (nach Georges, s. Propertius, *Elegiarum Libri* 3,21,22)[1], eingeben. Der Nachen, so gesehen, treibt also durch die Isthmi, mitten zwischen den griechischen Kolonien des Archaikums, den ionischen und der aiolischen an den beiden Küsten, hindurch. – Sprachlich scheitert diese Erklärung am Singular »Isthmus« (9). Ihm sein Recht belassend, bekommt man es mit einer nautischen Undenkbarkeit zu tun. Der Isthmus schlechthin ist im Mittelmeerraum der von Korinth, mit dessen Durchstich das Altertum erfolglos blieb. Und es verschlägt nun wenig, daß das Dionysos-Schiff in ritueller Erinnerung frühjahrs auch vierrädrig zu Lande bewegt

1 Leider erst anläßlich der Korrektur festgestellt: der Lateiner nimmt – gegen das Versmaß – ›Isthmos‹ lat. Akk. Pl. für griech. Nom. Sing. Da aber die angebotene Erklärung ohnedies nichts einbringt, ist die Entdeckung unschädlich.

wurde; das hat Benn mit Gewißheit nicht vorgeschwebt. Einige Attraktion für den Ideenhaushalt dürften jedoch die aus der archaischen Zeit hergekommenen Isthmischen Spiele gehabt haben. Ihr Ort war durch Mauern und Tore, mithin auch durch Wachen gesichert. Diese nun – und keineswegs der friedfertige Nachen[2] – sind mit Waffen, »Schleuder, Schilde und Stein« (10), auszurüsten, ihrer Art nach Zeichen zugleich einer archaischen Kulturstufe. Der Isthmus, ideell, das Griechische als das Gemeingriechische der Spiele, die Kunst in der Form der musischen Wettkämpfe, archaische, dorische Härte – wenn auch nur in ihrer sportiven bzw. verhaltenen militärischen Äußerungsweise – gingen also unter Dach und Fach, nur eben der Isthmus geographisch, nautisch nicht.

Mit den »Parthenongöttern« (13), den dazumal nicht weißen, ist beim Blick auf die Giebel und Metopen des Tempels leicht zurechtzukommen; mehr im Verborgenen bleibt der »Hermenfrevel« (16). Nächtens, 415, fanden die Verstümmelungen statt und wurden Alkibiades – dem Feldherrn, nebenbei – aus mancherlei politischen Gründen angelastet. Die Eskapade war die Kundgabe einer jugendlichen Gottlosigkeit, für deren Aufkommen die Athener bekanntermaßen Sokrates den Prozeß machten. Die Hermen, vierkantige Schäfte mit aufgesetztem Kopf, hatten uraltes Herkommen aus anderer Gestalt und waren mit phallischen Kräften begabt, die extra ausgewiesen waren. Plutarch (*Parallelbiographien: Alkibiades*) berichtet dezent vom Zerschlagen der Gesichter, Aristophanes (*Lysistrate*, V. 1072 f., 1078 f., 1093 f.) gibt gründlichere, seiner Art eher entsprechende Hinweise. Der Angriff der Aufklärung aufs Archaische fügt sich den Ideen Benns.

Die »verfeinerten Rinden« (17) gehören ins geschichtsphilosophisch-physiologische Spezialvokabular; gemeint ist die

2 Heselhaus (S. 262) deutet, wohl von dem Essay *Dorische Welt* des Jahres 1934 herkommend, folgendermaßen: »Durch den waffenstarrenden griechischen Isthmus treibt ein Nachen im Zephir als Zeichen der Musen unter den Waffen.«

zunehmende Zerebration, Verhirnung, des Menschen, die auch die Nähe zum Rauschhaften schaffe. – »Identität« (36) meint psycho-physische Einheit, Einheit des Menschen mit dem Göttlichen oder auch nur die Verschmolzenheit des Ich mit seiner Lebenswelt.
In den christlichen Erlösungsglauben projiziert ist die allgemeinere Vorstellung der Identität. Auf Christi Passion und Auferstehung nimmt, klarerweise, die letzte Strophe Bezug. (An die Erweckung des Lazarus außerdem denkt Gajek, S. 60.)
Dies alles erklärt, wie gesagt, vom Gedicht fast gar nichts.

Das Gedicht

Aller methodologische Scharfsinn der letzten beiden Dezennien, um Wissenschaftlichkeit auch von Interpretationen besorgt, kann es einem, wo es zur Sache geht, nicht ersparen, sich selbst, wenn nicht als ›idealen Leser‹, so doch als die Instanz, die im Moment allein verfügbar ist, zu erkennen und den verschmähten ›Subjektivismus‹ mit dem Versuch der Überzeugung zu verbinden. Die mag gelingen oder nicht.
Es läßt sich nicht sagen, daß das Gedicht verschlüsselt sei, hermetisch vielleicht im Sinne der Moderne. In geradezu indezenter Weise wird der thematische Rahmen mit dem ersten Vers exponiert: »Verfeinerung, Abstieg, Trauer –«; was dann folgt, sind Belege, die für den Erweis der Verfallsgeschichte aufkommen sollen und die sich, wenn man dem jeweils Gemeinten einmal auf die Spur gekommen ist, ohne Schwierigkeit zum Ganzen fügen. – Eine archaische Geschichtsphase, gekennzeichnet durch ein in der Tat und im Leiden ganz nach außen gelagertes und dabei mit sich selbst einiges Leben, wird abgelöst von einer anderen, die abendländische Entwicklung bestimmenden, sie umfassenden. Im frühen Orient schon und in der Zeit der Blüte Athens, der griechischen Klassik, geschieht dies; das Zei-

chen dafür ist das Auftreten des Dionysos in den griechischen Mythen und Kulten. Die Einigkeit des Lebens mit sich selbst ist verloren; in Rausch und Tanz wird sie gesucht und erinnert. Das Leben wird, wo Bewußtsein zunimmt und Individuation entsteht, auch auf den Tod hin orientiert als auf das Verlöschen aller Geschiedenheit. Räume und Zeiten, Süden und Norden, ferne historische Vergangenheit und Gegenwart werden unterschiedslos in dem einen abendländischen Schicksal. Die christliche Erlösungssehnsucht ins Jenseits ist auch nur eine Abwandlung des durchgehenden historischen Motivs. Der Tanz, die Musik bescheren die Ekstasen, die Befreiungen aus dem mit sich uneinigen Leben. Die Kunst einer höheren, durch das Gedicht selbst repräsentierten Stufe geht aus dem akzeptierten Leiden hervor, zwingt mit der reinen Form nicht ekstatische Rückkehr, sondern Erhebung über die Zerfallenheit herbei.
So oder so ungefähr, wenn auch gewiß nicht nach dem Muster paraphrastischer Klügelei und Ausführlichkeit, geht alles zusammen und erfüllt das Thema ohne große Schwierigkeit – bei einigermaßen präparierter Lektüre jedenfalls. *Valse triste* bleibt ohne Geheimnis. – Da sich Schlimmeres einem Gedicht kaum nachsagen läßt, ist auch sofort einzuräumen, daß der Eindruck natürlich ein ganz anderer ist, und dies schon auf der Ebene der Argumentation.
So abrupt, wie das Thema mit dem ersten Vers hingesetzt, die Quintessenz der abendländischen Verfallsgeschichte vorgegeben wird, so unvermittelt folgen die thematischen Erfüllungen, die Argumente – auf die der Gedankenstrich versöhnlich hinzuleiten schien. Es regiert ein distanzierender Sprechgestus; es wird gesprochen wie über längst Bekanntes, gesprochen wie zu Eingeweihten. Gerade dann, wenn der Leser über die sachlichen Inhalte verfügt, ist er aufgefordert, den Sinn sozusagen zu entdecken, den die Kundigen dem Gesagten zu verbinden wissen. Je tiefer man bei der Lektüre dringt oder zu dringen glaubt, um so energischer richtet sich Esoterik auf. Daß dies Schein ist, läßt sich nun allerdings zugeben, ohne daß der ästhetische Point d'honneur berührt würde.

Aufforderungen zu rationaler Anstrengung enthält auch die Syntax, die dem Verständnis nicht durchaus vorarbeitet. *Valse triste* bietet Gedankenstriche und Doppelpunkte, vier Relativsätze, wobei es mit einem grammatisch und normstilistisch nicht klappt (15), zu guter Letzt (47) ein konsekutives »so«, das, bezogen auf die vorausgehenden Imperative, logisch die Bedingungsrelation ›wenn – dann‹ repräsentiert; im ganzen nicht viel Aufwand an Differenzierung. Entscheidend für die Wirkung sind jedoch die relativ häufigen satzwertigen Partizipien (des Perfekts) und sogenannten verkürzten Nebensätze bei schwieriger oder unsicherer Identifizierbarkeit des Bezugswortes; entscheidbar ist auch nicht immer die Kategorisierung nach verkürztem Nebensatz oder Ellipse. Es wird partienweise wenig getan, ordentliche Verhältnisse im Satz herzustellen, im Gegenteil, es wird viel getan, syntaktische Beziehungen zu stören, Zusammenhang des Gedankens im Satz zu unterbinden. Die satzwertigen Partizipien und verkürzten Nebensätze bieten dafür gute Mittel. Leicht lassen sich radikalere vorstellen und in der Literatur auch finden; Mittel allerdings, die nicht in demselben Maße den Gedanken an die Konstruierbarkeit des Satzes wachhalten, ihn provozieren.
Distanzierender Gestus und brüchige Syntax, in der Wirkung sich wechselseitig unterstützend, fordern rationale Anstrengung heraus, die, weil sie im ganzen erfolglos bleibt, als eine Anstrengung überhaupt sich freistellt und bemerkbar wird. Anders ausgedrückt: das Gedicht spielt das Moment von Rationalität als ein besonderes hervor.
Ein solcher Befund ist schockierend für ein Lyrikverständnis, das mit dem 19. Jahrhundert durchaus nicht dahingegangen ist und dem auch *Valse triste* in einigen Partien ganz zu genügen scheint. Es gibt Gelegenheiten des Dahinschwimmens mit halben Gedanken, angeregten Mitmachens von Wohllaut, Rhythmus und Vorstellung (ich schlage vor: 6–8; 29–32; 37–39). Aber gerade die zeitweilige Entlassung in solche Stätten des Behagens ruft das Mißtrauen wach, daß sie keine seien. Abgesehen davon, was die genauere Analyse

an tatsächlich irritierenden Momenten entdecken ließe, wirkt das ›Lyrische‹ exageriert, zu süffig und darin leicht schwindelhaft. Der aus der Idee des ›Lyrischen‹ kommende Einspruch gegen die Feststellung einer im Gedicht präsentierten und nicht integrierten Rationalität kann gerade dann, wenn er auf die ihm gemäßen Beispiele des Gedichts rekurrieren möchte, keinen Erfolg haben. Ein in seinem Sinne intakt ›Lyrisches‹ gibt es nicht, und es ist nun die Frage, ob ein Kunstmangel zu konstatieren ist oder ob die übertriebene ›Lyrik‹ im Gedicht ihren ästhetischen Sinn hat.
Letzteres sei die Annahme, und dies verlangt, daß der Text vorab auf seine sinnlichen Komponenten hin besehen wird. Dafür gibt es Programme. Man kann Arien vom Wohllaut singen, strukturalistisch beschenkte Responsorien absolvieren und auf der zünftigen Fermate, dem Dauerton der Schönheit, dann ausruhen. Das alles kann man tun, kann es aber auch lassen. Hier wird's gelassen – um den Preis einiger Mühseligkeit allerdings, ohne die unter gegebenen Umständen selbst Sinnlichkeit sich verweigert.
Dem Rhythmus wird das Glück der Untersuchung anvertraut. Metrisch läßt sich das Gedicht unter Zuhilfenahme von ein- oder auch zweisilbigen Auftakten sowie katalektischen Schlüssen als eine Mischung von Daktylen und Trochäen begreifen (wohl ein Versehen bei Gajek, S. 57: »Daktylen, gemischt mit Spondäen«). Gute Beispiele klarer Realisation dieses Musters bieten die Verse 8 und 25. Eine klare Ausnahme macht die letzte Strophe mit dem jambischen Gang der Verse 42–46. Es hat gewiß auch etwas Bestechendes, den motorisch so anregenden Daktylus auf das Tanzthema des Gedichts beziehen zu können und im Daktylus und Trochäus den Walzertakt mit drei Viertelnoten bzw. einer halben und einer Viertelnote nachgeahmt zu finden.[3]
Dem Prinzip nach haben die rhythmischen Versbewegungen

3 Heselhaus (S. 261) versteht den Rhythmus in dieser Weise: »Lyrisch ist zuletzt und vor allem der Rhythmus, in welchem der Dreiertakt (Daktylus) vorherrscht. Wenn dieser Dreiertakt in den folgenden Zeilen synkopisch zu einem Zweiertakt verkürzt ist, wird der Valse-Rhythmus nachgebildet.«

jedoch einen überaus weiten Abstand vom metrischen Schema. Dafür sind die Verschiebungen der Kola gegen die metrischen Einheiten mit verantwortlich; maßgebend jedoch, und zwar in der Weise, daß im Eindruck alles nur auf ihn ausgerichtet erscheint, ist der Sprachinhalt. Selbst eine so klare Regelmäßigkeit des Daktylus-Trochäus wie in Vers 12 (»tieferen Meeren ein«: x́ x x / x́ x / x́) will als Schema fast ganz überhört und nur auf den Inhalt bezogen sein.

Die Fundierung des Rhythmus im Vorstellungsinhalt ist ein Charakteristikum der modernen Lyrik. Bei Arno Holz ist in der Dichtung wie in der Programmatik die Ablösung des Rhythmus vom Metrum gut greifbar: »Der notwendige Rhythmus, den ich will, [...] wächst, als wäre vor ihm etwas anderes noch nie geschrieben worden, jedesmal neu aus dem Inhalt. Er unterscheidet sich dadurch genau so auch von der Prosa« (Holz, S. 61). Die Projektion des Inhalts in den Rhythmus ist allenfalls wegen ihrer anthropologischen Skrupellosigkeit bemerkenswert, im übrigen enthält sie aber eigentlich nichts Aufregendes, sie ist auch – anders als Holz meint – der Prosa, der Rede, der Alltagsäußerung als gelegentlich einzusetzendes Mittel durchaus geläufig.

Valse triste ist jedoch nicht ganz frei von vorgegebener Regel: die Verse sind dreihebig (was die Möglichkeit der wirkungsvollen Ausnahme einschließt), und sie verlangen bei einer maximalen Füllungsdifferenz von drei Silben, bzw. fünf und vier bei den bedeutungsbeschwerten Versen 24, 36 und 40, eine zeitliche Angleichung.[4] Das daktylisch-trochäische Schema, im ganzen zurückgedrängt, tritt gelegentlich, vom Inhalt gerufen und von Kolongrenzen nicht behindert, stärker hervor; es ist eine Regelmäßigkeit, mit der das Gedicht spielt, an die es sich aber nicht bindet.

Um einen nur vom Inhalt her bestimmten Rhythmus handelt es sich im strengen Sinne also nicht, wie denn auch von einem ›inhaltsbestimmten‹ Rhythmus eigentlich nur aus der

4 Auf die schwierige Frage der Taktierbarkeit auch des auf den Inhalt bezogenen Rhythmus wird hier nicht eingegangen (dazu Schultz). Weiterzuarbeiten wäre auch mit einer Verslehre, die im Entwurf vorliegt (Vollmer).

Unmittelbarkeit des Eindrucks zu sprechen ist. Tatsächlich ist der Rhythmus ja an die sinnliche Fundierung im Wortakzent gebunden, der in den Möglichkeiten, die dieser seinerseits bietet, auf den Inhalt zurückwirkt; dem Rechnung zu tragen, wäre besser von einem ›inhaltsorientierten‹ Rhythmus zu sprechen. Da aber ›Inhalt‹ weniger in der Nähe der ›Bedeutung‹ als in der der ›Gegenständlichkeit‹ gesehen werden soll, würde mit Bezug auf den entsprechenden Bewußtseinsakt von einem ›vorstellungsinhaltsorientierten‹ Rhythmus besser – wenn auch nicht gut – die Rede sein. Da aber die emotionale Komponente bei der Rhythmisierung mit im Spiel ist und diese dem ›Inhalt‹ nicht ohne weiteres subsumiert werden kann, soll mit Anlehnung an die Komplexität des Vorstellungsaktes, in dem Inhaltliches und Emotionales zusammengehen, einfach und endlich von ›vorstellungsorientiertem Rhythmus‹ gesprochen werden. Über allem bedarf es dann noch der möglichst glaubhaften Versicherung, daß bei ›Vorstellung‹ im Grundsatz nicht an eine bildhafte Präsentation von Gegenständen für die innere Anschauung gedacht ist, sondern an die noch halb begriffliche Andeutung von Strukturen und Elementen im Raum der inneren Anschauung, bildhaft so wenig ausgeprägt, daß auch Abstraktes, aufgrund der Subjekteinstellungen zum Gemeinten, eine durchaus vergleichbare Repräsentanz in der Vorstellung hat. Ein wichtiger Unterschied besteht dann allerdings in der Beschreibbarkeit, da auf äußere, betrachtbare Gegenstände nicht hilfsweise ausgewichen werden kann.

Den Begriffs- und Erklärungsapparat einzurichten war vielleicht erforderlich, da die Analysen des vorstellungsorientierten Rhythmus, ihrem Objekt getreu, so ohne Umschweif verfahren, daß gewappnetes Mißtrauen sie umlagern muß.

Einige Stellen seien als repräsentativ herausgegriffen. – Die rhythmischen Teilphasen von Vers 12 – mit Klopstocks Nerven ›Wortfüße‹ zu nennen – ergeben sich mit ganz geringfügigen Pausen nach jedem Wort: x́ x x ’ x́ x ’ x́ (»tieferen Meeren ein«). Die sich verkürzenden Phasen geben Abschluß, Finalität einer Bewegung. In der Vorstellung sind der Aspekt des Durativen und das Moment des Ungesteuerten (11: »treiben«) nicht zu unterdrücken; damit erhält die Pause am Versende – wenn nicht überhaupt schon das letzte Wort eine zeitliche Dehnung erfährt – eine besondere Bedeutung hinsichtlich der widerspruchsvollen Synthese von Vorstellungsmomenten der Abgeschlossenheit und der Unabgeschlossenheit. Wesentliche Hilfe bietet die richtungs- und zugleich ortsadverbielle Hinlenkung von »ein«: der Nachen ist schon dort, wohinein er weiter treibt. – Vers 19 bietet dagegen einfachste Verhältnisse. Die Einschnitte im Vers sind vorgegeben, es entstehen in jedem der identischen Wortfüße Betonungssymmetrien: x x́ x / x x́ x / x x́ x. Diese Form unterstützt in der Vorstellung das Moment von Unbewegtem, fremd Aufgerichtetem. – Die klare, beinahe starre rhythmische Ordnung führt kontrastiv aus der weniger gegliederten Bewegung von Vers 18 heraus. »Rauschnah« erhält dort zumindest einen starken Nebenakzent, wenn nicht überhaupt eine zusätzliche, vierte Hebung im Vers; die Betonung x́ x ist jedenfalls so gut wie ausgeschlossen, wenn die Vorstellung zum Zuge kommen soll. Zu Silbendehnungen kommt es außerdem; der ganze Vers bekommt etwas Schwebendes. Vers 21 erhält die Erinnerung an Vers 19 aufrecht. Isoliert gestellt, böte der Vers allen Anlaß zu einer daktylisch-trochäischen Munterkeit (x / x́ x / x́ x x / x́ x), wobei das Unterdrücken von Kolongrenzen noch besonderen Schwung gäbe. Da aber die Vorstellung von »Tempeln und Toren« auf den Gesamtvorgang aus dem Früheren bezogen bleibt und auch der Anschluß an das Folgende gefunden werden muß, tritt die Gliederung x x́ ' x x́ x ' x x́ x ein, unter der der Daktylus-Trochäus nur als eine Möglichkeit oder in ihr als eine gewisse Leichtigkeit der Bewegung, manifest in den Tonbewegungen der Akzentsilben, bemerkbar bleibt. – Ungebrochen, ganz er selbst ist der Daktylus-Trochäus im Schlußvers der ersten Strophe, wo nur mit dem »verfiel« einige Bedenklichkeit aufkommt, leichte Dehnung bewirkend, sich in der Strophenpause aus-

tragend. In Vers 25 sind die »finnischen Schären« etwas im Wege, über die sich der Tanzschwung leicht behindert nur hinwegbringt; der doppelte sch-Laut greift ein, verzögernd, hemmend, der nordischen Trost- und Ortlosigkeit Raum gebend. – Ganz außerhalb des Tanzrhythmus ist auch die Form von Vers 22 (»schweigenden Einsamseins«). Die Vorstellung bewirkt (und unterstützt) die zeitliche Dehnung des Verses und leichte Nebenakzente auf der zweiten und fünften Silbe, schwebend wie Vers 18 wird auch dieser Vers. Wenn man will, kann man in der Akzentfolge des letzten Wortes (x́ x x́) eine beziehungsvolle Umkehr des deutlich ausgeprägten Musters von Vers 19 (x x́ x) – sozusagen Kretikus für Amphibrachys – erkennen. Solche Beziehungen der Wiederholung, des Kontrasts, der Modifikation bestehen nicht unabhängig von der Intention des Lesers, der ihre Sinnfähigkeit zum Kriterium hat.
Verse wie 14 und 23, deren Inhalt von abstrakter Art ist, entwickeln nicht minder einen vorstellungsorientierten Rhythmus. In Vers 14 (»ihre Zeiten, ihr Entstehn«) liegen zwei Akzente zunächst eindeutig auf der dritten und der siebten Silbe. Die dritte Hebung ist nun weder auf der ersten Silbe von »Entstehn« noch bei einem der beiden Possessivpronomen befriedigend unterzubringen; die Vorstellung geriete in Unordnung, reine Bedeutung schöbe sich vor. Befriedigend, Vorstellungsmomente von Erstreckung und Offenheit einholend, ist die Rhythmisierung dann, wenn der Vers schwebende Betonungen im Anfang und in der Mitte (dort Ausgleich zwischen Haupt- und Nebenton) erhält. – Vers 23 erzwingt jetzt Rücksicht auf die Stufung der Haupttöne, die bei den anderen Beispielen ohne Schaden zu vernachlässigen war. Die Akzente sind – vorstellungsadäquat – gleich stark, womit der Vers etwas Hinhaltendes bekommt, vergleichbar der schwebenden Betonung, die sich hier aufgrund der eindeutigen Akzentverteilung im dreihebigen Schema nicht durchsetzen läßt.
Proben des vorstellungsorientierten Rhythmus gab es nun genug, so daß ohne Gefahr für das Prinzip des Gedichts

auch eine andere Art des Rhythmus beobachtet werden kann. Die Verse 37–39, mit dem anaphorischen »einmal«, entwickeln eine eigene deutliche Regelmäßigkeit, bei der die Vorstellungsinhalte kaum eine Rolle spielen. Dem aufmerksamen Leser wird vielleicht nicht entgehen, daß es zudem eine Reimentsprechung zur zweiten Hälfte der dritten Strophe mit ihren komplizierten, vorstellungsorientierten rhythmischen Formen gibt. Der aus dem Tanz des Einsamseins befreiende Kunstakt deutet sich als solcher an. Von ihm redet die letzte Strophe hingebungsvoll; sie wird noch genauer betrachtet werden müssen.

So bestrickend der vorstellungsorientierte Rhythmus in seiner versinnlichenden Leistung ist, so wenig bewirkt er ›vollkommen sinnliche Rede‹; worauf er nämlich nicht zielt, ist Rede als ein die Vorstellungen überspielender Zusammenhang, sei er logischer oder auch nur ganz äußerlicher, versschematischer Art. Die Vorstellungen treten in ihrer Versinnlichung auf, als gäbe es nicht auch ihr Zurückweichen hinter andere, übergreifende Zusammenhänge. Der vorstellungsorientierte Rhythmus isoliert das Feld der Vorstellungen weitgehend, er wirkt desintegrierend auf das Redeganze.

In *Valse triste* geschieht das unter der Bedingung eines für sich auffälligen Moments von Rationalität. Das vom Vorstellungsrhythmus Negierte, die rationale Zusammenhangsbildung, hat, durch Gestus und brüchige Syntax behindert, ihre eigene Repräsentanz durch die Uneinlösbarkeit ihres Anspruchs, d. h. eben im freigestellten, für sich auffälligen Moment von Rationalität. Versinnlichung und Rationalität geraten in ein Spannungsverhältnis, das als die resultierende und eigentlich ausdrucksfähige ästhetische Struktur anzusehen ist. Auch das übertrieben Lyrische, von dem früher die Rede war, bezeichnet in seiner Übertriebenheit nur den Gegenpol, die Rationalität. – Es wäre vielleicht zu erörtern, ob der von Benn so gern gebrauchte Begriff des Faszinierenden, mit seinen Momenten von Attraktion und Fremdheit, nicht auf die soeben entworfene und in *Valse triste* ja nicht einmalige ästhetische Struktur zu projizieren wäre.

Die Freuden also, die man über der sinnlichen Außenseite des Gedichts haben kann, sind entweder naiv oder nicht ungetrübt: es wird eine kniffeligere Realisation des Gedichts erwartet.

Deutung und Wertung

Die vielleicht nur wegen ihres Titels berühmte Rezension Rudolf Arnheims, *Die Flucht zu den Schachtelhalmen*, bemerkt bei den Essaybänden *Fazit der Perspektiven* und *Nach dem Nihilismus* Benns »Abscheu vor der Gegenwart« und moniert die Verwechslung des zivilisatorischen Fortschritts mit dessen Mißbrauch durch eine schlechte Gesellschaftsordnung. Es stehe dahin, ob eine bessere – wie Arnheim meint – vor Verlusten und Beschädigungen, die die moderne Zivilisation zufügt, bewahren könnte. Zutreffend aber ist, daß sich Benn trotz aller Versessenheit auf das in seinem Sinne bezeichnende Detail und trotz aller Bemühung um wissenschaftliche Kronzeugen bei genaueren Fragen nach Ursache und Wirkung nicht aufhält. Das Gegenwärtige wird im weitgespannten historischen Bogen gesehen, die Misere in Urgründen des Abendlandes aufgesucht. Bewußtsein ist es, woran wir leiden, Hirn, groß geworden in »progressiver Zerebration«, Hirnrinde, die den Hirnstamm – wissenschaftlich nachgewiesenermaßen – überwältigt, ist es, was in die moderne Zivilisation hineingeführt hat.
Essays und erst recht Gedichte sind nicht beim Wort zu nehmen, und es ist ihnen nicht entgegenzuhalten, was Wissenschaft und tüchtiger Verstand erkennen oder zu erkennen glauben. Sie haben eine eigene Sprache; und daß Benn 1933 seinen eigenen essayistischen Projektionen zum Opfer fiel, besagt nichts wider die eigene Form des literarischen Ausdrucks. Freilich, die Orientierung am Gegenbild des Archaischen und Atavistischen war als solche nicht indifferent gegenüber den allgemeinen und dann politisch wirksamen Regressionssüchten, sie hielt eine fatale Nähe zu ihnen.

Motor der Bennschen Zivilisationskritik waren Erfahrungen, deren Substrat sich objektiv an den modernen Lebensverhältnissen ausweisen läßt und die noch längst keine vergangenen sind. Undurchdringlich für den einzelnen sind die hochkomplizierten wirtschaftlichen, politischen, gesellschaftlichen Zusammenhänge, deren unansehnliches Teil er nur ist und die zu beeinflussen er kaum eine Möglichkeit hat; in der gesellschaftlichen Organisation erfolgt die Aufspaltung in Funktionen, zu deren ›Träger‹ der einzelne degradiert wird; die sinnstiftenden Instanzen Religion und Philosophie, Symbolquellen die eine mehr, die andere weniger, sind unter solchen Bedingungen dahin; die Technik, längst nicht mehr als verwandelte Handarbeit zu verstehen, ist die Sache von Spezialisten; die Wissenschaften, deren Ergebnisse sich z. T. sprachlich gar nicht mehr formulieren lassen, sagen nichts mehr von der Welt, in der das Subjekt sich verstehen möchte usw. usw. Stichwortartig ist hier nur ein Zustand zu charakterisieren, der in einen weiteren Begriff von Entfremdung zu fassen ist.
Benn antwortet mit der Beschwörung früher historischer und vorhistorischer Zustände, in denen von alledem keine Spur zu entdecken ist, in denen Subjekt und äußerer Lebenskreis sich bis zur Ununterscheidbarkeit ineinander vermitteln, so daß füglich von Subjekten schon nicht mehr die Rede sein kann. Gegenbilder, aber eben doch Bilder, geholt aus der Tiefe der Zeit oder der Seele, in der sie als menschheitsgeschichtliche Erinnerung aufbewahrt sein sollten.
Moderner Realitätsverlust heißt Anschauungsverlust, Entsinnlichung, Trennung auch des Psychischen vom Physischen, als der Brücke vom Ich zur Welt. Der der Zeit bekannte ›Widersacher‹ der Unmittelbarkeit und sinnenhaften Gewißheit ist der Geist, verstanden als Ratio, als Intellekt. Nicht im Verfahren des Umkehrschlusses gerät man an ihn, sichtbar, nachprüfbar durchdringt Rationalität alle Lebensverhältnisse bis zu ihrer eigenen Irrationalität.
Die Kunst nimmt teil an dem Prozeß. Ihre eigene ›Intellektualisierung‹, von konservativen volks- oder gesellschafts-

freundlichen Kritikern oft beklagt, ist ihr jedoch vorgeschrieben, sofern sie Momente, gegen die sie sich richtet und nach allgemeinem Konsens auch richten soll, in sich austrägt und ihnen damit zur Erscheinung verhilft.

Gottfried Benn ist in dem Gedicht nicht durchaus der »Taucher in der Tiefsee des Archaischen«. Zugestanden sei jedoch, daß sich von der direkt darbietenden Außenseite des Gedichtes her der Verdacht bestätigen könnte, zumal dann, wenn man den Komplex des Archaischen auch in den Momenten betörender, bewußtseinsanfechtender Sinnlichkeit repräsentiert sieht. Die vierte Strophe und der Übergang zu ihr könnten vielleicht am ehesten geeignet sein, dionysische Bewußtseinsauflösung, ein Operieren nur mit dem Sinnlichen erkennen zu lassen. – Was sich äußert mit aller lyrischen Suggestion, sind Rückkehrwünsche, ist rauschhaftes, als dionysisch verstandenes Eingehen in den »ligurischen Komplex«. Erlösung ist es im Gedicht aus dem Vorangegangenen. »Niemandes –: deins!« (24). Niemandes sonst, nur deines? Was aber wird nicht gehabt bzw. gehabt? Das Verlorene, Dahingegangene? Wie wird solches überhaupt gehabt? Das, was sich im Tanz zuträgt? Warum nur »deins«? Heißt dies »Einsamsein« (22), radikalisiert, auf die Spitze getrieben? Sind die beiden Wörter des Verses überhaupt ins rechte Verhältnis gesetzt? Fragen, die sich nicht beantworten lassen, deren momentschneller Druck aber die Formulierung den Charakter eines Paradoxons gewinnen lassen, das allen Halt nimmt, wo sie doch gestochen resultativ daherkommt. Eine Erlösung, geradezu Handfestes liefert der Tanz vor den finnischen Schären. Die *Valse triste* schafft den Zauber der Rückkehr, sinnlich auch für den Leser, der (an der Außenseite) das unverfälscht Lyrische sucht im Wogen der Vorstellungen von Formlosem: »Träume«, »Klänge«, »Farben«, »fließen«, »atmen« (26–31). Aber der Zauber ist gestört, Verstand wird bemüht: »dies eine menschliche Los«, »Rosen, die [...] hatten« (28f.); und inhaltlich zeigt sich Mißlingen an: die Nacht, Form und Geschiedenheit tilgend, »verzögert so sehr« (32).

Läßt sich zugunsten eines irgendwie Rauschhaften noch über einiges hinweglesen, so kann dies in der fünften Strophe nicht mehr ganz gelingen. Die Suggestion durch das Sinnliche der Vorstellungen läßt nach, »Zaubergerät«, »Identität«, halten den »Saum der Welten« in Schach (34–36). Die – bei Benn auch sonst begegnende – Dreierformel für die Kunst bietet fast nur noch Glätte ihrer Präsentation, Aufgehen in Takt und Reim. Der letzte Vers, äußerlich die schwach modifizierte Wiederholung des letzten in der dritten Strophe, liefert, im Unterschied zu diesem, beruhigende, dem Begriff nachvollziehbare Feststellung. Es gibt ein Etwas, das als Besitz zugesprochen werden kann: Identität. Sie kommt bei niemandem vor, nur in den Beschwörungen der Kunst, oder als Zeichen am »Zaubergerät«. Unerheblich ist diese Entscheidung bei der überhaupt gegebenen Möglichkeit eines sicheren Bezugs: »Niemandes –: seins!« ist wahrhaftig Resultat. – Der Bann durch das Sinnliche löst sich für den Leser, der auf ihn versessen ist oder ihn für kritischen Gebrauch nur feststellen will. Ein Argument dafür, daß ästhetisch die beklemmende Grunderfahrung des 20. Jahrhunderts ausgetragen und nicht nur ein Fluchtweg ins Heile gesucht worden sei, ist mit einem äußerlich zu verzeichnenden Nachlassen der sinnlichen Kraft noch nicht gegeben.

Schwerer wiegt auch nicht die poetische Willenserklärung der letzten Strophe, die auf den Geist als den Ursprung der Form setzen muß. Sie läßt nur ein Selbstverständnis Benns erkennen, das dem Rauschhaften, dem dionysischen Bewußtseinsverlust eine Absage erteilt.

Die gültige Auskunft wird am Ende nur von der tiefer liegenden ästhetischen Struktur zu erhalten sein. Es ist der konstatierte Mangel ›vollkommen sinnlicher Rede‹, das Fehlen ›lyrischer‹ Integration, was nun bedacht sein will. Die Desintegration von Rationalität und Sinnlichkeit hält für die Wahrnehmung die beiden Momente im Widerspiel. Was durch den vorstellungsorientierten Rhythmus und auch durch anderes an sinnlicher Befriedigung auftritt, wird unterlaufen von Rationalität als der durch ihre programmierte Erfolglosigkeit exponierten Anstrengung des Begreifens. Und umgekehrt, der Versuch, rationalen Zusammenhang herzustellen und den signalisierten Sinn zu erfassen, wird überzogen von der Sinnlichkeit der Vorstellungen. Eine ästhetische Struktur ist gegeben, die den Leser festen, vertrauten Boden nicht gewinnen läßt, indem sie Rationalität und Sinnlichkeit, die eine durch die andere, zum Vorschein bringt, ohne sie zu verschmelzen. Der Riß, der durch die erfahrene Welt geht, ist nicht übertüncht, er ist auch nicht bloß abgebildet. Die auseinandergetretenen Kräfte von Rationalität und Sinnlichkeit werden als auseinandergetretene gezeigt, aber doch in einem Widerspiel gehalten. Wenn man so will, ist das die bescheidene ästhetische Utopie.

Die letzte Strophe ist die kritischste Stelle des Gedichts. Das Artistenevangelium, in der europäischen Literatur durchaus nicht neu, von Benn direkt beim Gewährsmann Nietzsche abgeholt, wird verkündet und der Symbolvorrat des echten dabei weidlich in Anspruch genommen. Das Pathos mag stören, die Attitüde des Leidens in der Nachfolge Christi. Und man läßt sich vielleicht gerne von Reinhold Grimm an eine Äußerung Hofmannsthals erinnern, die Thomas Mann überliefert: »Besuchte man, meinte er, in jenen Zeiten so einen Meister, so redete er etwa: ›Setzen's Ihnen! Mögen's einen Kaffee? Soll ich Ihnen eins aufspielen?‹ So war das damals. Heut sehen sie alle aus wie kranke Adler« (Grimm, S. 83; vgl. Mann, S. 469).[5] – Bei der Art der Selbststilisierung ist schwer dreinzureden.

Aber das Pathos verrät Schwäche. Mit der Strophe, der Selbstdarstellung des Formideals, wird alles aus der Hand gegeben, was die ästhetische Qualität von *Valse triste* sonst ausmacht. Ebenmäßig im Satz, gebunden im Schema des Verses, ohne Überraschung im Bildbereich, vorbestimmt und glatt in allem, wenn man die leichte Irritation im Schluß (Imperativ oder Indikativ) ausnimmt. Abstrakt formsymbo-

5 Grimm zitiert etwas ungenau, wenn auch hübscher. Auch der Stellenverweis auf *Adel des Geistes* (statt *Meerfahrt mit Don Quijote*) macht einen bestechenden Sinn.

lisch bei einem schmeichelnden Aha-Erlebnis möchte man das Formideal ausgedrückt finden, ästhetisch-substantiell hat die Strophe mit dem Gedicht kaum etwas zu tun. Die Versöhnung, die sie vielleicht stiften soll zwischen Rationalität und Sinnlichkeit, bleibt schal und dem Willen zum Bekenntnis verhaftet.
Das Scheitern am Ende, wenn es denn etwas noch sagen soll, dokumentiert die Unmöglichkeit einer Selbsterlösung durch die Form.

Zitierte Literatur: Rudolf ARNHEIM: Die Flucht zu den Schachtelhalmen. In: Die Weltbühne 29 (1933) H. 2. S. 64–67. – Gottfried BENN: Gesammelte Werke. [Siehe Textquelle. Zit. mit Band- und Seitenzahl.] – Bernhard GAJEK: Gottfried Benns »Valse triste«. In: Moderne Lyrik als Ausdruck religiöser Erfahrung. Hrsg. Evang. Akad. Tutzing. Göttingen 1964. – K. E. GEORGES: Kleines lateinisch-deutsches und deutsch-lateinisches Handwörterbuch. Leipzig 1875. – Reinhold GRIMM: Bewußtsein als Verhängnis. In: Die Kunst im Schatten des Gottes. Für und wider Gottfried Benn. Hrsg. von R. G. und Wolf-Dieter Marsch. Göttingen 1962. – Clemens HESELHAUS: Deutsche Lyrik der Moderne. Düsseldorf [2]1962. S. 258–267. – Arno HOLZ: Die Revolution der Lyrik. Hrsg. von Alfred Döblin. Wiesbaden 1951. – Thomas MANN: Meerfahrt mit Don Quijote. In: Th. M.: Gesammelte Werke. Frankfurt a. M. 1960. Bd. 9. – Hartwig SCHULTZ: Vom Rhythmus der modernen Lyrik. München 1970. – Hartmut VOLLMAR: Einheitliche Theorie des Verses. In: Sprache im technischen Zeitalter 79 (1981) S. 207–220. – Friedrich Wilhelm WODTKE: Die Antike im Werk Gottfried Benns. Wiesbaden 1963.

Erich Kästner

Jahrgang 1899

Wir haben die Frauen zu Bett gebracht,
als die Männer in Frankreich standen.
Wir hatten uns das viel schöner gedacht.
Wir waren nur Konfirmanden.

5 Dann holte man uns zum Militär,
bloß so als Kanonenfutter.
In der Schule wurden die Bänke leer,
zu Hause weinte die Mutter.

Dann gab es ein bißchen Revolution
10 und schneite Kartoffelflocken;
dann kamen die Frauen, wie früher schon,
und dann kamen die Gonokokken.

Inzwischen verlor der Alte sein Geld,
da wurden wir Nachtstudenten.
15 Bei Tag waren wir bureau-angestellt
und rechneten mit Prozenten.

Dann hätte sie fast ein Kind gehabt,
ob von dir, ob von mir – was weiß ich!
Das hat ihr ein Freund von uns ausgeschabt.
20 Und nächstens werden wir Dreißig.

Wir haben sogar ein Examen gemacht
und das meiste schon wieder vergessen.
Jetzt sind wir allein bei Tag und bei Nacht
und haben nichts Rechtes zu fressen!

25 Wir haben der Welt in die Schnauze geguckt,
anstatt mit Puppen zu spielen.

Wir haben der Welt auf die Weste gespuckt,
soweit wir vor Ypern nicht fielen.

Man hat unsern Körper und hat unsern Geist
30 ein wenig zu wenig gekräftigt.
Man hat uns zu lange, zu früh und zumeist
in der Weltgeschichte beschäftigt!

Die Alten behaupten, es würde nun Zeit
für uns zum Säen und Ernten.
35 Noch einen Moment. Bald sind wir bereit.
Noch einen Moment. Bald ist es so weit!
Dann zeigen wir euch, was wir lernten!

Abdruck nach: Erich Kästner: Gesammelte Schriften. 7 Bde. Zürich: Atrium/Berlin: Dressler/Köln: Kiepenheuer & Witsch, 1959. Bd. 1. S. 37 f.
Erstdruck: Herz auf Taille. Leipzig/Wien: Curt Weller, 1928.

Dirk Walter

Lyrik in Stellvertretung? Zu Erich Kästners Rollengedicht *Jahrgang 1899*

Überschaut man die vier Lyrikbände, die Erich Kästner zwischen 1928 und 1932 verfaßte, dann läßt sich kein besonderes inhaltliches Kompositionsprinzip entdecken. In ständigem Wechsel folgen aufeinander Gedichte mit den unterschiedlichsten zeitkritischen Themenstellungen, geradeso wie im Alltag selbst, wo sich die Probleme auch nicht räumlich oder zeitlich gesondert stellen. Daß diesem ›Nicht-Aufbau‹ weniger Nachlässigkeit des Autors zugrunde liegt als vielmehr – so paradox es klingt – gestalterische Absicht,

verrät nicht zuletzt auch der theoretisch-feuilletonistische Essay *Prosaische Zwischenbemerkung*, den der Autor als Kontrast zu den üblichen Vorworten mitten in seinen zweiten Band *Lärm im Spiegel* setzte.
Insofern sollte man selbst den Umstand nicht überbewerten, daß *Jahrgang 1899* das erste Gedicht in *Herz auf Taille*, dem ersten Lyrikband Erich Kästners, ist. Immerhin präsentiert sich der Autor bereits hier auf für ihn charakteristische Weise und mit ihm eine literarische Richtung, der er angehörte bzw. die er selbst entscheidend mitprägte.
Kein sensibel wirkendes Ich, das seine (scheinbar) individuellen, subtilen Empfindungen in verschlüsselter magischer Lyriksprache mitteilt, meldet sich im *Jahrgang 1899* zu Wort, sondern die Vertreter einer Generation, die Rückschau auf die letzten – entscheidenden – 14 Jahre eines weitgehend verpfuschten Lebens halten, sprechen zu uns.
Dem Leser von 1928 genügten die kurzen Andeutungen, in denen Strophe für Strophe die deprimierenden Stationen vorüberziehen:
- Kriegsanfang und durch ihn bedingte spezifische Pubertätserlebnisse
- Kriegsteilnahme und Leid der Familie
- Nachkriegswirren und Zeiten des Mangels
- Inflation und Notverdienste neben einem (inzwischen wertlos gewordenen) Studium
- endlich Examen, Arbeitslosigkeit und Hunger als vorläufig letzte Station.

Den Hintergrund aller Zeitabschnitte bilden Frauenbekanntschaften, denen offensichtlich die Grundlagen für eine beständigere Bindung oder tiefere menschliche Beziehung fehlten.
Ein Generationengedicht also mit Anspruch auf zeitgeschichtliche Repräsentanz und, wie es zunächst erscheinen mag, ein Rollengedicht, in dem der Autor andere sich scheinbar selbst porträtieren läßt, wodurch er den Leser quasi aufgrund bloßer Präsentation der Situation (bzw. der Personen) zur Stellungnahme auffordert. Diese Darstel-

lungsweise weist zunächst in den halbdramaturgischen Bereich des Kabaretts und seiner Chansons, wo bestimmte, gesellschaftlich repräsentative Typen sich gewissermaßen selbst vorstellen (der Unternehmer, der Arbeiter, der Angestellte, der Arzt, der Stammtischpolitiker usw.). Und in der Tat ist Erich Kästner auch einer der Väter des deutschen politischen Kabaretts, das in den zwanziger Jahren in Blüte stand.

Zugleich aber dokumentiert sich in der formalen Anlage, die von Kästner sehr oft bevorzugt wird (*Chor der Fräuleins*, *Wiegenlied*, *Ansprache einer Bardame* und viele mehr) ein Merkmal der ›Neuen Sachlichkeit‹: das ›Laßt-Fakten-sprechen‹, eine Forderung, hinter der unausgesprochen der Gedanke zu stehen scheint: ›Kommentar überflüssig!‹

Doch so einfach liegen die Dinge nicht. Gerade dieses Verfahren kann Anlaß zu Mißdeutungen bieten, da sich der Leser in der Einstellung des Autors täuschen kann, dessen Position oberflächlich gesehen im Text nicht auszumachen ist. Es empfiehlt sich so zunächst einmal, den vorgeführten Menschentypus, den »Jahrgang 1899«, wie ihn Kästner zeigt, näher zu betrachten.

Es sind die Jüngsten jener Generation, von der Erich Maria Remarque ein Jahr später in seinem berühmten Kriegsroman *Im Westen nichts Neues* sagen wird, daß sie »vom Kriege zerstört wurde – auch wenn sie seinen Granaten entkam«. Ganze Passagen dieses Romans klingen wie ein Kommentar zu Kästners Versen. Kurz vor seinem Tode überlegt beispielsweise Remarques Held Paul Bäumer:

Wenn wir jetzt [aus dem Krieg] zurückkehren, sind wir müde, zerfallen, ausgebrannt, wurzellos und ohne Hoffnung. Wir werden uns nicht mehr zurechtfinden können. (S. 203.)

Und etwas früher:

Was werden unsere Väter tun, wenn wir einmal aufstehen und vor sie hintreten und Rechenschaft fordern? Was erwarten sie von uns, wenn eine Zeit kommt, wo kein Krieg ist? Jahre hindurch war unsere Beschäftigung Töten – es war unser erster Beruf im Dasein. Unser Wissen vom Leben beschränkt sich auf den Tod. Was soll danach noch geschehen? Und was soll aus uns werden? (S. 184 f.)

Was aus ihnen geworden ist, verrät bereits die Sprachhaltung des Kästnerschen Gedichtes, die desillusionistische Redeweise der von negativen Erfahrungen Ernüchterten.
Der (bisweilen rüde) Jargon, provozierende Untertreibungen, wo es um Sein oder Nichtsein geht, und bissige Wortspielerei mit traditionellen Lebensweisheiten zeigen an, daß eine im Kern zerstörte Existenz sich nur noch mit aggressiven Zynismen glaubt über Wasser halten zu können. Da wird nicht von Gefallenen oder Kriegsopfern gesprochen, sondern – in bestem Landserdeutsch – von »Kanonenfutter« (6); da sind die Väter, d. h. die ältere Generation, die »Alten« (33); da wird nicht gehungert, sondern man hat »nichts Rechtes zu fressen« (24); und die ganze Welt – zumindest die zwischen 1914 und 1918 – erscheint als Vieh, dem man »in die Schnauze geguckt« (25) hat. Ein »bißchen Revolution« (9) wird in egalisierender Satzreihung mit »Kartoffelflocken« (10) zusammengebracht, zu Kanonenfutter wurde man »bloß so« (6) bestimmt, und hinsichtlich der Frage nach der Beinahe-Vaterschaft für ein abgetriebenes Kind hat man nur noch ein gereiztes »was weiß ich!« (18) parat. Moralische Normen und Bildungswerte haben vor dem Hintergrund der entfesselten historischen Ereignisse ihre Gültigkeit verloren. Das »mens sana in corpore sano« des antiken Schriftstellers Juvenal, das die humanistisch gebildeten Lehrer der Wilhelminischen Ära ihren Zöglingen in bester Übereinstimmung mit dem preußischen Staatsgeist als Ideal vorstellten, wird mit einer sehr entidealisierten Wirklichkeit konfrontiert:

Man hat unsern Körper und hat unsern Geist
ein wenig zu wenig gekräftigt. (29 f.)

Und trotzdem macht man es sich zu einfach, wenn man aus den ›nihilistischen‹ Bemerkungen eine umweltbedingte *totale* Gefühlsroheit liest. Sie erweist sich doch immer noch als Maske, hinter der Leid, Trauer und Zorn hervorschauen. Nicht nur, daß das schnoddrige Aufzählen der deprimierenden Lebensstationen mehrfach klagend-emotionalen Ausrufen Platz macht (Str. 5, 6, 8, 9), auch der kontrapunktische Aufbau mehrerer Strophen belegt dies. Oft genug wird nämlich der zynische Ton wenig später relativiert. So beginnt das Gedicht mit einer gerade in ihrer Lässigkeit fast schon renommierenden Bemerkung:

Wir haben die Frauen zu Bett gebracht,
als die Männer in Frankreich standen. (1 f.)

Aber die folgenden Verse schwächen sofort das scheinbar Großartige des Erlebnisses ab:

Wir hatten uns das viel schöner gedacht.
Wir waren nur Konfirmanden. (3 f.)

In gleicher Manier hebt die fünfte Strophe an:

Dann hätte sie fast ein Kind gehabt,
ob von dir, ob von mir – was weiß ich!
Das hat ihr ein Freund von uns ausgeschabt. (17–19)

Auch hier macht der Schlußvers die offenkundige Roheit durchschaubar. Das unvermittelte

Und nächstens werden wir Dreißig (20)

verrät den heimlichen Schmerz dessen, der nun langsam für Ehe und Vaterschaft zu alt wird und dem sowohl die seelische wie die wirtschaftliche Basis fehlt, um diese Aufgaben zu erfüllen.

Versteckt und dennoch spürbar ist das relativierende Prinzip auch in der siebenten Strophe vorhanden, deren erste drei Zeilen vielleicht die ideologisch fragwürdigste Haltung offenbaren. Die Metaphorik, in der die Welt »als spießig gekleideter Bürger auftritt« (Schwarz, S. 111), dem man auf die Weste spuckt, erweckt unangenehme Assoziationen von der Antibürgerlichkeit des Kriegserlebnisses und vom Stereotyp der ›tollen Kerls‹, deren stolzgeschwellte Brust größer ist als ihre Desillusionierung. Aber auch diesen Ton dämpft bei Kästner die bittere Einschränkung des letzten Verses:

soweit wir vor Ypern nicht fielen. (28)

Spätestens hier ist es nun doch an der Zeit, erneut die Frage nach der Position des Autors zu stellen. Gewiß wird deutlich, daß er mit seinen Strophen eine Anklage gegen eine Gesellschaft führt, die ein solches Dasein zu verantworten hat. Wer sich jedoch mit Kästners Lebenslauf beschäftigt, wird sehr rasch mutmaßen, daß die Wurzeln des Gedichts tiefer reichen, denn es scheint autobiographische Züge zu tragen: Der Autor ist selbst 1899 geboren; er erlebte mit, wie in der Schule »die Bänke leer« (7) wurden, weil Klassenkameraden am Krieg teilnahmen, aus dem sie nicht mehr zurückkehrten; er wurde schließlich 1917 ebenfalls zum Kriegsdienst verpflichtet und einer harten Schnellausbildung unterzogen, bei der sich übrigens ein Vorgesetzter so unrühmlich hervortat, daß Kästner zum Herzkranken wurde, der er zeit seines Lebens bleiben sollte. (Man lese hierzu die Gedichte *Primaner in Uniform* und *Sergeant Waurich*). Nach dem Krieg war er dann – wie die Protagonisten seines Gedichtes – einer der »bureau-angestellten« (15) Studenten, die sich während der Inflation ihr Studium auf recht kümmerliche Weise finanzierten, machte er schließlich 1925 sein (Doktor-)Examen, blieb er unverheiratet.
Auch die Sprache, die die Vertreter des Jahrgangs 1899 sprechen, ist im Grunde die des Autors. Der trockene, nüchterne Stil, der bittere Witz, die melancholische Schnoddrigkeit der Formulierungen und Wortspiele, das ist ›Kästner-Ton‹, auch in Gedichten, die kein anderes Ich als Sprecher vorschieben und die eine Fülle von anders gelagerten zeitkritischen Themenstellungen und Alltagsproblemen zum Gegenstand haben (vgl. *Sachliche Romanze*, *Ein paar neue Rekorde*, *Elegie ohne große Worte*, *Vorstadtstraßen* u. a. m.). Es ist die ins Extreme getriebene Sprache der

Neuen Sachlichkeit, das Pokerface des Asphaltliteraten, der einerseits leicht verständlich, d. h. für jedermann schreiben will und der sich zugleich als junger Autor im Hexenkessel Berlin scheinbar »bei keinem Gefühl ertappen lassen« möchte (Schwarz, S. 115); um eine Formel Adornos zu verwenden: er versucht mit Kälte »die Kälte der Welt zu überbieten«.
Also »wir« gleich »ich«? In der Tat scheint eine dialektische Einheit in Kästners Gedicht vorzuliegen. Es verrät – wie so viele Texte des Autors –, daß im Leben des einzelnen sehr viel weniger ›individuell‹ ist, als der Augenschein vermittelt.
Trotzdem wäre eine totale Gleichsetzung von Autor und Protagonisten vorschnell. Denn bei genauerer Auswertung der Hintergrundinformationen wird man erkennen, daß die biographischen Übereinstimmungen nicht so lückenlos sind, wie es auf den ersten Blick scheinen mochte. Kästner hat – aufgrund seiner Herzerkrankung – am Krieg selbst nicht mehr teilgenommen; er war, als er das Gedicht verfaßte, finanziell bereits besser gestellt als seine Generationsgenossen, die er auftreten läßt, und auch seine Distanz gegenüber einer festen Bindung scheint – neuerlich herausgegebenen Briefen zufolge – doch einer eher ›privaten‹ Enttäuschung zu entspringen.
Besonders angebracht aber sind die Zweifel angesichts der letzten Strophe des *Jahrgang 1899*, der wir bisher noch keine Aufmerksamkeit schenkten, der als Textschluß von pointenhaftem Charakter aber eine wichtige Funktion als Aussageträger zukommt. Hier wird nicht mehr nur eine Anklage, eine Warnung, sondern bereits eine Drohung gegenüber der älteren Generation und der Gesellschaft überhaupt ausgesprochen. Sollte Kästner selbst zu jenen gehören, die ihren eigenen Zustand nur noch zu solchen aufs Chaos zielenden Zwecken einzusetzen vermögen? Ein Blick auf weitere lyrische Beispiele – und besonders auf jene, die sich der Themen Krieg(sfolgen) und Militarismus annehmen – verdeutlicht, daß der Autor in der Tat zumindest zu negativistischen Zukunftsperspektiven neigt:

– In seinem berühmten Gedicht *Kennst Du das Land, wo die Kanonen blühn?* beantwortet die Schlußzeile die Titelfrage auf sehr pessimistische Weise:

Du kennst es nicht? Du wirst es kennenlernen! (I,70)

– In *Stimmen aus dem Massengrab* verkünden die Toten des Ersten Weltkrieges den Lebenden von 1928:

Ihr laßt euch morgen, wie wir gestern, schlachten. (I,107)

– In *Fantasie von übermorgen* endet der utopisch-parabelhaft geschilderte Versuch der Frauen und Mütter, einen kommenden Krieg zu verhindern, lediglich im Status quo, der die Kriegsgefahr durch das Bewußtsein der Männer am Leben erhält:

Die Frauen gingen dann wieder nach Haus
zum Bruder und Sohn und Mann
und sagten ihnen, der Krieg sei aus!
Die Männer starrten zum Fenster hinaus
und sahn die Frauen nicht an ...(I,119)

Freilich wird man angesichts dieser Beispiele auch sehr rasch erkennen, daß die scheinbar vorausgesagte Entwicklung zum Schlechten, d. h. im Grunde zur Wiederkehr der Verhältnisse von 1914–18, als Gegenstand der Anklage und Ablehnung dient, und so muß man letztlich zur Überzeugung gelangen, daß eine Identifikation mit der Drohung:

Dann zeigen wir euch, was wir lernten! (37)

Kästners Sache *nicht* ist.
Bleibt lediglich die Frage nach der Funktion der schwarzen Zukunftsausblicke an sich. Ist Kästner der Pessimist und Fatalist, der resignative »linke Melancholiker« (Benjamin), als den ihn die in seinen Gedichten – und besonders in den Gedichtschlüssen – plakatierte Stimmung auszuweisen scheint? Verrät sich also in seinen Versen letztlich doch nur »mangelnde Kraft«, worüber sich Tucholsky in seiner ansonsten sehr positiven Rezension des ersten Kästnerschen

Lyrikbandes im Zweifel war? (Tucholsky, S. 129). Wer sich mit dieser Ansicht zufrieden gibt – und besonders die marxistischen Interpreten neigen dazu –, muß allerdings so aktivistische, appellative und ›positive‹ Verse wie

Habt ein besseres Gedächtnis!
(*Verdun, viele Jahre später*, I,267.)

oder:

Verdammt, wenn ihr das je vergeßt!
(*Stimmen aus dem Massengrab*, I,107.)

ignorieren. Er muß vernachlässigen, daß Kästner wenige Jahre später Gedichte schrieb, die der faschistischen Variante des deutschen Militarismus, dem aufkommenden Nationalsozialismus, keine Zukunftschancen einräumten:

Dreht an der Uhr! Die Zeit hält niemand auf!
[...]
Wie ihr's euch träumt, wird Deutschland nicht erwachen.
(*Marschliedchen*, I,270.)

Es ist nicht eure Sache,
zu schrein: »Deutschland erwache!«
Wenn *ihr* ruft, schläft es ein!
(*Die scheintote Prinzessin*, VI,53.)

Und gänzlich unverständlich muß es ihm erscheinen, daß Kästner nach der Machtübernahme durch Hitler in Deutschland verblieb.

Eine Lösung dieser scheinbaren Widersprüche bietet nur dialektische Sehweise. Die Schwarzseherei, die Kästner immer wieder präsentiert, ist weniger tatsächliche als vielmehr provokatorische, d. h. Zweckpessimismus. Es ist *nicht* die Absicht und Funktion dieser Lyrik, den Leser zu überzeugen, daß die bestehenden, aus der Vergangenheit überkommenen Strukturen unüberwindbar seien und zwangsläufig zu neuem Unheil führen müßten; es geht dem Autor vielmehr darum, durch eine alltagsnahe, allgemein verständliche Darstellungsweise – die freilich ein hohes Maß an künstlerischer Perfektion besitzt – gegen scheinbare Gesetzmäßigkeiten des Üblen zu aktivieren. Sicherlich ist bei solcher Pose ein Umschlag in tatsächliche Resignation leicht möglich. Und der Weg der Weimarer Republik in den Hitler-Staat und dessen Folgen sollte dazu schließlich seinen Teil beitragen; was Kästner zu prophezeien schien, traf schlimmer ein, als er selbst – und mit ihm viele seiner Schriftstellerkollegen – es geglaubt hatten. Für das Jahr 1928 und das Gedicht *Jahrgang 1899* muß jedoch als Erkenntnis gelten, daß Kästner sich von Gewaltdrohung und Resignation seines Jahrgangs gleichermaßen abhebt, indem er einen öffentlichkeitsbezogenen Protest mit künstlerischen Mitteln formuliert. Das aber heißt: Er rechnet mit einer provozierbaren Öffentlichkeit.

Zitierte Literatur: Walter BENJAMIN: Linke Melancholie. In: Die Gesellschaft 8 (1931). Wiederabgedr. in: Hans Norbert Fügen: Wege der Literatursoziologie. Neuwied/Berlin 1968. S. 115 ff. – Erich KÄSTNER: Gesammelte Schriften für Erwachsene. [Siehe Textquelle. Zit. mit Band- und Seitenzahl.] – Erich Maria REMARQUE: Im Westen nichts Neues. Frankfurt a. M. 1972. – Egon SCHWARZ: Die strampelnde Seele. Erich Kästner in seiner Zeit. In: Die sogenannten 20er Jahre. Bad Homburg / Berlin / Zürich 1970. S. 109–141. – Kurt TUCHOLSKY: Gesammelte Werke. Hrsg. von Mary Gerold-Tucholsky und Fritz J. Raddatz. Bd. 3. Hamburg 1972.

Weitere Literatur: Luiselotte ENDERLE: Erich Kästner. Leck (Schleswig) 1966. – Erich KÄSTNER: »Mein liebes, gutes Muttchen, Du!« Briefe und Postkarten aus 30 Jahren. Ausgew. und eingel. von Luiselotte Enderle. Hamburg 1981. – Volker KLOTZ: Lyrische Anti-Genrebilder. Notizen zu einigen neusachlichen Gedichten Erich Kästners. In: Historizität in Sprach- und Literaturwissenschaft. Hrsg. von Walter Müller-Seidel [u. a.]. München 1974. S. 479–495. – Karl RIHA: Literarisches Kabarett und Rollengedicht. Anmerkungen zu einem lyrischen Typus in der deutschen Literatur nach dem Ersten Weltkrieg. In: Die deutsche Literatur in der Weimarer Republik. Hrsg. von Wolfgang Rothe. Stuttgart 1974. S. 382–395. – Dirk WALTER: Zeitkritik und Idyllensehnsucht. Erich Kästners Frühwerk (1928–1933) als Beispiel linksbürgerlicher Literatur in der Weimarer Republik. Heidelberg 1977.

Friedrich Georg Jünger

Der Mohn

I

Scharlachfarbener Mohn, ich sehe dich gern auf den
Gräbern,
Wo du den schlafenden Ruhm alternder Grüfte bewachst.
Leicht entfällt dir das Blatt, es fällt auf den rundlichen
Hügel,
Den der Edle bewohnt, kränzt den verwitternden Stein.
5 Und so nahm ich oftmals den Samen der dorrenden Kapsel,
Senkte mit dankbarer Hand still in die Erde ihn ein.
Zartestes Grün entsproß. Verwundet entquoll ihm der
weiße
Saft, der die Träume uns bringt, Schlaf, der Gespiele des
Tods.
Bitter duftet der Trank, doch heilsam stillt er die Schmerzen,
10 Lindert des Fiebers Glut, stechender Wunden Gewalt.
Schläfer, euch weih' ich des Schlafes starke, geheiligte
Pflanze,
Eure Betten umgrünt Morpheus gefiederter Sproß.

II

Mohnsaft, du stillst uns den Schmerz. Wer lehrt uns das
Niedre vergessen?
Schärfer als Feuer und Stahl kränkt uns das Niedere doch.
15 Wirft es zur Herrschaft sich auf, befiehlt es, so fliehen die
Musen.
Ach, die Lieblichen sind schnell in die Ferne entflohn.
Klio, als sie die Grenzen erreichte, wandte zurück sich,
Abschied nahm sie, sie sprach scheidend ein treffendes
Wort:
»Toren heilt man mit Schlägen und Spott, bald kehr' ich mit
Geißeln,
20 Die ein Richter euch flocht, kehre mit Peitschen zurück.

Oft schon herrschten Tribunen, es floh in die lieblose
Fremde
Finster Coriolan, fort ging der edlere Mann.
Prahlend blieb der Schwätzer zurück, umjauchzt von der
Menge.
Histrionengeschmeiß spreizt sich auf hohem Kothurn.«

III

25 *Der* beschwatzt den Ruhm, der Taten Vermächtnis, er
schafft sich,
Da er vom Golde spricht, reichliche Münze im Nu.
Löblich scheint sich der Lobende selbst, er ahmet die
Stimme,
Die den Löwen verrät, künstlich und täuschend dir nach.
Prächtig malt er mit Erz. Wenn Farbe wäre das Eisen,
30 Glich er dem Drachen aus Stahl, Feuer verspeiet der Mund.
Jede Rede ist Schlacht. »Auf!« ruft er, »täglich zur Schlacht
denn,
Bis in dem flutenden Wort alles, was Feind ist, ertränkt!«
Nieder sinken chimärische Heere. So rufet Triumph denn!
Feiert chimärischen Sieg, sprengt mit Kartaunen die Luft.
35 »Nimmer duld' ich Gelassene. Schweigsame ähneln
Verrätern,
Immer triefe die Stirn, rinne vom Beifall der Schweiß.«

IV

Selbstlob flicht die gewaltigsten Kränze. Die ältesten Eichen
Stehen entlaubt schon und kahl, jeglicher Lorbeer ward
Kranz.
Kärglich wächst er im Norden, drum fehlt den Brühen und
Suppen
40 Schon das würzige Blatt, ungern vermiß ich es hier.
Sendet in Haine Italiens hinab den geschäftigen Krämer,
Plündert des Südens Flur, bringt auch Zitronen herauf.
Stattlich geschmückt mit Zitrone und Lorbeer lieb ich den
Schweinskopf,
Sülzen und Würsten zum Heil schuf uns den Lorbeer der Süd.

V

45 Widrig ist mir der Redner Geschlecht. Kalekutische Hähne
Höre ich kollern am Markt, höre ich scharren am Platz.
Gaukler treiben mit Worten ihr Wesen, Lügner sie deuteln,
Retter, sie retten den Trug, Ärzte, sie scheuen den Tod.
Wollt ihr betrügen das Volk, so schmeichelt ihm schamlos
und lobt es,
50 Dient ihm mit Worten zuerst, eh ihr es redend beherrscht.
Hört, es schmeicheln Tribunen dem Volk, es jubeln
Betrogne
Laut den Betrügern zu, die sie mit Netzen umgarnt.
Volk, wo sind deine Toten? Sie schweigen. Es hört, wer in
Schlachten
Redlich sank in den Tod, tönenden Worten nicht zu.
55 »Soviel Opfer des edlen Blutes umsonst? Vergebens
Fiel der bessere Mann? Wär ich gefallen doch auch.«
So vernahm ich des Redlichen Seufzer, doch achtete
niemand
Auf den denkenden Mann, lauter noch lärmten sie fort.
Feste seh ich und Feiern, ich höre Märsche, Gesänge,
60 Bunt ist von Fahnen die Stadt, immengleich summet der
Schwarm.
Lauter als der Cherusker, der Romas stolze Legionen
Weihte der Nacht und dem Tod, stimmen den Siegruf sie an.
Habt ihr feindliche Heere geschlagen, die Fürsten gefangen,
Risset ihr Ketten entzwei, die euch der Sieger gestückt?
65 Nein, sie bejubeln den Sieg, der über Brüder erfochten,
Süßer als Siege sie dünkt, die man in Schlachten erstritt.
Schmerzend hallt in den Ohren der Lärm mir, mich widert
der Taumel,
Widert das laute Geschrei, das sich Begeisterung nennt.
Wehe! Begeisterung! Silberner Brunnen der Stille, du klarer,
70 Du kristallener Born, nennt es Begeisterung nicht.
Tiefer schweigen die Toten, sie trauern, sie hören das
Lärmen,
Hören das kindische Lied ruhmloser Trunkenheit nicht.

Abdruck nach: Friedrich Georg Jünger: Gedichte. Frankfurt a. M.: Vittorio Klostermann, 1949. S. 33–35.
Erstdruck: Friedrich Georg Jünger: Gedichte. Berlin: Widerstands-Verlag, 1934.
Weitere wichtige Drucke: Friedrich Georg Jünger: Gedichte. Berlin: Widerstands-Verlag, 1935. – Friedrich Georg Jünger: Gedichte. Berlin: Widerstands-Verlag, 1936. [Titelaufl. der Ausg. Hamburg: Hanseatische Verlagsanstalt, 1934.] – Friedrich Georg Jünger: Der Taurus. Hamburg: Hanseatische Verlagsanstalt, 1943.

Hans-Michael Speier

Klassizismus und Widerstand. Zu Friedrich Georg Jüngers Elegie *Der Mohn*

Das Aufsehen, das das Gedicht *Der Mohn* bei seinem Erscheinen hervorrief, spiegelt noch eine Tagebuchnotiz Thomas Manns vom 30. November 1934: »Las in klassizistischen Gedichten eines F. G. Jünger [...], erschienen im ›Widerstandsverlag‹ (!) Berlin, darin ein Stück ›Der Mohn‹ von fabelhafter Aggressivität gegen die Machthaber, das ich, als die Meinen vom Theater zurückgekehrt waren, ihnen beim Abendessen zu allgemeinem Erstaunen vorlas« (Mann, S. 578).

Mit den Begriffen ›Klassizismus‹ und ›Widerstand‹ sind gleichsam zwei Parameter benannt, in deren Konvergenz die Problematik des Gedichts liegt: Es lebt aus einer doppelten Antithetik, die einerseits zwischen einem ›Edlen/Höheren‹ und einem ›Minderen/Niederen‹, andererseits zwischen Vergangenheit und Gegenwart besteht – als Gegensatz von Wehmut und Trauer vor dem Vergangenen und der scharf ablehnenden Haltung des Dichters zu den bestimmenden gesellschaftlichen Mächten seiner Zeit.

In die Form einer Elegie gefaßt – ihr äußeres Merkzeichen sind die Distichen –, gliedert sich das Gedicht in fünf

Abschnitte. Erkennbar ist ein Einschnitt nach Vers 36, indem den drei gleichgebauten Versgruppen I–III eine kürzere und eine umfangreichere gegenüberstehen. Das Gesetz der Symmetrie wird betont wie zugleich spielerisch aufgehoben. Auch an der Struktur der Distichen läßt sich der Wirkwille des Autors ablesen: Satz- und Distichenschluß pflegen zusammenzufallen, was die Abgeschlossenheit des Einzeldistichons betont. Ebenso aufschlußreich das Taktgeschlecht: Überwiegen der Daktylen bewirkt ruhig fließenden bis beschwingten Rhythmus und bezeichnet eine Nähe zum Epischen, die der weiträumige Bau, die breitschildernden Partien bestätigen. Die Penthemimeres wird grundsätzlich erfüllt. ›Reines‹ Enjambement ist im ersten Teil sparsam verwendet (z. B. um das Hervorquellen des Mohnsafts lautlich erfahrbar zu machen, Vers 7), häufiger nur in IV und V, wo die subjektive Betroffenheit des lyrischen Ich, seine parteiische Auseinandersetzung mit den Zeitereignissen auf den Rhythmus durchschlägt. Festigkeit im Versschema, Prägnanz der Distichengrenzen und die ausbalancierte Tektonik des strophischen Baus geben den Eindruck rationaler Genauigkeit, eines Abgemessenen, Gebändigten und Klaren, das zunächst im Widerspruch steht zum Thema: der Beschwörung von Rausch und Trunkenheit, die der Saft des Mohnes herbeiführt, von Nächtigem und Vergessen.
Die Elegie beginnt mit einem verhalten-hymnischen Anruf des Mohns, der ein Gräberfeld bewächst. In den Gräbern lebt das Altertum mit längst geronnenem Blut, während Mohnblätter wie breite Blutstropfen und Zeichen des Lebens auf sie herabsinken. Die Antinomie von Vegetativem und der Sphäre der Abgeschiedenen durchstimmt den Abschnitt I: Sommerschwermut vereint die Scharlachfarbe des Mohns, Symbol von Feuer und Licht, mit Klopstock-Youngscher Gräberszenerie.
Empfindendes und Unempfindliches, Bewegtes und Starres, Blühen und Zeugen sind jedoch wirksam miteinander verbunden (1: »scharlachfarben«, 7: »Grün«, 8: »Saft«, 12: »umgrünen«, 12: »Sproß« – 1: »Gräber«, 2: »alternde

Grüfte«, 4: »die Toten«, 4: »verwitternder Stein«): aus Verdorrtem wächst frisches Grün, wie Lebende »schlafen« die Toten in ihren Wohnungen, das Einsenken des Samens wiederholt das Absenken der Toten in die Gruft, dem fallenden Blatt sprießen junge Triebe entgegen. Der einzige Reim des Abschnitts verschränkt ebenfalls beide Bereiche: »verwitternden *Stein*« (4) und die Handlung der Aussaat (6: »still in die Erde ihn *ein*«). Bis in parallelen Lautstand geht die Verknüpfung: »*Grün*«/»*Grü*fte«, (7/2), »*scharla*ch-farben« (Leben) / »*Schla*f« (Tod) (1/2). Die sinnlich-optische Wirkung, die vom Bild leuchtenden Mohns auf den Gräbern ausgeht, stützen lautlich-klangliche Elemente: Die Lautschicht des Abschnitts charakterisiert der dentale Geräuschlaut, vom weichen s zum scharfen z modulierend: »*s*ehen« (1), »*s*o« (5), »*S*amen« (5), »*s*enkte« (6), »*S*aft« (8); »zarte*s*tes« (7), »wei*ß*e« (7), »Spro*ß*« (12), »entspro*ß*« (7); darüber steht wie wogendes Mohnrot über dem Lautfeld die schmiegsame sch-Gruppe: »*sch*arlachfarben« (1), »*sch*lafenden« (2), »*Sch*läfer« (11), »*Sch*laf« (8), »*Sch*merzen« (9); phonetisch auch: »*S*tein« (4), »*S*proß« (12), »ent*s*proß« (7), »*s*techende« (10), »*s*tarke« (11), »*s*tillt« (9).
Inhaltlich wie grammatisch zeigt Abschnitt I eine deutliche Dreiteilung: den beiden äußeren Distichenpaaren (1–4 und 9–12) im hier Allgemeingültigkeit und Dauer ausdrückenden Präsens steht das Doppeldistichon des Mittelteils im erzählenden Perfekt gegenüber, das den Anbau des Mohns, die Folge von Aussaat, Blüte, Ernte schildert, d. h. ein gärtnerisches Tun. Eine Zusammenstellung der Motive, die sich im Werk Jüngers am häufigsten finden, ergäbe eine Häufung des Motivkreises von Gärtner und Garten. Die *Gedichte* (1934) enthalten, neben zahlreichen Blumen-Poemen, auch die programmatische Eingangselegie *Der Garten*, das den »Krieg« der Blumen mit der Wildnis, des Gärtners mit dem Unkraut, dem »augenlosen und unterirdischen« lichtlosen Geschlecht der Engerlinge und Würmer schildert (*Gedichte*, S. 18–20). Der Gärtner-Poet greift ein ins Regellos-Chaotische als Freund der Fluren, der selbst ein Stück Natur (und

damit Garten) ist: »The ›ich‹ is both gardener and poet. Both seek to prevent the ignoble, the base, and the coarse from overwhelming the beautiful and the refined« (Richter, S. 31). »Dankbar« (6) übt er sein Tun im doppelten Sinn: für die Fruchtbarkeit der Natur (als deren Sinnbild der Mohn, reich an Samen, im Altertum galt) wie im Gefühl der Sicherheit, das ihn der gezähmten Landschaft gegenüber ankommt. Kultur im etymologischen Wortsinn von ›cultura‹, ›Landbau‹, tritt in einen ursächlichen Zusammenhang mit Kult und Kultischem, worauf die zeremoniöse Geste der Aussaat (5: »Und so nahm ich oftmals«) wie das den Toten gewidmete Trankopfer (11) hindeuten.

Lebendiges und Totes, dies hat die Analyse von Gehalt, Komposition und Lautstand von Abschnitt I ergeben, wollen nicht als unüberbrückbare Gegensätze, sondern als ursprüngliche Einheit verstanden sein, die aller Kultur und Geschichte voraus liegt. Der Gedanke einer zyklischen Struktur der Seins-Prozesse – das Zyklische des Naturkreislaufs veranschaulicht auch das Wortmaterial: »rundlich« (3), »kränzen« (4), »umgrünen« (12) – erfährt bei Jünger eine bedeutsame Differenzierung: Der Bereich Pans ist der einer Natur, die sich selbst genügt, in der es deshalb weder Erinnerung noch Geschichte geben kann. Erst durch die in den beiden mittleren Distichen geschilderte Tat vermag der Toten im »Vergessen« gedacht und Vergangenheit in die Gegenwart gehoben zu werden. Damit öffnet sich dem Abgestorbenen eine Möglichkeit von Auferstehung: Der Ruhm und die Toten »schlafen«, und das die Male des Altertums umstehende Grün scheint »gefiedert« (12) – ein Hinweis, daß das Tote wie ein Vogel Phönix erstehen kann.

Nun wird klar, weshalb gerade der Mohn, Pflanze des Vergessens, zum Sinnbild der Gedächtnis-Feier gewählt wurde: »Vergessen« wird Vorbedingung, ja Medium des Erinnerns. Das Gedächtnis, so führt Jünger in den Essaywerken *Griechische Mythen* (1947) und *Gedächtnis und Erinnerung* (1957) an, sei zunächst dem titanischen Bereich zugehörig wie Mnemosyne, die Göttin des Gedächtnisses selbst: Ihr Kreisen vollzieht sich als bloße Wiederkehr des Denkens, bei der nichts sich verändert (*Gedächtnis*, S. 118): »Um sie ist Einsamkeit, ist Vergessenheit, wie sie in der unbetretenen Wildnis ist« (*Gedächtnis*, S. 118). Das Musische schlummert noch in der Titanide und muß erst durch Zeus' Beilager ins Leben gerufen werden, so daß sich die titanische Mnemosyne zur musischen wandelt (als Mutter der Musen tritt sie ein in die Mythologie). Das »musische Sicherinnern«, dessen Mutter sie ist, kann demnach das höchste genannt werden, zu dem das Gedächtnis beiträgt (*Griechische Mythen*, S. 58).

Wenn der Vergessen bringende Mohntrank ins eigentlich Menschheits-, d. i. Kulturgeschichtliche, hineinführt, so ist das korrespondierende Bildzeichen des Mohnblatts ihm im vorhinein enthoben. Es fällt im Gedicht, weil es schön ist und schmückt. Es fällt »leicht« (3), im Herabsinken wird seine Anmut sichtbar, denn nur im Vergänglichen kann Anmut sein: »Lieblich ist allein das Flüchtige« (*Der Westwind*, S. 162). Liest man »Blatt« (3) neben seiner vegetabilischen Bedeutung metonymisch für die Dichtung selbst, so ergibt sich folgende Möglichkeit einer Deutung: »ent-fallen« (3) weist nicht nur auf den Zusammenhang mit Gedächtnis (schließlich fällt es auf ein Grab) – seine Leichtigkeit widerspricht der Schwere verzweifelter Klage und bringt so eine innere Distanz zum Ausdruck, die äußerlich im strengen Aufbau von Strophe und Vers in der Regelmäßigkeit der Distichen erscheint: eine Distanz, die als »elegischer Verhalt« (Beissner) die klassische Form der Elegie charakterisiert. So ist das »Blatt« eines geworden, das gleichsam die Wörter des Gedichts als unsichtbare Inschrift trägt: ›Gedächtnis‹ und ›Anmut‹ sind poetologisch aufeinander bezogen.

Aus dem Ungeschieden-Umgreifenden von Naturgeschichte führt Abschnitt II in den Raum geschichtlicher Differenzierung: Nach dem Modus von Erinnerung sollen nun deren Inhalte beschrieben werden. Das sentenziöse Distichon, in

dem der Dichter die versagende Zauberkraft des Mohns gegenüber dem Niederen beklagt, erläutern zwei Beispiele aus Mythe und Geschichte: Klio, Muse der Geschichtsschreibung, in späthellenischer Zeit auch des Heldenlieds und der Rhetorik (von beidem spricht auch die Elegie), erzählt vom Schicksal des Kriegshelden Coriolan, dem das römische Volk, vertreten durch Tribunen, die Konsulatswürde verweigerte und der darauf in die Verbannung ging. Sein Geschick veranschaulicht einen historischen Konflikt von ›Höherem‹ (Patriziat) und ›Niederem‹ (Plebs). Jünger konstatiert einen Zusammenhang zwischen Kunst und politischem Geschehen: Wie der Held sich aus der Politik zurückzieht, um sie Schwätzern und ›Schauspielern‹ zu überlassen, so fliehen auch die Musen, wenn ›Niederes‹ zur Herrschaft kommt. Sie kehren nur zurück, um Spott und Hohn über die Zeit zu gießen, in der der Schauspieler (›histrio‹) an den Platz des Politikers getreten ist.
An dieser Stelle rückt die historische Perspektive, die in Abschnitt I die natur-geschichtliche Begründung fand, in ihre aktuell-politische Dimension: als strikte Abweisung der Zeit. Was das Gedicht ins scheinbar Zeitferne hüllt, verlautet Jünger unmißverständlich in der im gleichen Verlag wie seine Verse publizierten Zeitschrift *Widerstand*: »Wo der Schauspieler zum Repräsentanten der Macht geworden ist [...], wo er auftritt und zum Gegenstand des Kultus der Massen wird, die ihn nötig haben, dort ist die Dekomposition der Wirklichkeit in vollem Gange. Alle Ansichten haben ihre Frische verloren, und der Geruch von Lack und Farbe und Schminke der großen Atrappen durchzieht den ganzen Bau. Der Bühneneffekt kommt zur Geltung. [Der Schauspieler] kennt sein Publikum und weiß, was man von ihm verlangt. Wenn er sich auf seinem Kothurn bewegt, glaubt der betrogene Zuschauer einen Gott oder Giganten zu sehen und sperrt Augen und Mund weit auf. Aber es ist nur ein armseliger Taschenspieler, der vor ihm agiert, und seine Kunststückchen nehmen bald ein Ende« (*Wahrheit und Wirklichkeit*, S. 146 f.).

Jeder muß damals die Anspielung auf das theatralische Getriebe des Nationalsozialismus und das Schauspielertum Hitlers verstanden haben, zumal der Widerstands-Verlag beabsichtigte, »durch entsprechende Literatur im Sinne des Widerstandsgedankens zu wirken« (Niekisch, S. 141). Die Zeitschrift galt bis zum Verbot im Dezember 1934 nach dem Zeugnis des Herausgebers als »eine der schärfsten publizistischen Waffen, welche offen gegen das Dritte Reich eingesetzt wurden« (Niekisch, S. 141). Wenn auch die Spannung zwischen besonderer Information und solcher, die man aus dem Gedicht selbst schöpfen kann, nur eine relative sein kann (Hans-Georg Gadamer), so vermag doch die publizistische Arbeit Jüngers einige wesentliche Rezeptionsmomente zu beleuchten. Darauf wird noch zurückzukommen sein.
Plastisch tritt die zeitkritische Intention auch in Abschnitt III hervor. Die Scheinraserei der Agitatoren, die damals auf allen Straßen und Plätzen sichtbar wurden, um das Erbe großer Taten, d. h. für Jünger: die Erinnerung an Kriegserlebnisse des Ersten Weltkriegs (vgl. *Der Krieg*, *An meinen Bruder Ernst*, in: *Gedichte*, S. 42–46, 47–50), zu vermarkten, bleibt leere Stilgeste: archaisierendes -et in der 3. Person Singular (27: »ahmet«, 30: »verspeiet«) täuscht antikes Gewand nur vor. Das Falsch-Überbietende dieser Rhetorik unterstreicht Jünger mit verborgenem Hinweis auf den ›Schwulst-Stil‹ barocker Literatur: in der Kartaune als dem charakteristischen Geschütz des Dreißigjährigen Krieges wie in Abschnitt V, der die Redner mit zürnenden Putern vergleicht, als Anspielung auf Grimmelshausen (»Sie antworteten nicht, sonder kollerten mit mir und unter sich selbsten eine Sprache daher wie erzörnete Kalekuttische Haanen«, Grimmelshausen, S. 18). Wie in Trunkenheit sind die Rhetoren zu leidenschaftlichem Ausdruck hingerissen, wo es des Maßes bedarf: Das Metrum ist gestört durch überzählige Hebung (31: »Jede Rede ist Schlácht. ›Aúf!‹ rúft er«). Ihre pathetische Geste wird lächerlich gemacht durch parodierte und trivialisierte Literaturzitate (»Reden ist Gold«, »Von

der Stirne heiß ...«), durch satirische Darstellung: »Auf! [...] täglich zur Schlacht denn« (31). Zugleich ist ein drohender Unterton hörbar und kaum verdeckter Terror gegenüber dem, der sich der kollektiven Euphorie verweigert (35 f.).

Abschnitt IV hält satirisch Gericht: Die Zeichen und Formeln des Ruhms, von den Machthabern bedenkenlos inflationiert, taugen, so wird zynisch-subversiv angemerkt, eher für die Küche, der Lorbeer weniger für die Schlacht als die Schlachteplatte. Was als »würziges Blatt« (40), an die Satirendichtung des Horaz oder Petronius erinnernd, die Elegie selbst ›würzt‹, verweist zugleich auf antik-epikureisches Empfinden, das sich gegen hohle Symbole, den ›hohen Stil‹ des Elegikers wendet. Wenn viel berufenes »Heil« (44) mit Gastrosophie in Verbindung gebracht wird, dürfte einleuchtend sein, was Ernst Jünger im Rückblick erinnert: Nach der Veröffentlichung von *Der Mohn* seien »drei in Uniform erschienen« (E. Jünger, S. 84).

Solcherart Widerstand, sich doch gleichermaßen nicht als Gegnerschaft im strengen politischen oder täterischen Sinn formulierend, findet Ausdruck in polemischer Karikatur zeitpolitischer Vorgänge, die unter dem Gesichtspunkt ihrer Scheinhaftigkeit betrachtet werden. In Abschnitt V knüpft die Inspiration in kaum verhüllter Form an die Tagesereignisse auf der Schwelle des Dritten Reiches an. Jünger scheint Eindrücke wiederzugeben, wie er sie nach der Übersiedlung zu seinem Bruder Ernst in Berlin (1928) empfing – jedenfalls erinnern weite Passagen an entsprechende Abschnitte seines Erinnerungsbuches *Spiegel der Jahre* und publizistische Arbeiten im *Widerstand.* So heißt es, nachdem Hitler Reichskanzler geworden war, Berlin sei »von einer dauernden Bewegung erfüllt [...] Aufmärsche und Umzüge uniformierter Kolonnen, Massenversammlungen, rote Fahnen überfüllten die Stadt, Redner tauchten auf allen Plätzen auf [...]. Die Umzüge gehörten zu dem ständigen Plebiszit, zu dem die Massen aufgefordert wurden« (*Spiegel der Jahre*, S. 177). Den Autor überrascht beim »großen Maiauf-

marsch«, zu dem über eine Million Menschen erschienen, wie »Zwang und Begeisterung zusammenhingen« (S. 191), und verwahrt sich gegen die geforderte Idolatrie: »Wenn du nicht vor Begeisterung dampfst, bist du schon verloren [...]. Du hast nur zwei Möglichkeiten: du mußt dich in ihm [dem Kollektiv] verstecken oder auswandern« (S. 192). Ein Jahr nach Ermächtigungsgesetz und ›Gleichschaltung‹ schreibt Jünger im *Widerstand*: »Alle der Gleichheit widerstrebenden Kräfte, alles was sich von ihr absetzt oder sie einschränkt, wird beseitigt. Ihre Totalität wird jetzt sichtbar: gebietsmäßig in der wachsenden Bedeutungslosigkeit der Länder gegenüber dem Reich, innenpolitisch in der Beseitigung der Parlamente, Parteien, Abgeordneten, auf dem sozialen Gebiet in einer neuen sozialen Gleichheit, im Kostüm durch neue Uniformen und Festanzüge, in der Begrüßung durch einen einheitlichen und gleichen Gruß [...]. Nicht mehr allein die Gesinnung, auch das Blut hat sich auszuweisen, ob es keine feindlichen Elemente in sich birgt. Nichts, was der unmittelbaren Gleichheit widerstrebt, hält stand. Das ungeheure, unterschiedslos dahinflutende Volk der plebiszitären Demokratie erfüllt die Hallen und Plätze, und in grenzenloser Popularität bewegt sich die Führung in ihm« (*Über die Gleichheit*, S. 99).
»Widrig ist mir der Redner Geschlecht« (45): Der Abschnitt V, der die verlogene Beredsamkeit der Agitatoren anprangert, spielt selbst virtuos mit den Elementen literarischer Rhetorik und spricht die Antithese zur Epoche im Gewand und mit den Mitteln rhetorischer Poesie, die, der modernen Dichtungsauffassung fast vollständig fremd, von der römischen Kaiserzeit bis zur Französischen Revolution (vgl. Curtius, S. 70 ff., 435 ff.) zum Grundbestand allen Dichtens gehörte. Auffällig sind vor allem die zahlreichen Formen der Wiederholung, und zwar sowohl als Wiederholung des Gleichen (45, 67, 68: »widern«; 45: »Redner«; 50: »redend«; 46 [zweimal], 51, 53, 59, 71, 72 [!]: »hören«; 48 [zweimal]: »retten«; 49, 52: »betrügen«; 48: »Trug«; 52: »Betrüger«; 51: »Betrogne«; 54, 57: »redlich«; 48, 54, 62: »Tod«; 53, 71:

»Toten«; 49, 51, 53: »Volk«; 49, 51: »schmeicheln«; 52, 68: »laut«; 61: »lauter«; 53, 71: »schweigen«; 47, 50: »mit Worten«; 56 [zweimal]: »fallen«; 67: »Lärm«; 58, 71: »lärmen«; 65, 66: »Sieg«; 68, 69, 70: »Begeisterung«; 53, 71: »schweigen«) wie als in vielfältige Lautwiederholungen eingebettete Wortspiele (Paronomasie: »Reden«/»redlich«; Polyptoton: »Trug«/»betrügen«/»Betrogene«, »Tod«/ »Tote«; Figura etymologica: »Retter«/»retten«). Ein Netz von Alliterationen und Assonanzen überzieht den Abschnitt (»*W*orte«/»*W*esen«, »*R*etter«/»*r*etten«, »*sch*meicheln«/ »*sch*merzen«, »*l*auter«/»*l*ärmen«, »*F*este«/»*F*eiern«), das sich zu hohem sprachlichen Wohlklang verdichten kann (66: »Süßer als Siege sie dünkt«, 69 f.: »Stille, du klarer, / Du kristallener Born«). Neben Anaphern und Parallelismen (46: »Höre ich [...] höre ich«, 48: »sie retten den Trug [...] sie scheuen den Tod«, 51: »es schmeicheln [...] es jubeln«) dient auch die Amplificatio dem rhetorischen Prunk, die in den Versen 53–68 in einem Crescendo die Gegenwelt politischen Lärms vorführt: sie steigert, ausgehend vom Schweigen der Toten, das Wortfeld des auditiven Bereichs über »tönen«, »vernehmen«, »seufzen«, »laut und lauter lärmen«, »Märsche«, »Gesänge«, »Siegruf anstimmen«, »bejubeln«, »schmerzend im Ohr hallen«, »Lärm« bis zu »lautem Geschrei« (53, 54, 57, 60, 58; 61, 59, 62, 65, 67, 68). Der erregten Tonlage sind wirkungsvoll und in antithetischem Umschlag die beiden Schlußdistichen entgegengesetzt, die, schon durch das einzige Reimpaar des Abschnitts als Einheit gekennzeichnet, in die Sphäre der Stille, der Toten, des der Masse gegenüberstehenden einzelnen zurücklenken.

Das Distichenpaar 69–72 bildet auch inhaltlich ein Gegengewicht zur pessimistischen Perspektive der Verse 45–68. In der beruhigten Zone der Stille findet das lyrische Ich den ›elegischen Ausgleich‹ gegenüber den zu beklagenden Welt- und Sprachverhältnissen, einer Welt, wie sie sprachlich als leerer ›Schein‹ verfaßt ist.

Damit lenkt der Schluß der Elegie auf den Anfang zurück, auf Abschnitt I, in dem Schweigen, die Toten und neues

Wachstum zusammengesehen sind, wie in den Versen 69–72 die Trauer um die Toten zusammen mit »Stille« und »Born«, d. h. ›Quelle‹, ›Brunnen‹, dem Lebendigen und Leben-Schaffenden: »Dort, wo das Sprachlose Sprache wird, dort ist der Brunnen der Worte« (*Rhythmus und Sprache*, S. 24). Vorbereitet wird dieser Rückbezug bereits durch wörtliche und thematische Verweise: so beziehen sich ›fallen‹ (56), ›sinken‹ (54), ›der Nacht und dem Tod weihen‹ (62) auf I (das fallende Mohnblatt und den ›Weihetrank‹), der Rekurs auf Tribunen (51) und römische Geschichte (61 ff.) auf Abschnitt II, Tiermetaphorik für die Redner (45 f.) und Sieg (65) auf Abschnitt III. Es handelt sich jedoch nicht allein um die wahrgenommene Möglichkeit einer Rückschau, die der so viel umfangreichere Schlußabschnitt bietet; vielmehr muß dieser im Hinblick auf die Gesamtstruktur der Elegie und die in der ausführlichen Analyse von Abschnitt I gewonnenen Ergebnisse betrachtet werden:
Der Gedanke der Wiederkehr, wie er für Jünger an der Natur (Abschnitt I) erfahren und aus der antiken Geschichtsauffassung (Abschnitt II) entwickelt wurde, steht dem Modern-Utopistischen diametral gegenüber. Während sich an der Kreisform gleichsam das Wahre und im Erinnern, dem ›musischen‹ Eingedenken, Bewahrte kristallisiert, ist an der Längsachse der Elegie das dem »schnurgeraden Zeitbegriff« (*Spiegel der Jahre*, S. 271), mithin dem Akzidentellen und Scheinhaften Zugeordnete abgebildet: der ›falsche‹, d. h. politische Schauspieler, die theatralische Rhetorik zum Zwecke der Volksverführung, die Welt sprachlichen Krämertums, das sich nicht mit dem ›schönen Schein‹ (wie Schiller gesagt hätte) begnügt, sondern daraus ›reichliche Münze‹ für den Markt schlägt. Das Artistische retiriert auf den einzelnen, verschließt sich vor der »Besoffenheit durch Sprache« (Adorno) und dem wohlfeilen Wahn der Masse. Der Kunst verbleiben als Mittel des Widerstands nur die eigenen: Gerade darin liegt künstlerische Eigenart wie politische Brisanz der Jüngerschen Elegie, daß sie inhaltlich hinter nur threnetische, erotische oder bukolische Elegieninhalte

zurückgeht auf die frühgriechische patriotisch-paränetische Form (d. h. Dichtungen, die zum vaterländischen Geist aufmuntern wollten) und mit dem Rekurs auf Mythen, klassische Maße, antike Naturauffassung aktuell-politische Inhalte verbindet. So gesehen nimmt der Autor nicht die Haltung eines distanzierten Zuschauers zu den Zeitereignissen ein, sondern sucht mit seiner Kunst, indem sie Geschichte und an Geschichte erinnert, zu verhindern, sich aller Geschichtlichkeit zugunsten eines kollektiven Unbewußten zu entäußern. Jüngers Elegie ist Protest gegen die Klänge eines falschen Utopia – ein Lied, auch sie, »voll von Vergessenem, das immer da ist« (*Ring der Jahre*, S. 146).

Zitierte Literatur: Ernst Robert CURTIUS: Europäische Literatur und lateinisches Mittelalter. Bern [8]1973. – Hans Jakob Christoffel von GRIMMELSHAUSEN: Simpliciana. In Auswahl. Hrsg. von J. H. Scholte. Halle a. S. 1943. – Ernst JÜNGER: Autor und Autorschaft. In: Scheidewege 11 (1981) S. 72–98. – Friedrich Georg JÜNGER: Gedächtnis und Erinnerung. Frankfurt a. M. 1957. – Friedrich Georg JÜNGER: Gedichte. 1934. [Siehe Textquelle.] – Friedrich Georg JÜNGER: Griechische Mythen. Frankfurt a. M. 1947. – Friedrich Georg JÜNGER: Rhythmus und Sprache im deutschen Gedicht. Stuttgart 1952. – Friedrich Georg JÜNGER: Ring der Jahre. Frankfurt a. M. 1954. – Friedrich Georg JÜNGER: Spiegel der Jahre. Erinnerungen. München 1958. – Friedrich Georg JÜNGER: Über die Gleichheit. In: Widerstand 9 (1934) H. 5. S. 97–101. – Friedrich Georg JÜNGER: Wahrheit und Wirklichkeit, Rückblick auf den Verfall der bürgerlichen Welt. In: Widerstand 9 (1934) H. 5. S. 138–147. – Friedrich Georg JÜNGER: Der Westwind. Frankfurt a. M. 1956. – Thomas MANN: Tagebücher. 1933–1934. Hrsg. von Peter de Mendelssohn. Frankfurt a. M. 1977. – Ernst NIEKISCH: Erinnerungen eines deutschen Revolutionärs. Bd. 1: Gewagtes Leben. 1889–1945. Köln 1974. – Anton Heinz RICHTER: The major themes in the works of Friedrich Georg Jünger. Diss. Northwestern University, Evanston. 1971. (DA '71/'72. 3326/27 A.)
Weitere Literatur: Karl August HORST: Kritischer Führer durch die deutsche Literatur der Gegenwart. München 1962. S. 185–188, 426–428 u. a. – Franziska OGRISEG: Das Erzählwerk Friedrich Georg Jüngers. Diss. Innsbruck 1967. – Bernd PESCHKEN: Klassizistische und ästhetizistische Tendenzen in der Literatur der faschistischen Periode. In: Die deutsche Literatur im Dritten Reich. Themen – Traditionen – Wirkungen. Hrsg. von Horst Denkler und Karl Prümm. Stuttgart 1976. S. 207–223. [Peschkens Studie versucht, »die schichtenspezifischen Bedingungen der Entstehung und der Wirkung der Literatur mit klassizistischen beziehungsweise ästhetizischen Tendenzen in dieser Periode näher zu bezeichnen und sie ideologiekritisch zu sehen« (S. 207). Daß »klassizistische Tendenzen und völkisch-nationale beziehungsweise national-

sozialistische Literaturauffassung einander virtuell entgegengesetzt sind« (S. 208), soll an Beispielen von Literaturwissenschaftlern und »Schriftstellern von beachtlicher künstlerischer Selbständigkeit wie Gottfried Benn, Ernst Jünger, Josef Weinheber« (S. 215) gezeigt werden.] – Klaus WEISSENBERGER: Formen der Elegie von Goethe bis Celan. Bern 1969. – Benno von WIESE: Friedrich Georg Jünger zum 60. Geburtstag. Rede bei der Verleihung des Immermann-Preises der Stadt Düsseldorf und aus Anlaß seines 60. Geburtstages erweitert. Passau 1958.

Wilhelm Lehmann

Grille im Tessin

Die Erde ruft als Maulwurfsgrille.
Die Krume bröckelt als ihr Fleisch, die Steine halten als ihre
Knochen.
Wenn die heißen Lüfte den jungen Mais kochen,
Tönt selbst die Stille.
5 Die Mauersegler werfen sich ins Blau wie Sicheln aus
rußigem Eisen –
»Heute mir und morgen dir« ist an den kleinen Kirchhof
geschrieben.
Ich quäle mich, die Schläfen fallen ein, ich werde sterben –
Ist übermorgen nichts von meiner Stimme geblieben?
Doch, eine Grille wird sie erben
10 Und als verborgener Erdenmund das Dasein weiter preisen.

Abdruck nach: Wilhelm Lehmann: Gesammelte Werke. 8 Bde. Bd. 1: Sämtliche Gedichte. Hrsg. von Hans Dieter Schäfer. Stuttgart: Klett-Cotta, 1982. S. 41.
Erstdruck: Wilhelm Lehmann: Antwort des Schweigens. Gedichte. Berlin: Widerstands-Verlag, 1935.
Weiterer wichtiger Druck: Wilhelm Lehmann: Sämtliche Werke. 3 Bde. Gütersloh: S. Mohn, 1962.

Uwe Pörksen

Gryllotalpa Gryllotalpa

»Nur mit der Hilfe des Etwas können wir uns des Alls versichern. Das verlangt das Gesetz der Bewußtseinsenge als eine Spielregel der Existenz.« – Es gibt kaum einen auf-

schlußreicheren Satz in den poetologischen Aufsätzen Wilhelm Lehmanns.
Lehmann, der 1882 in Puerto Cabello (Venezuela) geboren wurde, in Wandsbek aufwuchs und seit 1923 in der schleswig-holsteinischen Kleinstadt Eckernförde lebte, unterrichtete und dichtete, unternahm 1932 eine Reise ins Tessin. Diese Reise fand ihren Niederschlag in der noch im gleichen Jahr geschriebenen Erzählung *Die Hochzeit der Aufrührer*, die 1934 von S. Fischer publiziert wurde, und in dem Gedicht *Grille im Tessin*. Die Erzählung enthält Motive, die auch in dem Gedicht vorkommen: die unaufhörliche Grille, Steine als Knochen, Pansstille und Mittagshitze, Tod. Sie schildert die Begegnung zwischen einem Naturmystiker und einer jungen adligen Kommunistin in einem etwas desaströsen Feriendomizil. Die beiden verbindet, daß sie radikale Außenseiter sind, der eine, indem er, nach außen liebenswürdig, die anderen Menschen meidet und sich den Eindrücken der großen Natur hingibt, die andere, indem sie, scharf und ätzend und immer präsent, die Symptome der untergehenden bürgerlichen Klasse diagnostiziert und sich den arbeitenden Männern des Dorfes hingibt. Die Begegnung der beiden ist von Feindseligkeit, ja auf seiten der Kommunistin von mörderischem Haß bestimmt und enthüllt sich am Schluß als wechselseitige Anziehung; sie endet als Liebesbegegnung. Daher der Titel *Die Hochzeit der Aufrührer*. Die Erzählung schließt, etwas verkürzt gesagt, mit dem leisen Triumph des Naturadepten.
Sie ist nicht frei von Peinlichkeiten, schon die Fabel deutet das an, enthält aber schöne Landschaftsbilder: »Das Licht begann seine Herrschaft, es stülpte eine Glasglocke über die Berge, daß die Luft sie treibhauswarm umwankte. Die Täler schatteten blau, es wurde heiß, aus jeder Erdspalte krochen die Grillen und schrillten« (II,269). Charakteristisch ist die Grunddisposition der Hauptfigur, im Grunde aller Hauptfiguren in den Romanen und Erzählungen Lehmanns; sie alle sind – heimlich oder offen – Poeten. »Allem schaute Ramloh zu. Alles verdichtete sich um ihn« (II,255). Ramloh ist

liebenswürdig, er versichert sich der Zuneigung der übrigen Gäste, aber eigentlich lebt er nur auf die Natur zu. Er durchstreift die Gegend, versenkt sich, horcht. Das Schweigen ist hier wie auch sonst bei Lehmann eine Ausgangshaltung: erst aus dem gegenstandsversunkenen Schweigen, der schweigenden Unio mit der stummen Natur, läßt sich jene Sprache gewinnen, die am Gegenstand entsprungen ist. Die Nähe zu gewissen Haltungen der Mystik war Lehmann bewußt, nur daß das Absolute ihm die äußere Erscheinung der Natur war: »Der wahre Mystiker schließt die Augen nicht, er öffnet sie weit. Er sieht sehr genau hin, so angestrengt, daß sein Blick die Phänomene zum zweiten Mal erschafft« (III,192). Wir begegnen dieser Grunddisposition auch in den Gedichten: »Bestehen ist nur ein Sehen, / Und ein Hören ist darin« (*Lied des alternden Weingott*, III,430).

Ein zentrales Thema der Erzählung ist auch der Gegensatz zwischen der konturierten Außenwelt und dem verlorenen Ich. »Er verfiel einer bitteren Unsicherheit«, heißt es. »Als das Licht seiner Petroleumlampe die Fliesen beschien, [...] lief eine große Assel ins Dunkle, den Rücken schön gewölbt – sie wartete auf nichts und war vollendet. Weder Hoffnung, noch Freude, noch Enttäuschung störten sie. Warum war es für ihn so gefährlich, im eigenen Wesen zu wohnen?« (II,268). Diese Situation kehrt wieder in den Gedichten. Das Ich ist – gegenüber der klar umrissenen und ihr Traumleben lebenden Natur – gestaltlos, unruhig, hungrig nach einem Sinn, aus der Schöpfung gefallen. Lehmann ist von der deskriptiven Naturlyrik ziemlich weit entfernt. Ebenso wie er Lyriker der Natur ist, ist er Lyriker der Existenz. In den Gedichten handelt es sich um das Ich, um Wiederherstellung des Ichs an der Natur.

Auch das Gedicht *Grille im Tessin* beschreibt nicht eine von einem bestimmten Blickwinkel aus gesehene Landschaft. Es ist viel eher eine emblematische Natur, die hier in einigen Elementen knapp und zeichenhaft entworfen wird und auf die das Ich antwortet. Interessant und für das Gedicht

Lehmanns charakteristisch ist die Vielsinnigkeit, mit der hier die Natur auf engstem Raum, in fünf Zeilen, auftritt. Nicht nur Ohr und Auge, auch der Tastsinn, das Körpergefühl sind beteiligt an der Wahrnehmung, und was wahrgenommen wird, gehört allen vier Elementen an.

Das Ich antwortet mit Todesgedanken. Das Gefühl des Alterns und die Todeserwartung führen zu Zweifeln des Dichters an seinem Weiterleben und zur Hoffnung auf Weiterexistenz in dem unaufhörlichen Gesang der Natur. – Rückwirkend wird nun auch der Titel doppeldeutig. Die »Grille im Tessin« ist nicht mehr nur das Insekt, sondern auch die ›Laune‹, der ›seltsame Einfall‹, die Sorge aller Sorgen. Auch Wendungen wie »Die Erde ruft« (1), »Die Krume bröckelt« (2), die »Mauersegler [...] wie Sicheln aus rußigem Eisen« (5) erhalten einen veränderten Klang. Die Sichel ist ja seit dem Spätmittelalter Attribut des Todes. – Der biographische Hintergrund ist der, daß Lehmann in dieser Zeit ein fast vergessener Autor war. Er hatte zunächst, seit 1917, mit den Romanen *Der Bilderstürmer*, *Die Schmetterlingspuppe* und *Weingott* Anklang gefunden – für *Weingott* erhielt er 1923 aus der Hand Döblins den Kleist-Preis –, aber für seine späteren Romane, den *Überläufer* (1927) und den *Provinzlärm* (1930), hatte er schon keinen Verleger mehr bekommen können; diese Romane erschienen erst in den fünfziger und sechziger Jahren.

So sehr die menschenferne Natur das Thema dieses Autors ist, seine Gedichte sind durchaus artifizielle Kunstprodukte eines Poeta doctus. Man könnte z. B. an diesem Gedicht zeigen, daß Lehmann teilhat an den Stiltendenzen seit der Jahrhundertwende. Es gibt darin etwas, was an Jugendstil erinnert: die Metamorphose von Stein zu Knochen, von Krume zu Fleisch. Es gibt Expressionistisches: »die Schläfen fallen ein« (7). Es gibt vor allem die klaren, knappen, konstatierenden Sätze der Neuen Sachlichkeit.

Und durch sein Thema ist das Gedicht mit einer alten Tradition verknüpft. Die Grille ist eng verwandt mit der Zikade (die beiden werden gelegentlich sogar gleichgesetzt).

Die Zikade ist in der Antike das Symboltier der Poeten. In der spätgriechischen Gedichtsammlung der Anakreontea findet sich ein Gedicht auf die Zikade, das Goethe 1781 übersetzt hat (Goethe, S. 110):

An die Cikade
nach dem Anakreon

Selig bist du, liebe Kleine,
Die du auf der Bäume Zweigen,
Von geringem Trank begeistert,
Singend, wie ein König lebest!
Dir gehöret eigen alles,
Was du auf den Feldern siehest,
Alles, was die Stunden bringen;
Lebest unter Ackersleuten,
Ihre Freundin, unbeschädigt,
Du den Sterblichen Verehrte,
Süßen Frühlings süßer Bote!
Ja, dich lieben alle Musen,
Phöbus selber muß dich lieben,
Gaben dir die Silberstimme,
Dich ergreifet nie das Alter,
Weise, Zarte, Dichterfreundin,
Ohne Fleisch und Blut Geborne,
Leidenlose Erdentochter,
Fast den Göttern zu vergleichen.

Lehmann setzt an die Stelle der alten Zikade nicht einfach die Grille, sondern die von den Entomologen so genannte ›Maulwurfsgrille‹ (Gryllotalpa). Sie ist ein samtartig behaartes, wespenfarbenes oder braunes Insekt von bis zu 5 cm Länge, dessen Vorderbeine zu Grabschaufeln umgebildet sind und das, in unterirdischen Gängen lebend, auch bei uns in milden Nächten ein wohllautendes kurzes tiefes Schwirren, einen tiefen Triller im menschlichen Stimmbereich, hören läßt. – Vermutlich wählte Lehmann diese »liebe Kleine«, weil er das alte Bild für verbraucht hielt. Auch die Grille ist uns ja aus der Tradition vertraut, z. B. durch die Fabel von der leichtsinnigen Grille und der fleißigen

Ameise. Jeder sprachliche Ausdruck, jedes Bild hat die Tendenz, sich zu verbrauchen. Das ist der ›Zikade‹ des antiken Poeten so ergangen wie der ›Nachtigall‹ des mittelalterlichen Sängers. Die diesem Vergleich eingelagerte Wahrnehmung verblaßt. Deshalb frischt Lehmanns ›Maulwurfsgrille‹ die Tradition auf, die alte Zikade oder Grille wird in einer Art Kontrafaktur belebt, bezeichnenderweise aus dem Bereich exakter entomologischer Nomenklatur.
Das Mittel der Kontrafaktur charakterisiert überhaupt die Sprachverwendung an einigen Stellen. Das Gedicht entwickelt sich aus der Alltagssprache und aus typischen Redewendungen, die dann eine neuartige Wendung nehmen. »Die Erde ruft« ist fast konventionell. »Die Erde ruft als Maulwurfsgrille« ist überraschend. Die konventionelle Verbindung ›kochende Hitze‹ wird aufgelockert in der konkreten Wendung: »Wenn die heißen Lüfte den jungen Mais kochen« (3). Man nimmt Anstoß an der Sprache, stutzt, und über das Stutzen fällt ein neuer Blick auf die Sache. Wir sprechen von einem Haus, das einfällt, vielleicht auch von eingefallenen Schläfen; »die Schläfen fallen ein« (7) ist ein kleiner Schock. Der zarte Verstoß gegen die üblichen Kopplungen, die verknappende, besonders im Bereich der bildlichen Sprache beliebte schräge Kontrafaktur ist spätestens seit der *Critischen Dichtkunst* von Breitinger ein beliebtes poetisches Mittel; der Zürcher Professor sprach in solchen Fällen von »Machtwörtern«.
Mit dem Gebrauch solcher ›Machtwörter‹ geht Lehmanns Vorliebe für das Konkrete einher, für den spezifizierenden Ausdruck. Er war Philologe und hat sich als junger Mann in einer Reihe kleiner wissenschaftlicher Aufsätze, auf der Grundlage des Sprachenvergleichs, mit der Herkunft einiger Pflanzen- und Tiernamen beschäftigt. In einer Miszelle zu dem altenglischen Namen »colloncrōh« für die Seerose erklärt er z. B. das zweite Glied des Kompositums als ›Krug‹ und meint, die krugförmige Gestalt der Frucht habe als namenschaffendes Moment gedient. In diesem Zusammenhang spricht er von der in diesem Namen »aufgespeicherten

Energie und Besonderheit der sinnlichen Anschauung« (*Zu ae. collon-crōh*, S. 25). Diese Idee hat ihn oft beschäftigt. Sie fand eine Stütze in der Sprachauffassung des polnischen Gelehrten Jan Rozwadowski, mit dem Lehmann damals korrespondierte. Er hat sie noch im Alter wiederholt, z. B. in einem unveröffentlichten Vorwort zu einer kleinen Auswahl aus seinem Werk, die Benjamin A. Barrett 1968 in den USA herausbringen wollte und die dann nicht erschienen ist: »Wir können, wenn wir uns sprachlich in der Welt zurecht finden, das heißt: Wesen und Dinge benennen wollen, nicht die Welt als Ganzes in den Mund nehmen, sondern müssen ihrer mit Hilfe der Partikularität inne werden. Ein Etwas muß uns genügen. Daß es möglich ist, mit Hilfe einer Einzelheit einer Ganzheitsvorstellung nahe zu kommen, verdanken wir bei dem Zusammenhang all unserer Vorstellungen unter sich zwei Eigenschaften unseres Bewußtseins, der *Einheit* und *Enge* der Apperception« (Text nach dem handschriftlichen Nachlaß Lehmanns im Deutschen Literaturarchiv in Marbach). Aus diesem Grund liebt Lehmann es, das Allgemeinste und das Besonderste zu verbinden: »Die Erde ruft als Maulwurfsgrille«, »Erdenmund« (10). Nicht der Gattungsname, sondern, mit Linné gesprochen, die »differentia specifica« ist charakteristisch für seine Sprache, die dahin strebt, die allgemeinen Begriffe durch Detailbindung im Bewußtsein zu befestigen: der »junge Mais« (3), »Mauersegler [...] wie Sicheln aus rußigem Eisen« (5), »übermorgen« (8). Alles wird auf einen Punkt gebannt. Die Kunst des Dichters besteht darin, alte Merkmale aufzufrischen und neue zu entdecken. An ihnen haftet unser Bewußtsein, durch Genauigkeit im einzelnen ist es möglich, die komplexe Vielfalt und den Umfang der Welt zu ahnen.

Ein Mittel, sich der Welt sinnlich präzisierend zu versichern, ist natürlich auch das Gleichnis. Es hat, wie mir scheint, aber nicht nur diese Funktion. Man muß sich Lehmanns Gedichte einmal ohne die Gleichnisse und mythologischen Anspielungen vorstellen: sie würden dann eine scharf gesehene ländliche Szenerie in einer krautigen Enge vermitteln.

Die Vergleiche stiften Beziehungen, sie transzendieren die Natur, in ihnen wird sie geistiger, ist sie nicht mehr nur sie selbst, geht sie über zum Menschen hin: Steine werden zu Knochen, Mauersegler zu Sicheln.
Wie ist es zu verstehen, daß der Dichter am Schluß seine Stimme einer Grille vererbt? Lehmann identifiziert sich in diesem Gedicht offenbar mit ihr: sein Tun ist kein anderes als das ihre. Der Band, in dem das Gedicht steht, hat den paradoxen Titel *Antwort des Schweigens*. ›Das Schweigen‹ ist, wenn ich richtig verstehe, die Natur. Poesie ist die ›Antwort‹, nicht auf das Schweigen, sondern der Natur selbst. Sie ist die Physiognomie der Natur, Laut werdende Stille. Insofern ist eine Grille dann tatsächlich der geeignete Erbe. – Vielleicht ist noch anderes mitgemeint: Dichten ist in den Augen Lehmanns vor allem ein Erneuern der Welt. In seinem früheren Werk meint er dies mehr mythisch im Sinn des Erneuerungszaubers, der von dem Poeten ausgeht und sich der Welt mitteilt; in der Zeile »Die Erde ruft als Maulwurfsgrille« ist auch an Beschwörungszauber gedacht, man vergleiche z. B. den Gedichtanfang: »Wer beschwor die Glut der Stunde? / Würger mit dem roten Rücken« (III,552). – Im späteren Werk meint er es eher psychologisch, im Sinn des die Phänomene freilegenden Bezauberns, das von der Spracherneuerung des Poeten ausgeht. In diesem oder jenem Sinn, so könnte man interpretieren, trägt der Poet dazu bei, daß die Grille »das Dasein weiter preist« (10).
Das Gedicht ist formal eine Mischung aus Vers und Prosa. Es hat fast den Rhythmus der Prosa, Langzeilen wechseln mit einigen wenigen Kurzzeilen, der Reim ist eher unauffällig; aber er gibt dem Gedicht doch Kontur und unterstreicht die Zweiteilung. Die ersten fünf Zeilen entwerfen das Naturbild, die zweiten fünf Zeilen enthalten die ›Antwort‹ des Ich, die Zeilen 1–4 sind verbunden durch den sogenannten umarmenden Reim, die Zeilen 6–9 durch Kreuzreim, die letzte Zeile des ersten Teils, Zeile 5, reimt mit der letzten des zweiten Teils, Zeile 10. Das Reimschema lautet also: abbac/dedec. – Die Intensität lyrischen Sprechens ist bedingt durch

die Form. Vielleicht ist in einer Zeit, die sich vorsichtig (oder auch unvorsichtig) wieder traditionellen Formen nähert, die hier von Lehmann gewählte rauhe, ungefüge Gestalt, die von einer eher unauffälligen Struktur konturiert wird, besonders bemerkenswert. Sie vermeidet, daß Versfüße und Reime klappern.

An dem Gedicht *Grille im Tessin* lassen sich fast alle Elemente der Poetologie Lehmanns entwickeln. Seine Position war konturiert, und er hat schulbildend gewirkt durch seine Gedichte. Er ist erst verhältnismäßig spät als Lyriker hervorgetreten, der erste Gedichtband *Antwort des Schweigens* erschien 1935. Diese Gedichte wirkten schon in den dreißiger Jahren auf eine erste Generation von Lyrikern, auf Elisabeth Langgässer, Günter Eich und Karl Krolow. Nach 1945 war Lehmann bekannt, in den fünfziger Jahren berühmt, junge Autoren wie Piontek und Höllerer schrieben eine Zeitlang wie er und sandten ihm ihre Gedichte, und man hat gesagt, von den Naturgedichten jener Zeit sei die Mehrzahl auf Lehmanns Regeln zurückgegangen (vgl. Schäfer, S. 235).

Es gibt ein Gedicht von Peter Huchel, das eine Reverenz an diese ältere Naturlyrik, vielleicht an Lehmann selbst enthält und zugleich den Abstand zu ihm bezeichnet:

Wei Dun und die alten Meister

Bewundernd die alten Meister,
Die Steine malten als Knochen der Erde
Und dünnen Nebel als Haut der Berge,
War ich bemüht, mit steilem Pinsel,
Mit schnellem und verweilendem Strich
Den feuchten Glanz des Regens zu tuschen.

Da aber Mond und Sonne beschienen
Mehr und mehr verwüstetes Land,
Lagen nicht Steine als Knochen der Erde –
Gebein von Menschen knirschte im Sand,
Wo Panzer rissen mit fressender Kette
Das graue Mark der Straßen bloß.

[...]
Wohin, wohin zog euer Himmel,
In welche Fernen, erlauchte Meister,
Der Hauch der Welt, so leicht verwundbar?
Bilder des Schreckens suchten mich heim
Und beizten das Auge mit Rauch und Trauer.

Hans Dieter Schäfer, dem wir eine sehr nützliche Monographie über Lehmann verdanken, schrieb nach dem Erscheinen von Huchels Gedichtband *Chausseen Chausseen* einen Aufsatz, in dem er feststellte, daß hier »die tröstende Naturhieroglyphe in eine warnende Belsazarschrift umgeschlagen« sei und »in das Vertrauen zur heilenden Kraft der Erde sich das Leid des Menschen und aller Kreatur gedrängt« habe. Der Aufsatz, den Schäfer an Lehmann sandte und der aufgrund der Einwände Lehmanns ungedruckt blieb, hatte den Titel *Lyrik als Widerstand*. – Lehmann entging nicht die grundsätzliche Bedeutung dieser Kritik; er antwortete in einem Aufsatz *Maß des Lobes. Zur Kritik der Gedichte von Peter Huchel*, der am 8./9. Februar 1964 in der *Deutschen Zeitung* erschien. »Lyrik als Widerstand gegen zeitgenössische Verhältnisse wird von vornherein auf das eigentlich Lyrische als ein zeitloses Element verzichten müssen«, hieß es da in direkter Replik auf den nicht namentlich genannten Schäfer, und: »In bedeutsamer Lyrik ist von jeher und allerorten das Leid der Kreatur beschlossen. Nur modische Torheit bemißt den Rang eines Werks nach seinem Gehalt an Unglücksgefühl [...].«
Lehmann war der Meinung, daß die Lyrik Huchels aus politischen Gründen, wegen des Muts, den er als Schriftsteller in der DDR bewies, sehr überschätzt würde. Er kritisierte insbesondere seine Metaphorik, Bilder wie: »Flacher als ein Hundegaumen ist dann der Himmel gewölbt«, »Und mittags zerschellt die Sichel des Lichts«, »Ein Messer häutet den Nebel, den Widder des Berges«. – Diese Vergleiche bewirkten eine »Zerwirrung unserer Sinne«, die Vorstellungskraft sträube sich, es komme nicht zu »einer Erhellung, einer verwandelnden Klärung«. Dagegen sei es eine grund-

legende Forderung der Naturdichtung: Verse »müssen *genau* sein, sie müssen die sinnliche Nähe ihres Gegenstandes *treffen*, seine Besonderheit ehren. Genauigkeit begründet ihren Anspruch auf Bedeutung, auf Ruhm. Sie ist ihre Wahrheit, ihre Tiefe. Die Erscheinung selbst ist das Pathos: es läßt sich mit einem anderen, nur an sie angesetzten nicht vertauschen. Ihre Enge ist ihre Weite. Der für sich hin lebenden Erscheinung gilt die Aufmerksamkeit, gehört die Aufmerksamkeit des Dichters, Gestaltung ergibt ihren Sinn, sie fühlt sich wohl in seinem Arm.« »Wozu Verwirrung unter Wesen und Dingen stiften, ihren Frieden zerbrechen, mit Unklarheit stören, wo es um jenes Glück des anschauend Fühlens geht?« – Dies ist der Kern der Poetik Lehmanns. Der subjektive und hermetische und antinaturalistische Zug in den Gedichten Huchels – für Hugo Friedrich ein wesentliches Merkmal ›moderner‹ Lyrik – wird zum Grund der Ablehnung. Das Gleichnis sollte abbilden und erhellen, Lehmann hielt also fest an der in die Antike zurückreichenden Idee der Nachahmung der Natur. Insofern ist diese Auseinandersetzung von grundsätzlicher Bedeutung.

Lehmann war 1964 längst auf dem Wege, als ›überholt‹ zu erscheinen und vergessen zu werden. Sein Tod 1968 fiel in eine Zeit, wo Lyrik nur als Gesellschaftskritik und politischer Widerstand etwas galt. – Heute hat er eine erhöhte Chance, wiederentdeckt zu werden. Der Grund liegt paradoxerweise in der radikalen Ausschließlichkeit, mit der er sich der Natur zuwandte; auch in seiner Haltung der Dingehrfurcht. – Man hat von seiner ›Geschichtsfeindschaft‹ gesprochen, zu Recht. Er hat wenig Sinn für die kategoriale Eigenständigkeit der geschichtlichen Welt. Er beurteilt sie von der Natur, von seinem bukolischen Bild der Natur aus. Die Erzählung *Die Hochzeit der Aufrührer* ist dafür nur ein – wenig überzeugendes – Beispiel, ein ganz anderes ist der Roman *Der Überläufer*, das vielleicht radikalste und reinste dichterische Werk über und gegen den Krieg, das wir haben. – An seinem, immer ausschließlicher begangenen Weg zu

dem utopischen Ziel, als Lyriker »die Welt noch einmal« zu erschaffen, liegen sehr schöne Gedichte.
Lehmanns Auffassung von der Natur und seine Lehre vom Wort, das sie nicht verletzen dürfe, erinnert von fern an antike Religiosität. Er liebte besonders Loerkes Gedichtfolge *Die Verstoßenen* und darin den Zyklus *Dichter aus dem Dreißigjährigen Kriege*. »Und in Nr. 2 möchte ich wagen, die Schlußstrophe auf mein eigenes Werk zu beziehen«, schrieb er gelegentlich. Er meinte die Stelle:

Wenn es, wo Herbst, der Vielzahn, äst,
Durch gelb und roter Runen Fall
Aus einem andern Reiche bläst,
Dann tritt die Göttin aus dem Schwall.

Sie spricht uns an: »Verwaltet ihr
Das Wesen Wind, das Wesen Licht,
So walten wir. Erkaltet ihr
Und lebt nur euch, so sind wir nicht.«

(Loerke, S. 419.)

Zitierte Literatur: Johann Jakob BREITINGER: Critische Dichtkunst. Faksimiledr. nach der Ausg. von 1740. 2 Bde. Hrsg. von Wolfgang Bender. Stuttgart 1966. [Darin: Der zweite Abschnitt. Von den Macht-Wörtern.] – Johann Wolfgang von GOETHE: Werke. Sophienausg. Weimar 1887–1919. Bd. 2. – Peter HUCHEL: Chausseen Chausseen. Gedichte. Frankfurt a. M. 1963. – Wilhelm LEHMANN: Sämtliche Werke. [Siehe Textquelle. Zit. mit Band- und Seitenzahl.] – Wilhelm LEHMANN: Zu ae. collon-crōh, ahd. collerwurz »nymphaea«. In: Zeitschrift für deutsche Wortforschung 9 (1907) S. 23–26. – Wilhelm LEHMANN: Maß des Lobes. Zur Kritik der Gedichte von Peter Huchel. In: Deutsche Zeitung. 8./9. 2. 1964. – Oskar LOERKE: Gedichte und Prosa. Bd. 1. Frankfurt a. M. 1958. – Jan von ROZWADOWSKI: Wortbildung und Wortbedeutung. Heidelberg 1904. – Hans Dieter SCHÄFER: Lyrik als Widerstand. [Unveröffentlicht. – Briefliche Mitteilung des Verfassers.] – Hans Dieter SCHÄFER: Wilhelm Lehmann. Studien zu seinem Leben und Werk. Bonn 1969.

Elisabeth Langgässer

Daphne

Du siehst, wo sich der Waldhang weitet,
die Espe zitternd niederwehn,
dem Brand des Himmels hingebreitet,
von Gras und Habichtskraut begleitet,
5 die ähnlich in den Winter gehn.

Doch auch das Dunkel einer Mauer,
wenn sie am Saum der Städte lebt,
berührt oft ihrer Krone Schauer,
an dem du dieser Zeiten Trauer
10 ermissest, da sie grundlos bebt.

Sie wurzelt mühsam im Gerölle,
das sie verfolgt, indem es hält –
und vor Begrenzung, Maß und Kelle
flieht Daphne in das Laubgefälle
15 und steht am Rande unsrer Welt.

Abdruck nach: Elisabeth Langgässer: Gesammelte Werke. 5 Bde. [Bd. 3:] Gedichte. Hamburg: Claassen, 1959. S. 222.
Erstdruck: Das Gedicht. Blätter für die Dichtung 1. F. 15 (Mai 1935).

Axel Vieregg

Das Gedicht als Mysterium. Zu Elisabeth Langgässers *Daphne*

Das Werk der Elisabeth Langgässer, das in den kurzen Nachkriegsjahren voll Suche nach Sinn und Antwort ein so

hohes Ansehen genoß, hat in unseren Tagen, trotz der Neuauflagen ihrer Erzählungen und Romane in Taschenbuchausgaben, nur eine kleine Gemeinde. Es ist bezeichnend, daß ihre Lyrik erst zuletzt (1982) einem breiteren Leserkreis wieder zugänglich gemacht worden ist. Wenn sie heute zitiert wird, dann oft – bei allem Konzidieren einer sprachlichen Virtuosität – als Negativbeispiel für eine ›Naturlyrik‹, die an ihrer gedanklichen Überfrachtung, ihrer wuchernden Bildfülle erstickt. Manche Interpreten ignorieren daher bewußt und ausdrücklich ihr ›theologisches Gedankenspiel‹ und halten sich ganz an das, was »sprechende Gestalt geworden ist« (Blöcker, S. 175). Hier sei jedoch versucht, das Gedicht aus der ihm von der Autorin gegebenen Intention heraus zu verstehen.
Was damals ihren Erfolg mitbegründete, erschwert heute den Zugang. Der deutsche Leser, seit Anfang der fünfziger Jahre wieder auf den Auszug des Göttlichen und das Zerbrechen eines Sinnzusammenhangs als zentrale Themen der Lyrik seit Hölderlin über Trakl, Benn bis zu Eich, Huchel und Celan aufmerksam gemacht, kann oder will in vielen Fällen Texte nicht mehr nachvollziehen, die sich ausdrücklich als »reine Mysteriengedichte« (*Briefe*, S. 174) um Sündenfall, Gnade und Erlösung verstehen und sich als »Teile einer Liturgie« letzten Endes nur im Gesamtkontext ihres Werkes dem »Commysten« erschließen, den die Langgässer als idealen Leser für ihren Roman *Das unauslöschliche Siegel* forderte. Ähnliches gilt für ihre Technik, speziell jene ihrer Lyrik, für die sie sich gleichermaßen den mitvollziehenden Eingeweihten wünscht, wenn sie sich bewußt in die Tradition einer hermetischen Lyrik stellt und die Position Mallarmés und Georges bezieht mit der Frage:

[...] ist die Zugänglichkeit zu dem Höhlengeheimnis der Sprache, wie ich es nennen möchte, schon einfacher, ist sein strenges Arkanum, der apollinische Glanz und die Klarheit, die den Unberufenen abweist und blendet, etwa geringer geworden? Ich sage: nein, obwohl ich mir genau bewußt bin, daß ich damit die Elite, die Qualität und die Minderzahl der Kunstverständigen postuliere und erweitere noch dieses Postulat, indem ich behaupte, daß jede Kunst ihrem Wesen nach aristokratisch, nach Einsamkeit tendierend und in sich verschlossen ist. (*Muß Dichtung schwer sein*, S. 184.)

Nun mag man einwenden, dies treffe doch offensichtlich auf das vorliegende Gedicht nicht zu. Weder sei ein religiöser Gegenstand noch eine komplizierte Verschlüsselung erkennbar. Eine unbefangene Interpretation, ohne Berücksichtigung des Umfeldes, könnte daher, im Vertrauen auf die Kenntnis der klassischen Mythologie, zu folgendem Verständnis des Textes gelangen: Im Bilde der vor Apollo fliehenden Nymphe Daphne, die, um der Vergewaltigung durch den Gott zu entgehen, sich von der Erdmutter Gäa in einen Baum verwandeln ließ, flieht die Natur vor dem zum Gotte sich aufschwingenden Menschen aus der Steinwüste der Großstadt (8: »Begrenzung, Maß und Kelle«) – das Gedicht wurde geschrieben, nachdem die Autorin nach Berlin umgezogen war – und rettet sich, nun nicht als Lorbeerbaum wie im Mythos, sondern als Espe noch zitternd vor Angst, an den Rand der Menschenwelt. Ein früher lyrischer Text zur Umweltthematik also? Oder auch ein politischer Text mit einem versteckten Hinweis auf die Zeitläufte bis 1935 – »dieser Zeiten Trauer« (9) –, als das Gedicht, zusammen mit einigen anderen, die noch im selben Jahr in den Zyklus der *Tierkreisgedichte* aufgenommen wurden, zum erstenmal veröffentlicht wurde? Da es als eines der wenigen Gedichte aus dieser Zeit nicht in den Zyklus hereingenommen, sondern erst in der Gesamtausgabe mit einigen anderen Gedichten lose unter dem Stichwort *Berlin* zusammengefaßt wurde, mag man ihm eine Sonderstellung zubilligen wollen. Die herbstliche Wehmut, die das Gedicht zu durchziehen scheint, ließe sich dann als der deutschen Stimmungslyrik verhaftet erklären. Spätestens an dieser Stelle aber stellt sich ein Unbehagen ein, das dem Interpreten sagen muß, daß eine solche Deutung nicht ausreicht.
Zu ganz anderen Ergebnissen gelangt eine Interpretation, die das Gedicht in den Zusammenhang stellt, in dem es entstand, und ihm seinen Platz im Gesamtwerk zuweist. Ein

solches Verfahren wird legitimiert durch eine Bemerkung des Herausgebers der Gedichte, Elisabeth Langgässers Ehemann Wilhelm Hoffmann, der von den Einzelgedichten schreibt, daß sie »einem bestimmten Zyklus zugehören, [. . .] aber wegen der besonderen Gestalt dieser Zyklen nicht aufgenommen werden konnten« (*Gedichte*, S. 5).
Elisabeth Langgässer hatte den *Tierkreisgedichten* das folgende Zitat aus dem Paulus-Brief an die Römer vorangeschickt: »Scimus enim quod omnis creatura ingemiscit et parturit usque adhuc.« Sie selbst lieferte eine Übersetzung dieses Ausspruchs in einem späteren Aufsatz, in dem sie ihre eigene Anschauung von der Natur im Vergleich zu der Wilhelm Lehmanns gibt und sie definiert als eine Natur, die nicht wie bei Lehmann den Menschen erlösen kann, indem sie ihn in sich aufnimmt, sondern im Gegenteil als eine gefallene Natur, die selber der Erlösung bedarf: »[. . .] als ein Teil des gefallenen Adam und damit die gefallene Schöpfung schlechthin, die ihre Hoffnung auf den Menschen setzt und nach dem paulinischen Ausspruch ›in Wehen liegt immer noch, seufzend nach der Erlösung durch die Kinder Gottes‹« (*Lyrik in der Krise*, S. 77). Angespielt auf die Paulus-Stelle hatte sie schon in einem frühen Brief, und zwar in einem Passus, der sich in Stimmungslage und Wortwahl dem *Daphne*-Gedicht nähert: »Und ist nicht das Antlitz der Natur, der unerlösten, voll von Schwermut und Trauer und unendlicher Sehnsucht?« (*Briefe*, S. 45). »dieser Zeiten Trauer« (9), heißt es im Gedicht, das aber entspricht einer Wendung aus eben demselben Kapitel des Paulus-Briefes: »Ich denke nämlich, daß dieser Zeiten Leiden in keinem Verhältnis stehen zu der kommenden Herrlichkeit« (Röm. 8,18). In dem eben genannten Brief fährt die Langgässer fort: »Aber aus einem Advent ein Weihnachten zu machen, kann doch nur ein Gott allein –, wenn die Zeit erfüllet ist!« Damit ist das Thema des Gedichtes angeschlagen und die Unstimmigkeiten verflüchtigen sich: Die Trauer der herbstlichen Natur, die implicite des Frühlings harrt wie die Schöpfung der Ankunft Christi, erweist sich nun als Gleich-

nis für die Trauer der gefallenen Natur. Mit herabgerissen durch den Sündenfall des Menschen, der sich zum Gotte gemacht hatte – »ihr werdet sein wie Gott«, sagt die Schlange –, ist sie »ein Teil des gefallenen Adam und damit die gefallene Schöpfung schlechthin«, die sich nach Erlösung sehnt. In den Worten »dieser Zeiten Trauer« ist daher nicht die historische Zeit der dreißiger Jahre gemeint, sondern die unheilige Welt, das Saeculum als das Feld des Bösen. Als Gott ist ja der Mensch im Gedicht mitverstanden, wohlgemerkt aber als ein falscher Gott, nämlich als paganischer, als Apollo, Gott der Ratio. Der Gottwerdung des Menschen aber, die die Natur mit in den Fall gezogen hatte, steht die Menschwerdung Gottes, durch die allein sie wieder erlöst werden kann, gegenüber. Auf diesen dialektischen Umschlag hin, der, so soll hier impliziert sein, so sicher erfolgen wird wie die Wiedergeburt der Natur im Frühling, ist das Gedicht angelegt. Dieser Umschlag, als Zentralereignis aller Langgässerschen Texte, kann nur durch einen Akt der Gnade erfolgen. »Aber aus dem Advent ein Weihnachten zu machen, kann doch nur ein Gott allein.«
Schon im Einleitungsgedicht zu ihrem allerersten Gedichtband, dem *Wendekreis des Lammes* (1924), hatte sie es als ihre Absicht genannt, »Natur durch Gnade ernst erlöst zu zeigen« (*Gedichte*, S. 23). Deutlich faßbar wird der dialektische Umschlag im Titel des während des Zweiten Weltkriegs geschriebenen Zyklus *Der Laubmann und die Rose*, in dem sich, in den Gestalten des grotesken Naturdämons des Laubmannes und der reinen Rose die unerlöste, dem Gesetz von Tod, Zeugung und Geburt untertane und die erlöste, in Maria – als deren Symbol die Rose steht – geläuterte Natur begegnen. Daraus einige Zeilen:

Wer bin ich? Hat meinen Leib das Gewitter
Aus Espenblättern zusammengerauscht?
[...]
Ich bin der Laubmann. Ich same und schnelle
Auf panischer Schleuder mein lautloses Wort.
Es zeugt meine Hüfte: sich selbst wie der Welle

Dahinfluß zeugt Bingelkraut, Gras, Bibernelle.
Es zeugt meine Sohle: von Schwelle zu Schwelle
Zeugt sich Geißfuß und Huflattich fort.
(*Gedichte*, S. 131 f.)

Warum ist der Dämon der unerlöst in sich selbst kreisenden Natur aus »Espenblättern« gebildet? Die Espe erscheint auch in dem zur Zeit der Abfassung von *Daphne* geschriebenen Roman *Gang durch das Ried*, und zwar in Verbindung mit Bildern, die ebenso auf jene Sphäre der Gärung, Fruchtbarkeit – in der Nuß als Fruchtbarkeitssymbol –, Verworfenheit und Tod deuten, die sich durch das gesamte Werk der Langgässer ziehen als Zeichen einer unerlösten Welt:

Die Narbe da – plötzlich sah er sich auf einer Steintreppe sitzen, die in ein Gasthaus führte, aus welchem Geruch von Most und frischen Walnüssen kam, Geklapper von Würfelbechern. Ein Busch aus Espenzweigen, von bunten Bändern geschnürt, hing über seinem Scheitel [...]. Aus der Tür trat nachher ein Mann und spielte schaurig mit ihm, hielt ihm ein Messer vor und tat es rasch wieder weg, bis endlich das Kind die Schneide faßte und sich quer durch das Händchen zog. Blut, Silberblitz nasser Blätter [...].
(*Gang durch das Ried*, S. 17.)

Überwunden wird diese Welt durch das Gegensymbol der Pinie, die auf Christus weist:

Du bist also jetzt geheilt, und deine Frau hat geschrieben, daß alles richtig ist. Nur, daß es kein Nußbaum wäre, der unter dem Schlafzimmerfenster [!] steht, vielmehr eine junge Pinie, die heute schon Zapfen trägt. (*Gang durch das Ried*, S. 13.)

Nun muß man wissen, daß die Espe im deutschen Volksglauben, mit dem sich die Langgässer, wie alle ihre Texte beweisen, intensiv auseinandergesetzt hat, ein ganz besonderer Baum war. Sie wurde nämlich von Christus verflucht, weil sie allein von allen Bäumen sich geweigert hatte, ihm zu huldigen. Nach anderer Auffassung muß sie zittern, weil sie sich nicht neigte, als Christus starb, oder weil sich Judas an einer Espe aufhängte. Sie ist also der am tiefsten gefallene Baum der Schöpfung, und gerade dadurch kann sie – denn das ist die Dialektik, die das Gedicht antizipiert – zur Einbruchsstelle der Gnade werden. Eben dieser Umschlag vollzieht sich, in der berühmten Gewitterszene, auf dem Höhepunkt ihres Romans *Das unauslöschliche Siegel*, in der Bekehrung des vom Glauben abgefallenen Lazarus Belfontaine:

Sinnlosigkeit und Fatum näherten sich auf den Wolkenbänken, die sich unaufhaltsam über den Himmel [...] schoben und schleierten den Horizont ein, bis er völlig verschwunden war. Gleichzeitig fingen die Espenzweige ihre langgestielten furchtsamen Blätter wie Spindeln zu drehen an [...]. Immer mehr verdichtete sich das Gefühl der Ausweglosigkeit; es peitschte und ermüdete, schreckte und schläferte gleichermaßen Herrn Belfontaines Sinne ein [...]. *Noch einmal überfiel ihn der Dämon der ewigen Wiederkehr* [...]. Der Schoß der Natur – er ödete ihn an. Er war seiner müde. Er sehnte sich, ihn endlich zu verlassen und in das Leere zu treten, über den schwindelnden Rand des Daseins, wo es in seinen Gegenpol umschlägt, das Leben in Tod und der Tod in – »GNADE!« sagte mit furchtbarer Stimme das unsichtbare Wesen, das seinen Nacken berührte, jedes Haar seines Hauptes emporhob, es sträubte und es verwandelte. (*Das unauslöschliche Siegel*, S. 568–574.)

Es begegnet also in der Espe das, was in der modernen Lyrik eine Chiffre genannt wird, d. h. ein nur systemimmanent auflösbares Bild mit Verweischarakter auf das gesamte Werk, von dem her es erst seine Bedeutung erhält. Das gleiche trifft aber auch auf die Apollo-Daphne-Konstellation zu, die an entscheidenden Wendepunkten ihres Werkes wiederkehrt, die wiederum Licht auf das Gedicht werfen, auch wenn dieses zu einem früheren Zeitpunkt geschrieben wurde; im Bezugsrahmen hat sich nichts geändert, nur präzisiert: Im Augenblick seines Abfallens von Gott – auf die Frage, ob er an die Gottheit Christi glaube – erwidert Belfontaine in *Das unauslöschliche Siegel*: »Ich habe meine Vernunft, Gott sei Dank, wiedergefunden und darf das Äußerste wagen [...]. Kein vernünftiger Mensch kann heute noch behaupten, er glaube an einen Gott im Fleisch wie Jupiter oder Apoll« (S. 255). Indem er aber Gott die Menschengestalt abspricht und damit Christus leugnet, tritt er selbst an die Stelle Gottes und begattet, nun Zeus geworden, die gefallene, zeugungsgeile Natur, die in der Gestalt eines auf eine Bretterwand gemalten Leda-Bildes ihren Schoß öffnet:

Schon sank der ganze Raum in den Zustand einer gärenden Metamorphose zurück und verlor, sich erweichend und pflanzenhaft werdend, die Beziehung zu jeder Sprache [...]. Selbst Leda lächelte nicht mehr spöttisch, sondern erwartete ihre Gottheit mit blind geöffnetem Schoß. [...] Der Zurückgebliebene, der sie nun ansah und sich in dieser stummen Betrachtung gleichsam mit ihr vermählte, sie in Besitz nahm, schauend umarmte und förmlich mit ihr verschmolz, erzitterte vor Glück. »Wie ein Siegel drücke mich auf dein Herz«, flüsterte er blasphemisch, [...]. »Wie die Hölle so stark ist die Liebe.« (*Das unauslöschliche Siegel*, S. 260.)

Apollo–Daphne, Zeus–Leda: der Abfall von Gott und damit die Gottwerdung des Menschen vollziehen sich im Zeichen dessen, was der Mensch »Vernunft« nennt – »ich habe meine Vernunft wiedergefunden« (Apollo ist ja der Gott der Ratio) –, in Wirklichkeit ist er jedoch ein Triumph der Hölle, der sich manifestiert in mänadischer physischer Gier: »Wie die Hölle so stark ist die Liebe.« Man lese daraufhin ihre frühen Erzählungen im *Triptychon des Teufels*, *Mars* und *Venus*! Nur dort, wo die Apollo-Gestalt in der Vorstellung der Dichterin aufgehoben und getilgt wird in der Gestalt Johannes' des Täufers, die Überwältigung also keine physische ist, sondern eine Erweckung durch die Taufgnade – »durch die pneumatische Welt des fleischgewordenen logos«, wie sie kommentiert –, kann Daphne als erlöste Natur gefeiert werden. Hiervon gibt ihr berühmtestes Gedicht, *Daphne an der Sonnenwende*, Zeugnis, von dem sie schreibt:

›Daphne an der Sonnenwende‹ bedeutet also für den Christen: die Naturseele an der Wende, der Peripetie des Jahres, dem in der

Geburt des Johannes eine Verwandlung geschieht: eben die Verwandlung aus der Unfreiheit, aus der Angst und der Begierde in den neuen Zustand der Erlösung. (*Briefe*, S. 188.)

So stehen sich gegenüber »die pneumatische Welt des fleischgewordenen logos«, d. h. Christus, und die gotteslästerliche menschliche ›Vernunft‹ als Hybris, die im Gedicht von Daphne hinter dem Bild von den Städten – »am Saum der Städte« (7), »das Dunkel einer Mauer« (6), »Begrenzung, Maß und Kelle« (13) – den Inbegriff aller sündigen gegengöttlichen Schöpfung des Menschen aufleuchten läßt: Babylon. Man weiß, wie in der zeitgenössischen deutschen Literatur, im Film und in der Kunst gerade Berlin diesen Platz einnahm.

Nun verbirgt sich hinter diesem Angriff auf die ›Vernunft‹ – wie könnte es bei einer geradezu brünstig Gläubigen anders sein – jedoch noch ein weiteres, nämlich ein starker antiaufklärerischer Affekt, den man ihr heute ankreiden mag. So wird ihr in ihren Romanen, Aufsätzen und Briefen Berlin immer wieder zu jenem Babylon, zur Domäne Satans, eben weil es die Stadt der ›Vernunft‹, die Hochburg der deutschen Aufklärung war. Sie schreibt etwa in *Das unauslöschliche Siegel*: »Das Geheimnis Preußens – nichts anderes als ein Geheimnis des Satans?« »Preußens Größe – der Preis für den Abfall von Gott – das Profil des schrecklichen Fridericus von der Fratze Voltaires überschattet [. . .] Chimäre der Vernunft« (S. 324). Im November 1931 schrieb sie in einem Artikel im rechtsradikalen *Vorstoss* über das 18. Jahrhundert, es sei dies eine Zeit gewesen, die »schon die Totalität des Menschen aufklärerisch zu zersetzen und seine stilleren Kräfte, die bildenden und dämonischen, zu leugnen, zu verspotten und einer fruchtlosen ratio zu unterwerfen begann« (*Das geistige Schaffen*, S. 1778). Am deutlichsten auf *Daphne* weist eine Stelle aus einem Brief vom 7. Oktober 1933, also ebenso wie der *Vorstoss*-Artikel aus der Zeit, in der *Daphne* entstand, in dem sie die Atmosphäre ihrer süddeutschen Heimat mit der Berlins vergleicht:

Wie weit ist Berlin von diesen Dingen entfernt – wie unverständlich *müssen* wir doch diesen norddeutschen Zivilisationsprodukten bleiben, diesen genormten, traditionslosen Menschen, die mit sturem Ernst ihren Rausch und ihre Arbeit erleben – beides isoliert, ungebunden, mit Plus- und Minuszeichen versehen! Ach, ich hasse ja den märkischen Typ, der so nahe beim ordnungsliebenden Bürger liegt – [...]. (*Briefe*, S. 55.)

»Dieser Zeiten Trauer« – die irdische Vergänglichkeit als unerlöstes Saeculum, die Menschenwelt als Babylon, als Civitas diaboli: sie fordern als ihren Gegenwurf Ewigkeit und himmlisches Jerusalem. Man kennt diese Antithetik aus dem Jahrhundert, das der Aufklärung voranging, aus der Dichtung des Barock. Und in der Tat bezieht sich *Daphne* im Wortlaut, in den Bildern, in dem Ton der Klage, in der Antizipation des Gegenwurfs auf eines der berühmtesten Barockgedichte von der Eitelkeit des Irdischen, der Verderbtheit »unsrer Welt«, Andreas Gryphius' *Es ist alles Eitel*, das mit den Zeilen beginnt:

Du sihst / wohin du sihst nur Eitelkeit auff Erden.
  Was diser heute baut / reist jener morgen ein:
  Wo itzund Städte stehn / wird eine Wisen seyn /
Auff der ein Schäfers-Kind wird spilen mit den Herden.

und endet: »Noch will / was ewig ist / kein einig Mensch betrachten!«
Von hier aus läßt sich vielleicht am ehesten klären, warum Elisabeth Langgässers Gedicht von *Daphne* künstlerisch gelungen ist: Der souveräne Gestus des Weisens auf die Welt geschieht in beiden Gedichten von einer Warte aus, deren Höhe Scheu gebietet und die Dichter, Gryphius und Langgässer, mit der Bestimmtheit und Gewißheit biblischer Prophetien sprechen läßt. So schimmert schon, vor aller verstandesmäßigen Erfassung, wie sie in diesem Artikel versucht worden ist, ein Element heiligen Ernstes durch, das den Leser in Bann schlägt und ihn auf die richtige Fährte führt. Unabhängig davon, ob er diese, wie es hier geschehen ist, zu Ende zu gehen gewillt ist oder nicht, wird er die

sichere Gemessenheit der drei je eine Strophe füllenden Sätze, ihren schreitenden hypotaktischen Gang als diesem Ernst gemäß empfinden. Er wird die Kunst bewundern, mit der die Autorin die Espe auf die Ebene des Symbols hebt: In der ersten Strophe ist sie als der individuelle, angeschaute Baum präsent; in der zweiten bleibt sie zwar grammatikalisch Singular, umfaßt aber als virtueller Plural alle Espen »am Saum der Städte«. Die Bedeutung hat sich also verschoben von der Espe als individueller zur Espe als Idee. Da jedoch nur die Pronomina »sie« und »ihrer« gesetzt werden, ergibt sich eine Ambivalenz der Zuordnung: sie können sich beziehen sowohl auf die Espe der ersten Strophe als auch auf die Daphne der letzten. So leuchtet, in der exakten Mitte des Gedichtes, noch im Konkreten die Symbolebene auf, die in der letzten Strophe, mit dem Eingehen in den Mythos, endgültig erreicht ist. Ein ähnlicher Fortgang vom individuellen Naturausschnitt zur Welt als ganzer und über sie hinaus schließt die ersten und die letzten Zeilen zu einer Kreisfigur zusammen: dem »Du siehst« als ersten Worten entspricht das die Sprecherin nun mit einschließende »am Rande unsrer Welt« als letzten, wobei das so prononciert ans Ende gesetzte *»unsrer* Welt« nicht nur den Gegenwurf der Naturwelt, sondern einer ganz *anderen* Welt ahnen läßt, wie dies ja auch am Ende des Gryphius-Gedichtes der Fall ist.

Hervorzuheben ist auch die sonore Klangwirkung des Gedichtes, die von den Diphthongen der Reime, den vielen langen Vokalen, der Alliteration und dem streng jambischen Maß herrühren, das jeweils am Versende zur Ruhe kommt – mit Ausnahme des einen Enjambements in den letzten beiden Zeilen der zweiten Strophe, das den Worten »an dem du dieser Zeiten Trauer / ermissest« einen schweren, schleppenden Gang verleiht. So ergibt sich eine getragene Feierlichkeit, die der Aussage des Gedichtes entspricht.

Erstickt nun *Daphne* an jener wuchernden Bildfülle, an der gedanklichen Überfrachtung, die eingangs als häufigste Vorwürfe gegen die Dichtung der Langgässer genannt wurden?

Der erste Vorwurf ist durch das Gesagte schon zurückgewiesen: *Daphne* ist eines ihrer zurückhaltendsten und stringentesten Gedichte, das dennoch – in nur wenigen Zeilen – ihre ganze Vorstellungswelt wie in einem Brennglas bündelt. Wer sich scheut, diese wieder aufzufächern, mag von gedanklicher Überfrachtung sprechen. Wer darin die Herausforderung aller hermetischen Lyrik sieht, wird sich an Elisabeth Langgässers Bemerkung halten, die Dichtung erfordere »eine Symbol- und Zeichensprache [...], der sie sich bedient, um ihre Inhalte, auf die knappste Form zurückgeschnitten, auszudrücken [...] Inhalte kultisch religiöser Natur« (*Die christliche Wirklichkeit*, S. 59).

Zitierte Literatur: Günter Blöcker: Entfesselung und Zügelung (Interpretation von E. Langgässer: Daphne an der Sonnenwende.) In: Frankfurter Anthologie. Gedichte und Interpretationen. Bd. 2. Hrsg. und mit einer Nachbem. von Marcel Reich-Ranicki. Frankfurt a. M. 1977. S. 171–175. – Elisabeth Langgässer: Die christliche Wirklichkeit und ihre dichterische Darstellung. In: Das Christliche der christlichen Dichtung. Vorträge und Briefe. Olten / Freiburg i. Br. 1961. S. 46–64. – Elisabeth Langgässer: Gang durch das Ried. Hamburg 1959. – Elisabeth Langgässer: Gedichte. [Siehe Textquelle.] – Elisabeth Langgässer: Das geistige Schaffen. Deutsches Pantheon: Matthias Claudius. In: Der Vorstoss. Wochenschrift für die Deutsche Zukunft 1. H. 45 (November 1931) S. 1777 f. – Elisabeth Langgässer: Lyrik in der Krise. In: E. L.: Gegenwart des Lyrischen. Essay zum Werk Wilhelm Lehmanns. Gütersloh o. J. – Elisabeth Langgässer: Muß Dichtung schwer sein. In: Geist in den Sinnen behaust. Mainz 1951. S. 180–186. – Elisabeth Langgässer: Das unauslöschliche Siegel. Roman. Hamburg 1959. – Elisabeth Langgässer: ... soviel berauschende Vergänglichkeit. Briefe 1926–1950. Hamburg 1954.
Weitere Literatur: Anthony W. Riley: Elisabeth Langgässer. Bibliographie mit Nachlaßbericht. Berlin [West] 1970.

Oskar Loerke

Winterliches Vogelfüttern

1

Schwirren sie von allen Seiten,
Die Gereisten, die Gescheiten,
Hör ich sie das Mahl begleiten,
Fabelnd ihre alten Zeiten.

5 Der von Singenberg war Truchseß,
Der von Landegg war der Schenk,
Und der Kämmerer war Göli,
Wir sind ihrer eingedenk.

Bei dem Abte von Sankt Gallen
10 Hat es ihnen wohlgefallen,
Und er streute Futter allen
Seinen Minnenachtigallen.

2

Aber Walther sehn wir nie.
Wie er sang, ging er zur Ruhe:
15 »Er ging schleichend wie ein Pfau,
Drückte ein die Kranichschuhe,
Und sein Haupt hing ihm aufs Knie.«
Er versank im Himmelsblau.

Abdruck nach: Oskar Loerke: Gedichte und Prosa. 2 Bde. Hrsg. von Peter Suhrkamp. Frankfurt a. M.: Suhrkamp, 1958. Bd. 1. S. 520 f.
Erstdruck: Oskar Loerke: Der Wald der Welt. Gedichte. Berlin: S. Fischer, 1936.

Hans Dieter Schäfer

Oskar Loerke: *Winterliches Vogelfüttern*

Loerke schrieb dieses Gedicht am 11. Januar 1936, es fand in der im selben Jahr veröffentlichten Sammlung *Der Wald der Welt* Aufnahme. Der kleine Text besteht aus wenigen reizvollen Wörtern, die so angeordnet sind, daß der Leser seine ganze intellektuelle und emotionale Aufmerksamkeit in die Lektüre einbringen muß. Der Vorgang des Vogelfütterns im Winter ist nicht beschrieben; Loerke deutete bloß zeichenhaft an oder setzte vorgefundene Namen und Wortreihen ein. Je weniger über das Füttern gesagt ist, desto stärker wird der Leser bemüht sein, das nicht ausformulierte Bild zu ergänzen. Daß es sich dabei um ein Sinnbild handelt, wird in der zweiten Zeile sogleich deutlich. Die Vögel sind – wie auch in anderen Gedichten Loerkes – mit besonderen Gaben ausgestattet; der Gesang der »Gereisten« und »Gescheiten« (2) weckt während des Körneraufpickens »alte Zeiten« (4) auf. Diese verschollene, im Vogelgezwitscher aufbewahrte Welt versinnlichte Loerke im folgenden durch die Schallfreudigkeit mittelalterlicher Namen und Hofstellen: Truchseß von Singenberg, Schenk von Landegg, der Kämmerer Göli (5–8). Die dritte Strophe gibt diese Beamten als »Minnenachtigallen« aus und nennt mit dem Kloster von Sankt Gallen den Ort ihrer ökonomisch gesicherten Tätigkeit.

Der zweite Teil erwähnt Walther, den größten Minnesänger der Zeit; der ausgesparte Zuname »Vogelweide« kann vom Leser hinzugedacht und mit dem Titel »Winterliches Vogelfüttern« in Zusammenhang gebracht werden. Loerke rief ihn ohne Hofstelle auf, offensichtlich hat Walther an der Fütterung durch den Abt von Sankt Gallen keinen Anteil. Sein Fehlen in der herbeigeschwirrten Schar wird ausdrücklich betont. Im Unterschied zu den »Minnenachtigallen« (12) läßt das Gedicht Walther singen; die in Anführungszeichen gesetzten Zeilen geben in freier Nachdichtung Teile aus einem Spruch wieder:

Dô Friderîch ûz Ôsterrîchę alsô gewarp,
daz er an der sêle genas und im der lîp erstarp,
dô vuortę er mînen kranechen trit in derde.
Dô gienc ich slîchendę als ein phâwe swar ich gie,
daz houbet hanctę ich nider unz ûf mîniu knie:
nû rihtę ich ez ûf nâch vollem werde.
Ich bin wol ze viure komen,
mich hât daz rîchę und ouch diu kronę an sich genomen.
wol ûf, swer tanzen welle nâch der gîgen!
mir ist mîner swære buoz:
êrste wil ich ebene setzen mînen vuoz
und wider in ein hôchgemüete stigen.
(Walther, S. 70 [68,13–22].)

Mit Friedrichs Tod auf dem Kreuzzug im April 1198 endete für Walther die finanzielle Unterstützung des österreichischen Hofes; er ergriff jetzt als der »erste unter den ritterlichen Dichtern das Gewerbe eines fahrenden Spielmanns« (Walther, S. XV). Walther hielt sich an mehreren Höfen auf, doch es kam zu keinem dauerhaften Verhältnis, er war genötigt, »von Tag zu Tag [. . .] sein Quartier zu wechseln« (Walther, S. XVI), erst 1220 setzte Friedrich II. dem unsteten Wanderleben mit einer Schenkung ein Ende. Der Spruch Walthers feiert die kurzfristige Aufnahme in den Dienst König Philipps 1198/99. Loerke tilgte den selbstbewußten, auf der Illusion einer dauerhaften Existenzsicherung durch Philipp sich gründenden zweiten Teil und übernahm nur die resignativen, rückwärtsgewandten Verse 3–5. Darüber hinaus versetzte er das Zitat von der Ich- in die Er-Perspektive und rückte es in einen anderen Zusammenhang: nicht Friedrich von Österreichs Tod, sondern Walthers Ende wird äußerst knapp als ein »Versinken im Himmelsblau« (18) beschworen. Das »Himmelsblau« verstärkt die im Zitat aufleuchtenden und das unscheinbare Gefieder der Minnenachtigallen überstrahlenden kostbaren Attribute des ›Meisters‹ (15: »Pfau«, 16: »Kranichschuhe«). Der ökonomische

Entzug und die demütige Reaktion Walthers (15: »Er ging schleichend wie ein Pfau«) erscheinen auf diese Weise als Voraussetzung der Verklärung. Die von Walther erwähnte und von Loerke ausgesparte erneute gastliche Aufnahme durch die irdischen Mächte wird nunmehr ausschließlich in den nicht betretbaren Bezirk des »Himmelsblau« verlegt, aus dem die Vögel am Gedichtanfang zur Fütterung herniederschwirren; das »Himmelsblau« ist den Vögeln übergeordnet, es bezeichnet einen geistigen Raum, der offensichtlich sowohl die Tiere wie auch die Menschen umschließt.

Die 1822 erschienene Walther-Biographie von Uhland enthält einige Einzelheiten, die Loerke nur dort gefunden haben konnte und welche die Richtigkeit einer derartigen Deutung bestätigen. Gleich zu Beginn ist die Rede vom Stift Sankt Gallen: »Die dortigen Klosterbrüder waren im 9ten und 10ten Jahrhundert gepriesene Tonkünstler [...]. Ebenso frühe wurde zu St. Gallen in deutscher Sprache gedichtet« (Uhland, S. 10). Und wenig später heißt es: »Der von Singenberg war des Abtes zu St. Gallen Truchseß, der von Landegg dessen Schenk, Göli (jedoch nur muthmaßlich) dessen Kämmerer, und also sehen wir diesen fürstlichen Abt von einem singenden Hofstaat umgeben« (S. 11). Uhland betonte, daß von Walthers Anwesenheit in Sankt Gallen keine Zeugnisse vorliegen, der »Ursprung des Dichters in jener Gegend« bleibe noch immer zweifelhaft (ebd.). Auf der anderen Seite sei die Kenntnis seiner Lieder im Kloster mehrfach belegt. Der Truchseß von Singenberg habe in einem Gedicht dem »mißlichen Loose Walthers sein eigenes behagliches und unabhängiges Leben« gegenübergestellt (S. 47). Wie Uhland über die Herkunft Walthers nichts Konkretes berichten konnte, so auch nichts über dessen Ende. »Unsere Blicke sind dem Dichter in das Gebiet des Unendlichen gefolgt und hier mag er uns verschwinden. Es ist uns keine Nachricht von den äußeren Umständen seiner letzten Zeit geblieben, gleich als sollten wir ihn nicht mehr mit der Erde befaßt sehen, von der er sich losgesagt, und von

seinem Tode nichts erkennen, als das allmähliche Hinüberschweben des Geistes in das Reich der Geister« (S. 107).
Die Biographie erzählt am Schluß folgende Sage: Walther habe in seinem Testament »verordnet, daß man auf seinem Grabsteine den Vögeln Weizenkörner und Trinken gebe; und, wie noch jetzt zu sehen sei, hab' er in den Stein, unter dem er begraben liege, vier Löcher machen lassen zum täglichen Füttern der Vögel« (S. 108). Uhland erinnerte immer wieder an das Unstete, Ungesicherte von Walthers Existenz, aber auch an dessen Anonymität, er sei einer der Zwölf gewesen, »von denen spät noch die Singschule gefabelt, daß sie [...], gleichsam durch göttliche Schickung, die edle Singkunst erfunden und gestiftet haben« (S. 8). Loerke übernahm die religiös-romantische Dimension von Walthers allmählichem »Hinüberschweben« in das »Reich der Geister« und verstärkte durch die Konfrontation mit den Minnenachtigallen den Eindruck seiner Auserwähltheit, doch anders, als es etwa Autoren des George-Kreises getan hätten, akzentuierte er pietistisch-tröstend die Wirkungsfunktion des Gesangs. Vermutlich hatte ihn die Vorstellung vom umzwitscherten Grab gerührt, sie ist in die Überschrift eingegangen, von hier aus muß auch das Ende gelesen werden: Walther ist zwar ins Geisterreich entrückt, doch sein Gesang – der in einem Zitat gegenwärtig ist – erscheint letztlich als Laut- und Textfutter für das in winterlicher Not hungernde Ich.
Bei dem vorliegenden Gedicht handelt es sich um ein literarisches Dokument aus dem Dritten Reich; die geschichtlichen und autobiographischen Zusammenhänge lassen sich leicht erschließen. Seit Oktober 1917 war Loerke Lektor des S. Fischer Verlages und seit Februar 1928 zusätzlich Sekretär der »Preußischen Akademie der Künste (Sektion Dichtkunst)«; durch die Machtübernahme der Nationalsozialisten wurde der jüdische S. Fischer Verlag in seiner Existenz bedroht, aber auch Loerkes Stellung als Akademie-Sekretär. In den *Tagebüchern* verstärken sich die Befürchtungen um den Verlust der wirtschaftlichen »Sicherung«:

Meine Stellung in der Akademie ist über kurz oder ganz kurz dahin – die im Verlage auch gefährdet (19. Februar 1933). Mein Amt bei der Akademie ist mir abgenommen worden. So hart die wirtschaftlichen Folgen sind, das Schlimmere war die Entehrung (11. April 1933). Auch der Verlag muß durch große Schwierigkeiten und legt mir übermäßig Arbeit notgedrungenerweise auf, während die Bezahlung nach der langen Zeit der Mitarbeiterschaft nicht die [angemessene] Höhe hat [...]. Ohne eine Sicherung des Dichters kann die übrige Person nicht arbeiten, und wenn dieser die Arbeit genommen wird, durch unerfüllte Bedingungen oder durch Entziehung – da bleibt eben nur das Nichts übrig (11. April 1933). Die wirtschaftlichen Aussichten sind sehr trübe (29. Juni 1933). Wirtschaftlich wird es immer ärger (25. August 1933). Wirtschaftlich eingepreßt (14. September 1933). Mittwoch teilte mir Bermann mit, daß von Neujahr ab wieder zehn Prozent abgezogen werden (8. Oktober 1933). Zeit der Unruhe und vieler Verzweiflung. Die wirtschaftliche Vernichtung, also die Vernichtung selbst rückt immer näher. Ehre, Freiheit, Recht –? (20. Oktober 1934). Im Verlage steht es schlimm [...]. Immer neue Bücher werden umgebracht. Was alles in letzter Zeit: Schickele, Kessler, Maaß, ›Bohème ohne Mimi‹, neuerdings der dreitausendfach vorbestellte Zuckmayer. Alle Arbeit umsonst (12. Dezember 1935). Preisgegeben mit den Freunden, wie die Vögel im harten Winter – nun gut. Ich wachse immer tiefer in meinen Stolz und meine Ehre (17. Dezember 1935). Er [Schauer] sagte recht klug: Ob man zu arbeiten hat und auch Lohn empfängt, sichert einen in keiner Weise auf den nächsten Tag. – Man lebt eben hin wie die Amsel im Schnee (20. Dezember 1935).

Loerke beklagte nicht nur seine schlechte ökonomische Lage, sondern auch den politischen Terror, der zu Verboten und zu Vertreibungen zahlreicher Freunde führte. Im Tagebuch findet sich dafür das Bild der »Vögel im harten Winter« (17. Dezember 1935) und der »Amsel im Schnee« (20. Dezember 1935). Doch gerade die Vögel erschienen Loerke als Exempel des Überlebensprinzips; am 6. Januar 1936 notierte er: »Meisen, Amseln, Sperlinge geben weiter das gute Beispiel: ›Und der Himmlische Vater ernähret sie doch.‹« Wenige Tage später – am 11. Januar 1936 – entstand das kleine Gedicht. Die Lektüre Walthers läßt sich in den Tagebüchern schon früh nachweisen (*Literarische Aufsätze*, S. 452). Leseeindrücke sind auch für die Zeit vor und nach der Niederschrift des Textes belegt (31. Juli 1935; 19. Januar 1936). Es liegt nahe, daß sich Loerke vor allem vom »Kummergeschrei« Walthers über die persönliche Not und das politische Chaos der Zeit angezogen fühlte (»untriuwe ist in der sâze, / gewalt vert ûf der strâze: / vride unde reht sint sêre wunt«, Walther, S. 69 [67,69–71]). Auf der anderen Seite ist Walther ›Meister‹; im Lebenslauf für die Akten der Preußischen Akademie erscheint sein Name in der Reihe der Vorbilder (*Literarische Aufsätze*, S. 382). Die ›Beispiele‹ aus dem Natur- und Kunstkosmos besaßen für Loerke einen mehrfachen Verweisungscharakter; man hat daher zu Recht seine Bildlichkeit mit der mittelalterlichen Typologie oder der barocken Emblematik verglichen. So steht der Gesang Walthers in dem vorliegenden Gedicht inhaltlich für das Leid des in winterlicher Not hungernden Ich, in seiner meisterlichen Fügung ist er darüber hinaus Ausdruck der Schmerzüberwindung. Der spirituelle Bereich, auf den Loerke die Erscheinungen bezog, ist durch das alles überstrahlende Schlußwort »Himmelsblau« gegenwärtig; das Gedicht zielt nun darauf ab, das Ich – in Entsprechung zum Titel – in diese Welt hereinzuholen. Die Zweiteilung ist dabei von aufschlußreicher Bedeutung. Im ersten Teil führt das Hören des Vogelgezwitschers zum Eingedenken der »alten Zeiten« (4), dieser Prozeß der sinnlichen Wahrnehmung und der sich daran anschließenden Meditation (8: »Wir sind ihrer eingedenk«) wird im zweiten Teil – auf einer höheren Stufe – mit der spirituellen Fütterung durch Walthers Gesang belohnt. Die Tagebucheintragungen aus der Entstehungszeit des Gedichtes verdeutlichen, daß ein solches typologisches Denken Ausdruck von Loerkes tatsächlicher Welterfahrung war. Am 19. Januar 1936 heißt es: »Die Bach-Variationen [von Reger], die a-moll-Sonatine, Fugen 4 bis 6 für Klavier. Trotz allem und allem: Die Welt, die wahre, läßt sich nicht verdrängen. Mit merkwürdiger Ergriffenheit lese ich die Briefe Busonis weiter. – Viele Gedichte:

Goethe, Hölderlin, Walther von der Vogelweide. Konrad Weiss, Rilke, Lasker-Schüler usf.«

Angesichts der falschen Ordnung des Nationalsozialismus rücken Musik und Gedichte »trotz allem« als Exempel die »wahre Welt« ins Bewußtsein; mit der Niederschrift wollte Loerke den Leser an einem solchen Vorgang beteiligen, er bezog ihn ausdrücklich ein (»*Wir* sind ihrer eingedenk«). Für das Verständnis wichtige biographische, historische oder literarische Elemente bleiben dabei ungesagt. Die bloß andeutende Schreibweise mag Schutz des Autors sein, zugleich ist sie jedoch auch notwendige Voraussetzung der Einbildungs- und Erinnerungskraft. Darüber hinaus befreite Loerke durch Leerstellen die Exempel aus einer eindeutigen inhaltlichen Festlegung, die damals in besonderem Maße von offizieller Seite gefordert wurde. Seinem ›Spruch‹ geht es nicht um Polemik und Didaktik, sondern um den Mitvollzug der metaphysisch-humanen Kunsterfahrung. Indem die Realität der Wörter in der Einbildungs- und Erinnerungskraft des Lesers liegt, besitzen sie »prinzipiell eine größere Chance, sich ihrer Geschichtlichkeit zu widersetzen« (Iser, S. 34). Es sind nämlich nicht die ewigen Werte, die dieses Gedicht ›geschichtsresistent‹ erscheinen lassen, sondern die Struktur, weil sie den Leser immer wieder von neuem mobilisiert, das Nichtausformulierte zu ergänzen; er wird zu einem zweiten Vogel und nimmt – im Akt der Lektüre – ›fabelnd‹ an der Fütterung teil.

Zitierte Literatur: Wolfgang Iser: Die Appellstruktur der Texte. Unbestimmtheit als Wirkungsbedingung literarischer Prosa. Konstanz 1971. – Oskar Loerke: Literarische Aufsätze aus der »Neuen Rundschau« 1909–1941. Hrsg. von Reinhard Tgahrt. Heidelberg 1967. – Oskar Loerke: Tagebücher 1903–1939. Hrsg. von Hermann Kasack. Heidelberg/Darmstadt 1955. – Ludwig Uhland: Schriften zur Geschichte der Dichtung und Sage. Bd. 5. Stuttgart 1870. – Walther von der Vogelweide: Gedichte. Hrsg. von Hermann Paul, in 10. Aufl. bes. von Hugo Kuhn. Tübingen 1965.

Weitere Literatur: Walter Gebhard: Oskar Loerkes Poetologie. München 1968. – Günter Heintz: »Sunt lacrimae rerum«. Oskar Loerkes Anfänge. In: Literatur in Wissenschaft und Unterricht 13 (1980) S. 232–262. – Gerhard Neumann: Oskar Loerke. In: Wolfgang Rothe (Hrsg.): Expressionismus als

Literatur. Gesammelte Studien. Bern/München 1969. S. 295–308. – Edith Rotermund: Bild und Magie in der Lyrik Oskar Loerkes. Diss. Münster 1962. – Eberhard Wilhelm Schulz: Oskar Loerke und die Geschichte. In: E. W. S.: Wort und Zeit. Aufsätze und Vorträge zur Literaturgeschichte. Neumünster 1968. S. 161–189. – Reinhard Tgahrt / Tilman Krömer (Bearb.): Oskar Loerke. 1884. 1964. Eine Gedächtnisausstellung zum 80. Geburtstag des Dichters im Schiller-Nationalmuseum Marbach a. N. Marbach 1964.

Bertolt Brecht

An die Nachgeborenen

I

Wirklich, ich lebe in finsteren Zeiten!
Das arglose Wort ist töricht. Eine glatte Stirn
Deutet auf Unempfindlichkeit hin. Der Lachende
Hat die furchtbare Nachricht
5 Nur noch nicht empfangen.

Was sind das für Zeiten, wo
Ein Gespräch über Bäume fast ein Verbrechen ist
Weil es ein Schweigen über so viele Untaten einschließt!
Der dort ruhig über die Straße geht
10 Ist wohl nicht mehr erreichbar für seine Freunde
Die in Not sind?

Es ist wahr: ich verdiene noch meinen Unterhalt
Aber glaubt mir: das ist nur ein Zufall. Nichts
Von dem, was ich tue, berechtigt mich dazu, mich
sattzuessen.
15 Zufällig bin ich verschont. (Wenn mein Glück aussetzt, bin
ich verloren.)

Man sagt mir: Iß und trink du! Sei froh, daß du hast!
Aber wie kann ich essen und trinken, wenn
Ich dem Hungernden entreiße, was ich esse, und
Mein Glas Wasser einem Verdurstenden fehlt?
20 Und doch esse und trinke ich.

Ich wäre gerne auch weise.
In den alten Büchern steht, was weise ist:
Sich aus dem Streit der Welt halten und die kurze Zeit
Ohne Furcht verbringen

25 Auch ohne Gewalt auskommen
Böses mit Gutem vergelten
Seine Wünsche nicht erfüllen, sondern vergessen
Gilt für weise.
Alles das kann ich nicht:
30 Wirklich, ich lebe in finsteren Zeiten!

II

In die Städte kam ich zur Zeit der Unordnung
Als da Hunger herrschte.
Unter die Menschen kam ich zu der Zeit des Aufruhrs
Und ich empörte mich mit ihnen.
35 So verging meine Zeit
Die auf Erden mir gegeben war.

Mein Essen aß ich zwischen den Schlachten
Schlafen legte ich mich unter die Mörder
Der Liebe pflegte ich achtlos
40 Und die Natur sah ich ohne Geduld.
So verging meine Zeit
Die auf Erden mir gegeben war.

Die Straßen führten in den Sumpf zu meiner Zeit.
Die Sprache verriet mich dem Schlächter.
45 Ich vermochte nur wenig. Aber die Herrschenden
Saßen ohne mich sicherer, das hoffte ich.
So verging meine Zeit
Die auf Erden mir gegeben war.

Die Kräfte waren gering. Das Ziel
50 Lag in großer Ferne
Es war deutlich sichtbar, wenn auch für mich
Kaum zu erreichen.
So verging meine Zeit
Die auf Erden mir gegeben war.

III

55 Ihr, die ihr auftauchen werdet aus der Flut
In der wir untergegangen sind
Gedenkt
Wenn ihr von unseren Schwächen sprecht
Auch der finsteren Zeit
60 Der ihr entronnen seid.
Gingen wir doch, öfter als die Schuhe die Länder wechselnd
Durch die Kriege der Klassen, verzweifelt
Wenn da nur Unrecht war und keine Empörung.

Dabei wissen wir doch:
65 Auch der Haß gegen die Niedrigkeit
Verzerrt die Züge.
Auch der Zorn über das Unrecht
Macht die Stimme heiser. Ach, wir
Die wir den Boden bereiten wollten für Freundlichkeit
70 Konnten selber nicht freundlich sein.

Ihr aber, wenn es so weit sein wird
Daß der Mensch dem Menschen ein Helfer ist
Gedenkt unsrer
Mit Nachsicht.

Abdruck nach: Bertolt Brecht: Gesammelte Werke. 20 Bde. Hrsg. vom Suhrkamp Verlag in Zusammenarb. mit Elisabeth Hauptmann. Bd. 9: Gedichte 2. Frankfurt a. M.: Suhrkamp, 1967. (werkausgabe edition suhrkamp.) S. 722 bis 725.
Erstdruck: Die Neue Weltbühne 35 (15. 6. 1939).
Weitere wichtige Drucke: Bertolt Brecht: Svendborger Gedichte. London: Malik, 1939. – Bertolt Brecht: Hundert Gedichte 1918–1950. Berlin: Aufbau, [5]1958.

Günter Holtz

Nachricht aus finsterer Zeit. Zu Brechts Gedicht *An die Nachgeborenen*

In seinem Bericht über den Lyrik-Wettbewerb der *Literarischen Welt*, für den er zum Gutachter bestellt worden war, schrieb Brecht 1927 den später oft zitierten Satz: »Und gerade die Lyrik muß zweifellos etwas sein, was man ohne weiteres auf den Gebrauchswert untersuchen können muß« (XVIII,55). Seine gut zehn Jahre später veröffentlichten Verse *An die Nachgeborenen* sind zumindest den *quantitativen* Nachweis ihres Gebrauchswertes nicht schuldig geblieben, seit sie, zusammen mit dem Gedicht *An meine Landsleute* und einigen Liedern auf die Partei und den Wiederaufbau, schon in der ›antifaschistisch-demokratischen Phase‹ der DDR als einer der begehrtesten literarischen Agitationstexte dienten. Zu jener Zeit repräsentierten sie den mit mancherlei Einschränkungen staatlich anerkannten Brecht – im Gegensatz zu dem Dramatiker und Schöpfer des epischen Theaters, dessen Arbeit wegen seiner ›formalistischen‹ Kunstauffassung nur mit Argwohn geduldet wurde. Das Gedicht wurde in den Literaturkanon der Schulen und das Rezitationsrepertoire für die Festveranstaltungen der Kultur- und Jugendorganisationen der Partei aufgenommen. In der Bundesrepublik Deutschland war sein Gebrauchswert noch so wenig erprobt wie in den anderen deutschsprachigen Ländern; schon als exilierter Sozialist stand der Autor außerhalb der Traditionsauffassung, die hier in der literarischen Öffentlichkeit vorherrschte; bis zu seinem Tode galt er als ideologiekonformer Lobredner eines politischen Zwangssystems, dem die westlichen Länder die Anerkennung verweigerten. Doch in den sechziger Jahren, während der Verstorbene von westdeutschen Theatern für den Bau der Mauer mit einem Boykott seiner Stücke bestraft wurde, bildeten seine Gedichte und seine Geschichten vom Herrn

Keuner die beliebteste Lektüre der Gymnasialklassen. Die Angehörigen der »skeptischen Generation« (Schelsky), die bereits im Lehramt waren, überlieferten die Botschaft *An die Nachgeborenen* der nächsten: jener aufsässigen Generation, die sich am Ende des Jahrzehnts zur ›Außerparlamentarischen Opposition‹ formierte. Es erschienen zahlreiche Interpretationen des Gedichts für den Deutschunterricht; die Lesebücher – und nicht allein das »Berliner Ensemble« – trugen dazu bei, daß Brecht im Bewußtsein vieler junger Deutscher als ein – oder als der einzige interessante – Klassiker fortlebt.

Es ist indessen wenig wahrscheinlich, daß Brecht selbst in der unermüdlichen Benutzung seines Werkes durch die Bildungsanstalten beider deutscher Staaten und im Entstehen zahlreicher schriftlicher Gebrauchsanweisungen zu dem Werk einen Beweis für dessen tatsächlichen Gebrauchswert gesehen hätte. Der eingangs zitierte Satz aus dem Bericht von 1927 sagt unzweideutig, daß der Gebrauchswert von Gedichten durch *Untersuchung* der Gedichte nachzuweisen ist. Er wird bestätigt durch Brechts Notizen *Über das Zerpflücken von Gedichten* und *Die kritische Haltung* (XIX,392 f.) und durch seine eigenen kritischen und theoretisch-didaktischen Analysen in den Aufsätzen *Logik der Lyrik* und *Über reimlose Lyrik mit unregelmäßigen Rhythmen* (XIX,389–391, 395–403). Interpretation – im Sinne von Analyse – bedeutet also nicht unangemessenes Umgehen mit Gedichten, wenn dabei nur nicht die Frage unterdrückt wird, von wem und wofür die Gedichte am besten zu gebrauchen wären. Man könnte auch sagen: Der »Gebrauchswert« des einzelnen Textes wird beschreibbar, wenn man seine poetische Form als intentionale Äußerung untersucht, die ihre Brauchbarkeit für bestimmte Zwecke in historisch bestimmten sozialen Kämpfen impliziert.

Der beim aufmerksamen Lesen des Gedichts *An die Nachgeborenen* sofort entstehende Eindruck, daß dessen erster Teil dem verstehenden Nachvollzug den relativ größten Widerstand bietet, wird durch den Vergleich mehrerer veröffentlichter Interpretationen bestätigt. Vorherrschend ist die Auffassung, die Verse des ersten Teils richteten sich an die Zeitgenossen des in ihnen sprechenden Ichs, das als das personale Ich Bertolt Brechts in der Zeit des dänischen Exils zu identifizieren sei (z. B. schon Mayer, S. 26 f.; Geißler, S. 111), und erst mit dem Beginn des dritten Teils, im Anschluß an eine die »finsteren Zeiten« charakterisierende Rückschau auf sein Leben, wende sich der Dichter wirklich den »Nachgeborenen« zu. Als Indiz für die Richtigkeit dieser Deutung werden die unterschiedlichen Verbtempora der drei Teile und die expliziten Anreden des ersten und des dritten Teils genannt. Durch eine Detailanalyse des ersten Teils läßt sich die Richtigkeit solcher Interpretationen prüfen.

Dieser Teil gliedert sich in fünf Versgruppen unterschiedlicher Länge, deren Umgrenzungen in den verschiedenen Drucken nicht gleich sind: In den Hundert Gedichten von 1958 ist Vers 1 von den folgenden Versen durch einen Durchschuß getrennt; dafür fehlt der Durchschuß zwischen den Versen 15 und 16. Solche Abweichungen sind für das Verständnis des Textes letztlich irrelevant. Sichtbar ist jedoch ein einfaches Formgesetz: Außer der letzten ist jede Versgruppe durch eine Redewendung eingeleitet, die die anschließenden Verse als Inhalt einer Erkenntnis vermittelnden Zwiesprache kenntlich macht. Die Zwiesprache gibt dem Text nicht etwa die Struktur eines Dialogs, in dem die Angesprochenen mit expliziten Fragen oder Einwänden vernehmbar wären. Vielmehr deutet die Rede nur implizit jene kritischen, Rechtfertigung fordernden Gedanken an, die sich bei distanziert-historischer Betrachtung der politischen und sozialen Zustände zu Lebzeiten des Redenden einstellen müßten. Der Leser findet sich darauf angewiesen, die Implikationen zu bestimmen und zu formulieren. Das ist sein unverzichtbarer Beitrag zum Gelingen des Gedichts, durch den er sich zugleich seiner historischen Position im Verhältnis zu den »finsteren Zeiten« vergewissern kann. Schon der erste Satz impliziert eine Aufforderung zum Urteilen, die

etwa lauten müßte: ›Was müssen das für finstere Zeiten gewesen sein, als der Brecht schrieb!‹ Auf diese in der Vorstellung des Dichters aus noch unbestimmt ferner Zukunft vernehmbare Exklamation antwortet das zustimmende »Wirklich«; der Ausdruck »finstere Zeiten« zitiert gleichsam die Redeweise späterer Generationen, die auf das 20. Jahrhundert zurückblicken werden wie die Zeitgenossen Brechts – ja schon die Menschen des 18. und 19. Jahrhunderts – auf das ›finstere Mittelalter‹. Der Gestus grimmiger Zustimmung wird geradezu massiv bekräftigt durch die Wiederholung des Satzes in Vers 30.
Die Verse 2–11 führen die Antwort weiter aus, indem sie eine komplementäre Frage vorauszusetzen scheinen, die vielleicht so zu formulieren wäre: ›Gab es damals eigentlich Menschen, die, so wie wir, arglos reden, schreiben, lachen konnten?‹ Die kurzen Erklärungen, mit denen Brecht die Frage bejaht, lassen bereits die das ganze Gedicht bestimmende Thematik sichtbar werden: die Gegenwart als eine Epoche allgemeiner, praktisch nicht vermittelbarer Widersprüche, die das Verhalten der in ihr lebenden Menschen zeichnen. Die Sätze sind durch ihre Anordnung innerhalb der Verssequenz 2–5 zerrissen, dadurch werden die in ihnen hergestellten Entsprechungen – zwischen argloser Rede und Torheit, glatter Stirn und Unempfindlichkeit, Lachen und Unwissenheit – deklamatorisch hervorgehoben. Der Vers 6 leitet die Zustimmung fordernde Figur der rhetorischen Frage ein (6–8, 9–11, 17–19). Er macht sich das Staunen der Angeredeten über die »finsteren Zeiten« zu eigen, indem er sie für einen Augenblick zu unsichtbaren Zuschauern einfacher, den Menschen aller Zeiten vertrauter Handlungen macht, die in der Gegenwart des Sprechers ihren Sinn und ihre moralische Berechtigung verloren haben: über Bäume sprechen, ruhig über eine Straße gehen, sich sättigen. Die rhetorischen Fragen haben im Grunde die gleiche Funktion wie die zustimmenden Exklamationen, aber sie verwandeln die Klage über die gegenwärtigen Zustände in symptomatische Bilder und fordern die Angesprochenen zu weiteren

Einwänden heraus. Die Verse 12–20 setzen sich mit dem Einwand auseinander, immerhin habe Brecht es ja geschafft zu überleben; die fünfte Versgruppe mit der Frage, warum er nicht dem Druck der Verhältnisse widerstanden und die Konsequenz seiner Einsichten realisiert habe. Läse man diese ganze Passage entsprechend der bisher anerkannten Auffassung, so müßte man eine Redesituation annehmen, in der der Redende in den Versen 12–15 einen Einwand genau jener Zeitgenossen zurückweist, deren Einverständnis er Vers 16–21 gegen den verständnislosen Zuspruch anderer Zeitgenossen voraussetzt. Einleuchtender ist gerade hier die Auffassung des Textes als durchgehende Zwiesprache mit den Nachgeborenen, die vom Gestus des Zugestehens, des bescheidenen Bittens um Verständnis für die Widersprüchlichkeit des Lebens beherrscht ist. Dann hebt sich die Zeile 16 mit dem einzigen Satz, in dem die Zeitgenossen – sicher nicht eben Feinde Brechts, sondern ihm wohlwollende Menschen – zu Wort kommen, um so schärfer ab. Er zeigt, daß mangelnde Wahrnehmungsfähigkeit gegenüber den Widersprüchen, die das Leben des Dichters bestimmen, nicht nur ein Problem der Nachgeborenen ist. Dabei sind es symptomatische Widersprüche:

1. Sein Lebensunterhalt, den er durch Arbeit verdient (praktisches Verhalten), ist nicht das Äquivalent seines sozialen Nutzens, sondern Ergebnis eines glücklichen Zufalls. (Bewußtseinsinhalt.)
2. Sein Lebensunterhalt ist ein Raub an den Hungernden und Verdurstenden (Bewußtseinsinhalt), auf den er dennoch nicht verzichtet. (Praktisches Verhalten.)
3. Er liest von jener Tugend, die er gern verwirklichen möchte: Weisheit. (Bewußtseinsinhalt.) Aber er kann die Forderungen der Weisheit nicht erfüllen. (Praktisches Verhalten.)

Eine Erörterung der Frage, ob die Klage über solche Widersprüche ein Ausdruck »von schlechtem Gewissen« sei (vgl. Neis, S. 86; Fried, S. 95), verfehlt ihren Sinn im Textzusammenhang. Brechts Streben nach Weisheit – ganz gleich, ob er

mit der Erwähnung der »alten Bücher« (22) auf die Schriften der Stoiker oder des Po Chü-yi anspielt (vgl. Schwarz, S. 46–49) – kollidiert mit jener »elegischen Konstellation« (Schuhmann, S. 68), die ihn zwingt, sich in Gestalt des »lyrischen Subjekts« (Schuhmann, S. 72) selbst zur Diskussion zu stellen – nämlich zur Diskussion über die dem kritisch-schöpferischen Denken verbliebenen Möglichkeiten. Die Verse 12–30 antizipieren jene Einsicht des Flüchtlings Brecht, die das zentrale Thema des Teils II bildet: Daß die Paradoxien der Lebensrealität durch kritisches Bewußtsein allein nicht überwunden werden können.
Der Mittelteil des Gedichts, der wahrscheinlich als erster entstanden ist (vgl. Marsch, S. 291), unterscheidet sich von den beiden äußeren auffallend durch seine Form: Vier sechszeilige Strophen, schärfere Markierung der rhythmisch-syntaktischen Einheit des Verses (besonders 6–19). Während die Verse des ersten Teils, von größeren syntaktischen Konstruktionen überspannt, zumeist mit schwebender Intonation und nur kurzer Sprechpause enden, herrschen im zweiten Teil Verse mit steigender, zum Ende steil abfallender Intonation vor. Oft bildet ein Verspaar eine solche rhythmisch-klangliche Einheit. Anders als im ersten Teil treten innerhalb der Verse kaum syntaktische Zäsuren auf. Erst die letzten beiden Strophen zeigen zunehmende Verwischung der rhythmischen Einheiten.
Den Inhalt bildet die Nachricht an die Nachgeborenen vom Leben des Redenden, man könnte auch sagen: die Summe seines gelebten Lebens. Damit hängt die Häufigkeit des Wortes »Zeit« zusammen, das Brecht hier in zwei Bedeutungen verwendet: in der einen dort, wo er über die sozialen und politischen Zustände spricht (31: »Zeit der Unordnung«, 33: »Zeit des Aufruhrs«, 43: »Sumpf zu meiner Zeit«), in der anderen, wenn von der Dauer des Lebens unter der Wirkung solcher Zustände die Rede ist, also in den beiden Refrainversen, aber auch Vers 43. Die Perspektive der Selbstdarstellung, die Brecht auch in anderen Gedichten gewählt hat, z. B. *Vom armen B. B.* (VIII,261) und *Von der*

Freundlichkeit der Welt (VIII,205), zeigt das Ich als etwas von Anfang an mit sich selbst Übereinstimmendes, das auf dieser Welt ankommt, in die Zeit und damit in historisch entwickelte Zustände eintritt und sie nach kurzem Aufenthalt wieder verläßt. Sie ist wahrscheinlich eine säkulare Variante des alten christlichen Topos vom Leben als einer kurzen Pilgerschaft im irdischen Jammertal (vgl. Hebr. 13,14: »Denn wir haben hier keine bleibende Stadt, sondern die zukünftige suchen wir«). In dieser Perspektive übermittelt das Gedicht die Erfahrung, daß der Mensch seine Lebensfrist so verbringt, wie es die Zeitumstände erzwingen – selbst die Auflehnung gegen die herrschenden Zustände folgt diesem zeitimmanenten Zwang (33 f.; vgl. *Verjagt mit gutem Grund*, IX,721 f.). Im Horizont der hier gestalteten biographischen Erfahrungen bedeutet dies die Loslösung des Lebensvollzuges von den natürlichen Lebensfunktionen, die die Lust am Leben nähren. Das Individuell-Vitale wird zum lästigen Zwang, die Ereignisse schnüren die lustbetonten Lebensäußerungen ein.
Die Mitteilung der Erfahrung durch »gestische Formulierungen« (XIX,399), also in einem Stil, der dem Prinzip einer »reimlosen Lyrik mit unregelmäßigen Rhythmen« entspricht, bedeutet hier die Realisation eines strengen Formgesetzes. Die vier ersten Zeilen jeder Strophe außer der letzten weisen einen variablen syntaktischen Parallelismus auf. Die am auffälligsten parallel konstruierte Satzsequenz Vers 37–40 bildet in den ersten und letzten Satzgliedern Kontrastpaare aus, die die Diskrepanz zwischen dem individuellen Leben und den Zeitverhältnissen zum Ausdruck bringen: »Essen« – »Schlachten«; »schlafen« – »Mörder«; »Liebe« – »achtlos«; »Natur« – »ohne Geduld«. Diese rhetorische Figur setzt sich in den Versen 43 f. fort: »Straßen« – »Sumpf«; »Sprache« – »Schlächter«. Die Wörter des ersten und des letzten Satzgliedes bilden auf diese Weise jeweils einen Konnex von Zeichen für den Bereich des Menschlichen und des Unmenschlichen; ihre aktuelle Zeichenfunktion nehmen sie innerhalb des Konnexes an, dem sie zuge-

ordnet sind. Im Vers 44 bildet das Wort »Sprache« quasi die Assoziationsbrücke zwischen dem Zeichenkonnex für das Menschliche, dem ja »Sprache« angehört, und dem Motiv des Kampfes. Die analoge Funktion für den anderen Zeichenkonnex übernimmt das Wort »Schlächter«. In den anschließenden Versen, die schon unverhüllt vom Klassenkampf sprechen, sind die beiden Bereiche durch die Wörter »ich« und »die Herrschenden« vertreten (45). So unvermittelt kontrastieren an dieser Wendestelle des Gedichts die beiden großen Themen, deren Synthese nach Peter Paul Schwarz das gemeinsame Charakteristikum der ganzen Brechtschen Exillyrik bildet (Schwarz, S. 13 f.): das Individuell-Erlebnishafte, oft vertreten durch Motive des »Emigrantenalltags«, der »Natur und Landschaft des Exils«, mit der Programmatik des politischen Kampfes. Vom Kampf gegen die Herrschenden redet Brecht hier jedoch nur im Ton dessen, der Niederlagen eingesteht. Das Subjekt des Handelns steht im Singular, der Gestus ist einschränkend, ja zurücknehmend. Der im Vers 45 adversativ beginnende Satz wird im nächsten Vers – nach einer großen Ankündigungspause hinter dem Wort »Herrschenden« – durch eine nachgestellte Einschränkung praktisch widerrufen. Zwischen dem Auftauchen des »Ziels« (49) und dem »Erreichen« (52) liegt eine Konzessivkonstruktion. In dieser Gestaltung erscheint Brechts Kampf gegen die Herrschenden durchaus nicht als Ausdruck illusionärer Erwartungen – auch im Hoffen blieb er genügsam. Um so größeres Gewicht erhält dadurch die formelhaft wiederholte Erinnerung an die Kürze des Lebens, die es dem einzelnen Menschen verwehrt, die Bewegung auf das Ziel hin als Ertrag des eigenen Einsatzes zu realisieren. Daher bleibt für den Leser am Schluß dieses zweiten Teils die Frage offen, wieviel Hoffnung für die Nachgeborenen in der Nachricht über die finsteren Zeiten enthalten ist.
Die Antwort scheint sich im Übergang zum Futurum des dritten Teils anzukündigen. Die drei verschieden langen Versgruppen, innerhalb deren die Verslängen zwischen 2 und

15 Silben schwanken, entstehen aus einem einzigen Redegestus. Es ist ein Gestus des ermahnenden Bittens. Die Summe der geschichtlichen Erfahrung des Redenden wird erweitert zum moralischen Vermächtnis jenes »Wir«, das als Subjekt diejenigen bezeichnet, die wegen ihrer politischen Parteinahme ins Exil getrieben wurden; die im Gedicht den unmittelbar angesprochenen Nachgeborenen als die Erfahreneren, aber auf Nachsicht Angewiesenen gegenüberstehen. Deren künftiges Leben faßt Brecht gleich am Beginn dieses Teils – mit einer für seine Arbeitsweise charakteristischen assoziativen Zitation der Bibel – in das Bild des neuen Lebens nach der Sintflut. Die Beziehung zwischen dem politischen Kampf und dem Exil, die er in den Versen 61–63 herstellt, umschließt zugleich so etwas wie die Synthese der Themen des Teils I (Leben im Exil) und des Teils II (Leben im Aufruhr gegen die Herrschenden). Dabei weicht der Text im Vers 62 auffällig von der marxistischen Terminologie ab, die eher den Ausdruck ›Kämpfe der Klassen‹ erwarten ließe. Aber eben dieser Ausdruck wäre im Zusammenhang des Gedichts zu allgemein. ›Klassenkampf‹ bezeichnet ja alle politischen, sozialen und kulturellen Erscheinungen der Auseinandersetzung zwischen Klassen um das Eigentum an den Produktionsmitteln und damit um die Art und Weise der Produktion und Aneignung von Gütern. Die schon im Teil II anschaulich gestaltete Erfolglosigkeit der Nicht-Besitzenden und Nicht-Herrschenden ist aus der Sicht Brechts die Ursache dafür, daß der Klassenkampf die Gestalt von Kriegen annehmen konnte. Die Ohnmacht der Vertriebenen, die diesen Zusammenhang durchschauen, aber ohne Einfluß auf politische Handlungen und Bewegungen sind, drückt sich ebenso in der sparsamen, aber wirkungsvollen Verwendung der Partizipialformen in Vers 61 f. aus, wie in dem an anderen Stellen des Brechtschen Werkes wiederkehrenden Eingeständnis der Verzweiflung über die ausbleibende Empörung (vgl. z. B. *Der gute Mensch von Sezuan*, IV,1536). Nationale Kriege, Weltkriege sind bekanntlich in der marxistisch-leninistischen Imperialismus-Theorie For-

men des Kampfes der herrschenden Klasse gegen die Ausgebeuteten. Ihre antirevolutionäre Funktion besteht in der Ablenkung der Ausgebeuteten von den zur Lösung drängenden sozialen Gegensätzen. Dies ist der ideologische Kontext, ohne den die Nachricht von den finsteren Zeiten nicht mehr als eine harmlos-schöne Elegie wäre – für Brecht ein Gedicht ohne den von den Zeitverhältnissen geforderten »Gebrauchswert«. Der Harm, der den elegischen Stil Brechts prägt, entsteht aus der aktuellen Nutzlosigkeit des Wissens über die soziale und ökonomische Natur der »Kriege der Klassen« und über die Zwangsläufigkeit, mit der die internationale Entwicklung zu einem neuen Weltkrieg führen muß. (Anschaulich bezeugen dies die Notizen des *Arbeitsjournals* von 1938/39.) Indem der Dichter die Erfahrung dieses ohnmächtigen Leidens an der praktischen Unanwendbarkeit des historischen Materialismus für eine in wahrscheinlich ferner Zukunft lebende Generation überliefert, stellt er das Gedicht anscheinend in den Dienst der Notwendigkeit, deren historische Distanz zu seiner Gegenwart zu überbrücken; ihr das Gewordensein, den Errungenschaftswert ihrer Welt allseitiger Hilfsbereitschaft zu zeigen, damit sie nicht ein falsches Bewußtsein davon hat.
Doch diese Intention ist scheinhaft; sie ist ein Teil der Wirkung, die von dem Gedicht auf die Zeitgenossen des in Dänemark lebenden Flüchtlings Brecht ausgehen sollte. Die in den Versen 66–70 eingestandene Entmutigung angesichts der Spuren von Unmenschlichkeit, die der Kampf gegen die Unmenschlichkeit in denen hinterläßt, die ihn geführt haben, bildet die Basis gemeinsamer bitterer Lehren, auf der Brecht die Verständigung mit den Kampfgefährten suchen kann. Indem er den Kindern eines Zeitalters der »Freundlichkeit« (69) das Vermächtnis der Zukunftsgläubigen einer finsteren Vergangenheit bereitet, spricht er zu den Zeitgenossen von der Gewißheit, daß dieses Zeitalter kommen wird. Nur diese Gewißheit rechtfertigt den hohen Preis an bestem Leben (vgl. *Auf den Tod eines Kämpfers für den Frieden*, IX,681), die seelische und geistige Verwüstung,

womit sich die Kinder der finsteren Zeiten abzufinden haben. »Freundlichkeit« ist ein Zentralwort Brechts. Geißler definiert sie als »die Weise, in einer Welt zu leben, in der die Organisation der Gesellschaft Menschlichkeit konfliktlos zuläßt« (S. 113). Er übersieht dabei, daß in Brechts Stücken Freundlichkeit vor einem Hintergrund von Verhältnissen gezeigt wird, die konfliktlos verwirklichte Menschlichkeit nicht gestatten. Shen-tes Güte scheitert, weil die gesellschaftliche Organisation den »guten Menschen« in den Ruin treibt. Ihre Freundlichkeit gegen Wang ist auf eine bessere Sozialverfassung nicht angewiesen; sie ist dem, der sich nach Menschlichkeit sehnt, immer möglich. Erst der programmatisch geführte Kampf um eine Zukunft, in der Freundlichkeit die allgemeine Verhaltensweise ist, verlangt zeitweilig den Verzicht selbst auf die geringfügigen Freundlichkeiten, in denen sich die unzerstörbare Kraft des Menschlichen auch in widerwärtiger Zeit ausdrückt. Durch die Identifikation der »Freundlichkeit« mit einem Zeitalter, in dem »der Mensch dem Menschen ein Helfer ist« (72, eine Anspielung auf das Plautus-Wort »homo homini lupus«), weist Brecht seine Kampfgefährten auf ein weit entlegenes Ziel der Entwicklung des Menschen, an dem Freundlichkeit nicht trotz und nicht wegen, sondern vollkommen unabhängig von gesellschaftlichen Organisationsformen geübt werden kann.

Zitierte Literatur: Bertolt Brecht: Gesammelte Werke. [Siehe Textquelle. Zit. mit Band- und Seitenzahl.] – Erich Fried: An die Nachgeborenen. In: Ausgewählte Gedichte Brechts in Interpretationen. Hrsg. von Walter Hinck. Frankfurt a. M. 1978. S. 92–97. – Rolf Geissler: Bertolt Brecht: Das biographisch-politische Gedicht. Eine Unterrichtsreihe. In: Interpretationen zur Lyrik Brechts. Beiträge eines Arbeitskreises. München [3]1976. S. 100–117. – Edgar Marsch: Brecht-Kommentar zum lyrischen Werk. München 1974. – Hans Mayer: An die Nachgeborenen. In: Mein Gedicht. Begegnungen mit deutscher Lyrik. Hrsg. von Dieter E. Zimmer. Wiesbaden 1961. – Edgar Neis: An die Nachgeborenen. In: E. N.: Politisch-soziale Zeitgedichte. Hollfeld 1971. – Klaus Schuhmann: Untersuchungen zur Lyrik Brechts. Themen, Formen, Weiterungen. Berlin/Weimar 1977. – Peter Paul Schwarz: Lyrik und Zeitgeschichte. Brecht: Gedichte über das Exil und späte Lyrik. Heidelberg 1978.

Weitere Literatur: Klaus BIRKENHAUER: Die eigenrhythmische Lyrik Bertolt Brechts. Theorie eines kommunikativen Sprachstils. Tübingen 1971. – Gerhard P. KNAPP: Welt und Wirklichkeit. Zur späten Lyrik Bertolt Brechts. In: Text und Kritik. Sonderband: Bertolt Brecht II. München 1973. S. 42–53. – Jan KNOPF: Bertolt Brecht. Ein kritischer Forschungsbericht. Fragwürdiges in der Brecht-Forschung. Frankfurt a. M. 1974. S. 124–144. – Nosratollah RASTEGAR: Die Symbolik in der späten Lyrik Brechts. Frankfurt a. M. / Bern / Las Vegas 1978. – Hans RICHTER: Die Lyrik Bertolt Brechts. In: H. R.: Verse, Dichter, Wirklichkeiten. Aufsätze zur Lyrik. Berlin/Weimar 1970.

Gertrud Kolmar

Verwandlungen

Ich will die Nacht um mich ziehn als ein warmes Tuch
Mit ihrem weißen Stern, mit ihrem grauen Fluch,
Mit ihrem wehenden Zipfel, der die Tagkrähen scheucht,
Mit ihren Nebelfransen, von einsamen Teichen feucht.

5 Ich hing im Gebälke starr als eine Fledermaus,
Ich lasse mich fallen in Luft und fahre nun aus.
Mann, ich träumte dein Blut, ich beiße dich wund,
Kralle mich in dein Haar und sauge an deinem Mund.

Über den stumpfen Türmen sind Himmelswipfel schwarz.
10 Aus ihren kahlen Stämmen sickert gläsernes Harz
Zu unsichtbaren Kelchen wie Oportowein.
In meinen braunen Augen bleibt der Widerschein.

Mit meinen goldbraunen Augen will ich fangen gehn,
Fangen den Fisch in Gräben, die zwischen Häusern stehn,
15 Fangen den Fisch der Meere: und Meer ist ein weiter Platz
Mit zerknickten Masten, versunkenem Silberschatz.

Die schweren Schiffsglocken läuten aus dem Algenwald.
Unter den Schiffsfiguren starrt eine Kindergestalt,
In Händen die Limone und an der Stirn ein Licht.
20 Zwischen uns fahren die Wasser; ich behalte dich nicht.

Hinter erfrorener Scheibe glühn Lampen bunt und heiß,
Tauchen blanke Löffel in Schalen, buntes Eis;
Ich locke mit roten Früchten, draus meine Lippen gemacht,
Und bin eine kleine Speise in einem Becher von Nacht.

Abdruck nach: Gertrud Kolmar: Das lyrische Werk. München: Kösel, 1960. S. 20.
Erstdruck: Gertrud Kolmar: Das lyrische Werk. Hrsg. von Hermann Kasack. Darmstadt: Schneider, 1955.

Günter Holtz

Metamorphosen einer Passion. Zu Gertrud Kolmars *Verwandlungen*

Ein unbefangener Leser, der die *Verwandlungen* als etwas Schönes, dichterisch Gelungenes erlebt, käme wahrscheinlich in Verlegenheit, wenn er aufgefordert würde, zu erklären, wovon in diesen Versen die Rede ist. Er mag sich das Faszinierende mancher Bilder, des schwebend wechselnden Rhythmus, der sanft akzentuierten, lang ausschwingenden Reime bewußt gemacht haben – die Bedeutung des ganzen Gebildes verwehrt sich prosaischer Formulierung. Leicht ist zu nennen, was der Text dem ersten Blick verrät: Eine Frau spricht von ihrer Verlassenheit, ihrem Sehnen nach Mann und Kind. Doch dies ist eine Feststellung von nichtssagender Allgemeinheit, sie enthält nichts von dem Besonderen der Situation, der Träume oder Visionen jenes Ich, das hier redet. Wir treffen nun aber auf eine Wahrheit von paradoxer Gestalt: Nur wenn es uns gelingt, dieses Individuell-Spezifische der im Gedicht gestalteten Erfahrung zu begreifen, erschließt sich auch seine allgemeine, über das Individuelle hinausreichende Geltung. Was auf den ersten Blick erkennbar ist, ließe auch die Vermutung zu, daß es sich bei dem Gedicht um nicht mehr als die verschlüsselte Aufzeichnung privater Probleme handelt. Der aussichtsreichste Weg der Interpretation wird daher vom äußeren, beschreibbaren Sinnzusammenhang zur umfassenden Bedeutung des Gedichts führen, über die jedoch sichere Aussagen in vielen Fällen auch nur möglich sind, wenn zugleich die Beziehung zwischen dem Autor und seinem Werk, die Objektivation seiner Person und seines Lebens in seinem Schaffen erörtert wird.
In Gertrud Kolmars *Verwandlungen* lassen sich Sinnzusammenhänge zunächst nur an eng umgrenzten Textteilen nachweisen, die jeweils durch ein Bild konstituiert sind. Diese

Textteile sind fast durchgängig mit den Strophen identisch; nur die Strophen 4 und 5 könnte man gleichsam als zwei Hälften eines Bildes auffassen. Die Übergänge von Bild zu Bild, von Strophe zu Strophe, sind die im Titel angekündigten Verwandlungen. Sie vollziehen sich in zweifachem Sinne: als Wechsel der imaginierten Szenerie und als Gestaltwandel des Ichs. In der ersten Strophe spricht das Ich noch in seiner personalen Gestalt, die Bildelemente sind einer Metapher zugeordnet, die die Nacht als ein bergendes Tuch das Ich umschließen läßt. In der zweiten Strophe hat sich die Verwandlung des Ichs in einen Vampir vollzogen, der sich den geliebten Mann erbeutet. Der Widerschein des Nachthimmels leuchtet aus den braunen Augen der Sprechenden der dritten Strophe, die – in den beiden folgenden – als Fangnetze durch Gräben und Meer schweifen und, statt den Fisch zu erbeuten, die Erscheinung des unerreichbaren Kindes schauen. Die letzte Verwandlung zeigt das Ich als lokkende Speise, die Nacht als einen Becher, in dem das Ich ruht.

Diese recht grobe Skizze der in verhältnismäßig schmalen Textabschnitten realisierten metaphorischen Beziehungen ist durch eine Anzahl von Einzelbeobachtungen zu vervollständigen. Als erstes fällt auf, daß die jäh wechselnden Bilder von einer bestimmten unveränderlichen Grundkonstellation zusammengehalten sind, die man als Ausdruck eines existentiellen Zustandes auffassen kann. Vom ersten bis zum letzten Vers herrscht die Nacht, in der und von der allein das Ich redet, keine gegenständliche Welt, kein menschliches Gegenüber wird sichtbar. Auch der in der zweiten Strophe angerufene Mann existiert nur in der erinnernden Vorstellung, die selbst durch einen Traum erweckt wurde. Die Orte, die das Ich in der Folge der Verwandlungen beschwört, sind visionäre Objektivationen der Nacht, die – durchaus in der Tradition romantischer Poesie – als schützende, besänftigende, Traum und Phantasie befreiende Hülle der Einsamkeit angenommen wird. Das Sich-Bergen in der nächtlichen Einsamkeit ist kein Erleiden, sondern ein

Willensakt, der am Beginn des Gedichts ausgesprochen ist und die wechselnde Entstaltung der Person auslöst. Die Verwandlungen des Ichs bedeuten durchaus keine Auslöschung jenes Subjekts, das im ersten Vers mit seinem entgrenzenden »Ich will« zu reden anhebt, sondern seine vollständige Einschmelzung in das jeweilige Bildelement, ein Vorgang, den die traditionelle Rhetorik als Pars pro toto bezeichnen müßte: Das Ich wird zum fliegenden, sich ankrallenden und saugenden Tier; zum spiegelnden, suchenden Auge; zum leuchtend lockenden Mund. Es bleibt in allem die eine, in Leiden und Sehnen identische Person, glühend vor Verlangen nach dem geliebten Mann, sich verzehrend im Entbehren des Mutterglückes, doch unverletzbar in ihrer selbstgewählten Verhüllung.
Im Rahmen dieser Interpretation kann die enge Beziehung zwischen dem Lebensschicksal der Dichterin und dem lyrischen Ich des Gedichts nicht untersucht werden. Einige Hinweise müssen genügen. Unter den Briefen Gertrud Kolmars an ihre in der Schweiz lebende Schwester Hilde nimmt ihr großes Bekenntnis vom 1. Februar 1942 (*Briefe*, S. 131 f.) eine herausragende Stellung ein. Sie schreibt darin, sie habe nie in ihrem Leben eine enttäuschende Liebe erfahren, da sie von Anfang an keine Illusionen genährt habe: »[...] ich bin sehr, sehr unglücklich gewesen; ich habe große und tiefe Schmerzen erduldet, die ich doch auch geliebt habe, wie eine werdende Mutter die Qualen lieben kann, mit denen ihr Kind sie segnet. Aber ich hatte das alles vorher geahnt, es kommen sehn, im voraus schon auf mich genommen [...].« Sie sei ja nie »die Eine«, sondern immer »die Andere« gewesen; eine Frau, die nicht leicht in Feuer geriet, doch einer Leidenschaft von »starker und dauernder Glut« fähig war. »Mein Gefühl besaß dann die Eigenschaft König Midas', dem alles, was er berührte, in den Händen zu Gold ward; es ging auf gleich einer großen Sonne und vergoldete noch jeden Fleck, jeden Tümpel, jede Pfütze.« Der Preis, den sie für dieses rückhaltlose Einstehen für ihre Liebe zu zahlen hatte, war hoch. Ihre Hoffnung auf Ehe und Mutter-

schaft blieb unerfüllt, sie wurde, verwandelt in die vielfältigen Metaphern eines nicht verwirklichten, eines ausgeschlagenen anderen Lebens, zum beherrschenden Thema ihres Werkes. Noch im Mai 1939 schrieb sie, die sich ihres Wertes als Künstlerin durchaus bewußt war (*Briefe*, S. 14, 20 f. und 106), an die Schwester, sie hätte sich vermutlich auch, »ohne viel zu entbehren, dem Hauswesen und der Kindererziehung widmen können. Ohne [. . .] deswegen zu veräußerlichen, zu verflachen« (*Briefe*, S. 24).
Vor dem Hintergrund dieser Lebenserfahrung wäre es sicher unangemessen, Gertrud Kolmars *Verwandlungen* wie ein Produkt mythologisierender Volkskunst – etwa im Sinne einer modern-symbolistischen Zubereitung antiker ›Metamorphosen‹ – zu lesen. Sie sind eine Weise der poetischen Transzendierung des gelebten Lebens, ein Überspringen der Grenzen, die der Dichterin durch das in Zeit und Raum Gewordene und Gültige gezogen waren. Sie sind zugleich das Prinzip ihrer dichterischen Verfahrensweise, des Sprechens aus fiktiven lyrischen ›Frauenrollen‹, wie es sich in den Titeln vieler Gedichte der Sammlung *Weibliches Bildnis* ankündigt. Dabei treten die Metaphern der *Verwandlungen* in charakteristischen Variationen auf, die in einer ausführlichen Interpretation vergleichend herangezogen werden müßten. Das Folgende soll eine solche Arbeitsweise wenigstens im Ansatz vorführen.
Die Ausgangssituation des lyrischen Ichs, das durch die anaphorischen Versanfänge wie eine Beschwörung vollzogene Sich-Bergen in der Nacht, ist unzweideutig thematisiert im Gedicht *Die Einsame* (*Das lyrische Werk*, S. 123), dessen Anfangsverse lauten:

Ich ziehe meine Einsamkeit um mich.
Sie ist so wie ein wärmendstes Gewand
An mir geworden ohne Kniff noch Stich.
Wenn auch der Ärmel fällt tief über meine Hand.

Diese Einsamkeit ist offenbar die Voraussetzung jener Verwandlungen, die sich jedesmal durch die Macht des dichterischen Wortes vollziehen. Sie sind »Masken, die ich entlehne [...] im Tanz der Qual« (*Die Tänzerin II*, in: *Das lyrische Werk*, S. 52). Oder die Dichterin, die auch mit der Smaragdeidechse Zwiesprache hält, kann »Hexe sein«, die das Tier verzaubert:

So werd in meinem Park ein Strauch von süßen Mandeln,
Auf meinem Tisch ein Glas mit bernsteinklarem Wein.
(*Hexe*, in: *Das lyrische Werk*, S. 107.)

Einsamkeit ist hier die Qual der nach Liebe verlangenden Frau, die in Stunden tiefsten Glücks neben dem entschlummerten Geliebten wacht, ahnend, daß er in seinen Träumen schon auf Wegen geht, die ihn künftig von ihr trennen werden (*Wacht*, in: *Das lyrische Werk*, S. 81 f.); oder die als Leda das Wunder der Wiederkehr des Mannes erträumt (*Leda*, in: *Das lyrische Werk*, S. 75 f.; *Nächte*, in: *Das lyrische Werk*, S. 78–80). In Gestalt der Fledermaus verlassen die erotischen Phantasien den in der leeren, stillen Wohnung eingesperrten Körper, sie werden schweifend, aggressiv. In ihrem Roman *Eine Mutter* gestaltet die Dichterin diesen Vorgang als kurzen, leidenschaftlichen Monolog ihrer Heldin, d. h. als ohnmächtige Wunschphantasie:

Nun bin ich für dich eine Hure. Ich hasse dich. Du nennst mich Vampyr. Ich will dich mit meinen Armen umpressen, mit meinen Fledermausflügeln, dir das Blut aus den Adern trinken und dich morgen früh wegpeitschen wie einen Hund. Einen räudigen Hund... Du! (S. 225.)

Das Antlitz der Redenden gleicht dem einer »Zauberin«, heißt es zwei Sätze weiter. Nirgends im Werk der Kolmar zeigt es sich so unzweideutig wie in dem Roman, daß die Liebe der Frau Passionsgeschichte, Erfahrung der ganzen Verfallenheit des Menschen an Leid und Vergänglichkeit ist. Die Heldin, Martha Jadassohn, eine Witwe, sucht nach dem Mörder ihres einzigen Kindes, das einem Sexualverbrechen zum Opfer gefallen ist. Der Mann, dem sie sich hingibt, weil er ihr versprochen hat, das Kind zu rächen, verhöhnt sie

schließlich, als er ihrer unersättlichen Leidenschaft überdrüssig geworden ist. Zum Schluß erlebt sie in einer Vision die Wiedervereinigung mit dem Kind, sie geht in den Tod.
Die Passion der Frau ist bei Gertrud Kolmar durchaus nicht das Martyrium einer Unschuldigen. Es ist Passion im doppelten Wortsinn: Leiden und Leidenschaft, d. h. Verstrikkung in die Ambivalenz alles Menschlichen. Martha sühnt ihre eigene Schuld: die besitzergreifende Maßlosigkeit ihres Gefühls. Sie hat selbst ihr Kind, das sie fast zu Tode mißhandelt in einer Laubenkolonie gefunden hatte, mit Gift von seinem Leiden erlöst – also den Mord vollendet. Die Verwandlung in die Fledermaus läßt sich durchaus auch als Aufdeckung dieser Zwieschlächtigkeit und Unvollendbarkeit aller menschlichen Dinge deuten: Die Fledermaus ist ein Wesen des Überganges »zwischen Tag und Nacht«, »zwischen Fell und Flügel«, d. h. nicht Maus, nicht Vogel. (*Fledermaus*, in: *Das lyrische Werk*, S. 178 f.)
Auch in dem Gedicht *Verwandlungen* bedeutet das Erscheinen des toten – hier natürlich des nie geborenen – Kindes einen Höhepunkt der Bildsequenz. Die Phasen der Verwandlung, die zu ihm führt, bewirken einen Eindruck von allmählicher Steigerung. Die Sprechende, ganz einverwandelt in ihren Gesichtssinn, geht auf Fang aus. In der Glut ihrer Augen, die selbst ein Widerschein der Nacht ist, muß sich der Fisch verfangen. Die Augen sind die Quelle erotischer Verzauberung; aus ihrem »Südweinglitzern springt / Weiß im Kelch die Wicke, / Wen ihr Duft umschlingt?« – so fragt Gertrud Kolmar in der Rolle der »Lieblichen« (*Die Liebliche*, in: *Das lyrische Werk*, S. 54 f.). Der Fisch ist der Mann, den die Liebende unter ihrem Lid einschließt, »dem Jägergarn, dem nie ein Wild entflieht« (*Die Verlassene*, in: *Das lyrische Werk*, S. 127). Auch hier verwendet die Dichterin so etwas wie ein Pars pro toto. Der Fisch ist nicht nur ein Bild für die Unbeständigkeit und charakterliche Glätte des Mannes, er ist zugleich ein altes Phallussymbol (Bächold-Stäubli/Hoffmann-Krayer, Bd. 2, S. 1529). Der Kampf der Geschlechter vollzieht sich in einer symbolischen Tiefsee-

landschaft, die in mehreren Gedichten Gertrud Kolmars im Zusammenhang mit diesem Thema vorkommt (*Welle*, in: *Das lyrische Werk*, S. 132 f.; *Garten im Sommer*, in: *Das lyrische Werk*, S. 547–549; vgl. *Eine Mutter*, S. 110). Hier erscheint unter den Galionsfiguren versunkener Schiffe das Kind. Es »starrt« (18) in einer Umgebung lebloser Gestalten; Limone und Licht sind vielleicht Embleme der Trauer um einen Toten – sie wurden in Deutschland häufig bei Leichenaufbahrungen und Bestattungen verwendet (Bächold-Stäubli/Hoffmann-Krayer, Bd. 5, S. 1245, Bd. 9, S. 941 f.). Sie könnten freilich auch jüdischen Ursprungs sein. Limonen werden am Tage des Laubhüttenfestes (Sukkoth) als Ethrogim – das sind die Früchte der »schönen Bäume« nach 3. Mos. 23,40 – zusammen mit Palmzweigen (Lulawim) in festlichen Umzügen mitgeführt. An einer Stelle ihres Romans (S. 102) beschreibt die Dichterin solch einen Umzug, der jedoch schon zum Fest Simchas Thauro, also im Oktober stattfindet. Kinder tragen dabei Fähnchen mit aufgespießten Äpfeln, auf denen eine Kerze brennt. Nach der chassidischen Überlieferung, von der Martin Buber an mehreren Stellen seines Werkes berichtet, glüht auf dem Haupt jedes Ungeborenen im Schoß der Mutter das »Urlicht« – jener Funke des göttlichen Lichtes, der die Seele bedeutet. Die Emblematik des gesamten Werkes von Gertrud Kolmar läßt sich freilich nur näherungsweise deuten, denn die Funktion einzelner Bildelemente nimmt durch Variation und Austausch zwischen ihnen immer wieder den Charakter des Unbestimmbaren, Mehrdeutigen an. So kommt z. B. die Limone in keinem der anderen Gedichte in einem vergleichbaren Zusammenhang vor. Das tote Kind aber – »nicht geboren um meiner Sünde willen; Gott ist gerecht« – bringt im Gedicht *Fruchtlos* (*Das lyrische Werk*, S. 565–567)

[. . .] mir seine Murmel, die finstere, golden geäderte, Tigerauge
genannt,
Oder auch eine Blume, blasse Narzisse,
Oder auch eine Muschel, rötlich mit Warzen; [. . .].

Die anschließende Rückwendung zum Motiv der erotischen Lockung transponiert dieses Motiv auf eine neue Vergleichsebene, auf der die Aggressivität des Vampir-Bildes überwunden zu sein scheint. Augenfällig ist der Kontrast zwischen dem »bunten Eis« (22), das an anderer Stelle die Bedeutung des kalkulierend Verführerischen hat (*Die Kinderdiebin*, in: *Das lyrische Werk*, S. 108f.; *Das Freudenmädchen*, in: *Das lyrische Werk*, S. 94), und den »roten Früchten« (23), in die sich das Ich verwandelt. Er kündet von der unbezwingbaren Stärke der Leidenschaft, die sich im Genossen-Werden durch den geliebten Menschen erfüllt; die die Selbstpreisgabe ersehnt; die von keinem Hinterhalt weiß, sondern sich bedenkenlos aufs Spiel setzt. Aber diese Leidenschaft leuchtet auf nachtdunklem Grunde, sie ist eine Äußerung der funktionslos gewordenen Natur – und darin gleicht sie letztlich doch der beutegierigen Raserei des Vampirs. Aus dem Dunkel, von dem sie umgeben ist, treten Bilder einer qualvollen Erinnerung. Unerreichbar wie die Erscheinung des ungeborenen Kindes – »Zwischen uns fahren die Wasser« (20) – bleibt die neues Leben zeugende Vereinigung mit den Lebenden »hinter erfrorener Scheibe« (21). Aber das Erinnerte bleibt gestalthaft nah, während das von der Zukunft Ersehnte keine Gestalt mehr gewinnt. Anderthalb Jahre vor ihrer Deportation, am 2. Juni 1941, schreibt die Dichterin an ihre Schwester (*Briefe*, S. 98): »Und ich fühle eine Nähe nur zwischen mir und dem Früheren; was mir jetzt geschieht, ist für mich das Unwirkliche, das Ferne. Wenn ich nicht eigentlich träume, so wache ich doch auch nicht; ich wandle gleichsam durch eine Zwischenwelt, die keinen Teil an mir hat, an der ich keinen Teil habe.«

Zitierte Literatur: Hanns BÄCHOLD-STÄUBLI / E. HOFFMANN-KRAYER (Hrsg.): Handwörterbuch des deutschen Aberglaubens. 9 Bde. Berlin 1938–41. – Gertrud KOLMAR: Das lyrische Werk. [Siehe Textquelle.] – Gertrud KOLMAR: Briefe an die Schwester Hilde (1938–1943). Hrsg. von Johanna Zeitler. München 1970. – Gertrud KOLMAR: Eine Mutter. München 1965.
Weitere Literatur: Hans BYLAND: Zu den Gedichten Gertrud Kolmars. Bamberg 1971.

Georg Britting

Was hat, Achill …

Unbehelmt,
Voran der Hundemeute,
Über das kahle Vorgebirge her
Auf ihrem Rappen eine,
5 Den Köcher an der bleichen Mädchenhüfte.

Ein Falke kreist im blauen, großen,
Unermeßlich blauen,
Großen Himmel.

Er wird niederstoßen,
10 Die harten Krallen und den krummen Schnabel
Im Blut zu tränken, dem purpurnen Saft,
An dem das Falkenvolk sich wild berauscht.

Die nackte Brust der Reiterin.
Ihr glühend Aug.
15 Die Tigerhunde.
Der Rappe, goldgezügelt.
Sie hält ihn an.

Mit allem Licht
Tritt aus den Wäldern vor
20 Der Mann der Männer.
Die Tonnenbrust.
Auf starkem Hals das apfelkleine Haupt.

Er sieht die Reiterin.
Und sie sieht ihn.
25 So stehn sich zwei Gewitter still
Am Morgen- und am Abendhimmel gegenüber.

Der Falke schwankt betrunken auf der Beute.
Was hat, Achill,
Dein Herz?
30 Was auch sein Schlag bedeute:
Heb auf den Schild aus Erz!

Abdruck nach: Georg Britting: Gesamtausgabe in Einzelbänden. [Bd. 1:] Gedichte 1919–1939. München: Nymphenburger, 1975. S. 190 f.
Erstdruck: Das Innere Reich 7 (1940).
Weiterer wichtiger Druck: Georg Britting: Unter hohen Bäumen. Gedichte. München: Nymphenburger, 1951. [Gegenüber Erstdruck überarbeitet.]

Albert von Schirnding

»Ein Mann begegnet seinem Tod«. Zu Georg Brittings Gedicht *Was hat, Achill ...*

In der von Paul Alverdes und Karl Benno von Mechow begründeten Zeitschrift *Das Innere Reich* (1934–43) erschien 1938 ein Aufsatz von Max Kommerell über Kleist (*Die Sprache und das Unaussprechliche*). Georg Britting (1891–1964), der den Herausgebern und einer Reihe von regelmäßigen Mitarbeitern der Zeitschrift nahestand und in den elf Jahrgängen ihres Bestehens acht Erzählungen und mehr als fünfzig Gedichte veröffentlichte, befaßte sich intensiv mit Kommerells Arbeit, insbesondere mit den Partien über die *Penthesilea* (mündliche Mitteilung der Witwe des Dichters, Frau Ingeborg Schuldt-Britting, an den Verfasser). Britting brachte bereits eine gründliche Kenntnis von Kleists Drama mit. Wie aus einem Brief vom 13. Februar 1928 an einen Regensburger Freund (vgl. *Georg Britting*, Katalog-Nr. 176) hervorgeht, studierte der damals siebenunddreißigjährige Dichter mit der ihm befreundeten

Schauspielerin Magda Lena vom Bayerischen Staatstheater vier Wochen lang die Rolle der Penthesilea ein. Und noch über dreißig Jahre später heißt es in einem Brief an Georg Jung (vom 21. März 1949; Bode, S. 112): »Penthesilea: eine Sprachkraft, unerhört! Gehört zum Schönsten, was es überhaupt gibt. So was macht ihm keiner nach. Auch Goethe nicht. Als ichs zum ersten Mal las, was ich wie betäubt und es schien mir der Gipfel jeglicher Dichtung überhaupt! Zu den Gipfeln aber gehört es.«

Die Lektüre des Aufsatzes von Kommerell mag den entscheidenden Anstoß zur Konzeption des Achill-Gedichts, das Britting sein Penthesilea-Gedicht zu nennen pflegte (Bode, S. 112), gegeben haben. Es entstand noch 1938 und erschien zwei Jahre später ebenfalls im *Inneren Reich*. Erst elf Jahre später legte der Dichter es in einer Buchpublikation vor. Die Erstfassung weicht in der letzten Strophe vom endgültigen Text von 1951 ab (s. u.).

Obwohl intuitiv entstanden – »ich schrieb es halb träumend so hin« (Bode, S. 112) –, ist die Existenz des Gedichts also durchaus literarisch vermittelt. Es geht weniger um Penthesilea als um *Penthesilea*, weniger um den Mythos als um die Gestalt, die Kleist ihm gegeben hat. Und der Blick auf sie ist wiederum durch Kommerells Sicht mitbestimmt. »So steigert sich in Kleist«, schreibt dieser z. B. (S. 672), »das eigentlich Unlösbare der Leidenschaft zu atemraubenden Bildern eines todfeindlichen Geschlechterkampfes« – der Reflex dieses Satzes ist bei Britting deutlich wahrnehmbar.

Kleist geht in einem wesentlichen Punkt von der Überlieferung ab. Während in der geläufigen Fassung der Sage Achill die Amazonenkönigin tödlich verwundet und erst, als er sich über die Sterbende beugt, von Liebe zu ihr ergriffen wird, hält sich der Dramatiker an eine kaum bekannte Variante, nach der es zunächst Penthesilea gelingt, ihren Gegner zu erlegen. Britting folgt Kleist nicht nur in dieser inhaltlichen Beziehung, die Übereinstimmungen reichen in sachliche und formale Details.

Die letzte, die tödliche Begegnung zwischen Penthesilea und Achill läßt Kleist vom Geheul der losgelassenen Hundemeute, mit der sich die Amazonen umgeben, begleitet sein: »Inzwischen schritt die Königin heran, / Die Doggen hinter ihr, Gebirg und Wald / Hochher, gleich einem Jäger, überschauend« (V. 2640 ff.); ja, Penthesilea selbst verwandelt sich, über den wehrlosen Achill herfallend, zur Leithündin, die ihn zerreißt (vgl. V. 2659). Britting faßt diese ganze Doggen-Dramatik in den Lakonismus der zweiten Zeile seines Gedichts zusammen.

Penthesileas »glühend Aug« (14) hat sein Vorbild in der Glut, mit der Kleist beim ersten Zusammentreffen der Liebesfeinde ihr das Antlitz »bis zum Hals hinab« färbt (V. 69 f.), aus ihrem »gefleckten Tigerpferd« (V. 225) sind die »Tigerhunde« (15) geworden. Achills Erscheinen schildert Kleist als Epiphanie eines Gottes: »Seht, seht, wie durch der Wetterwolken Riß, / Mit einer Masse Licht, die Sonne eben / Auf des Peliden Scheitel niederfällt!« (V. 1033 ff.). Diese Stelle hat in der Zeile 18 des Gedichts ihre unübersehbare Spur hinterlassen. Auch der scharfe Kontrast von Hell und Dunkel, der zur Epiphanie gehört – Achill »Tritt aus den Wäldern vor« (19) –, ist bei Kleist vorgeprägt: Die Erde, die sonst bunte, blühende, wird durch Achills blendende Erscheinung in den Schatten gestellt, übrig bleibt »Nichts als ein dunkler Grund nur, eine Folie« (V. 1042). Fast wörtlich entsprechen Zeile 18 und 19 den Versen 462 f., wo allerdings vom ganzen Griechenheer gesagt wird, wie es »im Strahl der Sonne, / Tritt plötzlich aus des Waldes Nacht hervor!«. Sogar der für Britting so charakteristisch wirkende Gewittervergleich (25 f.) findet sich mehrfach im Drama: Die Erde wird durch Achill in die »Schwärze der Gewitternacht gehüllt« (V. 1041), später vereinigt er die Dialektik von Licht und Finsternis in sich selbst (»Wie sein gewitterdunkles Antlitz schimmert!«, V. 1786); Penthesilea wird dem Blitz verglichen, der aus dem aufqualmenden Staub wie aus Gewitterwolken vorzuckt (V. 387 f.); »wie losgelassene / Gewitterstürm« (V. 495 f.) bietet sich der

Kampf von Griechen und Amazonen dar, und als die Protagonisten zum ersten Mal von Angesicht zu Angesicht zusammenstoßen, sind es »zween Donnerkeile, / Die aus Gewölken in einander fahren« (V. 1123 f.).
Diese Zitate, Echoklänge, Assonanzen tun nun freilich der Originalität des Gedichts keinen Abbruch. Es bietet vielmehr ein besonders überzeugendes Beispiel für die anverwandelnde Kraft einer poetischen Individualität, die, gerade weil sie sich so wenig anfällig gegen die Gefahr schwächlichen Epigonentums weiß, dem Eindruck großer Vorbilder nicht auszuweichen braucht (so wenig, wie Achill Penthesilea ausweicht). Schon vordergründiger Betrachtung zeigt sich, daß Britting Kleists Drama in eine andere Dimension, die der Lyrik, transponiert hat. Die hektischen Bewegungsabläufe und -umschläge, die nach dem Muster der *Bakchen* des Euripides in der kannibalischen Raserei einer wahnbetörten weiblichen Heldin gipfeln und mit dem vernichtenden Erwachen aus der Trance enden, sind bei Britting in einen einzigen atemlosen Augenblick zusammengedrängt, die Handlung ist in ein Bild verwandelt, Dynamik in Statik überführt. Dionysos, könnte man sagen, hat sich in die kreisende Bewegung des Falken über dem sich wie erstarrt gegenüberstehenden Menschenpaar zurückgezogen. Es gibt nur diese eine Begegnung zwischen den beiden, in ihr ist schon alles entschieden, die Katastrophe beschlossen. Der Wille des Dichters, Zeit und Bewegung aus dieser Begegnung nach Möglichkeit zu eliminieren, drückt sich bereits im elliptischen Satzbau der ersten Strophe aus: Das Verb fehlt, die Präposition »Über [. . .] her« (3) hat den ganzen – von der Sache her hochdramatischen – Vorgang zu tragen.
Die Konzentration eines Ereignisablaufs auf den aus dem Zeit-Kontinuum herausfallenden Augenblick ist für den Lyriker und Erzähler Britting bezeichnend, selten freilich kann man den Augen-Blick so wörtlich nehmen wie hier. Nicht der Kampf zwischen den beiden Prototypen kriegerischer Existenz, die sich zugleich als Mann und Frau gegenübertreten, nicht der Kampf, auch nicht der Geschlechter-

kampf interessiert den Dichter, sondern der Moment zuvor: das Aug-in-Aug von Reiterin und »Mann der Männer« (20). Die dritte Strophe, die einzige, die im Futur gehalten ist, bezieht sich bereits auf das, was nach dem Kampf kommt. Der eigentliche dramatische Konflikt ist also übersprungen. Die Bewegung des Raubvogels, die als kreisende sich in sich selbst aufhebt, die Verlegung einer zielgerichteten Dynamik ins Futur (9) und den ebenfalls futurischen Imperativ (31) verstärken den Eindruck der Reglosigkeit ebenso wie die zwei Verben, die eine Handlung Penthesileas und Achills signalisieren: Sie »hält« den Rappen »an« (17), er »tritt aus den Wäldern vor« (19) – in beiden Fällen kommt die Bewegung durch die gegenläufige zum Stillstand, und zwar so, daß sie beinahe buchstäblich in der Mitte des Gedichts zusammenstoßen.

Das Bild der einen Figur malt sich – vice versa – im Blick der andern. Man sollte die Logik der Reihenfolge von Strophe 4 (Ankunft Penthesileas) und Strophe 5 (Ankunft Achills) nicht überstrapazieren und auch die Addition von prädikatlosen Nominalwendungen, aus denen sich die Schilderung der Amazonenkönigin zusammensetzt (Brust, Aug, Hunde, Rappe) als Spiegelung im Auge Achills verstehen, als Vorwegnahme von Zeile 23, in der sich die einzelnen Aspekte zum Anblick der Reiterin vereinigen. Hier kommen Penthesilea-Linie (Str. 1 und 4, unterbrochen durch die beiden Falkenstrophen) und Achilles-Linie (Str. 5) zur Deckungsgleichheit.

Das Bild prägt sich ein. »In späteren Jahren stimmt er gern zu, wenn man seinen Gedichten ein an Gemälde erinnerndes Moment zuschreibt«, heißt es bei Bode (S. 11). Das Nacheinander verwandelt sich in ein Nebeneinander: hier Penthesilea, dort Achilles, und über beiden der kreisende Falke. Das Kreisen wird nicht nur durch die Wiederholungen in Zeile 6–9 (»im blauen, großen, / Unermeßlich blauen, / Großen Himmel«) sehr suggestiv vermittelt, sondern auch durch die leicht variierte Wiederaufnahme des Falkenmotivs zu Beginn der letzten Strophe. Es ist, als habe die drehende

Bewegung den Vogel schwindlig gemacht, die lauernde Erwartung verschmilzt mit der noch ausstehenden Erfüllung, er schwankt betrunken, wie wenn er sich an dem Blut der Kampfbereiten schon berauscht hätte.
Auffällig sind die kräftig leuchtenden Farben, deren Verteilung an den Farbsinn eines Malers denken läßt. Gegen die Schwärze des Rappen hebt sich die bleiche Mädchenhüfte ab, ein Kontrast, der sich in Strophe 4 wiederholt (nackte Brust und glühendes Auge der Reiterin auf dem dunklen Tier). Hinzu kommen das Gelb der Tigerhunde, das Gold des Zügels. Aus der Nacht der Wälder geht die strahlende Erscheinung Achills hervor. Und noch einmal findet sich der Gegensatz von Hell und Dunkel im Funkeln des ehernen Schildes vor der Doppel-Schwärze des Gewitterhimmels. Durch den Kontrast von Blau und Rot (blauer Himmel, purpurnes Blut, jeweils die Strophe fast grell einfärbend) sind die beiden Falkenstrophen deutlich gegen die Penthesilea/Achilles-Sphäre abgesetzt.
Die Anwesenheit des Falken fügt dem Bild eine weitere Perspektive hinzu. Es ist also nicht nur der Blick von Mann und Frau, durch den wir ihrer Erscheinung wechselseitig ansichtig werden. Zugleich umfaßt das scharf spähende Auge des Raubvogels, ohne daß es eigens genannt zu werden brauchte, das Gegenüber der feindlichen Liebenden, die ihm als Beute zufallen werden. In ihm verkörpert sich die Gegenwart einer übergeordneten Instanz, in der das Getrennte eins wird – aber diese Coincidentia oppositorum hat keinen versöhnenden Gott, sondern das grausame Naturgesetz vom Triumph des Stärkeren hinter sich. Blicknähe und Blickferne gehen ineinander über. Bald erscheinen Achill und Penthesilea riesenhaft, weil sie in ihren Augen einander alles sind, Leben und Tod. Die vergleichende Veranschaulichung kann hier kaum zu hoch greifen: Morgen- und Abendhimmel stehen sich gewitterschwarz in furchtbarer Spannung gegenüber. An dieser Konfrontation nimmt die ganze Welt teil, Orient und Okzident sind einbezogen – bei aller Dominanz des Natur-

geschehens enthält die Stelle auch ein Spurenelement von Geschichte.
Dann wieder – aus der Höhe des Falkenblicks – wirken die beiden wie Spielfiguren, deren Bewegungen durch unsichtbare Fäden gelenkt sind. Ihr Zusammentreffen steht unter dem Zwang eines unbegriffenen Schicksals. Die Landschaft zeigt stilisierte Züge, wird zur Szenerie. Achills Ankunft ist einerseits, wie gesagt, nach Art der Epiphanie eines Gottes dargestellt, andrerseits erinnert sie aber auch an einen Bühnenauftritt; der Held und das Licht, in dem er erscheint, verweisen auf ihren Regisseur – den Dichter. So hat auch noch der Falke seinen Herrn. Er nimmt die Mitte zwischen Nähe und Ferne ein, wo der Leser ebenfalls seinen Ort hat. Dieser findet sich in der Rolle des gebannten Zuschauers – in eigentümlicher Nachbarschaft des Chors, der auf der antiken Bühne den Gang des tragischen Geschehens verfolgte.
In der Tat klingt die Ein-Wort-Zeile, mit der das Gedicht einsetzt, wie der Auftakt zu einem griechischen Chorlied oder einer Pindarschen Hymne. Die sieben Strophen sind in freiem Rhythmus gehalten. Brittings erste Versuche in antiken Maßen fallen in das Jahr 1940, das Entstehungsjahr des Achill-Gedichts gehört also noch in die Zeit seiner »metrischen Unschuld« (wie er es selbst in einem Brief ausdrückt, vgl. Bode, S. 96). Gleichwohl weisen die Verse eine verhältnismäßig strenge metrische Struktur auf, die antiker Tradition verpflichtet ist.
Der Jambus herrscht vor; in seiner knappsten Gestalt erscheint er in Zeile 29, sie ist gewissermaßen die metrische Urzelle des Gedichts. Er steigert sich, wobei jede Zwischenstufe vertreten ist, bis zum sechshebigen Vers 26. Aus der metrischen Reihe tanzen die Zeilen 7–9 (Trochäen). Ein Solitär ist die dreisilbige daktylische Anfangszeile.
Die Dominanz des Jambus gibt dem Gedicht seinen gespannten, scharf konturierten, Unausweichlichkeit signalisierenden Rhythmus. Eine Schicksalsmelodie von antiker

Unerbittlichkeit wird laut. Dazu kontrastiert der beweglichere trochäische Rhythmus, mit dem das Falken-Thema einsetzt. Der kreisende Vogel im blauen Himmel schafft zunächst Distanz von der unheimlichen Reiterin. Erst als die Bewegung ihre lüstern-grausame Absicht erkennen läßt, geht das Metrum (mit Zeile 10) in den Jambus über.

Die Zahl der Versfüße stiftet ein Netz von Beziehungen zwischen den Zeilen und Strophen. So steigern sich die erste, dritte, fünfte Strophe jeweils zu einem fünfhebigen Schlußvers, entsprechen einander die zweite und die vorletzte Zeile, die auch durch Reim verbunden sind. Das Aug-in-Aug (23 f.), auf das die ersten fünf Strophen zulaufen, wird durch die metrische Parallelführung unterstrichen, wobei die Verkürzung um einen Jambus in der zweiten Zeile verstärkend wirkt. Die inhaltliche Hauptzäsur zwischen den Zeilen 17 und 18 (Abschluß der Penthesilea-Linie, Einsatz der Achilles-Strophe) wird durch die metrische Deckungsgleichheit stark akzentuiert.

Korrespondenzen schafft auch der unregelmäßig, wie beiläufig verwendete Reim. Er verknüpft die ersten Zeilen der beiden Falken-Strophen (6, 9), verschränkt durch die Zeilen 25 und 28 die zwei letzten Strophen und erhöht die Ausdruckskraft des Schlusses; nimmt man 28 und 29 zusammen, ergibt sich ein durchgehender Kreuzreim.

Das Vorkommen von Reimen überrascht in einem Gedicht, das einen so eminent antikischen Charakter aufweist. Nicht nur der Stoff und die Form sind griechischer Herkunft, auch der Fatalismus, der aus dem Anruf an Achill spricht, sich dem Verhängnis zu stellen und den hoffnungslosen Kampf aufzunehmen, ist ganz auf den Ton eines archaisch-heroischen Lebensgefühls gestimmt. In der *Ilias* ist es der von Achilles zum Zweikampf geforderte Hektor, der (im 22. Gesang) das klar erkannte Untergangsschicksal in einem Zwiegespräch mit sich selbst bewußt ergreift.

Noch weniger überhörbar ist der Anklang der Schlußverse an ein berühmtes Gedicht des griechischen Lyrikers Archilochos (um 650 v. Chr.): »Herz, mein Herz, von unheilbaren / Kümmernissen überschwemmt, / Tauch empor . . .« In diesem Zusammenhang ist es bedeutungsvoll, daß die letzte Strophe bei Britting ursprünglich (im Erstdruck von 1940) anders lautete: »Der Falke schwankt betrunken auf der Beute. / Wo sind, Achill, / Wo sind denn deine Leute?« Das Herz kommt nicht vor, und die Frage ist von einem unbestimmt bleibenden Standort außerhalb der Begegnung an Achill gerichtet. Nun arbeitete Britting seit 1946 an der Herausgabe einer großen Anthologie, der 1948 im Hanser Verlag erschienenen *Lyrik des Abendlands*. Schon auf ihren ersten Seiten findet sich das Archilochos-Gedicht in der Übersetzung des Freundes und Mitherausgebers Curt Hohoff. Es ist durchaus denkbar, daß die Neufassung des Schlusses durch die genauere Bekanntschaft mit diesen Versen inspiriert war. Im Licht des griechischen Gedichts enthüllen sich Frage und Appell als Selbstanrede. Zugleich schwindet der Abstand zwischen dem Dichter und dem Achill seines Gedichts bis zur Identität.
In die Mitte der vierziger Jahre fällt Brittings Arbeit an der Sammlung von Sonetten, die 1947 unter dem Titel *Die Begegnung* erschienen ist. Sie bilden nicht nur formal, sondern auch inhaltlich die geschlossenste lyrische Publikation des Dichters; alle 70 Sonette sind durch die Totentanz-Thematik miteinander verbunden. Gleich das erste enthält in den Terzetten eine imperativische Gnomik, deren Moral sich mit der Schlußstrophe des Achill-Gedichts deckt:

So uns der Tod! Wer wollte ihm entfliehen?
Den Rücken zeigen? Stell dich seinem Blick!
Er schießt den Pfeil dir sonst in das Genick!

Es gab schon Männer, welche hellauf schrien,
Wenn er sie traf. Du mußt dich überwinden,
Damit sie dich mit offnem Mund nicht finden.

In der Konfiguration Penthesilea-Achill sind es also nicht nur Frau und Mann, die in elementarisierter Gestalt – als »eine« (4, der Name Penthesileas fällt nie) und als »Mann der Männer« (20) – einander zu furchtbarem Geschlechterkampf entgegentreten. Freilich ist Penthesilea eine reinblütige Schwester der in Brittings Werk zahlreich vorkommenden Frauen, die als Verkörperung einer magisch-vitalistisch empfundenen Natur den Mann, der ihnen gegenüber das Prinzip eines individuellen und bewußten Daseins repräsentiert, mit Vernichtung bedrohen. Aber jenseits der Geschlechterspannung versteckt und verrät sich hinter der mythischen Maske Penthesileas niemand anderes als der Tod. Die »bleiche Mädchenhüfte« (5) ruft schon in der ersten Strophe die Vorstellung der Knochenstätten hervor, die von den großen Heldenkämpfen der Geschichte übrigbleiben. Aus dem mythischen Zusammentreffen wird ein Naturereignis. Achill begegnet seinem Tod. Auch deswegen vertritt er, und nicht Penthesilea, die Stelle des ›lyrischen Ichs‹.

Der Reiz des Gedichts beruht in der Verknüpfung von Elementen, die man gewöhnlich getrennt findet: Das Klassisch-Antike durchdringt sich mit süddeutschem Kolorit. Britting ist in Regensburg geboren und aufgewachsen, und er hat sich mit seinem Werk nie ganz aus der »kleinen Welt am Strom« (so der Titel einer 1933 erschienenen Prosa- und Verssammlung des Autors) entfernt – sie ist nur in der späteren Produktion ins Große und Weite verwandelt, wie eine Volksliedmelodie, ein Stück Dorfmusik in Kompositionen von Schubert oder Smetana. Zur »kleinen Welt« gehören der blaue Himmel, die Gewitterstille, der Falke, der eher an den »Turmfalk überm Dorf« (in dem Gedicht *Der große Herbst*) erinnert als an ein mythisches Tier, gehört auch der unbekümmert hingetupfte Reim. Und das »apfelkleine Haupt« (22), das sich so sonderbar über der mächtigen Erscheinung des Griechenfürsten erhebt, hat sein metaphorisches Vorbild in heimatlichen Obstgärten. Achill ist eben nicht nur ein antiker Heros, sondern auch ein bayerisches

›Mannsbild‹ – Groß und Klein, Ferne und Nähe sind in ihm zu einer höchst einprägsamen Figur verschmolzen.

Zitierte Literatur: Dietrich BODE: Georg Britting. Geschichte seines Werkes. Stuttgart 1962. – Georg Britting. Der Dichter und sein Werk. Ausstellung vom 27. April bis 31. Mai 1967 in der Bayerischen Staatsbibliothek, München. – Max KOMMERELL: Die Sprache und das Unaussprechliche. In: Das Innere Reich 4 (1938) H. 6. S. 654–697.

Kurt Schwitters

Die Nixe

Ballade

Es war einmal ein Mann, der gung
In eines Flusses Niederung.
Der Tanz der grünlich krausen Wellen
Tat seines Geistes Licht erhellen.

Am Ufer gluckste es so hohl,
Wohl einmol, zwomol, hundertmol;
Und auf des Flusses Busen brannte
Ein Glanz, den jener Mann nicht kannte.

Da dachte jener klug und schlicht:
»Ich weiß nicht, doch da stimmt was nicht!«
Und guckte ohne auszusetzen
Auf die verwunschnen Wellenfetzen.

Auf einmal gab es einen Ton,
Und aus dem Wasser hob sich schon
Mit infernalischem Geflimmer
Ein blondes, nacktes Frauenzimmer.

Die hatte hinten irgendwo
Den Schwanz, gewachsen am Popo;
Dagegen fehlten ihr die Beine
Das Mädchen hatte eben keine.

Sie steckte sich in ihr Gesicht
Ein Lächeln, das ins Herze sticht
Und stützte lockend ihre Hände
Auf ihres Schwanzes Silberlende.

25 Dem Mann am Ufer wurde schwach;
Er dachte: »Oh«, und dachte: »Ach!«
Und ohne groß sich zu bedenken,
Wollt er ihr seine Liebe schenken.

Dem Mädchen in der Niederung
30 War seine Liebe nicht genung;
Sie winkte, statt sich zu erbarmen,
Dem Mann mit ihren beiden Armen.

Da bebberte der arme Mann,
Wie nur ein Starker bebbern kann;
35 Und senkte sich mit einem Sprung
Hinunter in die Niederung.

Da sitzt er nun und hat den Arm
Gebogen um der Nixe Charme;
Und wenn ein andrer kommt gegangen,
40 So wird er ebenso gefangen.

Abdruck nach: Kurt Schwitters: Das literarische Werk. 5 Bde. Bd. 1: Lyrik. Hrsg. von Friedhelm Lach. Köln: M. DuMont Schauberg, 1973. S. 137 f.
Erstdruck: manuskripte (1966/67) H. 18.

Karl Riha

Goethe – dadaistisch!

Das Gedicht ist – seiner Entstehung nach – auf den 20. August 1942 datiert; nach der französischen Übersetzung, die 1957/58 in der Zeitschrift *Phantomas* erschien, erfolgte der Erstdruck erst 1966/67 im Heft 18 der österreichischen Literaturzeitschrift *manuskripte*. Kurt Schwitters (1887–1948) lebte zum Zeitpunkt der Abfassung schon das dritte Jahr im englischen Exil, in das er aus Norwegen vor den deutschen Truppen geflüchtet war: nach anderthalbjähriger Internierung ließ er sich Ende 1941 in London nieder. »Ich bin frei, wie ein Vogel im Wasser«, schrieb er zu diesem Zeitpunkt an einen Bekannten, den er mit »Lieber, herziger Herr Herz« anredet, »und möchte gern singen« (*Wir spielen*, S. 171); er offerierte Texte für ein potentielles Kabarett. Eben Herbst 1942 unternahm er zu Landschaftsmalereien, mit denen er seinen Unterhalt zu bestreiten hoffte, einen ersten Ausflug in den Lake District, »eine romantische Landschaft mit Seen und Flüssen, [...] schon damals ein beliebtes Ausflugsgebiet« (Nündel, S. 117), wohin er 1945 – zusammen mit seiner englischen Freundin Edith Thomas (genannt »Wantee«), die er bereits 1941 kennengelernt hatte – endgültig übersiedelte. An seine Frau Helma schreibt er über seinen ersten Besuch: »14 Tage bin ich gewandert und habe Motive gesucht, nun beginne ich zu malen. Es sind herrliche Landschaften, besonders in der beginnenden Herbstfärbung. [...] Es ist nass überall, und ich laufe in meinen Stiefeln, mit Regenmantel und wasserdichtem Hut« (*Wir spielen*, S. 172).

Diese biographischen Daten sind dem Text freilich nicht inhärent; sie treten von außen hinzu und legen ihn fest. Erkennbar aber ist die inhaltliche und formale Anlehnung an Goethes klassische Ballade *Der Fischer*, jedenfalls im Hauptmotiv der Wassernixe und ihres ›Menschenraubes‹:

Das Wasser rauscht', das Wasser schwoll,
Netzt' ihm den nackten Fuß;
Sein Herz wuchs ihm so sehnsuchtsvoll,
Wie bei der Liebsten Gruß.
Sie sprach zu ihm, sie sang zu ihm;
Da war's um ihn geschehn:
Halb zog sie ihn, halb sank er hin
Und ward nicht mehr gesehn.

(Goethe, S. 153 f.)

Der Angler hat sich bei Schwitters allerdings in einen einfachen Spaziergänger verwandelt; damit entfällt das Rachemotiv, das bei Goethe die balladeske Handlung in Gang setzt: das »feuchte Weib« rächt ja ihre Fischlein-Brut, die der Frevler »mit Menschenwitz und Menschenlist« hinauf in die Todesglut zu ziehen sucht. Das Auftauchen des blonden, nackten Frauenzimmers ist also reichlich zufällig, wenn man davon absieht, daß es sich – sprachlich konsequent – um die Inkarnation jenes Glanzes dreht, den »jener Mann« (8) auf des »Flusses Busen« (7) – eine Parallelbildung zu ›Meerbusen‹ – entbrennen sieht. Natürlich bleibt dann auch die ganze naturmagische Überformung, die der Balladenhandlung bei Goethe erst ihren vollen Sinn gibt, bei Schwitters ohne rechte Entsprechung: das Wasser, in dem sich Sonne und Mond spiegeln und »wellenatmend« ihr Gesicht doppelt schöner herkehren, Vorbereitung der eigentümlichen Lokkung, die das »feuchtverklärte Blau« auf den Fischer ausübt, der sich – ein moderner Narziß – in ihm spiegelt, reduziert sich auf »verwunschne Wellenfetzen« (12). Und auch in der Schlußpointe weicht Schwitters markant von Goethe ab: statt ihn ans Element hinzugeben und verschwinden zu lassen, läßt er den Helden in der Umarmungspose erstarren und setzt ihn als warnendes Exempel fürs nachfolgende Opfer, das sich vom Nixenvamp bestricken lassen wird.
Trotzdem handelt es sich um keine Satire auf Goethe, keine Parodie der *Fischer*-Ballade, jedenfalls nicht im Sinn jener gezielten Kontrafakturen, wie sie im Jungen Deutschland und in der Vormärz-Literatur der politischen und ästhetischen Kritik am Klassiker entwuchsen und eine eigene Kontinuität behielten, die bis in unsere unmittelbare literarische Gegenwart reicht (vgl. diese Tradition am Beispiel des Mignon-Liedes, s. Riha, S. 320ff.). Wir haben es vielmehr mit einer in ihrer und durch ihre Absurdität relativ freien Analogie zu tun, für die allenfalls jener Ulk ein historisches Beispiel bildet, der aus der Mitte des 19. Jahrhunderts herauf etwa in den *Fliegenden Blättern* mit Goethe und Schiller getrieben wurde. Wortkomik – z. B. »Schwanzes Silber-

lende« (24), Ersatzfunktion für die fehlenden Beine der Nixe, Reimkomik – z. B. die falsche Flektion von ›gehen‹ zu »gung« (1), um den Gleichklang mit »Niederung« (2) herzustellen, Bildkomik – z. B. der ums Abstraktum »der Nixe Charme« (38) gebogene Arm des armen Mannes in der letzten Strophe, und Sinnkomik – z. B. die gegenständlich genommene Redewendung »Liebe schenken« (28), rechtfertigen und stützen einen solchen Verweis. Im übrigen aber erhält die »Ballade« erst im Gesamtzusammenhang der literarischen Werke von Kurt Schwitters und innerhalb der Bewegungen der Moderne, denen er angehört und die er wesentlich mitbestimmt hat, ihren richtigen Stellenwert.

Neben dem Broterwerb durch Porträts und Landschaften rekurrierte Schwitters in seinem englischen Exil entschieden auf seine abstrakte Malerei vor dem Zweiten Weltkrieg; ähnlich suchte er als Dichter den Rückbezug auf jene poetischen Neufindungen, die ihn zunächst ins Zentrum des *Sturm*-Expressionismus gehoben und dann zum Parteigänger der Dadaisten gemacht hatten: Nach sentimentalen Jugendversen standen seine frühen Gedichte unter dem Einfluß August Stramms; ihnen folgten Anregungen durch Hans Arp und durch Raoul Hausmann, dessen Plakattexte den Auslöser der *Ursonate* lieferten, die zwischen 1922 und 1932 entstand. Neben dieser abstrakten Lautpoesie bildete sich schon in den frühen zwanziger Jahren eine umfassend experimentelle Poesie aus. Ein anderer Strang des lyrischen Werks – darunter das wohl bekannteste Schwitters-Gedicht überhaupt, *An Anna Blume* – setzte bei konventionellen Formen an und variierte sie in banalistischer, skurriler bzw. absurder Weise; wie Arps' *Kaspar ist tot* an den herkömmlichen Typus der Totenklage anknüpfte, so Schwitters an Struktur und Bildlichkeit herkömmlicher Liebeslyrik (vgl. dazu Lach, S. 96 ff.). In den späteren zwanziger Jahren häuften sich diese abgeleiteten und transformierten Texte; sie bilden – werkgeschichtlich – die unmittelbare Voraussetzung für unsere Nixen-Ballade.

Eine klassische Ballade als Ausgangspunkt, ›humoristischer Nonsense‹ à la Wilhelm Busch, Lewis Carroll oder Christian Morgenstern als Mittel der Verfremdung! Man muß diesen Vorgang dann aber noch einmal auf Dada bzw. MERZ hin spiegeln, wie Schwitters seinen eigenen Avantgarde-Anteil ausschilderte. Das eigentümliche Changieren von Sinn und Unsinn, auf das die nonsensicalische Auflösung der Goethe-Ballade hinausläuft, führt zur Entwertung des Ausgangsmaterials im Sinne seiner historischen Festlegung; aber auch die als Instrument der Parodie benutzte Stillage löst sich aus ihrer historischen Kontur, verliert ihre Zweckgebundenheit und setzt ein freies Spiel in Bewegung, das Akzeptieren des Paradoxen in seiner Paradoxie. Während sich der Künstler in seinen Collage- und Montagebildern der Materialien der unkünstlerischen Welt bediente, stützt er sich hier auf Kunsttraditionen, befreit sie aber ebenso aus ihren festen Bindungen, wie er es auf dem anderen Kunst-Terrain mit seinen trivialen Fundstücken tat: den überlieferten Fixierungen entzogen, erheben sie sich damit zu überraschend neuen Ausdrucksmitteln; ein Vorgang, der seinem poetologischen Stellenwert nach sicher ebenso zentral anzusetzen ist wie der Schritt in die Abstraktion oder der Drang zum Elementaren.
Im Sinne dieser Argumentation konnte Schwitters in seinem Essay *Konsequente Dichtkunst* geradezu von einem Umsprung der klassischen in die moderne, in die dadaistische Position sprechen: »Die gesamte klassische Dichtung erscheint uns jetzt als dadaistische Philosophie, und sie wirkt um so verrückter, je weniger die Absicht zum Dadaismus vorhanden war« (zit. nach: Richter, S. 151).
Die einleitenden Anmerkungen zur Entstehung ordneten den Text in die Biographie des Autors ein, blieben aber, was das eigentliche Verständnis der »Ballade« angeht, akzidentiell. Wichtig war, daß sie nach den Beschwernissen der Internierung ein Gefühl neuer Freiheit signalisierten, das sich in der Rückkehr zur experimentellen Schreibweise entladen konnte. Sie aber stand für Schwitters seit jeher im Zeichen einer Auffassung von Kunst, die von der Wirklich-

keit abstrahierte und sich als ein schwereloses Spiel selbst noch vom Material, das es einbezog, unabhängig zu halten versuchte. In seinen Briefen, die er nach dem Zweiten Weltkrieg mit unterschiedlichen Freunden wechselte – darunter die Korrespondenz mit Raoul Hausmann, mit dem zusammen er zur Wiederbelebung der niedergesunkenen schöpferischen Fähigkeiten rundum das Gemeinschaftsprojekt *Pin* betrieb –,[1] kam er verschiedentlich auf diese Kunstauffassung zu sprechen und wies ihr jenen aktuellen Ort zu, der ihr seiner Ansicht nach zukam; in einem Brief an Christof Spengemann vom 24. Juli 1946 umschrieb er ihn wie folgt: »Und nun zum Schlusse. Die neue Jugend gründet die Möglichkeit für ein schöneres Leben, in dem wir alle frei und sagen wir lustig sein können. Krischan und ich erhoffen das auch und tun schon jetzt, als ob es schon da wäre« (*Wir spielen*, S. 211 f.).

Zitierte Literatur: Johann Wolfgang GOETHE: Werke. Hamburger Ausgabe. Bd. 1. München 1974. – Friedhelm LACH: Der MERZkünstler Kurt Schwitters. Köln 1971. – Ernst NÜNDEL: Kurt Schwitters in Selbstzeugnissen und Bilddokumenten. Reinbek bei Hamburg 1981. – Hans RICHTER: Dada – Kunst und Antikunst. Köln [3]1973. – Karl RIHA: ›Durch diese hohle Gasse muß er kommen ...‹. Zur deutschen Klassiker-Parodie. In: Germanisch-Romanische Monatsschrift. N. F. 23 (1973) H. 3. S. 320–342. – Kurt SCHWITTERS: Wir spielen, bis uns der Tod abholt. Briefe aus fünf Jahrzehnten. Hrsg. von Ernst Nündel. Frankfurt a. M. / Berlin / Wien 1974.
Weitere Literatur: Käte STEINITZ: Kurt Schwitters. Erinnerungen aus den Jahren 1918–30. Zürich 1963. S. 160–164.

1 Die »Ballade« lag dem Brief an Hausmann vom 18. Juni 1946 bei; nach dieser Beilage erfolgte der Abdruck – mit leichten Varianten – in den *manuskripten*.

Theodor Kramer

Slawisch

Gospodar, dein Großgut birgt heut unsre Band,
unsre guten Flinten lehnen an der Wand;
Frost knarrt in den Ästen, Wind pfeift durch die Ritz,
gute Wärme gibst du, Bruder Sliwowitz.

5 Treiben wir die Fremden übers Jahr erst aus,
Gospodar, wer, glaubst du, bleibt im Herrschaftshaus?
Werd ich knechtisch aufstehn, wo ich mächtig sitz?
Sind nicht solche Tölpel, Bruder Sliwowitz.

Haben unser Herzblut nicht für nichts vertan;
10 alles für die Seinen will der Partisan:
Mutterschaf und Lämmer, Gänse, Geiß und Kitz,
Kürbis und Melone, Mais und Sliwowitz.

Sind die wilden Schweine aus dem Land verjagt,
die verkohlten Hütten aufgebaut, und ragt
15 blank im Dorf der Maibaum, Flattern und Geflitz,
oh, wie wird das schön sein, Bruder Sliwowitz.

Abdruck nach: Theodor Kramer: Wien 1938. Die grünen Kader. Gedichte. Wien: Globus, 1946. S. 62. [Erstdruck.]

Bernd Jentzsch

»Haben unser Herzblut nicht für nichts vertan«

Das Gedicht hat mir zwei- oder dreimal Mut gemacht. Vielleicht ist das nicht besonders viel, aber es gibt wiederum auch nicht allzu viele Gedichte, von denen ich das sagen kann. Es erzählt von Partisanen, die sich auf dem Gut des Gospodar, des Großherrn, ausruhen. Sie machen wenig Wesen von sich her, sie nennen sich unbekümmert eine Bande und ihre Gewehre gute Flinten. Draußen ist es kalt, die Sliwowitzflasche geht rundum. – Mit den Flinten wollen sie die Fremden vertreiben. Der Dichter sagt das völlig ruhig, obwohl er die Faschisten meint. Nun kann sich der Gospodar ausrechnen, wer übers Jahr im Herrschaftshaus sitzen wird, denn er weiß, wie stark die Knechte sind, gemeinsam und mit ihrer Bauernschläue im Bunde. Die Macht ist schon entschieden.
Der Dichter erwähnt noch, daß es große Opfer kostet, die gerechte Verteilung zu erringen. Das Ausmaß der Opfer wird mit dem Wort »Herzblut« umschrieben, das hat mich erschüttert. Ich habe es nicht wörtlich genommen, ich dachte dabei an etwas, dessen Verlust einem nahegeht wie der Tod. Man muß es auch wörtlich nehmen.
Die Partisanen werden die wilden Schweine verjagen. Jetzt ist die Sprache des Dichters ein wenig aufgebracht, aber sie benutzt auch jetzt lediglich ein Bild aus dem bäuerlichen Leben, das die Faschisten versinnbildlicht und ihre Vertreibung als die natürlichste Sache von der Welt erscheinen läßt. Dann werden die Hütten wieder instand gesetzt, und im Dorf wird der geschmückte Maibaum aufgepflanzt, zum Zeichen der Freiheit. Das wird eine schöne Zeit sein, sagt der Dichter.
Das Gedicht ist klar wie eine eindeutige Antwort. Es spricht gelassen, selbstsicher, es ist heiter bis in die Einzelheiten. (Noch nie habe ich für das Gewirr der Maibänder einen so

vergnügten Ausdruck wie »Geflitz« gelesen.) Seine Wörter sind schlicht, einige verraten Mundart, alle zusammen bilden sie einfache Sätze. Das Gedicht ist gereimt, die Reime klingen wie Dorfmusik und kommen mit zwei Vokalen aus. Der Rhythmus ist verhalten. Geschrieben wurde das Gedicht zwischen dem Sommer 1943 und dem Sommer 1945, in England, wohin der Dichter Theodor Kramer nach der Okkupation Österreichs 1939 aus Wien emigriert war. Einige Monate vor der Niederschrift dieser Verse ist die Mutter des Dichters in Theresienstadt umgekommen. Über dem Gedicht steht das Wort »Slawisch« wie eine Hoffnung.

Walter Höllerer

Der lag besonders mühelos am Rand

Der lag besonders mühelos am Rand
Des Weges. Seine Wimpern hingen
Schwer und zufrieden in die Augenschatten.
Man hätte meinen können, daß er schliefe.

5 Aber sein Rücken war (wir trugen ihn,
Den Schweren, etwas abseits, denn er störte sehr
Kolonnen, die sich drängten), dieser Rücken
War nur ein roter Lappen, weiter nichts.

Und seine Hand (wir konnten dann den Witz
10 Nicht oft erzählen, beide haben wir
Ihn schnell vergessen) hatte, wie ein Schwert,
Den hartgefrorenen Pferdemist gefaßt,

Den Apfel, gelb und starr,
Als wär es Erde oder auch ein Arm
15 Oder ein Kreuz, ein Gott: ich weiß nicht was.
Wir trugen ihn da weg und in den Schnee.

Abdruck nach: Walter Höllerer: Der andere Gast. Gedichte. München: Carl Hanser, [1964]. S. 21.
Erstdruck: Walter Höllerer: Der andere Gast. Gedichte. München: Carl Hanser, [1952].
Weitere wichtige Drucke: Akzente 8 (1961) H. 1. [Mit Autorenäußerung.] – Walter Höllerer: Gedichte. Wie entsteht ein Gedicht. Frankfurt a. M.: Suhrkamp, 1964. – Walter Höllerer: Gedichte 1942–1982. Frankfurt a. M.: Suhrkamp, 1982.

Michael Feldt

Zerstörte Poesie als Bild des ›beschädigten Lebens‹

In der Art und Weise, wie Literatur an Traditionen anschließt, vergangene Muster weiterspielt oder sich gegen sie stellt, in der jeweils eigentümlichen Anbindung an die Tradition wird der Kunstcharakter eines Textes geformt. Er ist nicht der Kunst etwas lediglich Immanentes als vielmehr Bestimmungsgrund der Ausdruckshaltung im ganzen. Von ihm aus erschließen sich erst – deutlicher oder verborgener – Bezüge auf Kultur und Geschichte, auf Lebenswelt. Weil im Kunstcharakter sowohl eine Reflexion auf Tradition wie ein Bezug auf Lebenswelt gegeben ist, erscheint eine Einschränkung der Lektüre darauf, welche lebensweltlichen Erfahrungen im Text ausgedrückt seien, als Wahrnehmungsbeschränkung. Im folgenden soll nun gerade gezeigt werden, wie schon im Kunstgefüge eines Textes seine über das Literarische hinausweisende Geschichtlichkeit repräsentiert ist. Er ist Zeitdokument und Literaturzeugnis in einem. Beide Textdimensionen sind aufs engste miteinander verbunden.
Das ausgewählte Gedicht Walter Höllerers scheint – wenn man solche Einordnungen wagen darf – in der Form der lyrischen Anekdote oder des Erzählgedichtes vor allem Kriegserfahrungen zu thematisieren. Auch eine in der Anthologie *Transit* (1956) dem Gedicht beigefügte Glosse kehrt hervor, daß hier die Erfahrung des Todes zentrales Thema sei. Und in der Tat zeigt das Gedicht, wie aus der extremen Situation des Krieges heraus ein verändertes Bild der Conditio humana entsteht. Kein Gedanke an die Würde des Todes, keine Anteilnahme der Lebenden; die ehemals geglaubte Einheit von Leben und Tod, überhaupt die Idee eines organischen Lebenszusammenhanges ist zerstört. Selbst das Schreckensvolle wird nicht einmal als Schock erfahren, sondern ohne Emotion gerade noch wahrgenommen und abgedrängt. So wie im Granathagel die Menschen-

leiber zerfetzt werden, so ist das alte Ideal von Geschlossenheit und Ganzheitsfügung zersplittert. Wohl bietet das Gedicht noch eine plastische Anschaulichkeit auf. Aber das Berichtete selbst ist nicht mehr ganzheitlich vergegenwärtigt; es erscheinen nur mehr Bruchstücke. Und am Ende zergliedert sich das Gedicht in eine Vielheit heterogener Bilder, denen Einheit versagt wird.

In solcher Ausdruckshaltung sind thematisch und in der Wahrnehmungsform deutlich Erfahrungsmuster der Kriegsgeneration mitgeteilt. Allein, der Leser kann das Gedicht noch anders realisieren, denn es geht weit über jene aktualen Bezüge hinaus. Es zielt deutlich auf einen umfassenderen Erfahrungsbereich. Das zeigt sich schon an der Art, wie *Der lag besonders mühelos am Rand* ein komplexes Netz von Traditionsverbindungen entwirft, so daß auf engem Raum eine große Dichte an poetischen Mitteln erreicht wird. Dabei entsteht nicht mehr Poesie im herkömmlichen Sinne. Das Gedicht ist vielmehr von Frakturen beherrscht.

Dem mit Lyrik vertrauten Leser fällt sogleich auf, daß der Text ein entferntes Zitat von Rimbauds *Le Dormeur du val* (1870) ist. Dort ist von einem anscheinend schlafenden Soldaten die Rede; er selbst und das ihn umgebende Ambiente werden mit Hilfe von Synästhesien wie in einem Schönheitsrausch veranschaulicht. Die Ästhetisierung der Wahrnehmung wird erst in einer Schlußpointe gebrochen, die dem Kult am Schönen ein Todesbild entgegenstellt: der schöne Schläfer ist ein zerlöcherter Leichnam.

Höllerers Gedicht entfaltet nicht erst eine poesiehafte Sphäre und hält Brechungen nicht bis zur Schlußpointe zurück. Vielmehr setzt es mit ihnen ein.

Nicht erst die Reflexion in Zeile 4 über eine Ambivalenz von Sein und Schein, bereits der Texteingang zeigt einen Bruch und eine veränderte Tonlage. Statt poesiehaftem Sprechen erscheint umgangssprachlicher Prosaton, wenn das Gedicht mit der distanziert-abschätzigen Verwendung des Demonstrativpronomens, wie es in der Umgangssprache üblich ist, einsetzt: »Der lag [...] am Rand«. Auch die differenzie-

rende Umstandsbeschreibung »besonders« entstammt einer nicht lyrischen Sprachverwendung. Erst danach erscheint in Zeile 2/3 poetisches Material; zur poesiebekannten Bildlichkeit der »Wimpern« (2) und »Augenschatten« (3) tritt eine spezifisch poetische Technik: nämlich das Wiederaufnehmen und Weiterspielen eines anfangs eingeführten Bildelements. In Bildprojektionen wird das »Mühelose« von Zeile 1 wiederaufgenommen im »Zufriedenen« und im »Schatten«-Bild (3). In der Bildverknüpfung entsteht aber auch ein Entgegengesetztes im Bild der »schwer« hängenden »Wimpern« und des Eingesunkenen der »Augenschatten« (2f.). Dieser Entgegensetzung in der Bildfügung korrespondiert der Kontrast in der Sprachverwendung, die poetische Sprache im alten Sinne und umgangssprachliche Prosa benutzt, sowie das in Zeile 4 eingeführte Thema des Zweifels und der Ambivalenz. – Im ganzen ist die erste Strophe von einer Technik der Verdichtung, der Engführung unterschiedlicher Ausdrucksebenen, beherrscht. Sie ist eine wesentlich poetische Technik und erzeugt ein differenziertes Kunstgefüge.
Die beiden folgenden Strophen verstärken den Abstand zum Poesiehaften, wie es die Lyriktradition seit Empfindsamkeit und Romantik gepflegt hatte. Durch Zerstückelung des Satzes in eine Reihe von Einzelpartikeln entstehen Staus anstelle von lyrischen Rhythmusbögen, durch Sprechen in Parenthese, durch begründende, argumentative Rede (6f.: »denn er störte sehr / Kolonnen, die sich drängten«), durch die rhetorische Wiederaufnahme des Satzanfangs (5/7: »Aber sein Rücken [...], dieser Rücken«), durch Reduzierung der Bildlichkeit auf die drastische Einzelmetapher (8: »roter Lappen«) sowie durch die Stilform des Lakonismus (8: »weiter nichts«) wird statt Poesie ein Prosaton erzeugt. Allein im Bereich der Komposition werden Sprechmuster aufrechterhalten, die traditionell einer lyrischen Poetik entstammen. Das zeigt sich zunächst in der Funktion des Rhythmusstaus; er bildet nach, was thematisch in der zweiten Strophe ausgedrückt wird: der »Liegende« stört und hemmt den Durchzug der sich ohnehin schon »drängenden

Kolonnen«. Das Thema wie auch der Vorgang des Abdrängens eines Störenden ist auch in der Abfolge der Bildlichkeit der Strophen 1 und 2 ausgedrückt: das Bild des Ruhenden wird verwandelt in das Bild eines Störenden. Zunächst war es poesiehaft aufgeladen (»Seine Wimpern hingen / Schwer und zufrieden in die Augenschatten«) und auch schon als ungesichert-ambivalent angedeutet worden. In Strophe 2 nun wird aus dem Vorstellungsbereich von »mühelos« – »schwer« – »zufrieden« – »schlafen« nur noch die Eigenschaft des Schweren aktualisiert und gesteigert zur Vorstellung von etwas Störendem. Die Bildtopographie verschiebt sich von »am Rand« zu »abseits« (6). Die poetische Metaphorik des Beginns wird ersetzt durch eine Bildvorstellung, die am Menschen nur noch animalische Reste von Kreatürlichkeit erkennt (»roter Lappen«). Am Strophenende dann erscheint anstelle eines Bildes allein noch ein formaler Ausdruck: im Sprachgestus »weiter nichts« ist lediglich das Moment des Abdrängens mitgeteilt; das Wahrgenommene erscheint weder als Bild noch als Empfindung.
Diese auf mehreren Ebenen ausgedrückte Bewegung von einem noch poesiehaften Zustand zu poesieloser Erfahrung spielt die dritte Strophe weiter. Sie reduziert den Bildgebrauch aufs äußerste und steigert mit dem banalen Exkremente-Bild der letzten Zeile die Entfernung von poesiehafter Bildlichkeit (»Wimpern«, »Augenschatten« – »roter Lappen« – »Pferdemist«). Die Sprache wahrt nicht nur den Prosaton, indem sie weiter Parenthesen verwendet und Bildverzicht betreibt, sie geht noch darüber hinaus, wenn sie mit dem Witzeerzählen eine Kommunikationsform zitiert, die der lyrischen gänzlich entgegengesetzt ist. Gleichwohl wird ein Interesse an der Form der poetischen Anschauung und an körperhafter Bildsinnlichkeit aufrechterhalten, wenn in Zeile 11 noch auf das Mittel der Vergleichsbildung (»wie ein Schwert«) und in Zeile 12 die konkrete Anschaulichkeit (»hartgefrorner Pferdemist«) gesucht wird.
Welche Funktion Bilder in einer neueren Lyrik, die von der Poesietradition Abstand zu gewinnen sucht, haben können,

läßt erst die Schlußstrophe erkennen: Das Bild von den Tierexkrementen wird in Zeile 13 noch einmal zur »Apfel«-Metapher poetisiert, der eine Reihe verschiedenster Bedeutungen nacheinander unterlegt werden. Es sind unterschiedliche, mögliche Evokationen. Was mit »Erde«, »Arm«, »Kreuz«, »Gott« (14 f.) jeweils an Symbolik evoziert wird, bleibt beliebig nebeneinander bestehen. Im angeschauten Bild ist keine zuverlässige Symbolisierung mehr verbürgt. Und der Sprechende bedeutet im Lakonismus »ich weiß nicht was« (15) sein Desinteresse an der Herstellung einer gesicherten Ordnung von Ausdruck und Bedeutung.
Damit scheint eine gegenüber der Tradition neue Lyrikposition erreicht zu sein, die an die Stelle von Eindeutigkeit und Vieldeutigkeit nun eine Beliebigkeit in der Symbolisierung hervorspielt. Dem korrespondiert die Form der regressiven Steigerung, die von Strophe 1 zu 4 einen Reduktionsprozeß aufbaut; die Bildlichkeit wird bis zur Farblosigkeit zurückgenommen (vom ›Dunkel‹ der »Augenschatten« zu »rot« [Str. 2], zu »gelb« [Str. 3/4], zum Farblosen des »Schnees«). Die primären Ausdrucksleistungen gehen von der bildlichen Anschauung zuletzt über auf die Form des Sprachgestus (»weiter nichts«, »ich weiß nicht was«, »da weg«). In der Reduzierung aufs Unbildliche des gestischen Affekts (»da weg«), in dem – wie noch zu zeigen ist – alle Ausdruckselemente des Gedichtes kontaminieren, wird die Veränderung gegenüber der Tradition bis an den Rand der Auflösung der lyrischen Poesie geführt. Die Gefahr der Auflösung wird indes durch einen ganz traditionellen Kunstgriff noch gebannt. Das Gedicht reaktiviert das Muster der geschlossenen Form, das hier gegen den Vorgang der Reduktion aufgeboten wird. Stilistisch entsteht eine Außenklammer der Strophen 1/4 um das Innenpaar 2/3: Mit Bildhäufung, Poetisierung, Verflüssigung des Rhythmus schließt die Schlußstrophe an die erste an; Strophe 2 und 3 dagegen bilden durch Satzgrammatik, Rhythmusstau, Prosaton, Lakonismus bzw. Witz eine Einheit. Diese Ordnungsfügung wird aber schon auf der grammatischen Ebene konterkariert und

aufgelöst, wenn der Gesamtsatz von Strophe 3 weitergespielt wird in die Schlußstrophe. Das Merkmal der unaufgehobenen Gegenläufigkeit bleibt Gehalt des Gedichts.
Insgesamt wird die Spannung des Textes zwischen Bindung an eine poesiehafte Tradition und Aufhebung der Lyrik als Gattung dadurch erzeugt, daß zum einen sprachliche Mittel verwendet werden, die den Konventionen der Lyrik entgegenstehen und sie überschreiten, nämlich: Prosaton, Umgangssprache, Argumentation, Reflexion, Witzeerzählen; Sprachgestus statt sinnlicher Anschauung im Bild. Zum anderen entsteht ein Gegengewicht, nämlich die Anbindung an Tradition, indem verschiedene Poesieformen der Lyrikgeschichte zitiert werden. Es reflektiert sich darin die Haltung eines modernen Poeta doctus, der im Zitatenspiel Traditionsformen vergegenwärtigt, um letztlich in Abwendung von ihnen ein Neues aufzubauen: Der Text erinnert an die Form des Erlebnisgedichts, das seit Goethe bis in unsere Gegenwart der vorherrschende Lyriktypus war. Es war poetische Vergegenwärtigung eines Erlebnisvorganges, der in einer Metaphernfolge, die in einem zusammenfassenden klimaktischen Zentralbild kontaminiert wird, Ausdruck fand (vgl. Goethes *An den Mond*). Höllerer selbst hat sich in einem Essay (*Wie entsteht ein Gedicht?*, abgedruckt im Anhang seines gleichnamigen Gedichtbandes von 1964) von diesem Typus distanziert; das Gedicht sei nicht Ausdruck eines biographischen Erlebnisses. Vielmehr seien unterschiedliche Erfahrungen und Wahrnehmungen in den Text eingegangen. Aber auch die Form der Komposition ist grundlegend verändert; an die Stelle einer Zentrierung aufs anschauliche Bild, in dem ein Erlebnis symbolisch wurde, tritt jetzt die Reduzierung aufs Unbildliche des gestischen Affekts. – Des weiteren ist eine symbolistische Poesiehaltung zitiert, wie sie bei Rimbaud hervortritt. Aber für eine Ästhetisierung, die das Humanitas-Bild vom Schönheitskult her zu deuten suchte, tritt hier – von Strophe 2 an – eine Reduzierung auf schiere Kreatürlichkeit ein. Darin ist eine nachsymbolistische Position reflektiert, welche insbeson-

dere in den *Morgue*-Gedichten Benns und auch Heyms hervortritt, die mit größerer Drastik als Baudelaires *Fleurs du mal* Poesie und poesielose Bilder des Häßlich-Kreatürlichen gegen die Tradition einer ›schönen‹ Literatur ausspielen und dementsprechend lyrische Affekthaltungen und Emotionen tendentiell versachlichen. Neben die Affekthaltung einer neuen Sachlichkeit tritt ein Rückgriff auf eine neue Lyrikform, der Brecht im Essay *Über reimlose Lyrik mit unregelmäßigen Rhythmen* auch theoretisch Ausdruck gegeben hat. Danach sei für eine neue Lyrik kennzeichnend, daß sie konventionelle Ausdrucksmittel wie Reim, emotional-anschauliche Bildsymbolik, regelmäßigen Rhythmus aufgibt und im Sprachgestus selbst, der als Ausdrucksform in der Umgangs- und Volkssprache gegeben sei, ein neues lyrisches Gestaltungsmittel findet.
Bezeichnend für Höllerers Gedicht ist nun, daß diese Traditionsmuster wohl zitathaft angespielt werden, daß aber keines als solches ganz übernommen wird. Das Gedicht hält sich gegen sie frei. In der zitathaften Vergegenwärtigung wird ein Zugleich von Erinnerung und Distanzierung ermöglicht. Der Gestus der Abdrängung (»da weg«) tritt also nicht allein in der thematischen, sondern auch in der ästhetischen Orientierung des Gedichts zutage.
Diese ungelöst bleibende Spannung zwischen Sicheinlassen auf Bindungen und gleichzeitige Distanzierung drückt eine Disposition aus, die über den Rahmen des Poetischen hinausweist. Obwohl das Gedicht durch das Gegeneinander von Bewegtheit und Lebendigem zu Erstarrtem und Gefrorenem bestimmt ist, gewinnt letztlich ein Abdrängen des Erstarrt-Bewegungslosen die Oberhand. Das Bewegungsprinzip als solches ist favorisiert. – Zugleich aber setzt sich eine eigentümliche Affekthaltung durch, die als rigorose Abdrängung des als störend Empfundenen, durch ein Rückhalten einer emotionalen Beteiligung charakterisiert ist. Sie hält Affekte verborgen hinter der Form des Lakonismus, der ein Nebeneinander von Empfinden und Abdrängen erlaubt.

Versachlichung, Abdrängen der Affekte und distanziertes Beteiligtsein repräsentieren eine moderne Disposition, die dem nahekommt, was Karl Mannheim als »freischwebende Intelligenz«, die ein Zugleich von Engagement und Distanzhaltung, Einbindung in die Zeit und Freisetzen dagegen erlaubt, charakterisiert hat.
Höllerer selbst hat in dem erwähnten Essay *Wie entsteht ein Gedicht?* (1964) im Anhang seines zweiten Gedichtbandes die poetologische Dimension dieses Typus beschrieben, wenn er anstelle einer Erlebnisdichtung eine Lyrik propagiert, die ursprüngliche Erlebnisse umformt zu Gebilden, die das einmalige biographische Datum des Erlebten überschreiten. In solchen Umformungen wird das ursprünglich konkret-sinnliche Erlebnis transformiert in abstraktere Strukturen von höherem Allgemeinheitsgrad. – Vor allem an den ersten Texten des Gedichtbandes von 1964 ist ablesbar, wie anstelle einer einheitlichen Anschauungssphäre eine Vielheit von disparaten Bildern tritt, die nur in der Zergliederung in verschiedene Wahrnehmungsbereiche und in stark verallgemeinerten Erfahrungsstrukturen, zumeist die Bewegungsverläufe der Wahrnehmung selbst, eine innere Einheit finden. Der nachfolgende Gedichtband *Systeme* (1969) steigert diese Ausdruckshaltung.
Das ausgewählte, 1952 erstmals gedruckte Gedicht hat in Höllerers lyrischem Werk eine Mittlerrolle. Nicht von ungefähr steht es in der Edition von 1964 an zentraler Stelle; es ist das sechzehnte von zweiunddreißig Gedichten. Wie sehr ihm eine besondere Rolle zukommt, mag der Autor bedacht haben, als er es aus der Ausgabe von 1952 übernommen hat. Dort erscheint es wie das Einleitungsgedicht (*O sieh den roten Mohn, erschrick*), das den Schock im modernen Augenblickserlebnis thematisiert, wie auch das Gedicht *Jetzt gehts nach Süden zu*, das die Spielelemente von Poesie hervorkehrt, doch recht einzigartig. Es weist deutlich über die anderen Texte hinaus, die noch im Rahmen einer symbolistischen Sinnlichkeit verbleiben und auch an Formtraditionen, wie etwa die der Ode, anschließen.

Höllerers Poetik hat unausgesprochen eine Verbindung zu Kunsttheorien entwickelt, die im Umkreis des Neukantianismus entstanden sind. Jan Mukařovský etwa erklärt die eigentümliche Leistung der Kunst daraus, daß sie die Ordnung der empirischen (praktischen) Welt verändere, indem sie die abgebildeten ›Dinge‹ hinsichtlich Anordnung, Gewichtung und Intensität neu strukturiere. Die besondere Leistung der Kunst sei nicht inhaltlich, sondern instrumentell: sie mache eine Zusammenhangsfügung wahrnehmbar, die sich von den ›automatisierten‹ oder eingespielten und darum weniger deutlichen Wahrnehmungsweisen des praktischen Lebens abhebe und damit die Zeiteinbindung lokkere. – Wenn sich also zeigen läßt, daß sozialpsychologische Disposition der »freischwebenden Intelligenz« und instrumentelle anstelle von Inhalts-Ästhetik verschränkt sind mit der von Höllerer vertretenen Poetik der Transformation, dann wird ein Rückbezug auf Ausdrucksformen vor allem der zwanziger/dreißiger Jahre offensichtlich. Es handelt sich um einen notwendig gewordenen Versuch, an eine unterbrochene Tradition anzuknüpfen: Das Zitieren von Lyriktraditionen zeigt in der Tat, daß gedichtimmanent bewußt wieder auf Traditionsmuster reflektiert wird, die im Nationalsozialismus eliminiert worden waren und nach Kriegsende erst zögernd erinnert wurden. Das Gedicht verweist jedoch in einem noch umfassenderen Sinne auf einen allgemeinen Erfahrungsstand nach dem Kriege: Es erinnert an Möglichkeiten der literarischen Vergangenheit und zeigt, wie sie nicht weiterbestehen können. Es baut Distanz zu Tradition und Geschichte auf, ohne von ihnen freizukommen. Es zeigt humanistisches Menschenbild, Transzendenzbindung und geschlossen-ganzheitliche Ordnungsfügungen zerstört. Die disparaten Einzelglieder fügen sich kaum noch zu einer Synthesis zusammen, es sei denn im Gestus des Abdrängens und des Abschieds. Die Kunst zielt hier nicht mehr auf Utopie.

Im Gedicht spiegeln sich Erfahrungen und Verhaltensmuster der Nachkriegszeit noch allgemeiner: Distanzierungsakte gegenüber der Vergangenheit waren allerorten Pflichtkür, ernster Erneuerungswille machte selbst vor der Idee eines literarisch-kulturellen »Kahlschlags« (Weyrauch) nicht halt. Höllerers Gedicht dagegen sucht noch eine Vergegenwärtigung der zerstörten Lebenszusammenhänge. Es versucht noch »Trauerarbeit« (Freud). Aber die Tendenz zur Versachlichung, zur Affektabwehr, zur Neukonstruktion ohne inhaltliche Perspektivierung eines Zukünftigen binden seine Ausdruckshaltung in den zeitgenössischen Erfahrungsstand ein: Verweise auf Neues meinen dort nur den Neuaufbau als solchen; das kritisch-schöpferische Vermögen ist dort eingebracht als Kritik der Vergangenheit, und die Selbstkritik tritt an die Stelle des Utopie-Entwurfs. Verbreitung und hoher Bekanntheitsgrad, der Erfolg des Gedichts bei der Leserschaft scheinen sich aus seinem hohen Identifikationsangebot zu erklären: Verlust von Ganzheit, Reduzierung der Sinnlichkeit und zunehmende Abstraktheit der Zusammenhangserfahrung reflektieren Dispositionen und Erfahrungsmuster der Nachkriegszeit. Im Gedicht *Der lag besonders mühelos am Rand* ist mit hohem Aufwand an künstlerischer Ausdrucksverdichtung in der Gestalt der zerstörten Poesie das Bild eines »beschädigten Lebens« (Adorno) symbolisiert.

Zitierte Literatur: Theodor W. Adorno: Minima Moralia. Reflexionen aus dem beschädigten Leben. Frankfurt a. M. 1951. – Bertolt Brecht: Über reimlose Lyrik mit unregelmäßigen Rhythmen. In: B. B.: Gesammelte Werke. Frankfurt a. M. 1967. Bd. 19. S. 395–404. – Sigmund Freud: Trauer und Melancholie. In: S. F.: Studienausgabe. Frankfurt a. M. 1969 ff. Bd. 3. 1975. S. 197–212. – Karl Mannheim: Ideologie und Utopie. Frankfurt a. M. [5]1969. – Jan Mukařovský: Kapitel aus der Ästhetik. Frankfurt a. M. 1970.

Autorenregister

Lyrik-Ausgaben

IN RECLAMS UNIVERSAL-BIBLIOTHEK

Deutsche Literatur · Eine Auswahl

Anthologien

Deutsche Arbeiterdichtung 1910–1933. 9700 [5]
Deutsche Balladen. 8501 [7]
Deutsche Gedichte. 8012 [4]
Deutsche Gedichte 1930–1960. 7914 [5] (auch geb.)
Deutsche Gedichte der sechziger Jahre. 8211 [4]
Deutsche Großstadtlyrik. 9448 [7]
Deutsche Liebeslyrik. 7759 [5] (auch geb.)
Deutsche Lyrik-Parodien. 7975 [4] (auch geb.)
Deutscher Minnesang (1150–1300). 7857 [2]
Deutsche Sonette. 9934 [6] (auch geb.)
Deutsche Unsinnspoesie. 9890 [5]
Gedichte des Barock. 9975 [5]
Gedichte des Expressionismus. 8726 [3]
Gedichte der Romantik. 8230 [5] (auch geb.)
Der Göttinger Hain. 8789 [5]
»Komm, heilige Melancholie«. 7984 [7] (auch geb.)
Konkrete Poesie. 9350 [2]
Lateinische Gedichte deutscher Humanisten. Zweispr. 8739 [7]
Lyrik des Exils. 8089 [6]
Lyrik des Jugendstils. 8928
Lyrik des Naturalismus. 7807 [3]
Lyrik für Leser. 9976 [2]
Meistersang. 8977 [2]
Moderne deutsche Naturlyrik. 9969 [5]

Einzelausgaben

Angelus Silesius: *Cherubinischer Wandersmann.* 8006 [5]
Brentano, Clemens: *Gedichte.* 8669
Brockes, Barthold Heinrich: *Irdisches Vergnügen in Gott.* 2015
Bürger, Gottfried August: *Gedichte.* 227
Chamisso, Adelbert v.: *Gedichte und Versgeschichten.* 313 [2]
Claudius, Matthias: *Aus dem Wandsbecker Boten.* 7550
Domin, Hilde: *Abel steh auf.* 9955

Droste-Hülshoff, Annette v.: *Gedichte.* 7662 [2]
Eichendorff, Joseph v.: *Gedichte.* 7925 [2]
Enzensberger, Hans Magnus: *Dreiunddreißig Gedichte.* 7674
Fleming, Paul: *Deutsche Gedichte.* 2455 [2]
Freiligrath, Ferdinand: *Gedichte.* 4911 [2]
Friedrich von Hausen: *Lieder.* Zweispr. 8023 [3]
George, Stefan: *Gedichte.* 8444
Goethe, Johann Wolfgang: *Gedichte.* 6782 [3]
Goll, Yvan: *Ausgew. Gedichte.* 8671
Gomringer, Eugen: *konstellationen.* 9841 [2]
Grass, Günter: *Gedichte.* 8060
Grillparzer, Franz: *Gedichte.* 4401 [2]
Gryphius, Andreas: *Gedichte.* 8799 [2]
Günther, Johann Christian: *Gedichte.* 1295 [2]
Haller, Albrecht v.: *Die Alpen und andere Gedichte.* 8963 [2]
Hartmann von Aue: *Lieder.* Zweispr. 8082 [2]
Hebbel, Friedrich: *Gedichte.* 3231
Hebel, Johann Peter: *Alemannische Gedichte.* Zweispr. 8294 [3]
Heine, Heinrich: *Gedichte.* 8988 [2]
Heinrich von Morungen: *Lieder.* Zweispr. 9797 [4]
Herwegh, Georg: *Gedichte und Prosa.* 5341 [2]
Heym, Georg: *Dichtungen.* 8903
Hille, Peter: *Neue Welten.* 5101
Hölderlin, Friedrich: *Gedichte.* 6266 [3]
Hofmann v. Hofmannswaldau, Christian: *Gedichte.* 8889 [2]
Holz, Arno: *Phantasus.* 8549 [2]
Jandl, Ernst: *Laut und Luise.* 9823 [2] – *Sprechblasen.* 9940
Kästner, Erich: *Gedichte.* 8373 [2]
Karschin, Anna Louisa: *Gedichte und Lebenszeugnisse.* 8374 [2]
Kiwus, Karin: *39 Gedichte.* 7722
Kleist, Ewald Christian v.: *Sämtliche Werke.* 211 [4]
Klopstock, Friedrich Gottlieb: *Oden.* 1391 [2]
Krolow, Karl: *Gedichte und poetologische Texte.* 8074
Kuhlmann, Quirinus: *Der Kühlpsalter.* (Ausw.) 9422 [5]
Kunert, Günter: *Gedichte.* 8380
Lehmann, Wilhelm: *Gedichte.* 8255
Lenau, Nikolaus: *Gedichte.* 1449
Lenz, Jakob Michael Reinhold: *Gedichte.* 8582
Lessing, Gotthold Ephraim: *Sämtliche Gedichte.* 28 [5]
Die Lieder des Archipoeta. Zweispr. 8942
Liliencron, Detlev v.: *Gedichte.* 7694 [2]
Logau, Friedrich v.: *Sinngedichte.* 706 [4]

Mayröcker, Friederike: *Das Anheben der Arme bei Feuersglut.* 8236
Meckel, Christoph: *Verschiedene Tätigkeiten.* 9378
Meyer, C. F.: *Gedichte.* 6941 – *Sämtliche Gedichte.* 9885 [3]
Mörike, Eduard: *Gedichte.* 7661 [2]
Mombert, Alfred: *Gedichte.* 8760
Morgenstern, Christian: *Galgenlieder u. a.* 9879 [2]
Mühsam, Erich: *Trotz allem Mensch sein.* 8238 [2]
Neidhart von Reuental: *Lieder.* Zweispr. 6927 [2]
Nietzsche, Friedrich: *Gedichte.* 7117 [2]
Novalis: *Gedichte. Die Lehrlinge zu Sais.* 7991 [4]
Opitz, Martin: *Gedichte.* 361 [3]
Platen, August v.: *Gedichte.* 291 [2]
Rilke, Rainer Maria: *Gedichte.* 8291
Roth, Eugen: *Menschliches in Scherz und Ernst.* 7486
Rückert, Friedrich: *Gedichte.* 3671
Schiller, Friedrich: *Gedichte.* 7714 [2]
Schubart, Christian Friedrich Daniel: *Gedichte.* 1821 [2]
Spee, Friedrich: *Trvtz-Nachtigal.* 2596 [4]
Stadler, Ernst: *Der Aufbruch und ausgewählte Gedichte.* 8528
Stieler, Kaspar: *Die geharnschte Venus.* 7932 [3]
Storm, Theodor: *Gedichte.* 6080 [2]
Stramm, August: *Dramen und Gedichte.* 9929
Trakl, Georg: *Werke – Entwürfe – Briefe.* 8251 [4] (auch geb.)
Uhland, Ludwig: *Gedichte.* 3021
Vesper, Guntram: *Landeinwärts.* 8037
Voss, Johann Heinrich: *Idyllen und Gedichte.* 2332
Weckherlin, Georg Rodolf: *Gedichte.* 9358 [4]
Weerth, Georg: *Gedichte.* 9807 [2]
Wolkenstein, Oswald v.: *Lieder.* Zweispr. 2839 [2]

Gedichte und Interpretationen

Bd. 1: Renaissance und Barock. 7890 [5]
Bd. 2: Aufklärung und Sturm und Drang. 7891 [5]
Bd. 3: Klassik und Romantik. 7892 [5]
Bd. 4: Vom Biedermeier zum Bürgerlichen Realismus. 7893 [5]
Bd. 5: Vom Naturalismus bis zur Jahrhundertmitte. 7894 [5]
Bd. 6: Gegenwart. 7895 [5]

Philipp Reclam jun. Stuttgart

Geschichte der deutschen Literatur von den Anfängen bis zur Gegenwart

Bd. V: Vom Jugendstil zum Expressionismus

Von Herbert Lehnert. 1100 Seiten. Mit 80 Abbildungen.

»Das Zeitalter vor den Kriegen wurde durch die Kunst *bestimmt*, von ihr aus drangen die Probleme in die Zeit, aus ihr *ergaben* sich die Probleme«, schrieb Gottfried Benn 1942 an F. W. Oelze. Dies ist gleichsam das Stichwort für die literarische Epoche zwischen 1890 und 1918, die Herbert Lehnert hier im Rahmen der Reclam-Literaturgeschichte behandelt.
Sie beginnt mit dem Ruf nach dem starken freien Leben. Vitalismus und ästhetischer Sinn verbinden sich im Jugendstil. Große Künstlerfiguren wie George, Hofmannsthal und Rilke erringen Geltung. Originalität und Qualität werden zu Prinzipien erhoben in einer Welt der Massengesellschaft, der Großstädte, der Industrialisierung und der sozialen Zwänge. Die Brüder Thomas und Heinrich Mann nehmen die Antinomien auf. In den Spannungen zwischen Bürger und Antibürgertum entsteht die Welt des 20. Jahrhunderts. Die Söhne eines Zeitalters bürgerlicher Sicherheit wollen ihre Erneuerungshoffnungen und eine »Umwertung aller Werte« in die Wirklichkeit tragen. Doch ihre Vorstellungen von einer Freiheit durch Literatur zerbrechen im Ersten Weltkrieg, das Alternativbewußtsein einer gebildeten Oberschicht gerät in den Strudel vom Ende des Kaiserreiches.
Herbert Lehnert stellt diese unvergleichlich reichhaltige und vielfältige Epoche, einsetzend bei Wedekind, schließend mit Kafka und dem Dadaismus, als ein faszinierendes Gemälde des Geistes und der Kultur dar. Er arbeitet einerseits ganz aus den literarischen Quellen, bezieht die Werke auch kleinerer Talente ein, verfolgt die Geschichte von Zeitschriften und Bühnen und kommt andererseits zu großen thematischen Zusammenfassungen. Inhaltsreferate und Interpretationen sind zahlreich, und doch ist der Band mehr als ein Werk zum Nachschlagen, er will als ein historiographischer Wurf gelesen werden: ein Buch von großer Originalität und Selbständigkeit und endlich eine Literaturgeschichte der Jahre 1890 bis 1918, die einmal die volle Breite der literarischen Produktion zeigt.

Philipp Reclam jun. Stuttgart